A Estratégia
e o Cenário dos Negócios

G412e   Ghemawat, Pankaj
              A estratégia e o cenário dos negócios: texto e casos / Pankaj Ghemawat; trad.
         Nivaldo Montingelli Jr. – Porto Alegre: Bookman, 2000.

              1. Administração. I. Título

                              CDU 65.012

Catalogação na publicação: Mônica Ballejo Canto – CRB 10/1023

ISBN 85-7307-653-4

Pankaj Ghemawat

Harvard Business School

A Estratégia
e o Cenário dos Negócios

Texto e Casos

Colaboradores

David J. Collis, Gary P. Pisano
& Jan W. Rivkin

Tradução:
NIVALDO MONTINGELLI JR.

Consultoria, supervisão e revisão técnica desta edição:
TENIZA DA SILVEIRA
Mestre em Administração de Empresas pela UFRGS.
Coordenadora do Curso de Mestrado em Administração da UNISINOS.

Reimpressão 2004

Bookman

PORTO ALEGRE / 2000

Obra originalmente publicada sob o título
Strategy and the business landscape
© Addison Wesley Longman, 1999
Publicado conforme acordo com a editora original,
Addison Wesley Longman, uma empresa da Pearson Education

ISBN 0-201-35729-1

C R É D I T O S

Quadro3.4: Reimpresso com a permissão de The Free Press, uma divisão de Simon & Schuster, de COMPETITIVE STRATEGY: Techniques for Analyzing Industries and Competitors, de Michael E. Porter. Copyright © 1980 de The Free Press. **Quadro 4.3** Reimpresso com a permissão de The Free Press, uma divisão de Simon & Schuster, de COMMITMENT, de Pankaj Ghemawat. Copyright © 1991de The Free Press. **Quadro 5.1:** Reimpresso com a permissão de Harvard Business Review: Southwest Airlines Activity System, p. 73. De "What is Strategy?", de Michael E. Porter, Nov.-Dez. de 1996. Copyright © 1996 de The President and Fellows do Harvard College, todos os direitos reservados. **Quadro 5.4:** James L. Heskett, "Establishing Strategic Direction: Aligning Elements of Strategy", Caso 388-033. Boston: Harvard Business School, 1987, p. 4. Reimpresso com permissão.

Capa:
FLÁVIO WILD (MACCHINA)

Preparação do original:
RAUL RUBENICH
DENISE NOWACZYK

Supervisão editorial:
ARYSINHA JACQUES AFFONSO

Editoração eletrônica:
GRAFLINE EDITORA GRÁFICA

Reservados todos os direitos de publicação, em língua portuguesa, à
ARTMED® EDITORA S.A.
(BOOKMAN COMPANHIA EDITORA® é uma divisão da Artmed Editora® S.A.)
Av. Jerônimo de Ornelas, 670 - Santana
90040-340 Porto Alegre RS
Fones (51) 3330-3444 Fax (51) 3330-2378

SAC 0800 703-3444

SÃO PAULO
Av. Rebouças, 1073 - Jardins
05401-150 São Paulo SP
Fones: (11) 3085-7270 / 3085-4762 / 3085-5368 / 3062-9544

IMPRESSO NO BRASIL
PRINTED IN BRAZIL

Para meus colegas e alunos

Sobre o Autor

Pankaj Ghemawat é professor de Administração de Negócios na Graduate School of Business Administration da Harvard University. Depois de receber seu Ph.D. em Harvard, trabalhou como consultor na McKinsey & Company em Londres, em 1982 e 1983, e, desde então, tem lecionado na Harvard. Em 1991, Ghemawat foi o mais jovem professor titular nomeado na história da escola. Entre 1995 e 1998, dirigiu a disciplina de Concorrência e Estratégia.

Entre outras publicações do professor Ghemawat estão *Commitment* (Free Press, 1991) e *Game Businesses Play* (MIT Press, 1997), bem como dezenas de artigos e estudos de casos. Atualmente, ele dirige o programa de doutorado em Business Economics da Harvard University e é membro dos conselhos editoriais do *Journal of Economics and Management Strategy*, do *Strategic Management Journal* e do *Journal of Management and Governance*.

Prefácio

Este livro nasceu da minha experiência, ao longo dos quatro últimos anos, lecionando e dirigindo a disciplina de Concorrência e Estratégia da Harvard Business School. Meus colegas e eu estávamos insatisfeitos com os livros-texto de estratégia disponíveis e não queríamos indicar uma mistura de capítulos de livros e artigos para substituí-los. Em conseqüência disso, em conjunto com alguns deles, comecei a escrever notas conceituais para nossos alunos. Essas notas, desde então, revisadas várias vezes, constituem o núcleo deste livro.

A Estratégia e o Cenário dos Negócios tem várias características que o distinguem.

Em primeiro lugar, oferece uma perspectiva histórica do campo da estratégia. Esta abordagem tem várias vantagens. Evita a imposição de uma definição arbitrária de estratégia ao leitor. A identificação de mudanças em concepções de estratégia também ajuda a vislumbrar padrões no que poderia parecer apenas uma mistura de idéias. A compreensão da história do campo de estudo pode ajudar na seleção de novas idéias — algumas boas, outras más — a respeito de estratégia.

Em segundo lugar, este livro procura ser, ao mesmo tempo, contemporâneo e fundamentado na história. Assim, o Capítulo 2 começa revendo trabalhos anteriores sobre análise ambiental, em particular a influente estrutura de "cinco forças" de Michael Porter (que é prática-padrão), mas prossegue discutindo modos de pensar mais novos a respeito do cenário dos negócios (que não são prática-padrão). O Capítulo 3 segue uma linha de desenvolvimento paralela, começando com os trabalhos anteriores sobre posicionamento competitivo, mas culminando com as concepções mais recentes de valor adicionado e cenários desiguais. Os Capítulos 4 e 5 tratam de questões dinâmicas — a sustentabilidade da *performance* superior e os papéis instrumentais de competências e compromissos — das quais a maioria dos estrategistas só começou a tratar a partir de meados dos anos 80.

Em terceiro lugar, este livro usa uma lógica centrada na empresa e baseada em valor para construir alguns dos grandes debates a respeito de estratégia. Ele aborda o debate entre o foco externo e o foco interno, concentrando-se na empresa em relação ao seu ambiente, ajudado pela visão do cenário dos negócios. O debate concorrência *versus* cooperação é levado até o reconhecimento de que ambos os tipos de relacionamento afetam o valor agregado de uma empresa, bem como sua capacidade para sustentar e apropriar parte desse valor ao longo do tempo. E o debate sobre as visões da empresa, de atividade-sistema *versus* visão baseada em recursos, é tratado no Capítulo 5, que enfatiza a complementaridade dessas duas perspectivas sobre estratégia e também a maneira pela qual elas precisam ser ampliadas.

Em quarto lugar, este livro procura ser, ao mesmo tempo, prático e rigoroso. Os conceitos-chave são expostos de forma sucinta (mas com sugestões para leitura adicional nas notas). Eles são ilustrados com exemplos, muitas vezes extraídos de trabalho de consultoria. Além disso, o processo de aplicação desses conceitos a situações da vida real é mostrado com detalhes.

Em quinto lugar, este livro contém um conjunto de casos da Harvard Business School que ilustram, aprofundam e ampliam ainda mais os conceitos desenvolvidos nos Capítulos de 1 a 5. Foram incluídos materiais já testados e outros, mais atuais, que parecem promissores. São casos exemplares, que podem ser complementados com outros conforme a necessidade. O estudo de uma série de casos é importante para a internalização dos conceitos de estratégia.

Finalmente, o livro focaliza a estratégia no nível da unidade negócio, em vez de no nível corporativo. Embora as estratégias nos níveis corporativo e de negócio tenham muitos pontos em comum, diferenças significativas são evidentes em muitas questões gerenciais. Além disso, a estratégia corporativa tem menor relevância para a maioria dos alunos de M.B.A.* que estão fazendo o curso introdutório de estratégia. Há, obviamente, bons textos sobre estratégia corporativa que podem ser recomendados, em conjunto com este livro, para um curso cujo escopo se estenda a questões nos níveis corporativo e também da unidade de negócio.

Teria sido impossível preparar este livro sem o auxílio e o apoio de várias pessoas diferentes. Minha dívida mais óbvia é com meus co-autores em alguns capítulos — David J. Collis, Gary P. Pisano e Jan W. Rivkin. Cada um deles levou o capítulo no qual se envolveu a um novo nível. Cada um também deu suas opiniões sobre outros capítulos do livro, embora não se deva presumir que tenha concordado inteiramente com o produto final. Eu também gostaria de agradecer aos autores e supervisores dos casos aqui incluídos.

Tenho também uma grande dívida para com os outros colegas com quem ministrei a disciplina de Concorrência e Estratégia em Harvard, em particular aqueles do grupo docente da primavera de 1998. Todos estimularam e aguçaram meu modo de pensar a respeito de estratégia de negócios, e alguns fizeram comentários sobre os rascunhos iniciais dos capítulos deste livro. Sou especialmente grato a Adam Brandenburger por ajudar a me educar a respeito de várias das idéias-chave deste livro, além de ler e comentar alguns dos rascunhos de capítulos.

Tenho outra dívida muito importante com os alunos da disciplina de Concorrência e Estratégia, fonte inestimável de opiniões sobre versões iniciais dos capítulos. Sua perspectiva sobre o que funcionava ou não ajudou muito na reorganização e no aperfeiçoamento deste texto.

Além disso, agradeço aos revisores por sua orientação:

Ralph Biggadike, Columbia University
Tina Dacin, Texas A&M University
Daniel E. Levinthal, Harvard Business School
Joseph T. Mahoney, University of Illinois at Urbana-Champaign
George Puia, Indiana State University
John A. Seeger, Bentley College
Mark Shanley, Northwestern University
Todd Zenger, Washington University

---

*N. de R. *Master of Business Administration,* título equivalente, no Brasil, ao Mestrado em Administração de Empresas.

Finalmente, sou muito grato aos membros da equipe formada pela Addison Wesley Longman por seu paciente apoio a este projeto quando eu insistia em revisar os capítulos "pela última vez"; aos meus pesquisadores, Bret Baird e Courtenay Sprague, que me ajudaram a levar esta obra à sua conclusão; à minha excepcionalmente competente assessora Sharilyn Steketee, que tornou o processo o menos doloroso possível; e à minha esposa, Anuradha Mitra Ghemawat. Muito obrigado a todos.

Pankaj Ghemawat

Sumário

CAPÍTULO 1

As Origens da Estratégia

Se quisermos elevar o rendimento de cereais em determinado campo e a análise mostra que o solo carece de potassa, pode-se dizer que este é o fator estratégico (ou limitante).

— Chester I. Barnard

O termo "estratégia" . . . pretende focalizar a interdependência das decisões dos adversários e de suas expectativas a respeito do comportamento de uns e de outros.

— Thomas C. Schelling

A estratégia pode ser definida como a determinação das metas e de objetivos básicos a longo prazo de uma empresa bem como da adoção de cursos de ação e a alocação dos recursos necessários à consecução dessas metas.

— Alfred D. Chandler, Jr.

Este capítulo revê a história do pensamento estratégico a respeito de negócios durante a década de 70. A perspectiva histórica, que é mantida em todo este livro, é atraente por, no mínimo, três razões:

- A despeito de tentativas criteriosas ao longo das décadas para se definir "estratégia" (ver as citações no início deste capítulo), muitos manifestos continuam a surgir pretendendo redefinir o termo.[1] Portanto, seria idiossincrático começar jogando mais uma definição sobre essa pilha. O exame da história das idéias e práticas estratégicas constitui uma abordagem menos arbitrária do estudo de estratégia.
- A perspectiva histórica organiza as concepções mutáveis de estratégia vislumbradas ou desenvolvidas pelos participantes desta área — acadêmicos, gerentes e consultores —, permitindo que identifiquemos padrões naquilo que poderia parecer uma mistura caótica de idéias. Padrões deste tipo estão evidentes em todos os capítulos deste livro: evolução em conjunto com o ambiente, o desenvolvimento e a difusão de determinados paradigmas estratégicos, mudanças de paradigmas, reciclagem de idéias anteriores e assim por diante.
- De forma mais ambiciosa, a idéia de dependência do caminho (um dos pontos de encontro dos estrategistas acadêmicos desde meados dos anos 80) sugere que a compreensão da história das idéias a respeito de estratégia é essencial para se ter uma noção mais informada de para onde elas poderão ir no futuro. Este ponto é desenvolvido no último capítulo deste livro.

Neste capítulo, discutimos brevemente as origens das idéias estratégicas. Começamos com alguns antecedentes, inclusive militares, e depois passamos a discutir idéias a respeito de estratégia que foram desenvolvidas e disseminadas por acadêmicos e consultores nos anos 60 e início dos 70. Concluímos revendo a insatisfação com o estado deste campo de estudos que se havia desenvolvido na segunda metade dos anos 70. Em particular, o subdesenvolvimento de dois componentes básicos de técnicas populares para o planejamento de portfólios — atratividade ambiental e posicionamento competitivo — preparou o cenário para grande parte do trabalho subseqüente sobre esses tópicos, que é discutido respectivamente nos Capítulos 2 e 3. Os Capítulos 4 e 5 tratam da outra fraqueza do planejamento de portfólios enfatizando a dimensão dinâmica do pensamento estratégico.

ANTECEDENTES

"Estratégia" é um termo criado pelos antigos gregos, que para eles significava um magistrado ou comandante-chefe militar. Ao longo dos dois milênios seguintes, refinamentos do conceito de estratégia continuaram a focalizar interpretações militares. A tentativa de síntese de Carl von Clausewitz na primeira metade do século XIX é um exemplo particularmente notável: ele escreveu que, enquanto "táticas . . . (envolvem) o uso de forças armadas na batalha, estratégia (é) o uso de batalhas para o objetivo da guerra".[2] Entretanto, a adaptação da terminologia estratégica a um contexto de negócios precisou esperar até a Segunda Revolução Industrial, a qual começou na segunda metade do século XIX, mas decolou de fato somente no século XX.[3]

A Primeira Revolução Industrial (que se estendeu de meados do século XVIII até meados do século XIX) não produziu muito em termos de pensamento ou comportamento estratégico. Este fracasso pode ser atribuído ao fato de, apesar de tratar-se de um período marcado por intensa concorrência entre as empresas industriais, praticamente nenhuma delas tinha poder para influenciar os resultados do mercado de forma significativa. Como a Primeira Revolução Industrial foi, em grande parte, movida pelo desenvolvimento do comércio internacional de umas poucas *commodities* (em especial, o algodão), as empresas, em sua maioria, tendiam a permanecer pequenas e empregar o mínimo possível de capital fixo. Os mercados caóticos daquela era levaram economistas como Adam Smith a descrever as forças do mercado como uma "mão invisível" que permanecia, em grande parte, além do controle das empresas individualmente. Como os "açougueiros, padeiros e fabricantes de velas" do sistema medieval de guildas, as pequenas empresas industriais e comerciais da época precisavam de pouca ou nenhuma estratégia em qualquer dos sentidos descritos nas citações do início deste capítulo.

A Segunda Revolução Industrial, que começou na segunda metade do século XIX nos Estados Unidos, viu a emergência da estratégia como forma de moldar as forças do mercado e afetar o ambiente competitivo. Nos Estados Unidos, a construção de ferrovias-chave depois de 1850 tornou possível, pela primeira vez, a formação de mercados de massa. Juntamente com o acesso mais fácil ao capital e ao crédito, os mercados de massa encorajaram grandes investimentos para explorar economias de escala na produção e economias de escopo na distribuição. Em algumas indústrias de capital intensivo, a "mão invisível" de Adam Smith veio a ser suplementada por aquilo que Alfred D. Chandler, Jr., um famoso historiador, chamou de "mão visível" dos gerentes profissionais. No final do século XIX, começou a emergir um novo tipo de empresa, primeiro nos Estados Unidos e a seguir na Europa: a grande empresa verticalmente integrada que investia pesadamente em manufatura e *marketing* e em hierarquias gerenciais para coordenar essas funções. Com o tempo, as maiores dessas empresas começaram a alterar o ambiente competitivo em suas indústrias e até mesmo a ultrapassar limites entre indústrias.[4]

A necessidade do pensamento estratégico de forma explícita foi articulada pela primeira vez por gerentes de alto nível dessas empresas. Por exemplo, Alfred Sloan, o executivo principal da General Motors de 1923 a 1946, criou uma estratégia bem-sucedida baseada nas forças e fraquezas identificadas da maior concorrente da sua empresa, a Ford Motor Company, e colocou-a no papel depois de aposentado.[5] Na década de 30, Chester Barnard, um alto executivo da New Jersey Bell, afirmou que os gerentes deveriam prestar muita atenção aos "fatores estratégicos" que dependem de "ações pessoais ou organizacionais".[6]

A II Guerra Mundial forneceu um estímulo vital ao pensamento estratégico nos domínios empresarial e militar, porque tornou agudo o problema da alocação de recursos escassos em toda a economia. Novas técnicas de pesquisa operacional (p. ex., programação linear) foram criadas, abrindo caminho para o uso de análise quantitativa no planejamento estratégico formal. Em 1944, John von Neumann e Oskar Morgenstern publicaram sua obra clássica *The Theory of Games and Economic Behavior*, a qual resolveu o problema dos jogos de soma zero (em sua maioria militares, de uma perspectiva agregada) e estruturaram as questões em torno dos jogos de soma não-nula (em sua maioria situações de negócios, as quais serão vistas nesses termos no Capítulo 4). Também o conceito de "curva de aprendizado" tornou-se um instrumento de planejamento cada vez mais importante. A curva de aprendizado foi descoberta na indústria aeronáutica militar nos anos 20, quando os fabricantes se deram conta de que os custos de mão-de-obra direta tendiam a decrescer por uma percentagem constante quando dobrava a quantidade de aviões produzidos. Esses efeitos do aprendizado figuravam de forma destacada nos esforços de planejamento da produção em tempo de guerra.

As experiências durante a guerra encorajaram não só o desenvolvimento de novos instrumentos e técnicas, mas também, na visão de alguns observadores, o uso do pensamento estratégico formal para guiar as decisões gerenciais. Peter Drucker, escrevendo a respeito desse período, afirmou que "gerenciar não é um comportamento apenas passivo e adaptativo; é tomar providências para que ocorram os resultados desejados". Observou que a teoria econômica havia, por muito tempo, tratado os mercados como forças impessoais, fora do controle de indivíduos e organizações. Na era das grandes corporações, porém, gerenciar "significa responsabilidade para procurar moldar o ambiente econômico, para planejar, iniciar e executar mudanças nesse ambiente, para neutralizar constantemente as limitações de circunstâncias econômicas sobre a liberdade de ação da empresa".[7] Este critério tornou-se a base lógica determinante para a estratégia de negócios — isto é, usando conscientemente o planejamento formal, uma empresa poderia exercer algum controle positivo sobre as forças do mercado.

Entretanto, esses discernimentos sobre a natureza da estratégia pareciam estar inaproveitados durante os anos 50. Nos Estados Unidos, o racionamento ou a suspensão da produção durante a II Guerra Mundial combinou-se com altos níveis de poupança privada para criar um excesso de demanda para muitos produtos. A Guerra da Coréia deu um impulso adicional à demanda. A Europa e o Japão experimentaram desarticulações ainda mais severas no pós-guerra, as quais levaram ao maior controle, pelo governo, daquilo que Lenin havia chamado de "alturas dominantes" de uma economia: suas indústrias e empresas-chave. Aumentos semelhantes de controle governamental, em oposição à confiança nas forças de mercado, foram observados em países mais pobres, inclusive muitos dos novos que emergiram com o fim do colonialismo.[8]

Uma ponte mais direta para o desenvolvimento de conceitos estratégicos para aplicações em negócios foi propiciada pela concorrência entre as forças armadas americanas depois da II Guerra Mundial. Naquele período, os líderes militares começaram a debater quais arranjos melhor protegeriam uma competição legítima entre as diversas armas, mantendo a necessária integração de planejamento estratégico e tático. Muitos afirmaram que Exército, Marinha, Fuzileiros Navais e Força

Aérea seriam mais eficientes se fossem reunidos numa única organização. Quando o debate se acalorou, Philip Selznick, um sociólogo, observou que o Departamento da Marinha "emergiu como o defensor de valores institucionais sutis e tentou muitas vezes formular as características distintivas das várias armas". Em essência, "os porta-vozes da Marinha procuravam fazer a distinção entre o Exército como uma organização de 'mão-de-obra' e a Marinha como um sistema perfeitamente ajustado de aptidões técnicas de engenharia — uma organização 'centrada em máquinas'. Diante daquilo que considerava uma ameaça mortal, a Marinha tornou-se altamente consciente a respeito da sua competência distintiva".[9] O conceito de "competência distintiva" teve grande ressonância para a administração estratégica, como veremos.

FUNDAMENTOS ACADÊMICOS

Economistas eminentes produziram alguns dos primeiros ensaios acadêmicos a respeito de estratégia. Por exemplo, John Commons, um institucionalista, escreveu, em seu livro de 1934, sobre o foco das empresas em fatores *estratégicos* ou limitadores de uma forma que foi assimilada, alguns anos depois — com o exemplo da potassa, entre outros, — por Chester Barnard (ver a primeira citação no início deste capítulo).[10] Ronald Coase, que poderia ser considerado o primeiro economista organizacional, publicou um artigo provocante em 1937 que perguntava por que as empresas existem — artigo que continua a ser citado seis décadas mais tarde, e rendeu um Prêmio Nobel ao seu autor.[11] Joseph Schumpeter, um tecnólogo, discutiu em seu livro de 1942 a idéia de que a estratégia de negócios abrangia muito mais que a fixação de preços contemplada na microeconomia ortodoxa.[12] E um livro publicado em 1959 por Edith Penrose mencionou de forma explícita o crescimento das empresas com relação aos recursos sob o controle das mesmas e à estrutura administrativa usada para coordenar seu uso.[13] Porém, de modo geral, os economistas tiveram muito menos impacto direto sobre a evolução inicial do pensamento acadêmico a respeito de estratégia de negócios do que os acadêmicos das escolas de administração.

A Segunda Revolução Industrial testemunhou a fundação de muitas escolas de administração de elite nos Estados Unidos, começando com a Wharton School em 1881. A Harvard Business School, fundada em 1908, foi uma das primeiras a promover a idéia de que os gerentes deveriam ser treinados para pensar de forma estratégica em vez de agir apenas como administradores funcionais, embora a estratégia em si não fosse citada de forma explícita até os anos 60. Em 1912, Harvard introduziu, no segundo ano, um curso obrigatório de "Política de Negócios", concebido para integrar o conhecimento obtido em áreas funcionais como contabilidade, operações e finanças. O objetivo era dar aos alunos uma perspectiva mais ampla sobre os problemas estratégicos enfrentados pelos executivos das grandes empresas. Uma descrição de 1917 do curso dizia que "uma análise de qualquer problema de administração mostra não só sua relação com outros problemas no mesmo grupo, mas também a conexão íntima entre os grupos. Poucos problemas em negócios são puramente intradepartamentais". Também as políticas de cada departamento precisam manter um "equilíbrio de acordo com as políticas subjacentes da empresa como um todo".[14]

No início dos anos 50, dois professores de Política de Negócios de Harvard, George Albert Smith, Jr., e C. Roland Christensen, incentivaram os alunos a perguntar se a estratégia de uma empresa se adequava ao seu ambiente competitivo. Na leitura de casos, os alunos eram ensinados a fazer a seguinte pergunta: As políticas de uma empresa "se encaixam para formar um programa que efetivamente satisfaz os requisitos da situação competitiva?"[15] Os alunos aprendiam a resolver este problema perguntando: "Como está indo a indústria como um todo? Está crescendo e se expandindo? Permanece estática? Está em declínio?" A seguir, tendo "formado um conceito" sobre o ambiente competitivo, o aluno devia fazer mais duas perguntas: "Em que condições uma empresa deve concorrer com as outras nesta indústria em particular? Em que ordem de coisas ela precisa ser especialmente competente para poder concorrer?"[16]

No final dos anos 50, Kenneth Andrews, outro professor de Política de Negócios de Harvard, expandiu este pensamento afirmando que "toda organização empresarial, todas as suas subunidades e até cada indivíduo deve ter um conjunto claramente definido de fins ou metas, que o mantenha em movimento numa *direção deliberadamente escolhida* e impeça que se desvie por direções indesejadas" (grifo do autor). Como Alfred Sloan na General Motors, Andrews achava que "a principal função do gerente geral ao longo do tempo é a supervisão do processo contínuo de determinação da natureza do empreendimento e a fixação, revisão e tentativa de consecução das suas metas".[17] Suas conclusões eram motivadas por anotações sobre a indústria e casos de empresas que Andrews preparou sobre fabricantes de relógios suíços, os quais revelavam diferenças significativas de desempenho relacionadas a diferentes estratégias para competir naquela indústria.[18] Esta combinação de observações sobre indústrias com casos de empresas logo tornou-se a norma no curso de Política de Negócios de Harvard.[19]

Nos anos 60, as discussões em classe nas escolas de administração começaram a focalizar a combinação das "forças" e "fraquezas" de uma empresa — sua competência distintiva — com as "oportunidades" e "ameaças" (ou riscos) que ela enfrentava no mercado. Essa estrutura, que veio a ser conhecida pela sigla SWOT*, representava um importante passo adiante ao fazer o pensamento explicitamente competitivo tratar de questões de estratégia. Kenneth Andrews combinou esses elementos de uma forma que enfatizava que competências ou recursos precisavam se igualar às necessidades ambientais para ter valor (ver Quadro 1.1, p. 20).[20]

Em 1973 foi realizada em Harvard uma conferência sobre política de negócios que ajudou a difundir o conceito SWOT tanto nos meios acadêmicos como na prática gerencial. O comparecimento foi grande, mas a posterior popularidade da SWOT — que ainda era usada por muitas empresas nos anos 90, como a Wal*Mart — não acabou com o problema da definição da competência distintiva de uma empresa. Para resolvê-lo, os estrategistas tinham que decidir quais aspectos da empresa eram "duradouros e imutáveis durante períodos relativamente longos" e quais eram "necessariamente mais responsivos às mudanças no mercado e às pressões de outras forças ambientais". Esta distinção era crucial, porque "a decisão estratégica preocupa-se com o desenvolvimento da empresa a longo prazo".[21] Quando as opções estratégicas eram analisadas de uma perspectiva de longo prazo, a idéia de "competência distintiva" assumia importância adicional porque a maior parte dos investimentos a longo prazo envolvia riscos maiores. Assim, se as oportunidades perseguidas pela empresa parecessem "escapar à sua presente competência distintiva", então o estrategista precisava considerar a "disposição da firma para apostar em que a competência poderia ser obtida no nível requerido".[22]

O debate sobre a disposição de uma empresa para "apostar" em sua competência distintiva na busca de uma oportunidade continuou durante os anos 60, alimentado por um mercado de ações em ascensão e por estratégias corporativas que visavam fortemente o crescimento e a diversificação. Em um artigo clássico de 1960 que antecipou esse debate, intitulado "Marketing Myopia", Theodore Levitt havia criticado de forma aguda qualquer empresa que se concentrasse excessivamente em um produto específico, presumivelmente explorando sua competência distintiva ao invés de servir o cliente de maneira consciente. Levitt afirmou que, quando as empresas fracassam, "isso normalmente significa que o produto não consegue se adaptar aos padrões em constante mudança

QUADRO 1.1
Estrutura de Estratégia de Andrews

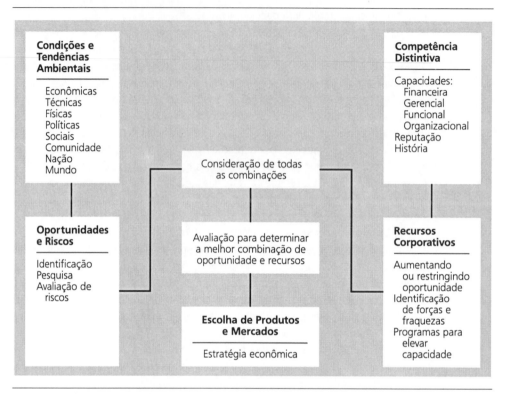

de necessidades e gostos dos consumidores, a novas e modificadas instituições e práticas mercadológicas ou ao desenvolvimento de produtos em indústrias complementares".[23]

Outro grande estrategista, Igor Ansoff, discordou dessa posição, afirmando que Levitt pedia que as empresas assumissem riscos desnecessários investindo em novos produtos que poderiam não se adequar às suas competências distintivas. Ansoff sugeriu que uma empresa deveria, em primeiro lugar, perguntar se um novo produto tinha uma "linha comum" com seus produtos existentes. Ele definiu essa linha comum como sendo a "missão" da empresa ou seu compromisso para explorar uma necessidade existente no mercado como um todo.[24] Segundo Ansoff, "algumas vezes o cliente é erroneamente identificado como a linha comum do negócio de uma empresa. Na realidade, um determinado tipo de cliente tem, freqüentemente, uma gama de missões ou necessidades de produtos sem relação entre si".[25] Para que uma empresa mantenha seu foco estratégico, Ansoff sugeriu quatro categorias para se definir a linha comum em sua estratégia de negócios/corporativa, como mostra o Quadro 1.2 (ver p. 21).[26] Ansoff e outros também se esforçaram para traduzir a lógica embutida na estrutura SWOT em complexos fluxogramas de perguntas concretas que precisavam ser respondidas no desenvolvimento de estratégias.[27]

Nos anos 60, a diversificação e as mudanças tecnológicas aumentaram a complexidade das situações estratégicas enfrentadas por muitas empresas e sua necessidade por medidas mais sofisticadas que pudessem ser usadas para avaliar e comparar muitos tipos diferentes de negócios. Como os acadêmicos nas escolas de administração permanecessem fortemente presos à idéia de que as

QUADRO 1.2
Matriz Produto/Missão de Ansoff

	Produto Atual	Novo Produto
Missão Atual	Penetração de mercado	Desenvolvimento do produto
Nova Missão	Desenvolvimento do mercado	Diversificação

estratégias somente poderiam ser analisadas caso a caso, levando-se em conta as características singulares de cada negócio, as corporações voltaram-se para outras fontes a fim de satisfazer seu anseio por abordagens padronizadas à geração de estratégia.[28] De acordo com um estudo realizado pelo Stanford Research Institute, a maior parte das grandes empresas americanas havia montado departamentos de planejamento formal por volta de 1963.[29] Alguns desses esforços internos eram extremamente aperfeiçoados.

A General Electric (GE) serviu como guia no desenvolvimento do seu planejamento: usou grande número de professores de escolas de administração em seus programas de educação de executivos, mas também desenvolveu um sofisticado "Modelo de Otimização de Lucratividade" (PROM), baseado em computador, no início dos anos 60, que parecia explicar boa parte da variação no retorno sobre o investimento obtido por seus vários negócios.[30] Com o tempo, como muitas outras empresas, a GE também buscou o auxílio de empresas de consultoria. Embora os consultores tenham feito contribuições multifacetadas para os negócios em geral (p. ex., para planejamento, previsões, logística e pesquisa e desenvolvimento a longo prazo), a próxima seção concentra-se no seu impacto sobre o fluxo principal de pensamento estratégico.

A ASCENSÃO DOS CONSULTORES DE ESTRATÉGIA

Os anos 60 e o início dos anos 70 testemunharam a ascensão de várias firmas de consultoria de estratégia. Em particular, o Boston Consulting Group (BCG), fundado em 1963, teve um grande impacto na área aplicando pesquisa quantitativa a problemas de estratégia de negócios e corporativa. Bruce Henderson, fundador do BCG, acreditava que a função do consultor era descobrir "relacionamentos quantitativos significativos" entre uma empresa e os mercados por ela escolhidos.[31] Em suas palavras, "a boa estratégia deve ser baseada principalmente em lógica, não . . . na experiência derivada da intuição".[32] De fato, Henderson estava convencido de que a teoria econômica acabaria conduzindo ao desenvolvimento de um conjunto de regras universais para a estratégia. Como ele explicou, "na maioria das empresas a estratégia tende a ser intuitiva e baseada em padrões tradicionais de comportamento que tiveram sucesso no passado". Em contraste, "em setores em crescimento ou em um ambiente em mudança, esta espécie de estratégia raramente é adequada. O ritmo acelerado de mudanças está produzindo um mundo empresarial no qual hábitos gerenciais e organizações costumeiros são cada vez mais inadequados".[33]

Para ajudar os executivos a tomar decisões estratégicas eficazes, o BCG aproveitou a base de conhecimento existente nos meios acadêmicos: Seymour Tilles, um dos seus primeiros funcionários, tinha lecionado no curso de Política de Negócios de Harvard. O BCG também partiu numa nova direção, descrita por Bruce Henderson como "o negócio de vender poderosas *simplificações*".[34] Na verdade, o BCG veio a ser conhecido como uma "butique de estratégia" — no início da sua história, seu negócio era, em grande parte, baseado em um único conceito: a curva de experiência (exposta abaixo). O uso de um conceito único foi valioso porque "em quase todas as resoluções de problemas há um universo de alternativas, a maioria das quais deve ser descartada sem merecer mais do que uma atenção superficial". Assim, "é preciso um quadro de referência para verificar a . . . relevância dos dados, a metodologia e os julgamentos de valor implícito" envolvidos em qualquer decisão estratégica. Como a tomada de decisões é necessariamente um processo complexo, o "quadro de referência mais útil é o conceito. O pensamento conceitual é o esqueleto — ou a estrutura — sobre o qual todas as outras opções são feitas".[35]

O BCG e a Curva de Experiência

O BCG desenvolveu sua versão da curva de aprendizado — que chamou de "curva de experiência" — entre 1965 e 1966. De acordo com Bruce Henderson, "ela foi desenvolvida para tentar explicar preço e comportamento competitivo em segmentos de crescimento extremamente rápido" de setores* para clientes como a Texas Instruments e a Black & Decker.[36] Ao estudar esses setores, os consultores do BCG perguntavam naturalmente "por que um concorrente supera o outro (supondo aptidões gerenciais e recursos comparáveis)? Existem regras básicas para o sucesso? De fato, parece haver regras para o sucesso e elas estão relacionadas ao impacto da experiência acumulada sobre os custos dos concorrentes, os preços do setor e a relação entre os dois".[37]

A alegação padrão da firma para a curva de experiência era que, a cada vez que dobrava a experiência acumulada, os custos totais deveriam declinar de 20 a 30% devido às economias de escala, ao aprendizado organizacional e à inovação tecnológica. O Quadro 1.3 (ver p. 23) ilustra um exemplo do efeito da experiência. De acordo com a explicação do BCG sobre suas implicações estratégicas, "o produtor . . . que fez mais unidades deveria ter os custos mais baixos e os lucros mais altos".[38] Bruce Henderson afirmava que, com a curva de experiência, "a estabilidade das relações competitivas deverá ser previsível, o valor da participação de mercado deverá ser calculável e os efeitos da taxa de crescimento também".[39]

Da Curva de Experiência à Análise de Portfólio

No início dos anos 70, a curva de experiência havia conduzido a outra "simplificação poderosa" pelo BCG: a chamada matriz de crescimento-participação, a qual representou o primeiro uso da análise de portfólio. Com essa matriz, depois de traçadas as curvas de experiência das unidades de

---

*N. de R.T. No Brasil, o termo indústria tem sido utilizado para definir o setor empresarial. Como esta nomenclatura pode não ser familiar para leitores iniciantes em estratégia, optou-se pelo termo setor.

QUADRO 1.3
Curva de Experiência para Memórias de Semicondutores

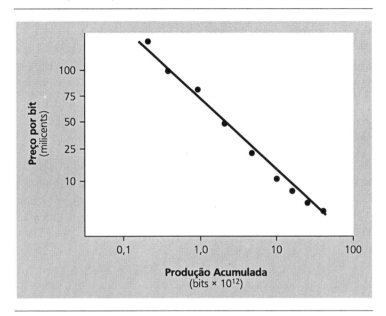

Fonte: Integrated Circuit Engineering Corporation.

negócios de uma empresa diversificada, o potencial relativo de cada uma delas como área para investimento pode ser comparado colocando-a na grade mostrada no Quadro 1.4.[40]

A recomendação de estratégia básica do BCG era a de manter um equilíbrio entre as "vacas leiteiras" (i. e., negócios maduros) e as estrelas, alocando, ao mesmo tempo, alguns recursos para alimentar os "pontos de interrogação" (i. e., estrelas em potencial). Os "cachorros" deveriam ser vendidos. Usando uma linguagem mais sofisticada, um vice-presidente do BCG explicou que "como

QUADRO 1.4
Matriz de Crescimento-Participação do BCG

	Alta Participação	*Baixa Participação*
Alto Crescimento	☆ Estrela	? Ponto de interrogação
Crescimento Lento	💰 Vaca leiteira	Cachorro 🐕

o produtor com maior participação estável de mercado acaba tendo os menores custos e os maiores lucros, torna-se vital ter uma participação dominante no máximo possível de produtos. Entretanto, a participação de mercado em produtos de crescimento lento só pode ser ganha reduzindo-se a participação dos concorrentes, os quais provavelmente irão reagir". Se o mercado de um produto está crescendo rapidamente, "uma empresa pode ganhar participação garantindo a maior parte do *crescimento*. Assim, embora os concorrentes cresçam, a empresa pode crescer ainda mais rapidamente e emergir com uma participação dominante quando o crescimento se tornar mais lento".[41]

Unidades Estratégicas de Negócios e Análise de Portfólio

Muitas outras firmas de consultoria desenvolveram suas matrizes para análise de portfólio mais ou menos na mesma época que o BCG. Por exemplo, o esforço da McKinsey & Company começou em 1968 quando Fred Borch, presidente da GE, pediu que a McKinsey examinasse a estrutura corporativa da sua empresa. Na ocasião, a GE consistia de 200 centros de lucros e 145 departamentos, organizados em torno de 10 grupos. Os limites para essas unidades haviam sido definidos de acordo com teorias de controle financeiro, consideradas inadequadas pelos consultores da McKinsey. Para eles, a empresa deveria ser organizada segundo linhas mais estratégicas, com maior preocupação com as condições externas do que com os controles internos e com uma abordagem mais orientada para o futuro do que seria possível usando-se medidas do desempenho financeiro passado. O estudo da McKinsey recomendou um sistema formal de planejamento estratégico, que dividiria a empresa em "unidades de negócios naturais", as quais Borch rebatizou posteriormente como "unidades estratégicas de negócios" (UEN). Os executivos da GE seguiram esse conselho, que levou dois anos para ser implementado.

Entretanto, em 1971, um executivo corporativo da GE pediu que a McKinsey avaliasse os planos estratégicos que estavam sendo redigidos pelas muitas UEN da empresa. A GE já havia estudado o uso da matriz de crescimento-participação do BCG como fator de definição das suas UEN, tendo porém a alta direção chegado à conclusão de que não poderia fixar prioridades com base em apenas duas medidas de desempenho. Depois de estudar o problema por três meses, uma equipe da McKinsey produziu aquela que veio a ser conhecida como a matriz GE/McKinsey de nove blocos (ver Quadro 1.5 adiante).[42] A matriz de nove blocos usava aproximadamente uma dezena de medidas para verificar a atratividade da indústria e outra dezena para verificar a posição competitiva, embora os pesos ligados a elas não fossem especificados.[43]

Outra abordagem do planejamento de portfólio, mais quantitativa, foi desenvolvida mais ou menos ao mesmo tempo sob a égide do programa "Impacto das Estratégias de Mercado Sobre o Lucro" (PIMS — *Profit Impact of Market Strategies*). O PIMS era o sucessor multiempresarial do programa PROM que a GE havia iniciado uma década antes. Em meados dos anos 70, o PIMS continha dados sobre 620 UEN, extraídos de 57 corporações diversificadas.[44] Esses dados eram usados originalmente para explorar os determinantes de retornos sobre investimentos pela regressão do histórico de retornos sobre muitas dezenas de variáveis, inclusive participação de mercado, qualidade do produto, intensidade de investimento e gastos com *marketing* e P&D. As regressões estabeleciam os supostos marcos para o desempenho *potencial* das UEN com determinadas características, com os quais seu desempenho *real* poderia ser comparado.

Nessas aplicações, a segmentação de corporações diversificadas em UEN passou a ser reconhecida como importante precursora da análise do desempenho econômico.[45] Esta etapa forçava o

QUADRO 1.5
Matriz de Atratividade da Indústria-Força do Negócio

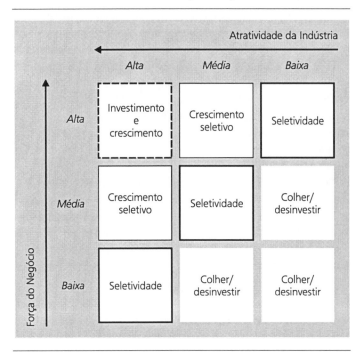

desmembramento dos números de custo e desempenho que haviam sido anteriormente calculados em níveis mais agregados. Além disso, achava-se que, com aquelas abordagens, "o pensamento estratégico era adequadamente empurrado 'linha abaixo', até os gerentes mais próximos de cada setor e das suas condições competitivas".[46]

Nos anos 70, praticamente todas as grandes empresas de consultoria usavam algum tipo de análise de portfólio — ou uma variante das duas matrizes já vistas ou um programa desenvolvido internamente (p. ex., a matriz de ciclo de vida da Arthur D. Little) — para gerar recomendações sobre estratégia. As análises de portfólio tornaram-se especialmente populares depois que a crise do petróleo de 1973 forçou muitas grandes corporações a repensar, ou mesmo descartar, seus planos de longo prazo. Um consultor da McKinsey observou que, com "a súbita quadruplicação dos custos de energia (devido ao embargo da OPEP), seguida por uma recessão e rumores de uma crise iminente de capital, o trabalho de fixação de objetivos de crescimento e diversificação a longo prazo tornou-se, de repente, um exercício de irrelevância". Na época, planejamento estratégico significava "escolher vencedores e perdedores, fixar prioridades e poupar capital". Em um clima no qual "mercados geográficos e produtos estavam deprimidos e o capital presumivelmente escasso",[47] a análise de portfólios dava uma desculpa aos executivos para se livrarem de unidades de negócios com baixo desempenho, direcionando, ao mesmo tempo, mais fundos para as "estrelas". Em 1979, como concluiu uma pesquisa das 500 maiores empresas industriais da revista *Fortune*, 45% dessas empresas haviam introduzido algum tipo de técnica de planejamento de portfólio.[48]

PROBLEMAS EMERGENTES

Ironicamente, as mesmas condições macroeconômicas que (inicialmente) fizeram crescer a popularidade da análise de portfólio também inspiraram perguntas a respeito da curva de experiência. A inflação elevada e o excesso de capacidade (devido a quedas na demanda) provocados pelos choques do petróleo de 1973 e 1979 romperam curvas de experiência históricas em muitas indústrias, sugerindo que Bruce Henderson havia exagerado na importância do conceito em um panfleto de 1974 intitulado "Por Que os Custos Caem Para Sempre". Outro problema com a curva de experiência foi identificado por um artigo clássico de 1975 de William Abernathy e Kenneth Wayne, no qual afirmaram que "a conseqüência de se seguir de forma intensiva uma estratégia de minimização de custos (p. ex., baseada na curva de experiência) é a redução da capacidade para realizar mudanças inovadoras e para reagir às mudanças introduzidas pelos concorrentes".[49] Abernathy e Wayne citaram o caso de Henry Ford, cuja obsessão com a redução de custos deixou-o vulnerável à estratégia de Alfred Sloan, voltada para a inovação do produto no setor de automóveis. O conceito da curva de experiência também atraiu críticas pelo fato de tratar as reduções de custos como sendo automáticas, em vez de algo a ser gerenciado, ao supor que a maior parte da experiência poderia ser mantida com exclusividade, sem chegar até os concorrentes, por misturar diferentes fontes de redução de custos com implicações estratégicas muito diversas (p. ex., aprendizado *versus* escala *versus* progresso técnico exógeno) e por conduzir a impasses quando mais de um concorrente perseguia o mesmo fator genérico de sucesso.[50]

No final dos anos 70, a análise de portfólio também passou a ser atacada. Um problema consistia em serem as recomendações estratégicas para uma UEN, com freqüência, excessivamente sensíveis à técnica de análise empregada. Por exemplo, quando um estudo acadêmico aplicou quatro técnicas de portfólio diferentes para um grupo de 15 UEN de propriedade das 500 "maiores" da Revista Fortune, constatou que somente uma das 15 caía na mesma área de cada uma das quatro matrizes e somente cinco das UEN foram classificadas de forma semelhante em três das quatro matrizes.[51] Um nível de concordância apenas ligeiramente mais alto do que se deveria esperar se as 15 UEN tivessem sido classificadas ao acaso em quatro oportunidades separadas!

A análise de portfólio também foi relacionada a um conjunto ainda mais sério de dificuldades: mesmo que se pudesse descobrir a técnica "correta" a ser empregada, a determinação mecânica dos padrões de alocação de recursos com base em dados de desempenho histórico era inerentemente problemática, assim como a suposição implícita de que o capital financeiro era o recurso escasso no qual a alta direção deveria se concentrar. Alguns consultores reconheceram prontamente esses problemas. Em 1979, Fred Gluck, que chefiava a consultoria de administração estratégica da McKinsey, declarou que "a forte dependência em relação a técnicas 'empacotadas' tem freqüentemente resultado em nada além de um aperto, ou uma sintonia fina, das iniciativas correntes dentro dos negócios configurados de forma tradicional". Pior ainda, as estratégias baseadas em técnicas "raramente superavam a concorrência existente" e muitas vezes deixavam os negócios "vulneráveis a impulsos inesperados de empresas anteriormente não-consideradas concorrentes".[52] Gluck e seus colegas procuraram reduzir algumas das restrições impostas por abordagens mecanicistas, sugerindo que as estratégias das empresas bem-sucedidas progridem ao longo de quatro fases (descritas no Quadro 1.6 na p. 27) que envolvem o trabalho com níveis crescentes de dinamismo, multidimensionalidade e incerteza, e que, portanto, tornam-se menos submissas a uma análise quantitativa rotineira.[53]

O ataque mais contundente às técnicas analíticas popularizadas pelos consultores de estratégia partiu de dois professores de produção de Harvard, Robert Hayes e William Abernathy, em 1980. Eles afirmaram que "esses novos princípios (gerenciais), apesar da sua sofisticação e amplos benefícios, incentivam a preferência por (1) distanciamento analítico, em vez do critério obtido

QUADRO 1.6
Quatro Fases de Estratégia

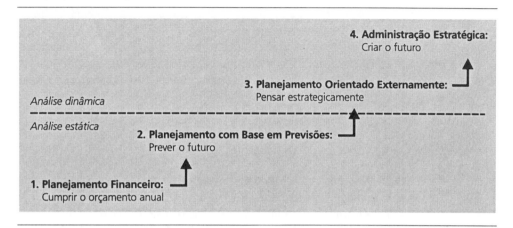

com 'as mãos na experiência' e (2) redução de custos a curto prazo, em vez do desenvolvimento de competitividade tecnológica".[54] Hayes e Abernathy criticaram a análise de portfólio especialmente como um instrumento que levava os gerentes a focalizar a minimização dos riscos financeiros em vez de investir em novas oportunidades que exigissem um comprometimento de recursos a longo prazo.[55] Eles compararam empresas americanas desfavoravelmente em relação a empresas japonesas e, em especial, européias.

Essas e outras críticas reduziram gradualmente a popularidade da análise de portfólio. Sua ascensão e queda tiveram, entretanto, uma influência duradoura sobre os trabalhos subseqüentes sobre concorrência e estratégia de negócios, porque atraiu atenção para a necessidade de uma análise mais cuidadosa das duas dimensões básicas das grades para análise de portfólios mostradas no Quadro 1.7: atratividade da indústria e posição competitiva. Embora essas duas dimensões tivessem sido identificadas anteriormente — por exemplo, no Esboço de Pesquisa desenvolvido pela

QUADRO 1.7
Dois Determinantes da Lucratividade

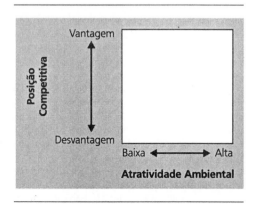

McKinsey & Company para uso interno em 1952 —, a análise de portfólio salientou esta maneira particular de analisar os efeitos da concorrência sobre o desempenho de um negócio. Os gerentes americanos em especial mostraram-se consumidores ávidos de critérios adicionais a respeito da concorrência, em parte porque a exposição da maioria da indústria dos Estados Unidos a forças competitivas cresceu de forma drástica durante os anos 60 e 70. Um economista estimou que a parcela da economia americana sujeita a uma concorrência efetiva passou de 56% em 1958 para 77% em 1980, devido à maior concorrência dos importados, a ações antitruste e à desregulamentação.[56]

RESUMO

O capítulo reviu a história do pensamento estratégico a respeito de negócios até meados dos anos 70. A história anterior do pensamento estratégico em administração foi afetada de muitas formas pelos conceitos e considerações militares. A sociologia parece ter sido o campo acadêmico que, com sua noção de competência distintiva, exerceu mais influência sobre as elaborações iniciais do conceito de estratégia em administração, principalmente por professores de escolas de administração.[57] As firmas de consultoria ajudaram a disseminar critérios acadêmicos e desenvolveram um conjunto de instrumentos para ajudar os administradores (até mesmo de empresas altamente diversificadas) a monitorar as estratégias das unidades de negócios sob sua responsabilidade. Embora a desilusão com instrumentos específicos tenha surgido logo, esta linha de trabalho ditou a agenda para pesquisas futuras e para o desenvolvimento na área da estratégia.

TERMOS-CHAVE

análise de portfólio	estratégia
competência distintiva	unidades estratégicas de negócios (UEN)
curva de experiência	SWOT
curvas de aprendizado	

NOTAS

1. Consulte, por exemplo, os dois ganhadores do Prêmio McKinsey no volume de 1996 da *Harvard Business Review*: "Strategy as Revolution" de Gary Hamel e "What Is Strategy?" de Michael Porter.

2. Carl von Clausewitz, *On War*. Editado e traduzido por Michael Howard e Peter Paret. (Princeton, NJ: Princeton University Press, 1984, © 1976), p. 128.

3. Para uma descrição da história dos negócios em termos dessas revoluções industriais e de uma terceira, ver Thomas K. McCraw, ed., *Creating Modern Capitalism: How Entrepreneurs, Companies, and Countries Triumphed in Three Industrial Revolutions* (Cambridge, MA: Harvard University Press, 1998).

4. Alfred D. Chandler, Jr., *Strategy and Structure* (Cambridge, MA: MIT Press, 1963) e *Scale and Scope* (Cambridge, MA: Harvard University Press, 1990).

5. Ver Alfred P. Sloan, Jr., *My Years with General Motors* (Nova York: Doubleday, 1963).

6. Chester I. Barnard, *The Functions of the Executive* (Cambridge, MA: Harvard University Press, 1968; primeira edição em 1938), p. 204-205.

7. Peter Drucker, *The Practice of Management* (Nova York: Harper & Row, 1954), p. 11.

8. Daniel Yergin e Joseph Stanislaw, *The Commanding Heights: The Battle Between Government and the Marketplace That Is Remaking the Modern World* (Nova York: Simon & Schuster, 1998).

9. Philip Selznick, *Leadership in Administration* (Evanston, IL: Row, Peterson, 1957), p. 49-50.

10. John R. Commons, *Institutional Economics* (Nova York: MacMillan, 1934) e Chester I. Barnard, *The Functions of the Executive* (Cambridge, MA: Harvard University Press, 1938).

11. Ronald H. Coase, "The Nature of the Firm", *Economica N.S.*, 1937; 4:386-405. Reproduzido em G. J. Stigler e K.E. Bouldings, eds., *Readings in Price Theory* (Homewood, IL: Richard D. Irwin, 1952). Além do artigo de Coase, que influenciou o pensamento a respeito de estratégia e organizações, vários outros autores fizeram contribuições pioneiras à teoria organizacional que não podem ser plenamente reconhecidas aqui: Henri Fayol sobre teoria administrativa, Elton Mayo e Melville Dalton sobre relações humanas e Herbert Simon e James March sobre processamento de informações, para citar alguns.

12. Joseph A. Schumpeter, *Capitalism, Socialism, and Democracy* (Nova York: Harper, 1942).

13. Edith T. Penrose, *The Theory of the Growth of the Firm* (Oxford: Basil Blackwell, 1959).

14. Registro Oficial da Universidade Harvard, 29 de março de 1917, p. 42-43.

15. George Albert Smith Jr., e C. Roland Christensen, *Suggestions to Instructors on Policy Formulation* (Homewood, IL: Richard D. Irwin, 1951), p. 3-4.

16. George Albert Smith, Jr., *Policy Formulation and Administration* (Homewood, IL: Richard D. Irwin, 1951), p. 14.

17. Kenneth R. Andrews, *The Concept of Corporate Strategy* (Homewood, IL: Dow Jones-Irwin, 1971), p. 23.

18. Ver Parte I de Edmund P. Learned, C. Roland Christensen e Kenneth R. Andrews, *Problems of General Management* (Homewood, IL: Richard D. Irwin, 1961).

19. Entrevista com Kenneth Andrews, 2 de abril de 1997.

20. Kenneth R. Andrews, *The Concept of Corporate Strategy*, ed. revisada (Homewood, IL: Richard D. Irwin, 1980), p. 69.

21. Kenneth R. Andrews, *The Concept of Corporate Strategy* (Homewood, IL: Dow Jones-Irwin, 1971), p. 29.

22. Kenneth R Andrews, op. cit., p. 100.

23. Theodore Levitt, "Marketing Myopia", *Harvard Business Review,* julho-agosto de 1960:45-56.

24. Igor Ansoff, *Corporate Strategy* (Nova York: McGraw-Hill, 1965), p. 106-109.

25. Igor Ansoff, op. cit., p. 105-108.

26. O Quadro 1.2 baseia-se na adaptação da matriz de Ansoff por Henry Mintzberg. Henry Mintzberg, "Generic Strategies", em *Advances in Strategic Management*, vol. 5 (Greenwich, CT: JAI Press, 1988), p. 2. Para o original, ver Igor Ansoff, *Corporate Strategy* (Nova York: McGraw-Hill, 1965), p. 128.

27. Michael E. Porter, "Industrial Organization and the Evolution of Concepts for Strategic Planning", em T.H. Naylor, ed., *Corporate Strategy* (Nova York: North-Holland, 1982), p. 184.

28. Adam M. Brandenburger, Michael E. Porter e Nicolaj Siggelkow, "Competition and Strategy: The Emergence of a Field", trabalho apresentado no McArthur Symposium, Harvard Business School, 9 de outubro de 1996, p. 3-4.

29. Stanford Research Institute, "Planning in Business", Menlo Park, CA, 1963.

30. Sidney E. Schoeffler, Robert D. Buzzell e Donald F. Heany, "Impact of Strategic Planning on Profit Performance", *Harvard Business Review* março-abril de 1974:137-145.

31. Entrevista com Seymour Tilles, 24 de outubro de 1996. Tilles dá a Henderson o crédito de reconhecer a competitividade da indústria japonesa no final dos anos 60, quando poucos americanos acreditavam que o Japão, ou qualquer outro país, pudesse competir, com sucesso, contra a indústria americana.

32. Bruce D. Henderson, *The Logic of Business Strategy* (Cambridge, MA: Ballinger Publishing, 1984), p. 10.

33. Bruce D. Henderson, *Henderson on Corporate Strategy* (Cambridge, MA: Abt Books, 1979), p. 6-7.

34. Entrevista com Seymour Tilles, 24 de outubro de 1996.

35. Bruce D. Henderson, *Henderson on Corporate Strategy* (Cambridge, MA: Abt Books, 1979), p. 41.

36. Bruce Henderson explicou que, ao contrário de versões anteriores da "curva de aprendizado", a curva de experiência do BCG "abrange todos os custos (inclusive capital, administração, pesquisa e *marketing*) e os acompanha mediante deslocamentos tecnológicos e da evolução do produto. Ela também se baseia em taxas de fluxo de caixa, não em alocações contábeis". Bruce D. Henderson, prefácio para o Boston Consulting Group, *Perspectives on Experience* (Boston: BCG, 1972; publicado inicialmente em 1968).

37. Boston Consulting Group, op. cit., p. 7.

38. Patrick Conley, "Experience Curves as a Planning Tool", BCG Pamphlet (1970), p. 15.

39. Bruce D. Henderson, prefácio para o Boston Consulting Group, *Perspectives on Experience* (Boston: BCG, 1972; publicado inicialmente em 1968).

40. Ver George Stalk, Jr., e Thomas M. Hout, *Competing Against Time* (Nova York: Free Press, 1990), p. 12.

41. Patrick Conley, "Experience Curves as a Planning Tool", BCG Pamphlet (1970), p. 10-11.

42. Arnoldo C. Hax e Nicolas S. Majluf, *Strategic Management: An Integrative Perspective* (Englewood Cliffs, NJ: Prentice-Hall, 1984), p. 156.

43. Entrevista com Mike Allen, 4 de abril de 1997.

44. Sidney E. Schoeffler, Robert D. Buzzell e Donald F. Heany, "Impact of Strategic Planning on Profit Performance", *Harvard Business Review,* março-abril de 1974:137-145.

45. Ver Walter Kiechel, "Corporate Strategists Under Fire", *Fortune,* 27 de dezembro de 1982.

46. Frederick W. Gluck e Stephen P. Kaufman, "Using the Strategic Planning Framework", documento interno da McKinsey em *Readings in Strategy* (1979), p. 3-4.

47. J. Quincy Hunsicker, "Strategic Planning: A Chinese Dinner?" documento interno da McKinsey (dezembro de 1978), p. 3.

48. Philippe Haspeslagh, "Portfolio Planning: Uses and Limits", *Harvard Business Review,* janeiro-fevereiro de 1982:58-73.

49. William J. Abernathy e Kenneth Wayne, "Limits on the Learning Curve", *Harvard Business Review,* setembro-outubro de 1974:109-119.

50. Pankaj Ghemawat, "Building Strategy on the Experience Curve", *Harvard Business Review,* março-abril de 1985:143-149.

51. Yoram Wind, Vijay Mahajan e Donald J. Swire, "An Empirical Comparison of Standardized Portfolio Models", *Journal of Marketing* 1983; 47:89-99. O resultado da análise estatística de Wind *et al.* baseia-se em um rascunho não-publicado de Pankaj Ghemawat.

52. Frederick W. Gluck e Stephen P. Kaufman, "Using the Strate-
     gic Planning Framework", documento interno da McKinsey
     em *Readings in Strategy* (1979), p. 5-6.

53. Adaptado de Frederick W. Gluck, Stephen P. Kaufman e A.
     Steven Walleck, "The Evolution of Strategic Management",
     documento interno da McKinsey, outubro de 1978, p. 4. Re-
     produzido com modificações no trabalho dos mesmos auto-
     res "Strategic Management for Competitive Advantage", *Harvard
     Business Review*, julho-agosto de 1980:154-161.

54. Robert H. Hayes e William J. Abernathy, "Managing Our Way
     to Economic Decline", *Harvard Business Review* julho-agosto
     de 1980:67-77.

55. Robert H. Hayes e William J. Abernathy, idem, p. 71.

56. William G. Shepherd, "Causes of Increased Competition in
     the U.S. Economy, 1939-1980", *Review of Economics and Sta-
     tistics*, novembro de 1982:613-626.

57. A doutrina da competência distintiva foi reciclada, com gran-
     de sucesso, nos anos 90. Ver as discussões no Capítulo 5.

CAPÍTULO 2

Mapeando o Cenário dos Negócios

Pankaj Ghemawat e David J. Collis[1]

Quando uma indústria com reputação de dificuldades econômicas encontra um gerente com reputação de excelência, normalmente é a indústria que mantém sua reputação intacta.

— *Warren Buffet*

Buffet pode ter exagerado. Não obstante, há muitas evidências que apóiam a presunção — explícita
nas técnicas de planejamento de portfólios expostas no Capítulo 1 — de que o ambiente do setor na
qual uma empresa opera tem forte influência sobre seu desempenho econômico. Os estrategistas de
negócios têm usado métodos estatísticos sofisticados para mostrar que de 10% a 20% da variação
observada na lucratividade das empresas devem-se às linhas dos negócios nos quais elas operam.[2] A
principal implicação para os gerentes — que consideram o ambiente importante — em geral é
resumida em um gráfico descrevendo a extensão até a qual a lucratividade média difere através de
linhas de negócios, setores ou grupos de setores ao longo de períodos prolongados de tempo (para
um exemplo, ver Quadro 2.1, p. 32).[3]

O Quadro 2.1 é um exemplo de certa forma incomum porque subtrai os custos estimados de
capital da lucratividade declarada (retorno sobre capital) e, ao mesmo tempo, apresenta o tamanho
de cada grupo setorial em termos do capital nele investido. Esta abordagem oferece a vantagem de
ligar medidas contábeis de lucratividade com medidas econômicas de valor total criado ou destruí-
do.

Além disso, o Quadro 2.1 sugere uma maneira de visualizar o potencial de lucro permitido
pelo ambiente de negócios — mapeando-o num cenário no qual a dimensão vertical representa o
nível de lucratividade econômica (ou sua inexistência).[4] Um cenário de duas dimensões como o
mostrado no Quadro 2.1 nos permite incluir apenas uma dimensão de escolha (p. ex., onde competir). Um cenário tridimensional, como o do Quadro 2.2 (ver p. 33), permite duas dimensões de
escolha. Em sua maioria, os negócios são melhor representados como operando em um espaço com
muitas dimensões de escolha, com cada local nesse espaço representando um diferente *modelo de
negócio* — isto é, um conjunto diferente de escolhas a respeito do que fazer e como fazê-lo. Um

QUADRO 2.1

Lucros Econômicos Médios de Grupos Setoriais dos EUA, 1978-1996

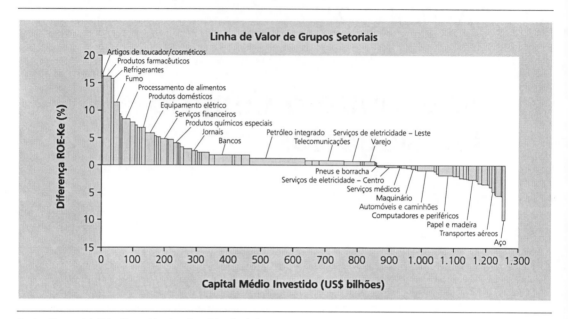

Fontes: Compustat, Value Line e Marakon Associates Analysis.

cenário de negócio mapeia a elevação de cada modelo de negócio de acordo com sua lucratividade. O desafio central da estratégia é guiar um negócio até um ponto relativamente alto neste cenário.

Nos capítulos que se seguem, iremos trabalhar mais com a metáfora do cenário. Porém, no contexto deste capítulo, o cenário nos ajuda a visualizar o fato de que a lucratividade dos concorrentes na mesma linha de negócios ou setor tende a ter um componente subjacente comum. Os concorrentes estão agrupados naturalmente no cenário mais amplo dos negócios com base nos modelos de negócios que perseguem. O componente comum da sua lucratividade significa que a altitude média acima (ou abaixo) do nível do mar varia de forma sistemática através das diferentes partes do cenário dos negócios. Reinterpretado nestes termos, o Quadro 2.1 sugere que, no último quarto do século XX, grande parte da indústria americana tem operado, em média, perto do nível do mar: mais da metade de todo o capital tem sido empregado em grupos industriais com retornos médios sobre o patrimônio e custos de capital que estão a menos de dois pontos percentuais um do outro. Entretanto, também é claro que as empresas em alguns grupos setoriais (p. ex., produtos farmacêuticos) têm, de modo geral, operado em patamares elevados, ao passo que as empresas em outros (p. ex., siderurgia) têm permanecido, em sua maioria, em profundas depressões.

A experiência direta dos administradores dessas diferenças em lucratividade média entre os setores explica, em grande parte, por que muitos tendem a levar Warren Buffet a sério, apesar da sua ênfase nas restrições ambientais que limitam aquilo que eles podem alcançar. Mas os administradores precisam fazer mais do que reconhecer quão lucrativas determinadas arenas de concorrência têm sido no passado. Eles precisam também compreender as razões por trás desses efeitos para poder decidir onde e como suas empresas irão competir, avaliar as implicações de mudanças importantes nas partes relevantes do cenário dos negócios e se adaptar às mesmas ou mudar o cenário.

QUADRO 2.2
Cenário Tridimensional dos Negócios

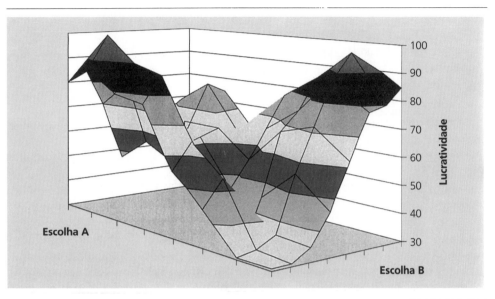

Essas ambições combinam com as complicações inerentes ao mundo real para dificultar a descoberta de maneiras simples, mas estruturadas, de pensar a respeito de cenários de negócios. Este capítulo começa descrevendo três estruturas sucessivamente mais genéricas que foram propostas como soluções para este problema: a análise oferta-demanda de mercados individuais, a estrutura de "cinco forças" para análise de setores proposta por Michael Porter e a "rede de valor" criada mais recentemente por Adam Brandenburger e Barry Nalebuff.[5] A seguir, examinamos com mais detalhes o processo de mapeamento de um cenário de negócios.

O conceito do cenário dos negócios pretende ser mais amplo que a concepção usual de um setor. Embora este capítulo focalize os chamados efeitos no nível do setor (ou de população) sobre o desempenho, queremos explorar esses efeitos dentro de um conjunto de relacionamentos mais complexo e extenso que aqueles associados à análise tradicional de setorial.

ANÁLISE OFERTA-DEMANDA

Oferta e demanda são os avós de todas as tentativas de análise de cenários. A idéia de que a interação oferta-demanda determina um preço natural data — ao menos na cultura ocidental — dos professores escolásticos (em sua maioria clérigos) da Idade Média.[6] Embora muitos dos elementos da análise oferta-demanda tenham sido formalizados pelos escolásticos e seus sucessores, Alfred Marshall foi o primeiro (no final do século XIX) a combiná-los no diagrama oferta-demanda convencional mostrado no Quadro 2.3 (ver p. 34).

O desenvolvimento das "tesouras de Marshall" foi motivado pelo debate permanente a respeito de se o "valor" era regido pelos custos do lado da oferta ou pela utilidade do lado da demanda. Este debate não parecia, a Marshall, mais razoável que as disputas sobre se é a lâmina inferior (ou

QUADRO 2.3
Análise Oferta-Demanda

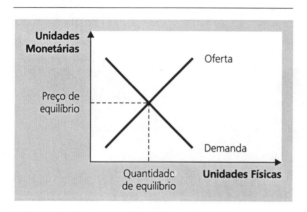

superior) de uma tesoura aquela que de fato corta o papel. Ele sugeriu que o preço, em vez disso, seria determinado pelo ponto de "equilíbrio" no qual a curva de demanda por um determinado produto, somada junto aos seus compradores em ordem decrescente de disposição para pagar, se cruzava com a curva de oferta do mesmo, somada junto aos seus fornecedores em ordem crescente de seus custos de produção.[7]

A curva descendente de demanda que sustenta esta linha de análise foi tratada como óbvia por Marshall, que também introduziu a noção de *elasticidade-preço da demanda*. Diz-se que a demanda é elástica em relação ao preço se mudanças neste induzem mudanças relativamente grandes na demanda agregada (i. e., se a curva de demanda é próxima da horizontal); ela é considerada inelástica em relação ao preço se ocorre o inverso (i. e., se a curva de demanda é próxima da vertical). No lado da oferta, Marshall afirmou que curvas ascendentes tendem a se tornar mais planas — ou mesmo horizontais — com o passar do tempo. Entretanto, ele se atrapalhou quando tentou analisar curvas de suprimento que se inclinam para baixo ao invés de para cima (i. e., apresentam retornos crescentes com a escala). Adicionalmente, sua análise supunha que compradores e vendedores, tomados individualmente, seriam pequenos em relação ao tamanho do mercado como um todo, e também homogêneos, no sentido em que um dado comprador teria a mesma disposição para pagar pelo produto de cada fornecedor, e que um dado fornecedor enfrentaria os mesmos custos no fornecimento do seu produto a cada comprador.

A análise oferta-demanda foi incorporada relativamente depressa aos cursos de economia e *marketing* das escolas de administração. Ela parece ter tido menos impacto sobre o ensino e a prática de estratégia em administração até as recessões dos anos 70 e 80, quando as inflexões para baixo nas curvas de demanda reforçaram a importância de se desenvolver uma compreensão mais completa das curvas de oferta ou, mais precisamente, das curvas de custos que pudessem ajudar a determinar onde os preços iriam se estabilizar.

Para um exemplo deste tipo de análise, considere o Quadro 2.4 (ver p. 35), que determina a curva de custos para hospitais na área da Grande Boston em 1991, desenvolvida pela Bain & Company, uma empresa de consultoria. Esta análise simples ajudou a sensibilizar os dispendiosos hospitais-escolas do Harvard Medical Center (HMC) para as terríveis implicações do esperado decréscimo das taxas de utilização de hospitais em Massachusetts, de 80% em 1991 para 40% a 60% em 1999,

QUADRO 2.4
Curva de Suprimento para Hospitais de Boston

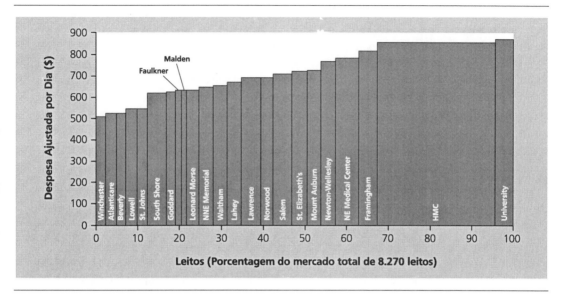

Fonte: Partners HealthCare System, Inc. (A), ICCH#696-062.

à medida que os "dias de hospitalização" por pessoa caíam de 1,2 a.a. para a média nacional de 0,6 a.a.[8]

Este exemplo também ilustra as limitações da análise oferta-demanda de Marshall. Em primeiro lugar, ela força os limites da realidade para tratar os hospitais no mercado local como sendo individualmente pequenos e carentes de força de mercado. Na verdade, os dois maiores hospitais-escolas afiliados ao HMC, o Massachusetts General Hospital e o Brigham and Women's Hospital, decidiram unir suas forças depois do estudo de Bain para atingir uma participação combinada de mercado de 21% e melhorar sua "cobertura". Em segundo, ela viola a suposição de homogeneidade. As necessidades dos pacientes diferem, assim como a eficácia relativa dos hospitais no atendimento dessas necessidades, numa extensão que só parcialmente pode ser controlada ajustando-se os custos dos hospitais com base em seu *mix* de casos. Portanto, seria útil generalizar as hipóteses de especialização feitas na análise oferta-demanda, neste caso e em muitos outros. A tentativa com maior sucesso na comunidade dos negócios é estudada a seguir, em seu próprio contexto histórico.

A ESTRUTURA DAS "CINCO FORÇAS"

A suposição de "grandes números" embutida na análise de oferta-demanda convencional já havia sido relaxada mais de meio século antes que Marshall propusesse sua síntese. Em 1838, Antoine Cournot forneceu as primeiras caracterizações analíticas de preços de equilíbrio em um monopólio e na presença de *duopolistas* (dois vendedores) decidindo de forma independente quanto produzir.[9] A suposição de homogeneidade foi relaxada em dois livros publicados em 1933, por Edward Chamberlin e Joan Robinson, em concorrência monopolista — isto é, situações nas quais uma empresa monopolizava seus próprios produtos, mas enfrentava um grande número de concorrentes que ofereciam produtos sucedâneos.[10] Entretanto, do ponto de vista da estratégia em administração, essas tentativas para pressupor um grande número de empresas com produtos diferentes, mas semelhantes em outros aspectos, ofereciam poucos benefícios: elas perdiam as sutilezas da concorrência *oligopólica* (i. e., concorrência entre poucas empresas).

Um papel mais importante estava reservado para outros economistas naquela que veio a ser chamada de Escola de Harvard, cujos partidários afirmavam que a *estrutura* de alguns setores poderia permitir que as empresas delas participantes tivessem lucros econômicos positivos durante períodos prolongados.[11] Edward S. Mason, membro do Departamento de Economia de Harvard, sugeriu que a estrutura de um setor determinaria a conduta de compradores e vendedores — suas escolhas de variáveis-chave de decisão — e, por implicação, o desempenho do setor em termos de lucratividade, eficiência e inovação.[12]

Joe Bain, também do Departamento de Economia de Harvard, procurou descobrir relações entre estrutura e desempenho do setor mediante um trabalho empírico focalizado em um número limitado de variáveis estruturais. Dois estudos que ele publicou nos anos 50 eram particularmente dignos de nota. O primeiro constatou que as indústrias manufatureiras nas quais os oito maiores concorrentes respondiam por mais de 70% das vendas eram quase duas vezes mais lucrativas que as indústrias com uma concentração inferior a 70% para as oito maiores empresas.[13] O segundo estudo explicava como, em determinados setores, "os vendedores estabelecidos podem elevar persistentemente seus preços acima de um nível competitivo sem atrair novos concorrentes".[14] Bain identificou três barreiras básicas à entrada: (1) uma vantagem de custo absoluta de uma empresa já estabelecida (p. ex., uma patente válida); (2) um grau significativo de diferenciação de produto; e (3) economias de escala.

As descobertas de Bain possibilitaram o rápido crescimento de uma nova subárea da economia, conhecida como organização industrial (OI), que explorava as razões estruturais pelas quais alguns setores eram mais lucrativos que outros. Em meados dos anos 70, várias centenas de estudos empíricos em OI haviam sido concluídos. Embora as relações entre variáveis estruturais e desempenho tivessem se mostrado mais complicadas do que haviam sugerido os primeiros economistas, 15 desses estudos confirmaram que alguns setores são, em média, inerentemente, muito mais lucrativos ou "atraentes" que outros.

O impacto imediato da OI sobre a estratégia em administração foi limitado pelo foco de seus economistas na política pública em vez de privada e pela ênfase de Bain e seus sucessores no uso de uma lista curta de variáveis estruturais para explicar a lucratividade de uma indústria de uma forma que não dava importância à estratégia em administração. Ambos os problemas foram abordados por Michael Porter, que havia trabalhado com outro economista de OI em Harvard, Richard Caves, para estudar a estrutura de setores e a estratégia em administração. Em 1974, Porter preparou uma "Nota sobre a Análise Estrutural de Setores" que representou sua primeira tentativa para virar a OI de cabeça para baixo focalizando o objetivo da política de negócios de maximização do lucro, ao invés do objetivo da política pública de minimizar os "excessos" de lucros.[16] Em 1980, ele publicou seu primeiro livro, *Competitive Strategy,* o qual deve grande parte do seu sucesso à sua estrutura de "cinco forças". Esta estrutura, reproduzida no Quadro 2.5 (ver p. 37), procurava relacionar a lucratividade média dos participantes num dado setor a cinco forças competitivas.

A estrutura de Porter para análise de indústrias generalizou a análise oferta-demanda de mercados individuais em vários aspectos. Em primeiro lugar, abrandou as hipóteses de grandes números e de homogeneidade — isto é, de um grande número de concorrentes representativos. Em segundo, ao longo da dimensão vertical, mudou a atenção das cadeias verticais de dois estágios, cada uma consistindo de um fornecedor e um comprador, para cadeias de três estágios, compostas

QUADRO 2.5

A Estrutura de "Cinco Forças" para Análise de Indústrias

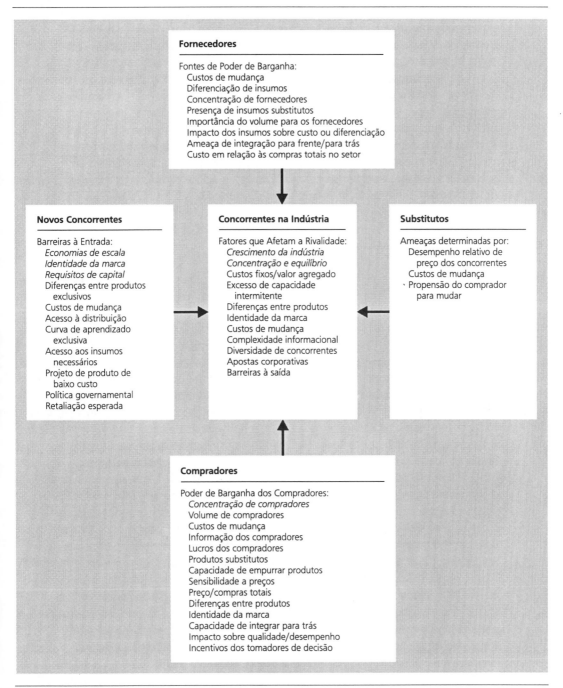

Fornecedores

Fontes de Poder de Barganha:
Custos de mudança
Diferenciação de insumos
Concentração de fornecedores
Presença de insumos substitutos
Importância do volume para os fornecedores
Impacto dos insumos sobre custo ou diferenciação
Ameaça de integração para frente/para trás
Custo em relação às compras totais no setor

Novos Concorrentes

Barreiras à Entrada:
Economias de escala
Identidade da marca
Requisitos de capital
Diferenças entre produtos
  exclusivos
Custos de mudança
Acesso à distribuição
Curva de aprendizado
  exclusiva
Acesso aos insumos
  necessários
Projeto de produto de
  baixo custo
Política governamental
Retaliação esperada

Concorrentes na Indústria

Fatores que Afetam a Rivalidade:
Crescimento da indústria
Concentração e equilíbrio
Custos fixos/valor agregado
Excesso de capacidade
  intermitente
Diferenças entre produtos
Identidade da marca
Custos de mudança
Complexidade informacional
Diversidade de concorrentes
Apostas corporativas
Barreiras à saída

Substitutos

Ameaças determinadas por:
Desempenho relativo de
  preço dos concorrentes
Custos de mudança
· Propensão do comprador
  para mudar

Compradores

Poder de Barganha dos Compradores:
Concentração de compradores
Volume de compradores
Custos de mudança
Informação dos compradores
Lucros dos compradores
Produtos substitutos
Capacidade de empurrar produtos
Sensibilidade a preços
Preço/compras totais
Diferenças entre produtos
Identidade da marca
Capacidade de integrar para trás
Impacto sobre qualidade/desempenho
Incentivos dos tomadores de decisão

Fonte: Michael E. Porter, *Competitive Advantage* (Nova York: Free Press, 1985), p. 6.

por fornecedores, rivais e compradores. Em terceiro lugar, ao longo da dimensão horizontal, representava os entrantes e substitutos em potencial, bem como os rivais diretos. Essas generalizações, porém, forçaram Porter a ir além da evidência científica, para o domínio do bom senso. De fato, uma pesquisa de OI empírica no final dos anos 80 — mais de uma década depois de Porter ter desenvolvido sua estrutura — revelou que somente algumas das influências citadas por Porter obtinham forte apoio empírico.[17]

Apesar desses problemas, o fato da estrutura de "cinco forças" visar preocupações de empresas em vez de política pública, sua ênfase na extensa competição por valor em vez da competição entre rivais existentes e sua (relativa) facilidade de aplicação inspiraram numerosas empresas e escolas de administração a adotar seu uso. Uma pesquisa feita pela empresa de consultoria Bain sugeriu uma taxa de uso de 25% em 1993.[18] Dado o claro impacto da estrutura de "cinco forças" de Porter, iremos discuti-la com algum detalhe. Também iremos ilustrar suas influências estruturais sobre a lucratividade de um setor comparando dois grupos de setores — localizados nas extremidades opostas do cenário de negócios mostrado no Quadro 2.1.

Força 1: O Grau de Rivalidade

A intensidade de rivalidade é a mais óbvia das cinco forças em um setor — e aquela que os estrategistas têm focalizado historicamente. Ela ajuda a determinar a extensão até a qual o valor criado por uma indústria será dissipado através da concorrência direta. A mais valiosa contribuição da estrutura de "cinco forças" de Porter pode ser sua sugestão de que a rivalidade, apesar de importante, é somente uma de várias forças que determinam a atratividade do setor.

Os determinantes estruturais do grau de rivalidade presente numa indústria são numerosos. Um conjunto de condições diz respeito ao número e ao porte relativo dos concorrentes. Quanto mais concentrada a indústria, maior a probabilidade dos concorrentes reconhecerem sua interdependência mútua e, com isso, restringirem sua rivalidade. Se, ao contrário, a indústria possui muitos pequenos participantes, cada um poderá pensar que seu efeito sobre os outros passará despercebido e, assim, estará tentado a conquistar participação adicional, perturbando com isso o mercado. Por razões semelhantes, a presença de um concorrente dominante ao invés de um conjunto de concorrentes igualmente equilibrados pode reduzir a rivalidade: o participante maior pode ser capaz de determinar os preços da indústria e disciplinar os oponentes, ao passo que participantes de portes semelhantes podem tentar superar uns aos outros para obter vantagens.

Um bom exemplo dessas influências está presente na indústria siderúrgica dos Estados Unidos, a qual era muito mais lucrativa antes da II Guerra Mundial do que nos anos do pós-guerra. Antes da guerra, a concorrência estava limitada a um pequeno número de participantes domésticos liderados pela U.S. Steel que, como empresa dominante, representava uma fonte importante de estabilidade. Entretanto, algumas das suas tentativas de estabilização não eram inteiramente legais. Por exemplo, nos anos 20, seu presidente, Judge Gary, tornou-se notório por convidar concorrentes para jantar para que a U.S. Steel deixasse clara para eles sua política de preços (este tipo de comportamento também reduzia a "complexidade de informação", outro item na lista de Porter). Nas cinco primeiras décadas do século, a U.S. Steel, como vários outros líderes em outras indústrias americanas, ajudou a elevar os preços, apesar da erosão, com o tempo, da sua própria parcela do mercado.[19]

Um segundo conjunto de atributos estruturais que influenciam a rivalidade está mais relacionado com as condições básicas do setor. Por exemplo, em setores de capital intensivo, o nível de utilização da capacidade influencia diretamente a disposição das empresas para se engajarem em competições de preço para encher suas fábricas. Em termos mais gerais, custos fixos elevados, excesso de capacidade, crescimento lento e falta de diferenciação entre produtos aumentam o grau de rivalidade. Nos últimos anos, todos esses atributos foram considerados fatores para a baixa lucratividade do setor siderúrgico americano. Neste, a relação entre os custos fixos de capital e o valor agregado é uma das mais altas da economia do país, a mão-de-obra é, em grande parte, um custo fixo, a demanda tem sido essencialmente fraca e ocorreu uma diferenciação mínima entre produtos; assim, o excesso de capacidade mostrou-se crônico e de efeitos catastróficos.

O setor farmacêutico apresenta um quadro muito diferente. Os custos fixos de fabricação são limitados como percentagem das vendas ou do valor agregado. Na verdade, as margens brutas chegam a 90% em alguns dos remédios mais vendidos. A demanda tem crescido a índices de dois dígitos e as diferenças entre produtos, identidade de marcas e os custos de mudança — discutidos de forma mais extensa na seção "Força 4: poder do comprador" — criaram um isolamento entre os concorrentes que é reforçado, em alguns casos, pela proteção de patentes.

Finalmente, o grau de rivalidade também tem determinantes comportamentais. Se os concorrentes são diversos, atribuem alto valor estratégico às suas posições numa indústria ou enfrentam altas barreiras à saída, é mais provável que concorram de maneira mais agressiva. Em siderurgia, por exemplo, concorrentes estrangeiros ajudaram, adicionando diversidade, a abalar o consenso oligopolista doméstico. As apostas estratégicas têm sido altas, porque cada siderúrgica integrada doméstica tem focalizado, historicamente, o aço como seu negócio essencial. Além disso, as barreiras à saída foram elevadas pelos custos de limpeza dos locais das usinas fechadas.

Força 2: A Ameaça de Entrada

A lucratividade média do setor é influenciada pelos concorrentes existentes e em potencial. O conceito chave na análise da ameaça de entrada são as barreiras à entrada, as quais atuam para evitar o influxo de empresas numa indústria sempre que os lucros, ajustados para o custo do capital, sobem acima de zero. Em contraste, as barreiras à entrada existem sempre que é difícil — ou economicamente inviável — para uma empresa de fora repetir as posições daquelas que já estão no mercado. Normalmente as barreiras à entrada se baseiam em comprometimentos irreversíveis de recursos (discutidos abaixo).

O Quadro 2.5 ilustra as diversas formas que as barreiras à entrada podem assumir. Algumas refletem obstáculos intrínsecos, físicos ou legais, à entrada. Porém, as formas mais comuns de barreiras são a escala e o investimento necessário para se entrar num setor como concorrente eficiente. Por exemplo, quando as empresas já existentes têm marcas bem estabelecidas e produtos claramente diferenciados, uma entrante em potencial pode considerar antieconômico empreender a campanha de *marketing* necessária à introdução efetiva de seus produtos. A magnitude dos gastos necessários pode ser apenas uma parte do problema do entrante nessa situação: podem ser necessários anos para que ele construa uma reputação de qualidade de produtos, independentemente do porte da sua campanha publicitária inicial. E as barreiras à entrada podem ser produzidas ao longo de muitas dimensões. As ameaças de retaliação pelas empresas já existentes no mercado talvez representem o exemplo mais claro.

Para ilustrar a diferença que as barreiras à entrada podem fazer, considere dois grupos estratégicos muito diferentes — como em dois modelos de negócios muito diferentes — dentro do setor farmacêutico: empresas farmacêuticas baseadas em pesquisas *versus* fabricantes de medicamentos genéricos. As empresas baseadas em pesquisas têm sido, em média, muito mais lucrativas, em grande parte porque são protegidas por barreiras mais altas à entrada. Estas incluem a proteção de patentes, os custos de desenvolvimento de um novo medicamento, que podem chegar a centenas de milhões de dólares e se estender por mais de uma década, identidades de marcas cuidadosamente cultivadas e grandes quadros de vendedores que podem visitar os médicos um a um. Em contraste, o segmento genérico da indústria caracteriza-se pela falta da proteção de patentes, por requisitos de capital e tempo muito menores para o desenvolvimento de produtos, identidades de marcas fracas ou inexistentes e esforços de distribuição que focalizam o atendimento de grandes clientes que compram por atacado a preços baixos.

O setor siderúrgico é o exemplo de que as barreiras à entrada podem, como outros elementos da estrutura industrial, mudar com o tempo. As siderúrgicas integradas, que produziam aço a partir do minério de ferro, foram por muito tempo protegidas da concorrência de empresas domésticas pela necessidade de mais de um bilhão de dólares de capital para a construção de uma usina em escala eficiente (o que assegurou que nenhuma nova usina integrada fosse construída nos Estados Unidos nos últimos 40 anos). Entretanto, desde a década de 60 as siderúrgicas integradas passaram a sofrer intensa pressão das miniusinas, que produzem aço a partir de sucata e não minério de ferro. A tecnologia das miniusinas reduziu em dez vezes (ou mais) a escala exigida para uma operação eficiente e também o investimento necessário por tonelada de capacidade — levando, em certo sentido, a uma redução de cem vezes nas barreiras à entrada. Em conseqüência disso, a lucratividade caiu nos segmentos da indústria siderúrgica em que as miniusinas conseguiram penetrar.

Força 3: A Ameaça de Substitutos

A ameaça representada por substitutos à lucratividade de uma indústria depende das proporções relativas preço/desempenho dos diferentes tipos de produtos ou serviços aos quais os clientes podem recorrer para satisfazer a mesma necessidade básica. A ameaça de substituição também é afetada pelos custos de mudança — isto é, os custos em áreas como retreinamento, novo ferramental ou reprojeto, nos quais se incorre quando um cliente muda para um tipo diferente de produto ou serviço. Em muitos casos, o processo de substituição segue uma curva em forma de S. Ele começa lentamente, quando alguns pioneiros se arriscam a experimentar o substituto, adquire força se outros os seguem e finalmente se nivela quando quase todas as possibilidades econômicas de substituição foram esgotadas.

Os materiais substitutos que estão pressionando a indústria siderúrgica incluem plásticos, alumínio e cerâmicas. A indústria também precisa lidar com a ameaça de substituição associada ao uso menos intensivo de aço em produtos finais como carros. Para um exemplo mais específico, considere a substituição do aço por alumínio na indústria de latas, descrita com algum detalhe no quarto caso deste livro, sobre a Crown Cork & Seal. O menor peso e as melhores características litográficas do alumínio possibilitam que ele tire volume do aço, apesar dos preços mais altos. É provável que os custos, para os fabricantes de latas, da mudança do aço para o alumínio tenham inibido inicialmente a substituição. Porém, nos anos 80 ela se acelerou e hoje o setor siderúrgico detém apenas uma pequena parcela do mercado, em nichos como o de alimentos.

Vale a pena enfatizar que qualquer análise da ameaça de substituição (no lado da demanda) deve olhar de forma ampla todos os produtos que executam funções semelhantes para os clientes, não somente os produtos fisicamente semelhantes. Assim, os substitutos para produtos farmacêuticos poderiam incluir prevenção e hospitalização. De fato, existe alguma verdade na afirmação da indústria farmacêutica de que uma importante razão para sua lucratividade e seu crescimento é o fato de os produtos representarem, em muitos casos, uma forma de cuidado com a saúde mais eficaz em relação ao custo do que a hospitalização.

Em termos conceituais, a análise das possibilidades de substituição à disposição dos compradores deve ser suplementada pela consideração das possibilidades à disposição dos fornecedores.[20] A possibilidade de substituição no lado da oferta influencia a disposição dos fornecedores para prover os insumos requeridos, assim como a facilidade de substituição no lado da demanda influencia a disposição dos compradores para pagar pelos produtos. Por exemplo, as usinas que misturam sucata de aço com minério de ferro em seus processos de produção foram incapazes de manter baixos os preços da sucata devido à demanda crescente da mesma por parte das miniusinas, que a utilizam como insumo principal.

Força 4: Poder do Comprador

O poder do comprador é uma das duas forças verticais que influenciam a apropriação do valor criado por um setor. Ele permite aos clientes comprimir as margens da indústria forçando os concorrentes a reduzir preços ou a aumentar o nível de serviço oferecido sem recompensa.

É provável que os determinantes mais importantes do poder do comprador sejam seu tamanho e sua concentração. Essas considerações ajudam a explicar por que os fabricantes de automóveis têm, historicamente, gozado de considerável alavancagem ao negociar com as siderúrgicas. Outras razões incluem a extensão até a qual eles foram bem informados a respeito dos custos das siderúrgicas e da credibilidade das suas ameaças de integração para trás até a produção de aço (uma estratégia adotada, no passado, pela Ford). Em contraste, nenhuma dessas fontes de poder do comprador — concentração, boa informação ou a capacidade de integrar para trás — esteve evidente historicamente na indústria farmacêutica.

É óbvio que o poder de barganha do comprador pode ser neutralizado em situações nas quais os próprios concorrentes são concentrados ou diferenciados. Ambas as condições têm ajudado os produtores de aços inoxidáveis e outros aços especiais a alcançar índices de lucratividade mais altos que as grandes usinas integradas. Na indústria farmacêutica, não há substitutos para muitas drogas patenteadas (p. ex., Viagra): elas precisam ser compradas de um único fabricante. Mesmo quando há disponibilidade de substitutos terapêuticos, ligeiras diferenças em sua composição química podem criar grandes diferenças em seus efeitos colaterais, gerando uma importante diferenciação entre produtos.

Muitas vezes é útil distinguir o poder do comprador potencial da sua disposição ou seu incentivo para usá-lo. Por exemplo, o governo dos Estados Unidos é, potencialmente, um comprador muito poderoso de produtos farmacêuticos através dos seus programas Medicaid e Medicare. Historicamente, entretanto, tem evitado exercer seu poder potencial — uma situação benéfica para a indústria farmacêutica, mas infeliz para os contribuintes.

Para explicar por que os compradores têm ou não incentivo para usar seu poder, precisamos examinar outro conjunto de condições, mais comportamentais. Um dos fatores mais importantes a este respeito é a parcela do custo da indústria compradora representada pelos produtos em questão. As decisões de compra focalizam naturalmente os itens de custo maior em primeiro lugar. Este fato da vida tem sido uma maldição para a indústria siderúrgica: o aço representa uma fatia importante dos custos de muitos dos produtos finais nos quais ele é usado, de latas a carros.

Outro fator importante é o "risco de fracasso" associado ao uso de um produto. No caso dos produtos farmacêuticos, os pacientes com freqüência carecem de informações suficientes para avaliar medicamentos concorrentes e precisam levar em conta o alto custo pessoal do fracasso de qualquer sucedâneo. Este alto custo também é uma preocupação para os médicos que receitam medicamentos: a profissão médica preocupa-se com a possibilidade de ações judiciais por tratamento inadequado. Os medicamentos genéricos tendem a ser vistos como particularmente arriscados, uma percepção que certamente não foi reduzida por escândalos envolvendo as práticas deficientes de fabricação de algumas empresas. Em conseqüência disto, as marcas de preços altos conseguiram reter parcelas significativas em muitas categorias de produtos mesmo depois de substitutos aceitáveis terem chegado ao mercado.

O exemplo da indústria farmacêutica também salienta a importância de se estudar o processo de tomada de decisões ao analisar o poder do comprador. Os interesses e incentivos de todos os participantes envolvidos na decisão de compra precisam ser compreendidos para que possamos prever a sensibilidade ao preço dessa decisão. Muitos médicos e pacientes tradicionalmente careciam de incentivos para manter baixos os preços pagos por medicamentos porque uma terceira parte — uma companhia de seguros — na verdade pagava a conta. Hoje, porém, esses incentivos estão mudando, na medida em que as administradoras de serviços de saúde aumentam sua sensibilidade a preços.

Força 5: Poder do Fornecedor

O poder do fornecedor é a imagem especular do poder do comprador. Em conseqüência disso, sua análise tipicamente focaliza primeiro o tamanho e a concentração dos fornecedores em relação aos participantes da indústria e, a seguir, o grau de diferenciação nos insumos fornecidos. A capacidade para cobrar preços diferentes dos clientes, de acordo com diferenças no valor criado para cada um deles, em geral indica que o mercado é caracterizado por alto poder dos fornecedores (e baixo poder dos compradores).

Nenhuma dessas considerações chegou a ser um problema para a indústria farmacêutica no passado. Para os medicamentos convencionais (em oposição aos produtos de biotecnologia), os insumos são usualmente disponibilizados por várias empresas químicas. Em contraste, a indústria siderúrgica integrada americana foi arruinada com a maneira pela qual foi exercido o poder do fornecedor. Os fornecedores mais importantes eram os trabalhadores sindicalizados pela United Steel Workers. Por meio de ações coletivas, esses trabalhadores conseguiram negociar salários muito superiores àqueles praticados em outras indústrias manufatureiras, protegendo, ao mesmo tempo, seus empregos. Na metade do período considerado no Quadro 2.1, o excesso salarial e de empregados engolia o equivalente a um quarto das receitas totais das siderúrgicas!

Concluímos esta seção observando que as relações com compradores e fornecedores têm importantes elementos cooperativos e também competitivos. A General Motors e outras empresas automotivas americanas perderam de vista este fato quando puseram seus fornecedores de peças contra a parede jogando-os uns contra os outros. Em contraste, os fabricantes japoneses comprometiam-se com relações de longo prazo com os fornecedores, as quais rendiam frutos em termos de qualidade superior e desenvolvimento mais rápido de novos produtos. A importância tanto da cooperação quanto da competição é ressaltada pelo gabarito para a análise de cenário, a rede de valor, que é discutida na próxima seção.

A REDE DE VALOR E OUTRAS GENERALIZAÇÕES

Os anos posteriores ao desenvolvimento da estrutura das "cinco forças" de Porter viram o rearranjo e a incorporação de variáveis adicionais (p. ex., concorrência dos importados e o contato multimercado) aos determinantes da intensidade de cada uma das cinco forças competitivas. Ainda mais importante, a estrutura em si pode ser generalizada substancialmente trazendo-se novos tipos de participantes à análise. A tentativa de maior sucesso envolve a estrutura da rede de valor desenvolvida por Adam Brandenburger e Barry Nalebuff (ver Quadro 2.6.).[21]

A rede de valor destaca o papel crítico que os complementadores — participantes dos quais os clientes compram produtos ou serviços complementares, ou para os quais os fornecedores vendem recursos complementares — podem desempenhar, contribuindo para o sucesso ou fracasso da empresa. Os complementadores são definidos como a imagem dos concorrentes (inclusive novos concorrentes e substitutos, bem como os rivais existentes). No lado da demanda, eles aumentam a disposição dos compradores para pagar pelos produtos; no lado da oferta, reduzem o preço exigido pelos fornecedores por seus insumos.

Para entender por que é importante incluir complementadores no quadro, reconsidere o exemplo da indústria farmacêutica. Os médicos influenciam grandemente o sucesso dos fabricantes por meio de suas receitas de medicamentos, mas, na maior parte dos casos, eles não podem ser considerados compradores. Normalmente o dinheiro não flui deles para os fabricantes. Assim, é mais natural considerá-los complementadores que aumentam a disposição dos compradores para pagar por determinados produtos.

Um exemplo ainda mais forte é proporcionado por *hardware* e *software* de computadores. O sistema operacional Windows 95 da Microsoft é muito mais valioso em um computador equipado com microprocessador Intel Pentium do que em outro contendo um chip 486 e vice-versa. Contudo, Microsoft e Intel não aparecem nos quadros das "cinco forças" uma da outra! Não obstante, o bom senso sugere que a Intel deveria considerar a Microsoft como um participante importante no cenário dos negócios em que ela opera, e vice-versa. A importância desta percepção é reforçada por recentes relatos de agitações no eixo "Wintel", na medida em que divergências nos interesses dessas duas participantes parecem estar criando problemas para ambas. A Intel, segundo seu presidente, Andy Grove,[22] começou a incorporar complementadores às suas análises ambientais.

Os complementadores são uma característica ubíqua de muitos cenários de negócios.[23] Eles parecem particularmente importantes em situações nas quais as empresas estão desenvolvendo

QUADRO 2.6
A Rede de Valor

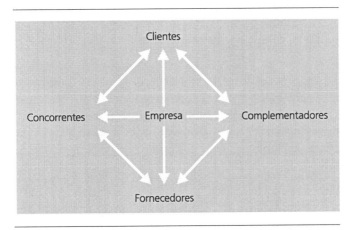

Fonte: Adam Brandenburger e Barry Nalebuff, *Co-opetition* (Nova York: Currency Doubleday, 1996), p. 17.

maneiras inteiramente novas de fazer coisas ou quando os padrões têm papéis importantes na combinação de espécies muito diferentes de conhecimento em sistemas que funcionem bem. Por exemplo, nos primeiros dias da indústria automotiva, a General Motors e outros fabricantes, muitos dos quais não mais existem, construíam "sementes de estradas" para incentivar o desenvolvimento da primeira rodovia de costa a costa nos Estados Unidos.[24] E hoje, no setor de alta tecnologia, a concorrência entre infra-estruturas alternativas de informação — como entre os programas Java e UNIX na Internet *versus* o sistema Wintel — torna particularmente importante pensar a respeito de complementos.

O maior benefício de se levar a sério os complementadores é que eles acrescentam uma dimensão cooperativa à abordagem das "cinco forças". Na colocação de Brandenburger e Nalebuff,

> Pensar a respeito de complementos é um modo muito diferente de pensar a respeito de negócios. Trata-se de achar maneiras para tornar o bolo maior em vez de lutar com os concorrentes por um bolo fixo. Para beneficiar-se com este critério, pense a respeito de como expandir o bolo desenvolvendo novos complementos ou tornando os complementos existentes mais disponíveis.[25]

No próximo capítulo, iremos definir com maior precisão o tamanho do bolo que pode ser criado por meio da cooperação com os complementadores (e com outros tipos de participantes). Aqui, iremos simplesmente destacar a idéia de que a cooperação com os complementadores, para aumentar o tamanho do bolo, precisa ser suplementada com alguma consideração da concorrência com eles para que a empresa obtenha fatias do bolo. O bom senso sugere alguns métodos de análise que determinam a extensão até a qual os complementadores, como classe de participantes, poderão reivindicar o valor que foi criado às custas de concorrentes:

- Concentração relativa. É mais provável que os complementadores possuam poder para seguir sua própria agenda quando estão concentrados em relação aos concorrentes, e menos provável quando são relativamente fragmentados. Assim, concorrentes em video-games, como a Nintendo, fragmentaram deliberadamente sua base de complementadores — criadores independentes de jogos — para reduzir seu poder.

- Custos relativos de mudança de comprador ou de fornecedor. Quando os custos de mudança de complementadores são maiores que os custos de mudança entre concorrentes, aumenta a capacidade dos complementadores para seguir suas próprias agendas. Por exemplo, é provável que o custo da mudança de *software* no seu computador seja significativamente maior que o custo de mudar de provedor de serviços para a Internet, com implicações claras para o quanto do bolo econômico essas duas classes de participantes podem esperar conquistar.

- Facilidade de separação. Os complementos tenderão a ter menos poder se os consumidores puderem comprar e usar produtos independentemente deles. Por exemplo, programas de *software*, embora sejam complementos para os fabricantes de microprocessadores, tendem a ser menos importantes que o sistema operacional (p. ex., Windows). Muitas categorias de programas podem ser (e são) compradas separadamente.

- Diferenças ao puxar a demanda. Na medida em que os complementadores desempenham um papel maior ao puxar a demanda (p. ex., mediante a diferenciação) ou o suprimento (p. ex., por meio dos volumes encomendados), seu poder provavelmente se expande.

Assim, no setor de mídia e entretenimento, os provedores de conteúdo complementam, mas também causam grave preocupação a vários outros tipos de participantes.

- Ameaças de integração assimétrica. Os complementadores tendem a ter mais poder quando podem ameaçar invadir o território dos concorrentes com maior credibilidade do que teria uma ameaça destes de fazer o contrário.

- Taxa de crescimento do bolo. A partir de uma perspectiva comportamental, a concorrência com complementadores para alegar valor tende a ser menos intensa quando o tamanho do bolo disponível para divisão entre os concorrentes e complementadores está crescendo rapidamente.

É provável que esta lista dos determinantes do poder dos complementadores possa ser ampliada. O resultado final é, às vezes, descrito como a adição de uma "sexta força" à estrutura de "cinco forças" de Porter. Não obstante, a análise do cenário não deve ser considerada uma simples versão ampliada da estrutura das "cinco forças" para análise setorial. As relações cooperativa e competitiva devem ser levadas em conta para *todos* os participantes, independentemente da "força" sob a qual possam ser listados.

Uma revisão dos gabaritos para análise de cenário discutidos até aqui neste capítulo — análise de oferta-demanda, a estrutura das "cinco forças" e a rede de valor — sugere que uma maneira na qual cada uma generaliza sua(s) predecessora(s) é trazendo novos tipos de participantes para a análise. A pergunta seguinte é óbvia: Será que podemos melhorar nossa capacidade para entender o cenário dos negócios aumentando os tipos de participantes considerados?

A resposta a esta pergunta depende da situação em questão mas, em alguns casos, parece ser claramente afirmativa. Por exemplo, com freqüência é importante levar em conta relações extramercado — como interações com governo, a imprensa, grupos de interesses ou ativistas e o público — que podem ser distinguidas das relações com o mercado por atributos como especificações legais de processos, regra da maioria, emancipação e ação coletiva.[26] Em muitos mercados emergentes as relações com entidades governamentais parecem ser, no mínimo, tão importantes quanto as relações de mercado na determinação do desempenho econômico. Ou, para tomar outro exemplo, os "contribuintes" que fornecem voluntariamente o dinheiro que mantém em operação muitas entidades sem fins lucrativos parecem comportar-se de forma muito diferente dos fornecedores de capital que estão interessados nos lucros da instituição que o recebe. Assim, em certos contextos, essas relações podem precisar ser examinadas separadamente.

Michael Porter e outros afirmam que é melhor incluir essas relações extramercado na análise das relações de mercado — por exemplo, examinando o papel do governo exclusivamente em termos de como ele afeta as cinco (ou seis) forças. Porém, como salientou David Baron, as vantagens dessa inclusão tornam-se menos óbvias quando o desafio é o desenvolvimento de estratégias integradas que tratam explicitamente de relações dos dois tipos.[27] Parece especialmente importante separar o metapapel do governo como criador de regras ou regulador de interações entre outros participantes.[28]

Um tema simples deve ter emergido de toda esta complexidade: é impossível especificar um gabarito único para analisar o cenário dos negócios. Em vez disso, as abordagens sucessivamente mais genéricas de análises de cenários vistas até aqui neste capítulo são valiosas principalmente porque nos lembram de que precisamos pensar em termos amplos a respeito dos outros participantes envolvidos e sugerem um processo para fazê-lo. O restante deste capítulo focaliza este tópico.

O PROCESSO DE MAPEAMENTO DE CENÁRIOS DE NEGÓCIOS

Tendo revisto o desenvolvimento histórico de diferentes abordagens do cenário dos negócios, está na hora de discutir como os administradores podem ligá-las ao planejamento e à ação estratégica. A finalidade principal do mapeamento do cenário dos negócios *não* é (como se costuma pensar) identificar se uma empresa opera muito acima ou muito abaixo do nível do mar econômico (nos termos que usamos na discussão do Quadro 2.1). Em vez disso, a finalidade principal é compreender as razões para essas variações e, idealmente, tirar proveito das mesmas.

O primeiro passo no processo de mapeamento do cenário dos negócios é traçar limites em torno da parte a ser descrita com detalhes, identificando os tipos de participantes que serão levados em conta. O processo de mapeamento envolve a identificação e, em alguns casos, a calibragem de relações vitais entre os participantes considerados. O passo final é encontrar maneiras de adaptação a essas relações ou de moldá-las de forma a maximizar a lucratividade total de uma empresa, e não apenas a lucratividade média do ambiente no qual ela opera. Embora possa ser preciso repetir esses passos mais de uma vez, é melhor considerá-los um de cada vez.

Etapa 1: Traçando os Limites

Para a maior parte das questões de estratégia, fechar o foco nos conjuntos de participantes com impacto direto sobre a lucratividade da própria empresa é mais útil do que revisar a economia como um todo. Em termos operacionais, o desafio para o estrategista é decidir quão amplamente (ou estreitamente) focalizará o mapeamento do cenário dos negócios.

As definições dos setores ou as unidades de análise comumente usadas na imprensa especializada em negócios e outros provedores de informações são, em muitos casos, inadequadas; portanto, precisam ser retraçadas para que tenham utilidade. Por exemplo, um estrategista dividiria o grupo de "automóveis e caminhões" no sistema de classificação da linha de valor, no qual se baseia o Quadro 2.1, pelo menos em "automóveis" e "caminhões", porque compradores, concorrentes e mesmo fornecedores diferem ao longo desses dois segmentos.

As definições estatísticas oficiais, como o código de Classificação Industrial Padrão (Standard Industrial Classification — SIC), que tem sido empregado nos Estados Unidos desde os anos 30, às vezes se saem melhor, mas não muito. Por exemplo, no nível de quatro dígitos, o código SIC distingue veículos a motor e carros de passageiros de caminhões e ônibus. Apesar disso, ele levanta tantas perguntas quantas responde — por exemplo, agrupa caminhões leves e pesados, embora aqueles sejam freqüentemente usados para transporte pessoal.[29]

Os administradores tendem a favorecer, para traçar limites, princípios gerais que definam claramente o que seu exercício de mapeamento irá ou não cobrir em qualquer sistema de classificação, oficial ou não. Talvez o princípio mais útil neste aspecto — e certamente o que tem sido mais enfatizado — esteja implícito na generalização da análise de oferta-demanda para a estrutura das "cinco forças": importantes possibilidades de substituição precisam ser levadas em conta. Assim, além dos concorrentes diretos que usam os mesmos fornecedores e a mesma tecnologia para fazer os mesmos produtos, os mapas normalmente incluem concorrentes indiretos que oferecem produtos ou serviços que sejam substitutos próximos para os da empresa. Muitas vezes, a possibilidade corrente e potencial de ser substituível também deve ser levada em conta: tecnologias "desagregadoras", que poderão satisfazer necessidades dos clientes no futuro (mas não no presente), são freqüentemente omitidas e podem ser muito perigosas.[30] Em seu conjunto, essas considerações sugerem que as empresas que dividem (potencialmente) clientes ou tecnologias devem ser incorporadas ao mapa.[31] Assim, uma decisão a respeito de se faz ou não sentido analisar carros e caminhões leves como partes do mesmo mapa depende do grau de ser substituível no lado da demanda entre as duas linhas de produtos e da extensão até a qual o *know-how* e os equipamentos de produção podem ser utilizados em ambas (possibilidade de substituição no lado da oferta).

Um segundo princípio geral para se traçar limites — para decidir quais conjuntos de participantes incluir e quais excluir — está implícito na generalização da estrutura das "cinco forças" para a rede de valores. Isto é, o mapa deve levar em conta complementaridades importantes, bem como possibilidades de substituição. Entretanto, esta inclusão complica o quadro em um aspecto: o mesmo participante pode desempenhar, ao mesmo tempo, os papéis de concorrente e complementador, ou mudar de um para o outro — aquilo que Brandenburger e Nalebuff chamam de efeito "Jekill e Hyde".[32] Relações múltiplas e oscilantes deste tipo aumentam a dificuldade da análise do cenário enriquecendo a gama de possibilidades. Elas também sugerem a conveniência de se separar a identificação dos participantes que são relevantes (passo 1 da análise) da avaliação das relações entre eles (passo 2).

Participantes de outros tipos além daqueles sugeridos pela estrutura das "cinco forças" ou pela rede de valor podem precisar ser incluídos na análise (como vimos na seção anterior). O desafio é conseguir o equilíbrio adequado entre a simplicidade gerenciável e a complexidade necessária. Ou, como diria Albert Einstein, a análise deve ser tornada o mais simples possível, mas não mais simples que isso.

A esta altura, três armadilhas comuns na identificação dos participantes relevantes merecem ser mencionadas. Primeira, há, muitas vezes, a tendência para se focalizar os participantes existentes, mas os novos ou em potencial também precisam ser levados em conta. Segunda, os participantes precisam ser considerados em termos de subcategorias detalhadas e não apenas nas categorias amplas identificadas nos gabaritos analíticos discutidos até agora. Por exemplo, seria difícil analisar o grau de ameaça representada pelas relações com fornecedores para as siderúrgicas integradas sem o reconhecimento de que a mão-de-obra representa uma subcategoria importante de fornecedores. Contudo, as tentativas para se analisar o cenário do aço integrado usando a estrutura das "cinco forças" às vezes erram neste ponto, por considerarem somente as subcategorias de fornecedores de insumos físicos como minério de ferro ou eletricidade. Terceira, os participantes precisam ser classificados de forma clara e consistente do ponto de vista da empresa que motiva a análise. Voltando ao exemplo da siderurgia integrada, as discussões de casos algumas vezes confundiram rivais com fornecedores com base no raciocínio pelo qual os rivais fornecem aos seus próprios compradores!

A maior parte das ambigüidades restantes no desenho dos limites gira em torno de várias dimensões de escopo:

- Horizontal — através de produtos e mercados
- Vertical — ao longo da cadeia fornecedor-comprador
- Geográfica — através de limites locais, regionais e nacionais

Escopo Horizontal   A questão do escopo horizontal já foi salientada no exemplo do carro de passageiros/caminhão leve. Quando não está claro se faz mais sentido uma definição horizontal estreita ou ampla, pode ser útil analisar o cenário com base em ambas. Uma definição estreita focaliza a análise e a ampla ajuda a evitar surpresas. Se as diferenças entre segmentos tornam difícil analisar a definição mais ampla, então é melhor definir o cenário de forma estreita. De qualquer maneira, os princípios de possibilidade de substituição e complementaridade são particularmente úteis na solução de questões relacionadas a esta dimensão em particular do escopo.

Escopo Vertical   Com respeito ao escopo vertical, a questão-chave é quantos estágios, verticalmente ligados, da cadeia fornecedor → comprador a análise irá considerar. Por exemplo, é possível analisar mineração de bauxita, refino de alumina, fundição de alumínio e fabricação de produtos de alumínio independentemente uma da outra? De modo geral, se existe ou pode ser criado um mercado competitivo para vendas a terceiros entre os estágios verticais, estes devem ser separados; caso contrário, devem permanecer juntos. Neste sentido, a ligação mais forte, na cadeia vertical do alumínio, ocorre entre a mineração de bauxita e o refino de alumina, porque, em sua maioria, as refinarias podem empregar somente uma fonte de bauxita. A ligação mais tênue surge entre a fundição de alumínio e a fabricação, porque os fabricantes podem comprar lingotes de alumínio de diferentes fundições.

Escopo Geográfico   Aqui a questão é com que amplitude o cenário dos negócios deverá ser definido em termos geográficos. Por exemplo, faz mais sentido olhar somente para os laboratórios farmacêuticos dos Estados Unidos ou para a indústria farmacêutica mundial? Questões como esta podem surgir em torno de limites locais e regionais, assim como nacionais. Um critério-chave para resolvê-las é a independência relativa das posições competitivas — o assunto do próximo capítulo — em diferentes mercados geográficos. Devido à importância da amortização de seus enormes gastos de pesquisa e desenvolvimento (P&D), os laboratórios farmacêuticos têm maior interdependência ao longo de mercados que as siderúrgicas, sugerindo que o cenário farmacêutico deve, de modo geral, ser definido para ter escopo geográfico mais amplo. Notamos, entretanto, que os limites apropriados irão depender, juntamente com esta e outras dimensões associadas ao escopo, da questão estratégica a ser abordada. Assim, um grande laboratório farmacêutico pode assumir uma perspectiva global ao decidir uma fusão com outro para continuar a ter um limiar crescente de economia de escala, mas poderá assumir uma perspectiva mais local ou regional ao fixar as estratégias para o mercado de cada país.

Para resumir esta discussão do passo 1, o desafio da identificação dos participantes que serão mantidos dentro, em oposição àqueles que serão mantidos fora na análise profunda do cenário dos negócios, é considerável. Mas ele deve ser enfrentado. Os princípios e as diretrizes aqui oferecidos deverão ajudar neste aspecto.

Etapa 2: Mapeando Relações-Chave

A identificação dos tipos relevantes de participantes prepara o caminho para o mapeamento das relações entre eles. Algumas delas podem se mostrar insignificantes para o desempenho real ou potencial da empresa a partir de cuja perspectiva a análise está sendo realizada. Em termos mais gerais, nem todos os tipos de participantes em potencial serão da mesma importância em qualquer situação em particular.

O processo de mapeamento pode ser conduzido com dois objetivos muito diferentes, ambos encontrados na prática (embora raramente na mesma empresa). Uma abordagem avalia as relações em termos quantitativos ou categóricos (p. ex., baixo *versus* médio *versus* alto poder para o próprio lado) para produzir algo semelhante a um sistema tradicional de apoio a decisões. A outra abordagem focaliza modelos mentais em vez de modelos de apoio a decisões, salientando que os responsáveis pelas decisões importantes devem entender as relações-chave com alguma profundidade. Ambas as abordagens têm tido sucesso em numerosas aplicações práticas, explicando porque ambas ainda são amplamente praticadas. Também, em muitas situações, definir-se por uma abordagem é, provavelmente, melhor que não fazer nada. Em outras palavras, os modelos mentais e de apoio a decisões podem ter uma grande zona de superposição dentro da qual a busca inteligente de qualquer delas pode melhorar o *status quo* organizacional.

Embora as duas abordagens possam parecer fundamentalmente diferentes, elas têm muitas das mesmas implicações para o processo de mapeamento de relações em termos dos tipos de informações exigidas, da gama de relações que devem ser consideradas e da atenção que deve ser prestada à dinâmica do cenário.

Exigências de Informações   Ambas as abordagens exigem a aquisição e integração de um grande volume de informações a respeito do ambiente externo. Este desafio é aumentado pela necessidade de avaliar as mudanças nas relações ao longo do tempo (ou de questões), um fator que normalmente obriga a tentativas permanentes de mapeamento dos cenários de negócios. A criação e operação de um sistema para exames ambientais mais ou menos contínuos implica em custos fixos consideráveis, mas estes podem ser rateados entre os outros tipos de análises discutidas nos capítulos subseqüentes. Muitos dos dados exigidos para essa análise podem ser obtidos de fontes públicas — ver Quadro 2.7 para uma lista parcial de fontes —, embora os dados de entrevistas de campo também costumem ser essenciais.

Relações Cooperativas e Competitivas   Uma segunda conclusão processual que está ganhando terreno envolve a suposição de que as relações tanto cooperativa quanto competitiva (ou, mais precisamente, elementos cooperativos e competitivos de relações) devem ser refletidas nos cenários de negócios. Embora esta exigência aumente a dificuldade da análise, ela também aumenta a probabilidade de se encontrar estratégias favoráveis a todos, nas quais o tamanho do bolo econômico é aumentado, ao contrário do foco exclusivo em estratégias nas quais somente um lado vence e as fatias de um bolo praticamente fixo são meramente redistribuídas.

QUADRO 2.7
Fontes Públicas de Informações a Respeito do Cenário dos Negócios

Estudos Setoriais	Fontes do Governo
— Livros	— Documentos antitruste, legais ou fiscais
— Analistas de investimentos	— Dados do Censo ou da Secretaria da Receita
— Pesquisas de mercado	— Organismos reguladores
— Casos de escolas de administração	
	Anuários de Indústrias e Empresas
Associações de Classe	— Thomas' Register
	— Dun & Bradstreet
Imprensa de Negócios	
— Publicações genéricas (p. ex., *Wall Street Journal, Fortune*)	Fontes da Empresa
	— Relatórios anuais
— Publicações especializadas	— Arquivos da Comissão de Valores Mobiliários
— Jornais locais	— Materiais de relações públicas/promocionais
— Serviços *online* (p. ex., Bloomberg, OneSource, Compustat)	— *Sites* na Internet
	— Histórias da empresa

Em geral, a estrutura das "cinco forças" não leva em conta as relações cooperativas. A única exceção, ironicamente, diz respeito às relações entre concorrentes diretos: o tratamento de Porter dos determinantes de rivalidade enfatiza, mantendo a OI clássica, os determinantes estruturais da capacidade dos concorrentes para conspirar. Esta desatenção com as relações cooperativas é uma das principais razões pelas quais muitos estrategistas afirmaram recentemente ser impossível definir setores de forma satisfatória, em particular no setor de alta tecnologia, e propuseram várias substituições — blocos estratégicos, teias e ecossistemas,[33] para citar algumas. As diretrizes analíticas propostas nesta seção não dependem da escolha de usar ou não terminologia mais nova.

Tendo reconhecido as relações cooperativas, é preciso ter em mente que o pensamento competitivo pode ajudar a identificar, mesmo que apenas em termos qualitativos, quais tipos de participantes irão tender a obter quanto do bolo econômico que *for* criado. O método analítico detalhado expresso na estrutura das "cinco forças" fornece, a este respeito, uma lista de verificação muito útil, embora costume fazer sentido elaborar a lista rapidamente e identificar uns poucos fatores-chave a serem explorados em profundidade. A versão da rede de valor desenvolvida na seção anterior também sugere que métodos analíticos semelhantes podem ser aplicados com bons resultados até mesmo a relações com complementadores que são, em termos relativos, de natureza mais cooperativa e menos competitiva. Testes de consistência (p. ex., entre lucros previstos e registrados) podem ser usados para verificar a análise efetuada até este ponto.

Pensamento Dinâmico A razão final pela qual as tentativas de mapear as relações entre os participantes oferecem, ao mesmo tempo, dividendos e dificuldades, é que essas relações tendem a mudar com o tempo, em parte em conseqüência das estratégias adotadas por vários participantes. Uma implicação óbvia dessa mudança é que devemos mapear o cenário dos negócios da maneira que ele será no futuro e não como era no passado. O sucesso na previsão de como o cenário dos negócios irá mudar pode ser extremamente valioso, assim como o fracasso pode ser desastroso.

A este respeito, é útil fazer distinção entre as dinâmicas de curto e de longo prazos. Embora as primeiras reflitam efeitos transitórios, elas também mostram fenômenos como ciclos dos negócios que podem ser muito importantes, particularmente em indústrias movidas por capacidade. Por exemplo, na indústria siderúrgica dos Estados Unidos, as tentativas de modernização das siderúrgicas integradas foram regularmente interrompidas por quedas cíclicas da demanda, as quais aumentaram o potencial de lucros para as miniusinas.

A prazo mais longo, é preciso prestar atenção a dinâmicas como crescimento do mercado, evolução das necessidades dos compradores, taxa de inovação de produtos e processos, mudanças na escala exigida para competir, em custos de insumos, em taxas de câmbio e assim por diante. Como mostra o Quadro 2.8 (ver p. 51), são possíveis muitos tipos de dinâmicas a longo prazo. Algumas das mudanças podem afetar mais de um conjunto de relações; outras podem refletir ciclos de longo prazo do tipo exemplificado no Quadro 2.9 (ver p. 52). As mudanças também podem ser drásticas em vez de incrementais. Uma série de forças contemporâneas — inclusive avanços em tecnologia da informação, desregulamentação e globalização — pode submeter um grande número de cenários, em mercados emergentes e desenvolvidos, a choques ou mudanças descontínuas que são, em termos qualitativos, distintos dos ciclos e tendências em seus efeitos competitivos.

Finalmente, muitas espécies de dinâmicas podem ser endógenas (depender das estratégias dos participantes) em vez de exógenas. Para ajudar a clarear as idéias, vejamos um exemplo. Considere a indústria cervejeira, na qual a escala mínima de produção eficiente de 5 milhões de barris se traduziria, caso fosse dividida pelo mercado americano de cerca de 200 milhões de barris, numa parcela de mercado de 2,5%. Contudo, a concentração aumentou regularmente no período do pósguerra, ultrapassando em muito o nível que seria previsível por estes cálculos. A maior concorrente,

QUADRO 2.8
Algumas Dinâmicas Comuns de Longo Prazo

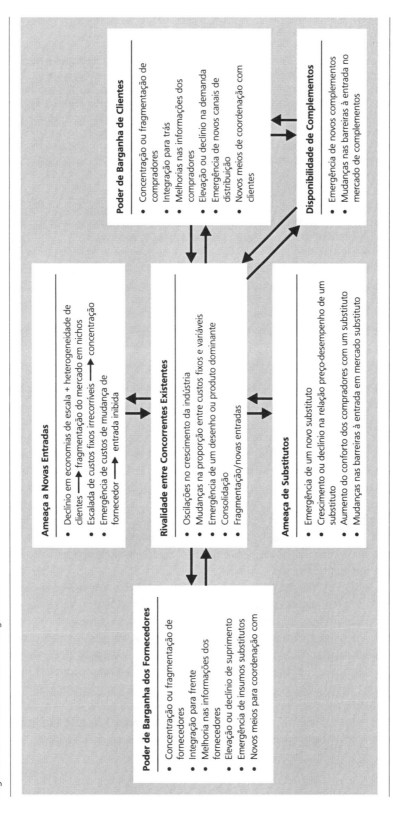

Fonte: Jan W. Rivkin.

QUADRO 2.9
Dinâmicas do Ciclo de Vida

Para entender como os ciclos de vida de produtos são comuns e como seus efeitos podem ser dramáticos, considere as descobertas de Steven Klepper e Elizabeth Graddy. Estes pesquisadores acompanharam 46 novos produtos a partir do seu início até 1981 — períodos cobrindo, em alguns casos, quase 100 anos.[37] Eles constataram que 38 produtos haviam sofrido algum tipo de abalo (i. e., redução significativa no número de produtores) depois de períodos de crescimento em média de 29 anos, mas muito variáveis. Klepper e Graddy destacaram que os oito produtos restantes em sua amostra ainda poderiam sofrer contrações, porque eram relativamente jovens (em 1981). Ainda mais notável era o fato de o número de produtores ter declinado, em média, 52% a partir do pico para os 22 produtos que haviam atingido estabilidade ao longo desta dimensão (dentro de 11 anos do início da redução de produtores)!

Klepper e Graddy também constataram que a produção subiu e os preços caíram ao longo do tempo a taxas percentuais decrescentes, antes de estabilizarem. As mudanças médias *anuais* no primeiro intervalo de cinco anos para os produtos da amostra foram de 50% para a produção e –13% para os preços. Entre o vigésimo e o trigésimo ano as mudanças anuais, ao longo dessas dimensões, haviam se estabilizado em médias respectivamente de 2 a 3% e –2 a –3% — um contraste muito agudo.

A similaridade ao longo dos cenários desta constelação de mudanças relacionadas ao ciclo de vida — e outras, como uma mudança significativa de P&D de produtos para P&D de processos[38] — indica a importância de se reviver o trabalho inicial sobre ciclos de vida iniciado pela empresa de consultoria Arthur D. Little, entre outras.

a Anheuser-Busch, representa aproximadamente 50% do mercado dos Estados Unidos, e a segunda, a Miller, outros 20%. Por quê?

Os aumentos na concentração do setor cervejeiro dos Estados Unidos no período de pós-guerra estão aparentemente relacionados com o aumento de propaganda e, em termos mais gerais, aos níveis de *marketing*. A Anheuser-Busch e, em menor extensão, a Miller, parecem ter se destacado das restantes elevando seus investimentos ao longo desta dimensão. John Sutton, em estudo mais genérico, usou modelagem dedutiva e análise indutiva de 20 setores de alimentos e bebidas (inclusive cervejaria) em seis países (inclusive os Estados Unidos) para afirmar que uma profunda diferença separa os setores com baixas relações propaganda/vendas, os quais tendem a se tornar mais fragmentados à medida que cresce o tamanho do mercado, dos setores com altas relações propaganda/vendas, os quais podem não se tornar fragmentados porque dão, às empresas, a oportunidade de optar por altas taxas de crescimento.[34]

Mais recentemente, Sutton aplicou idéias semelhantes à análise da concorrência baseada em P&D.[35] Para resumir um conjunto complexo de considerações, Sutton faz uma importante distinção entre *custos irrecorríveis exógenos* (p. ex., os custos em que se deve incorrer para se instalar uma fábrica com escala eficiente) e os *custos irrecorríveis endógenos,* os quais denotam oportunidades para comprometer recursos com dispêndios (fixos) em propaganda e P&D de maneiras que aumentem a disposição dos compradores para pagar até um determinado grau mínimo.[36] Os custos irrecorríveis do segundo tipo prestam-se a estratégias de alto crescimento. O trabalho de Sutton, além de fornecer um exemplo direto do caráter endógeno do cenário dos negócios, nos lembra de que outras pesquisas poderão continuar mudando nosso modo de pensar a respeito das dinâmicas dos cenários de negócios e seus efeitos sobre relações-chave entre participantes.

Etapa 3: Adaptação e Moldagem do Cenário dos Negócios[39]

Tendo identificado os participantes-chave e mapeado as relações (correntes e futuras) entre eles, a atenção do administrador deve se voltar para o uso desse conhecimento para ações estratégicas. A conexão entre análise de cenário e ação estratégica torna-se mais óbvia quando a análise é motivada, inicialmente, por uma opção específica (p. ex., entrar ou sair de determinado mercado). Porém, outras conexões com ações também são possíveis. Assim, um mapa do cenário dos negócios pode salientar determinadas relações competitivas que precisam ser neutralizadas ou certas relações cooperativas que devem ser exploradas para se atingir um desempenho econômico superior, alcançando-se, com isso, um ponto alto no cenário. Por outro lado, a avaliação dos efeitos de uma mudança importante no cenário pode sugerir a necessidade de ajustes. Essa adaptação da estratégia ao cenário dos negócios para se atingir "adequação externa" é um tema importante de vários dos casos de sucesso estratégico incluídos neste livro.

Para um exemplo atual de adaptação, considere as ações estratégicas empreendidas por grandes empresas de contabilidade para mitigar os piores aspectos do seu cenário de negócios. A lucratividade do seu negócio de auditoria em especial, estava sendo erodida pela rivalidade entre as Oito Grandes firmas tradicionais, semelhantes em seus portes e em sua intenção de assumir a liderança, e pela pressão do comprador típico, o diretor financeiro de um cliente, para quem a taxa de auditoria externa representava o maior item do seu orçamento depois dos salários. As grandes empresas de contabilidade têm reagido a essas pressões de várias maneiras. Fusões reduziram as Oito Grandes às Cinco Grandes, com probabilidade de outras consolidações. As empresas também alargaram o escopo dos seus serviços profissionais (p. ex., entrando em consultoria) para passar a partes mais atraentes do cenário e elevar os custos de mudança para os clientes. Finalmente, elas têm tentado afastar a compra de serviços de auditoria dos diretores financeiros para comitês de auditoria dos conselhos de administração dos clientes, que, para elas, são menos sensíveis a preços.

A adaptação, apesar de importante, não é a única postura estratégica a ser adotada em relação ao cenário de negócios. Nossa discussão anterior do caráter endógeno do cenário de negócios sugeriu que uma empresa poderia ter a oportunidade de moldar, de forma mais ativa, seu ambiente em proveito próprio — uma possibilidade que tem sido o assunto de muita literatura recente, enfatizando a compreensão ou perspicácia estratégica.[40] As oportunidades para moldar ou remoldar cenários de negócios são mais óbvias em ambientes fluidos que ainda estão tomando forma, como o de multimídia, mas também são evidentes em contextos mais antigos, aparentemente mais maduros. Assim, a indústria automotiva pode ser fundamentalmente reformulada pelas formas com que os fabricantes mudam seus sistemas de distribuição.

Embora as estratégias que visam reformular cenários de negócios impliquem, com freqüência, altos riscos, os retornos também podem ser bastante elevados. Para um exemplo concreto, considere como a Nintendo reconstruiu o negócio de videogames na segunda metade dos anos 80, depois das vendas terem caído de $ 3 bilhões em 1982 para $ 100 milhões em 1985 devido à inundação do mercado por *software* de baixa qualidade.[41] O Quadro 2.10 (ver p. 54) indica que a Nintendo deu atenção, desde o início, ao estabelecimento de relações com outros participantes que lhe permitiriam fazer com que o bolo crescesse de novo *e* conquistar uma parcela importante do valor criado. Achamos que a análise formal do cenário — pensar a respeito de quem são os participantes relevantes e em como poderão evoluir as relações entre eles — é mais útil na identificação de estratégias de moldagem bem-sucedidas do que prescrições para ser criterioso.

QUADRO 2.10
Como a Nintendo Reformulou o Cenário de Videogames

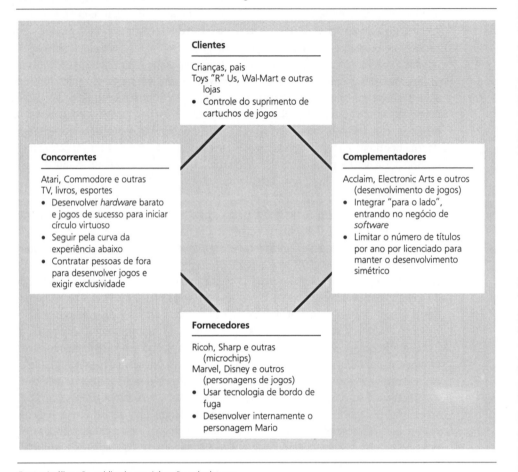

Clientes

Crianças, pais
Toys "R" Us, Wal-Mart e outras
    lojas
• Controle do suprimento de
    cartuchos de jogos

Concorrentes

Atari, Commodore e outras
TV, livros, esportes
• Desenvolver *hardware* barato
    e jogos de sucesso para iniciar
    círculo virtuoso
• Seguir pela curva da
    experiência abaixo
• Contratar pessoas de fora
    para desenvolver jogos e
    exigir exclusividade

Complementadores

Acclaim, Electronic Arts e outros
    (desenvolvimento de jogos)
• Integrar "para o lado",
    entrando no negócio de
    software
• Limitar o número de títulos
    por ano por licenciado para
    manter o desenvolvimento
    simétrico

Fornecedores

Ricoh, Sharp e outras
    (microchips)
Marvel, Disney e outros
    (personagens de jogos)
• Usar tecnologia de bordo de
    fuga
• Desenvolver internamente o
    personagem Mario

Fonte: Análise não-publicada por Adam Brandenburger.

Entretanto, este e outros exemplos de estratégias de moldagem ou de adaptação sugerem também a necessidade de ir além do exame da atratividade do ambiente — o primeiro dos dois determinantes de lucratividade na grade de lucratividade do Quadro 1.7 — para considerar o posicionamento competitivo — o segundo determinante. Isto requer uma passagem da análise no "nível do setor" para a análise no "nível da empresa". Podemos visualizar esta mudança em termos de cenário. Em vez de olhar para o cenário de grande altitude, onde somente as principais características das várias partes — como a altura média acima (ou abaixo) do nível do mar — se destacam, vamos olhar de bem mais perto. Nosso exame revelará que o cenário, muitas vezes, parece muito irregular. As variações na lucratividade de concorrentes diretos tendem a ser ainda maiores que os componentes comuns da sua lucratividade examinados neste capítulo. A compreensão dessas diferenças em posicionamento competitivo e a descoberta de como criar vantagem competitiva são os tópicos principais do próximo capítulo.

RESUMO

A análise do cenário ajuda a tornar parte do paradigma mais antigo, a SWOT (força-fraqueza-oportunidade-ameaça) um processo mais sistemático para o planejamento estratégico, esclarecendo as oportunidades e ameaças que confrontam cada empresa, algumas das quais compartilhadas com seus concorrentes diretos.

Porém, a análise de cenários não está limitada aos concorrentes diretos: envolve olhar além deles, até uma extensão que depende do caráter geral do gabarito analítico empregado. A análise oferta-demanda focaliza a atenção em produtos e mercados — isto é, na troca de relações entre fornecedores e compradores. A estrutura das "cinco forças" amplia a análise (ao menos em princípio) para cadeias verticais de três estágios (fornecedor → concorrente → comprador) e para a consideração explícita de possibilidades de substituição. A rede de valor traz, para o quadro, relações complementares e responde pela complicação de que um participante que é concorrente em um aspecto pode ser um complementador em outro. Pode até ser necessário adicionar mais tipos de participantes, dependendo do contexto. Dada a ambigüidade relativa a quem está "dentro" e quem está "fora", chegar à clareza a respeito das identidades dos participantes costuma ser mais importante do que esforçar-se para achar *a* maneira correta para traçar os limites da porção do cenário de negócios que deve ser mapeada com detalhes.

A identificação dos tipos relevantes de participantes prepara o caminho para o mapeamento das relações entre eles. Tanto as relações competitivas quanto as cooperativas devem ser levadas em conta. A estrutura das "cinco forças" oferece vários métodos analíticos a este respeito ("os determinantes da atratividade da indústria"). O mesmo faz a rede de valor, desenvolvida neste capítulo. O mapeamento precisa ser dinâmico, porque as relações podem mudar com o tempo, em conseqüência de ciclos, tendências, choques, estratégias de participantes e assim por diante.

O objetivo supremo desses exercícios de mapeamento é sugerir maneiras pelas quais as empresas podem se adaptar aos cenários em que operam ou moldá-los. Embora os instrumentos e princípios discutidos neste capítulo sejam úteis neste aspecto, devemos suplementá-los com aqueles discutidos no próximo capítulo. Como a estrutura SWOT nos lembra, as percepções de oportunidades e ameaças comuns devem ser integradas levando-se em conta as forças e fraquezas de cada participante.

TERMOS-CHAVE

adaptação
adequação externa
análise oferta-demanda
cenário de negócios
complementadores
concorrência ampliada
concorrência oligopolista
cooperação
curva de demanda
curva de suprimento
custos irrecorríveis endógenos

custos irrecorríveis exógenos
definições de indústria
elasticidade — preço da demanda
escopo geográfico
escopo horizontal
escopo vertical
estratégias de moldagem
estrutura das "cinco forças"
grupos estratégicos
modelo de negócio
organização industrial ou OI

pensamento dinâmico
poder do comprador
poder do fornecedor
rede de valor

relações extramercado
rivalidade
substitutos

NOTAS

1. Este capítulo beneficiou-se enormemente da ajuda de Adam Brandenburger e Jan Rivkin, que desenvolveram muitas das idéias cobertas por ele, permitiram que usássemos seus materiais não-publicados e ofereceram comentários sobre os primeiros rascunhos.
2. Ver, por exemplo, Richard Schmalensee, "Do Markets Differ Much?" *American Economic Review*, 1984; 75:341-351; Richard Rumelt, "How Much Does Industry Matter?" *Strategic Management Journal*, 1991; 12:167-185; e Anita McGahan e Michael Porter, "How Much Does Industry Matter, Really?" *Strategic Management Journal*, 1997; 18:15-30.
3. Scott Gillis, da Marakon Associates, merece nossos agradecimentos por ajudar a tornar disponíveis esses dados.
4. A metáfora do cenário originou-se na biologia há mais de 50 anos. Ver Stuart A. Kauffman, *At Home in the Universe* (Oxford: Oxford University Press, 1995) para uma discussão nesse contexto. Os quatro últimos capítulos deste livro também discutem aplicações para questões relativas às organizações humanas. Para outras aplicações de modelos baseados em cenários à estratégia, ver Daniel Levinthal, "Adaptation on Rugged Landscapes", *Management Science*, 1997; 53:934-950 e Jan W. Rivkin, "Imitation of Complex Strategies", Harvard Business School Working Paper 98-068.
5. A discussão se baseia no artigo não-publicado de Adam Brandenburger, "Models of Markets" (Harvard Business School, janeiro de 1998).
6. Jurg Niehans, *A History of Economic Theory* (Baltimore: Johns Hopkins University Press, 1990), p. 16-18.
7. Alfred Marshall, *Principles of Economics* (Londres: Macmillan, 1890), livro 5.
8. Ver Gary P. Pisano, *Partners HealthCare System, Inc. (A)*, ICCH Nº 696-062, para detalhes adicionais. Note também que as implicações de um declínio na utilização da capacidade seriam ainda mais severas do que indica esta curva de custo, porque ela inclui custos fixos e variáveis em sua base de custos.
9. Antoine A. Cournot, *Recherches sur les Principes Mathématiques de la Théorie des Richesses* (Paris: Hachette, 1838). A caracterização muito diferente de resultados quando duopolistas fixam preços ao invés de quantidades foi fornecida por outro sábio francês, Jean Bertrand, em sua revisão do livro de Cournot no *Journal des Savants*, 1883 67:499-508.
10. Ver Edward H. Chamberlin, *Theory of Monopolistic Competition: A Reorientation of the Theory of Value* (Cambridge, MA: Harvard University Press, 1933) e Joan Robinson, *The Economics of Imperfect Competition* (Londres: Macmillan, 1933).
11. Economistas associados à Universidade de Chicago em geral duvidavam da importância empírica desta possibilidade — exceto como um artefato de distorções reguladoras.
12. A obra seminal de Mason foi "Price and Production Policies of Large-Scale Enterprise", *American Economic Review*, março de 1939:61-74.
13. Joe S. Bain, "Relations of Profit Rate to Industry Concentration: American Manufacturing, 1936-1940", *Quarterly Journal of Economics*, agosto de 1951:293-324.
14. Joe S. Bain, *Barriers to New Competition* (Cambridge, MA: Harvard University Press, 1956), p. 3.
15. Ver, por exemplo, Harvey J. Golschmid, H. Michael Mann e J. Fred Weston, eds., *Industrial Concentration: The New Learning* (Boston: Little Brown, 1974).
16. Michael E. Porter, "Note on the Structural Analysis of Industries", ICCH Nº 376-054.
17. Richard Schmalensee, "Inter-industry Studies of Structure and Performance", em Richard Schmalensee e R.D. Willig, eds., *Handbook of Industrial Organization*, vol. 2 (Amsterdã: Holanda, 1989). Os elementos da estrutura de Porter que são apoiados pela revisão da evidência feita por Schmalensee aparecem em itálico no Quadro 2.5.
18. Darrell K. Rigby, "Managing the Management Tools", *Planning Review*, setembro-outubro de 1994.
19. Richard E. Caves, Michael Fortunato e Pankaj Ghemawat, "The Decline of Dominant Firms, 1905-1929", *Quarterly Journal of Economics*, 1984; 99:523-546.
20. Adam Brandenburger e Stuart W. Harborne, Jr., "Value-Based Business Strategy", *Journal of Economics and Management Strategy*, 1996; 5:5-29.
21. Dizem que Porter modificou sua estrutura das "cinco forças" de maneiras sugeridas pela rede de valor.
22. Andrew S. Grove, *Only the Paranoid Survive* (Nova York: Bantam Doubleday Dell, 1996), p. 27-29.
23. Para outros exemplos de complementadores, ver Capítulo 2 de *Co-opetition*, op. cit., especialmente a p. 12.
24. Brandenburger e Nalebuff, *Co-opetition*, p. 12.
25. *Co-opetition*, op. cit., p. 14-15.
26. David P. Baron, "Integrated Strategy: Market and Nonmarket Components", *California Management Review*, 1995; 37(2), em especial a página 47. Ver David P. Baron, *Business and Its Environment* (Englewood Cliffs, NJ: Prentice-Hall, 1996) para um tratamento ampliado de estratégias extramercado.
27. Baron, op. cit.
28. Adam M. Brandenburger, "Discussing Business Landscapes", Harvard Business School, fevereiro de 1998.

29. Estava previsto, para 1999, a substituição da Standard Industrial Classification pela North American Industrial Classification System, que parece prover uma base melhor para limitar o cenário dos negócios.

30. Ver Clayton M. Christensen, *The Innovator's Dilemma* (Boston: Harvard Business School Press, 1997), bem como a discussão no Capítulo 4 deste livro.

31. Derek F. Abell, *Defining the Business* (Englewood Cliffs, NJ: Prentice-Hall, 1980).

32. Páginas 28-29 de *Co-opetition*. Em termos mais gerais: "É norma o mesmo participante ocupar múltiplos papéis na Rede de Valor".

33. Ver, por exemplo, Nitin Nohria e Carlos Garcia-Pont, "Global Strategic Linkages and Industry Structure", *Strategic Management Journal*, 1991; 12:105-124; John Hagel e Arthur Armstrong, *Net Gain* (Boston: Harvard Business School Press, 1997); e James F. Moore, *The Death of Competition* (Nova York: HarperCollins, 1996).

34. John Sutton, *Sunk Costs and Market Structure* (Cambridge, MA: MIT Press, 1991).

35. John Sutton, *Technology and Market Structure* (Cambridge, MA: MIT Press, 1998).

36. Mais uma advertência: o aumento, caso haja, nos custos unitários variáveis associados a essas tentativas de diferenciação vertical deverá ser suficientemente pequeno para que um cenário industrial exiba potencial de crescimento. Além disso, observe que Sutton não fala diretamente à questão de como empresas que estão em posições diferentes no mesmo setor concorrem pelas oportunidades estratégicas abertas a eles. Em vez disso, seu foco é no estabelecimento de limites mais baixos sobre os níveis de concentração observados em equilíbrio.

37. Steven Klepper e Elizabeth Graddy, "The Evolution of New Industries and the Determinants of Market Structure", *RAND Journal of Economics*, primavera de 1990:27-44.

38. W.J. Abernathy e J.M. Utterback, "Patterns of Industrial Innovation", *Technology Review* 1978; 80:2-9.

39. Embora as idéias básicas nas quais se baseia esta subseção estejam bem estabelecidas, a dicotomia adaptação/moldagem usada aqui e em outros lugares neste livro se baseia em trabalho recente pela empresa de consultoria McKinsey & Company, discutido no McKinsey Strategy Forum.

40. Gary Hamel e C.K. Prahalad, *Competing for the Future* (Boston: Harvard Business School Press, 1994), é um bom exemplo deste gênero, mas não o único. Temas comuns nesta literatura, baseados em um esforço de classificação da McKinsey & Company, incluem inovação, espírito empreendedor, revolução, pensamento baseado em aspiração/ambição, esforço e alavancagem e liderança/visão.

41. Esta discussão baseia-se diretamente em Adam Brandenburger, "Power Play (A): Nintendo in 8-Bit Video Games", ICCH Nº 795-102, e em sua análise não-publicada daquele caso.

CAPÍTULO 3

Criando Vantagem Competitiva

Pankaj Ghemawat e Jan W. Rivkin

> Se um homem . . . fizer uma ratoeira melhor que a do seu vizinho, mesmo que ele more na flores-
> ta, o mundo irá abrir um caminho até sua porta.
>
> — *Ralph Waldo Emerson (atribuído)*

Fazendo uma palestra no século XIX, Emerson antecipou um dos pontos-chave que os estrategistas ainda enfatizam no final do século XX: alguns fabricantes de ratoeiras provavelmente irão superar outros. Em termos mais gerais, enquanto os efeitos no nível do setor ou população têm grande impacto sobre o desempenho das empresas, grandes diferenças de desempenho também aparecem *dentro* de setores. Considere, por exemplo, duas das indústrias identificadas como diferentes em termos de desempenho e analisadas no Capítulo 2 — a farmacêutica e a siderúrgica. O Quadro 3.1 (ver p. 60) mostra as diferenças entre os retornos sobre o capital e os custos do capital nessas duas indústrias, concorrente por concorrente. Algumas empresas têm, historicamente, ganho menos que seus custos de capital, até mesmo na indústria farmacêutica, e outras têm criado valor, até mesmo na indústria siderúrgica.

A estrutura dentro de indústrias, muitas vezes descrita em termos de "grupos estratégicos", lança alguma luz sobre essas diferenças de desempenho. As empresas de biotecnologia têm apresentado desempenho inferior ao das empresas farmacêuticas convencionais desde o final dos anos 70 — em parte por serem muito novas em grande parte do período — ao passo que as miniusinas, que produzem aço a partir de sucata, superaram as siderúrgicas integradas convencionais. Mas há mais diferenças além daquelas entre esses grupos: a Nucor, para tomar um caso incluído neste livro, teve desempenho significativamente superior ao das outras miniusinas, não apenas ao das siderúrgicas integradas. Diz-se que uma empresa como a Nucor, que obtém retornos financeiros superiores dentro da sua indústria (ou do seu grupo estratégico) a longo prazo, goza de uma *vantagem competitiva* sobre suas rivais.

Pesquisas recentes sugerem que essas diferenças de desempenho dentro de uma indústria estão por toda parte. Na verdade, as diferenças de lucratividade dentro do mesmo setor podem ser maiores que as diferenças entre setores.[1] Os efeitos no nível de setor parecem responder por 10 a

QUADRO 3.1

(a) Lucros Econômicos Médios na Indústria Siderúrgica, 1978-1996
(b) Lucros Econômicos Médios na Indústria Farmacêutica, 1978-1996

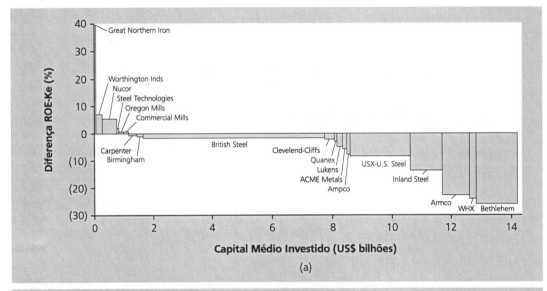

(a)

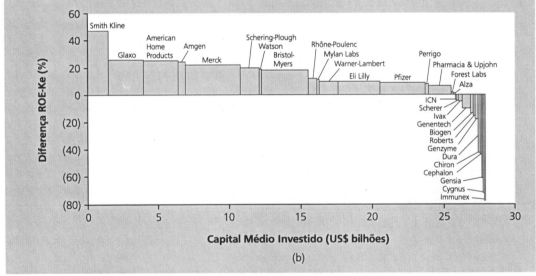

(b)

Fontes: Compustat, Value Line e Marakon Associates Analysis.

20% da variação de lucratividade e os efeitos estáveis dentro da mesma indústria respondem por 30% a 45% (a maior parte do restante pode ser atribuída a efeitos que flutuam de ano para ano).

Para compreender essas diferenças internas às indústrias, precisamos descer do nível de setor para olhar os cenários dentro delas. O exame de cenários intra-setoriais, que são muito irregulares, é o foco deste capítulo. Porém, antes de perseguir esta meta, precisamos enfatizar que essa análise não elimina a necessidade da análise no nível de setor. Aquela outra dimensão da grade de lucratividade no Quadro 1.7 também precisa ser considerada, das maneiras descritas no Capítulo 2, por várias razões.

A primeira razão para continuar a considerar os efeitos no nível de setor é que, em média, eles respondem por uma parte significativa da variação da lucratividade de uma empresa para outra, mesmo que não seja a maior. Segunda, os efeitos no nível de indústria podem ter uma influência mais persistente sobre a lucratividade no nível de empresa do que as diferenças internas do setor.[2] Terceira, as estimativas de variações de lucratividade anteriormente citadas são médias que mascaram muitas vɑ̃ções de uma indústria para outra. Alguns setores (p. ex., *leasing* de computadores) colocam "camisas de força" nas empresas, dando-lhes pouco espaço para superar o desempenho médio do setor; outros (p. ex., *software* pré-empacotado) oferecem mais daquilo que se poderia chamar de espaço livre estratégico.[3] Quarta, as empresas que superam as médias de seus setores tendem a empregar estratégias que corrigem os aspectos negativos das estruturas dos setores nos quais competem. Finalmente, os líderes de mercado em particular muitas vezes precisam eliminar a tensão entre gerenciar a estrutura da indústria e melhorar suas próprias posições competitivas dentro dessa estrutura. Em termos mais gerais, as estratégias competitivas das empresas influenciam a estrutura do setor assim como são por ela influenciadas, razão pela qual precisamos examinar ambas.

O Capítulo 2 focalizou os efeitos no nível de setor — isto é, sobre o componente comum da lucratividade de concorrentes diretos. Em contraste, este capítulo focaliza as diferenças nos lucros de concorrentes diretos — isto é, os determinantes de vantagem competitiva.[4] A primeira parte deste capítulo revê o desenvolvimento histórico dos conceitos essenciais incluídos na análise da posição competitiva (de vantagem ou desvantagem): análise de custos competitivos, análise de diferenciação, concessões em termos de custo-benefício e valor agregado. A segunda parte do capítulo baseia-se nesses conceitos para delinear um processo para a análise do posicionamento competitivo, ilustrado com um alentado exemplo. Esta conduta, primordialmente analítica, não pretende negar a importância da criatividade e do critério na criação de vantagem competitiva. Ao contrário, ela pode ser interpretada como uma tentativa para dirigir as energias empreendedoras elaborando uma bateria de testes para novas idéias de negócios.

O DESENVOLVIMENTO DE CONCEITOS PARA POSICIONAMENTO COMPETITIVO

A partir dos anos 70, a pesquisa acadêmica tradicional fez uma série de contribuições para nossa compreensão de posicionamento dentro de setores. A abordagem de grupos estratégicos com base na OI, iniciada na Harvard Business School pelo trabalho de Michael Hunt sobre estratégias amplas *versus* estreitas na indústria de eletrodomésticos, sugeria que os concorrentes, em determinados setores, podiam ser agrupados em termos de suas estratégias competitivas de maneiras que ajudassem a explicar suas interações e sua lucratividade relativa.[5] Uma linha de trabalho na Purdue University explorou a heterogeneidade das posições, estratégias e desempenhos competitivos, no setor cervejeiro e em outros, com uma combinação de análise estatística e estudos de casos qualitativos.[6] Mais recentemente, surgiram *vários* pontos de vista acadêmicos a respeito das fontes das diferenças de desempenho sustentadas dentro de indústrias; essas hipóteses são exploradas de forma mais completa no Capítulo 5. Entretanto, o trabalho de maior impacto aparente sobre o pensamento estratégico de negócios a respeito de posições competitivas no final dos anos 70 e durante os anos 80 tinha intenções mais pragmáticas que acadêmicas, com os consultores, mais uma vez, desempenhando um papel de liderança (particularmente no desenvolvimento de técnicas para a análise de custos competitivos).

Análise de Custos

Com a crescente aceitação da curva de experiência nos anos 60, a maioria dos estrategistas recorreu a algum tipo de análise de custos como base para avaliação de posições competitivas. O interesse pela análise dos custos competitivos sobreviveu ao declínio da popularidade da curva de experiência nos anos 70, mas foi por ela reformulado em dois aspectos importantes. Em primeiro lugar, deu-se maior atenção à desagregação dos negócios em seus componentes, bem como à avaliação de como os custos poderiam ser rateados entre negócios numa determinada atividade. Em segundo, os estrategistas enriqueceram grandemente seu cardápio de direcionadores de custos, expandindo-o para além da simples experiência.

A desagregação dos negócios em componentes foi, em parte, motivada pelas primeiras tentativas para "corrigir" a curva de experiência a fim de que ela pudesse lidar com os preços reais crescentes de muitas matérias-primas nos anos 70.[7] A correção proposta envolvia a divisão dos custos em custos de materiais comprados e "custos agregados" (valor agregado menos margens de lucro) e a redefinição da curva de experiência, aplicando-a somente à segunda categoria. O passo natural seguinte foi desagregar toda a estrutura de custos de um negócio em partes — funções, processos ou atividades — cujos custos, esperava-se, poderiam comportar-se de maneiras diferentes (para efeitos de consistência com seções posteriores deste capítulo, chamaremos essas partes de "atividades"[8]). Como no caso da análise de portfólio, a idéia de se dividir os negócios em suas atividades componentes espalhou-se rapidamente entre os consultores e seus clientes nos anos 70. Um gabarito para análise de atividades que se tornou especialmente importante é reproduzido no Quadro 3.2.

A análise baseada em atividades também sugeriu uma forma de evitar a concepção "autônoma" de negócios individuais, embutida no conceito de UEN (Unidades Estratégicas de Negócios).[9] Um problema persistente na divisão de corporações diversificadas em UEN era que, com exceção dos conglomerados puros, as UEN compartilhavam entre si, com freqüência, elementos de suas estruturas de custos. Firmas de consultoria — em particular a Bain & Company e a Strategic Planning Associates — começaram a enfatizar o desenvolvimento de "mapas de área", ou matrizes que

QUADRO 3.2
Sistema de Negócios da McKinsey

Tecnologia	Fabricação	Distribuição	*Marketing*	Assistência
Projeto Desenvolvimento	Compras Montagem	Transporte Estoques	Varejo Propaganda	Peças Mão-de-Obra

Fonte: Carter F. Bales, P.C. Chatterjee, Donald J. Gogel e Anupam P. Puri, "Competitive Cost Analysis", McKinsey & Co. (janeiro de 1980).

identificavam os custos comuns no nível de atividades individuais que estavam ligadas através das empresas.[10]

Em outro importante avanço na análise de custos competitivos durante o final dos anos 70 e início dos anos 80, os estrategistas começaram a considerar um cardápio maior de direcionadores de custos. Os efeitos da escala, apesar de oficialmente embutidos na curva de experiência, tinham sido estudados independentemente em determinados casos. Um tratamento ainda mais específico dos efeitos da escala foi, então, forçado pelas análises de atividades que poderiam indicar, por exemplo, que os custos de propaganda eram ditados pela escala nacional, ao passo que os custos de distribuição eram ditados pela escala local ou regional. Os mapas de área salientavam a importância potencial de economias (ou deseconomias) de escopo através de empresas, em vez da escala dentro de uma empresa. Por exemplo, os efeitos da utilização da capacidade sobre os custos foram ampliados por quedas macroeconômicas na esteira dos dois choques do petróleo. A globalização da concorrência em muitas indústrias destacou a localização de atividades como um direcionador-chave das posições de custos dos concorrentes e assim por diante. Os direcionadores de custos são discutidos com maior abrangência na segunda grande seção deste capítulo.

Análise de Diferenciação

A crescente sofisticação da análise de custos foi seguida, com um atraso relativamente grande, por maior atenção dedicada aos clientes, no processo de análise da posição competitiva. É claro que os clientes nunca haviam estado inteiramente invisíveis. Mesmo no auge da análise da curva de experiência, a segmentação de mercado havia sido um instrumento estratégico essencial — embora fosse, algumas vezes, usada para manobrar mercados para "demonstrar" um elo positivo entre participação e vantagem em custos e não para uma finalidade verdadeiramente analítica. De acordo com Walker Lewis, fundador da Strategic Planning Associates, "para aqueles que defendem a estratégia clássica da curva de experiência, cerca de 80% dos negócios do mundo eram *commodities*".[11] Nos anos 70, esta visão começou a mudar.

À medida que os estrategistas passaram a prestar maior atenção à análise dos clientes, começaram a reconsiderar a idéia de que conseguir baixos custos e oferecer baixos preços aos clientes era sempre a melhor maneira para concorrer. Em vez disso, eles focalizaram mais de perto maneiras *diferenciadas* de concorrer que permitissem a uma empresa cobrar um preço extra melhorando o desempenho dos clientes ou reduzindo seus (outros) custos.[12] Embora a diferenciação de produtos houvesse sempre ocupado o centro das atenções em *marketing*, a idéia de considerá-la em um contexto transfuncional e competitivo que também respondia pelos níveis de custos começou a surgir em estratégia na administração nos anos 70. Assim, um membro do grupo de Política de Negócios de Harvard entregou os escritos de Joe Bain sobre barreiras à entrada (ver Capítulo 2) a alunos nos anos 70 e se lembra de ter usado os conceitos de custo e diferenciação — implícitos em duas das três fontes de barreiras à entrada de Bain — para organizar discussões em classe.[13] A McKinsey começou a aplicar a distinção entre custo e "valor" em suas atividades de consultoria pouco mais tarde.[14] Os primeiros tratamentos extensos de custo e diferenciação, no livro *Competitive Strategy* de Michael Porter e em um artigo de William Hall na *Harvard Business Review,* surgiram em 1980.[15]

O livro de Porter *Competitive Advantage*, de 1985, sugeria a análise de custo e diferenciação por meio da "cadeia de valor", cujo gabarito é reproduzido no Quadro 3.3 (ver p. 64). Embora a cadeia de valor de Porter tivesse alguma semelhança com o sistema de negócio da McKinsey, sua exposição a respeito da mesma enfatizou a importância de se reagrupar funções nas atividades realmente executadas para se produzir, comercializar, entregar e dar assistência aos produtos, pensando a respeito de ligações entre atividades e conectando a cadeia de valor aos determinantes da posição competitiva de uma forma específica:

> A vantagem competitiva não pode ser entendida olhando-se uma empresa como um todo. Ela provém das muitas atividades distintas executadas por uma empresa ao projetar, produzir, comercializar, entregar e prestar assistência ao seu produto. Cada uma dessas atividades pode contribuir para a posição relativa de custo de uma empresa e criar uma base para a diferenciação. A cadeia de valor desagrega uma empresa em suas atividades estrategicamente relevantes para compreender o comportamento dos custos e as fontes existentes e potenciais de diferenciação.[16]

O Quadro 3.3 ilustra a cadeia de valor para uma nova empresa via Internet que vende e distribui música.

Os avanços subseqüentes na integração das análises de custos e de diferenciação se originaram não só da desagregação dos negócios em atividades (ou processos), mas também da divisão dos clientes em segmentos com base no custo de atendimento, bem como nas suas necessidades. Essa "desagregação" do cliente médio acabou expondo, com freqüência, situações nas quais 20% dos clientes de um negócio respondiam por mais 80% (ou mesmo 100%) dos seus lucros.[17] Ela também sugeriu novos critérios de segmentação de clientes. No final dos anos 80, a Bain & Company construiu uma prática próspera de "retenção de clientes" baseada nos custos usualmente mais altos de conquista de novos clientes, em oposição aos incorridos na manutenção dos existentes..

QUADRO 3.3
Cadeia de Valor para uma Nova Empresa na Internet

					Atividades de suporte
Infraestrutura da Empresa	Financiamento, suporte jurídico, contabilidade				
Recursos Humanos	Recrutamento, treinamento, sistema de incentivo, *feedback* ao funcionário				
Desenvolvimento de Tecnologia	Sistema de estoques	Software de site	Procedimentos de seleção e embalagem	Aparência do site Pesquisa do cliente	Procedimentos de devolução
Compras	Expedição de CDs	Computadores Linhas telefônicas	Serviços de expedição	Mídia	
	Expedição interna dos títulos mais vendidos Armazenagem	Operações servidoras Faturamento Cobranças	Seleção e expedição do depósito dos títulos mais vendidos Expedição de outros títulos terceirizada	Preços Promoções Propaganda Informações sobre produtos e revisões Afiliações com outros sites da WEB	Itens devolvidos *Feedback* ao cliente
	Logística Interna	Operações	Logística Externa	*Marketing* e Vendas	Assistência ao Cliente

Atividades primárias

Custos *versus* Diferenciação

Porter e Hall, os dois primeiros estrategistas a escrever a respeito de custo e diferenciação, afirmaram que as empresas de sucesso em geral haviam optado por competir *ou* na base de baixos custos *ou* diferenciando produtos pela qualidade e características de desempenho. Porter popularizou esta idéia em termos das estratégias "genéricas" de baixo custo e diferenciação. Ele também identificou uma opção de "foco" que passava pelas duas estratégias genéricas básicas (ver Quadro 3.4), ligando essas opções estratégicas à sua obra sobre análise de indústrias:

> Em algumas indústrias, não há oportunidades para foco ou diferenciação — a questão é exclusivamente de custos e isto vale para um grande número de commodities. Em outras indústrias, o custo tem relativamente pouca importância devido às características do comprador e do produto.[18]

As estratégias genéricas tinham apelo para os estrategistas por, no mínimo, duas razões. Primeira, elas captavam uma tensão comum entre custo e diferenciação. Com freqüência, uma empresa precisa incorrer em custos mais altos para entregar um produto ou serviço pelo qual os clientes estão dispostos a pagar mais. Por exemplo, em sua maioria, os clientes estão dispostos a pagar mais por um automóvel Toyota do que por um Hyundai, mas os custos de fabricação de um Toyota são significativamente maiores que os custos de fabricação de um Hyundai. As margens de lucro ligeiramente maiores da Toyota provêm do fato de o preço a mais que a Toyota pode cobrar ser ligeiramente maior que os custos incrementais associados ao seu produto.

Segunda, as estratégias genéricas eram atraentes porque as capacidades, a estrutura organizacional, o sistema de premiação, a cultura corporativa e o estilo de liderança necessários ao sucesso de uma estratégia de baixo custo são, à primeira vista, contrários àqueles necessários para a diferenciação. Em nome da consistência interna e para garantir que ela mantenha uma finalidade única, uma empresa pode ter de optar entre duas formas de competir.

Apesar do seu apelo, as estratégias genéricas provocaram um vigoroso debate entre os estrategistas, por razões empíricas e lógicas. Em termos empíricos, a tensão entre custo e diferenciação não parece absoluta: as empresas *podem* descobrir maneiras de produzir produtos superiores a custos mais baixos. Nos anos 70 e 80, por exemplo, fabricantes japoneses em várias indústrias

QUADRO 3.4
Estratégias Genéricas de Porter

		Vantagem Estratégica	
		Singularidade percebida pelo cliente	Posição de baixo custo
Alvo Estratégico	Em toda a indústria	Diferenciação	Liderança geral em custo
	Somente em determinado segmento	Foco	

Fonte: Michael Porter, *Competitive Strategy*, 1980.

constataram que, reduzindo o índice de defeitos, poderiam fazer produtos de qualidade superior a um custo menor. Até recentemente, o reconhecimento da marca e a consistência dos produtos permitiam à McDonald's cobrar um pouco a mais que suas concorrentes em *fast food,* embora sua escala nacional, suas relações com os franquiados e sua rigorosa padronização lhe propiciassem custos inferiores aos das rivais.[19] Exemplos como este, de dupla vantagem competitiva, pareciam refutar a idéia de estratégias genéricas.[20] O Quadro 3.5 mostra a interação de custo e diferenciação em um tratamento ampliado da vantagem competitiva, que reconhece a possibilidade de duplas vantagens.

Até que ponto são comuns as empresas com duplas vantagens competitivas? Porter afirmou que tais vantagens são raras, sendo normalmente baseadas em diferenças operacionais entre empresas que são facilmente copiadas.[21] Outros afirmam que a rejeição das trocas entre custo e diferenciação representa uma forma fundamental para transformar a concorrência numa indústria.[22] O debate continua até hoje.

Um segundo desafio à noção de estratégias genéricas é de natureza lógica. Embora o desejo por consistência interna possa levar empresas aos extremos de baixo custo e alta diferenciação, considerações externas podem puxar as empresas de volta ao centro. Por exemplo, se a maioria dos clientes não quer nem o produto mais simples nem o mais elaborado, a estratégia mais lucrativa pode consistir em oferecer um produto de qualidade moderada e incorrer em custos moderados. Por exemplo, em varejo de vestuário no Reino Unido, a Marks & Spencer, não tem o preço mais alto nem mais baixo. Vendendo artigos de vestuário muito bons (mas não os melhores) a clientes britânicos e estabelecendo uma boa (mas não a mais baixa) posição em custo, a Marks & Spencer tornou-se uma das mais lucrativas empresas de varejo — e uma das empresas mais admiradas — do Reino Unido.[23]

Nos anos 90, o consenso geral, mas não universal, entre estrategistas, não enfatiza estratégias genéricas (de Porter ou qualquer outro). Em vez disso, ele adota a idéia de que a posição competitiva precisa levar em conta custo relativo e diferenciação e reconhece a tensão entre ambos. Por esta

QUADRO 3.5
Interação de Custo e Diferenciação

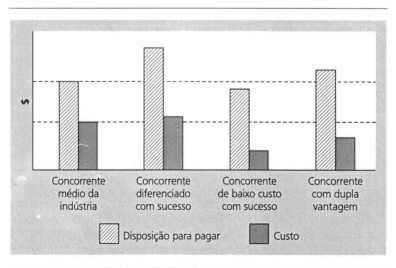

Concorrente médio da indústria   Concorrente diferenciado com sucesso   Concorrente de baixo custo com sucesso   Concorrente com dupla vantagem

Disposição para pagar   Custo

visão, o posicionamento é um esforço para associar o máximo possível custo e diferenciação (ou preço). À medida que aumenta a diferenciação, o mesmo se dá com o custo, na maior parte dos casos; porém, a maior diferença entre os dois não ocorre necessariamente nos extremos de baixos custos ou altos preços. A posição ideal representa uma opção a partir de um espectro de concessões entre custo e diferenciação, e não uma escolha entre estratégias genéricas mutuamente exclusivas.[24]

Alguns exemplos ajudarão a ilustrar a variedade de possibilidades de posicionamento:

- No provimento de serviços bancários de investimento de primeira classe à sua lista de clientes de elite, o Goldman Sachs tem custos mais altos que a maioria dos seus concorrentes.[25] Por exemplo, dedica recursos extras consideráveis à manutenção dos seus relacionamentos com executivos das empresas-clientes e à coordenação dos serviços prestados a cada cliente. Em conseqüência disso, os clientes estão dispostos a pagar taxas mais altas ao Goldman ou, em caso de igualdade de taxas, irão preferir o Goldman aos concorrentes. A taxa extra cobrada pelo banco é maior que os custos extras em que incorre. Seu retorno sobre o capital excluído o imposto em 1996, 48%, foi muito superior ao do Merrill Lynch (20%) e do Morgan Stanley (17%).

- A Enterprise Rent-a-Car configurou-se para atender o cliente de aluguel de carro cujo carro está na oficina. Ao contrário das rivais Hertz e Avis, ela não visa quem viaja de avião. A Enterprise mantém seus custos extremamente baixos: armazena sua frota de carros em terrenos suburbanos, em vez de em dispendiosas instalações de aeroportos, minimiza a propaganda de alcance nacional, mantém veículos em serviço seis meses a mais que as outras locadoras e assim por diante. Como indica seu alto desconto de 30%, os clientes estão dispostos a pagar menos pelos serviços da Enterprise do que pelos da Hertz ou Avis. Porém, as economias nas várias atividades mais que compensam o desconto. Em conseqüência disso, surgiu um *slogan:* "Há dois tipos de locadoras de carros: as que perdem dinheiro e a Enterprise".[26]

- A International Dairy Queen concede franquias de pontos de *fast food* que vendem itens de sobremesa. Graças, em parte, a um esforço sustentado para consolidar sua marca, a Dairy Queen pode cobrar de 5% a 10% a mais que suas concorrentes em seus pontos de vendas rurais e suburbanos. Ela cobra consideravelmente menos que varejistas como a Haagen Dazs, que operam em lojas situadas em *shopping centers,* mas também evita os altos aluguéis por estes cobrados. Com os clientes dispostos a comprar os seus produtos em detrimento dos oferecidos por suas concorrentes rurais e suburbanas e custos inferiores aos dos varejistas de *shopping centers,* a Dairy Queen tem obtido lucros superiores. Seu lucro sobre o capital tem sido, em média, de quase 28% ao longo da última década (embora a sustentação de lucratividade tão elevada tenha passado a ser um desafio nos últimos anos).

Valor Agregado

Em meados dos anos 90, Adam Brandenburger e Gus Stuart acrescentaram rigor à idéia de se estabelecer a maior ligação possível entre custos e diferenciação por meio da sua caracterização de valor agregado.[27] Os dois consideraram três cadeias verticais de três estágios (fornecedores → concorrentes → compradores) e foram precisos a respeito das quantidades monetárias de interesse. No lado da demanda, eles delimitaram a diferenciação em disposição do comprador a pagar por produtos ou serviços; no lado da oferta, usaram a noção exatamente simétrica de custos de oportunidade do fornecedor (as menores quantias que os fornecedores aceitariam pelos serviços e recursos necessários à produção de insumos específicos). Dadas essas definições, o *valor* total criado por uma transação é a diferença entre a disposição do cliente a pagar e o custo de oportunidade do fornecedor. A divisão deste valor entre os três níveis da cadeia vertical em geral é indeterminado. Não obstante, um limite superior sobre o valor conquistado por qualquer dos participantes é igual ao seu valor agregado — isto é, o valor máximo criado por todos os participantes na cadeia vertical menos o valor máximo que seria criado sem aquele participante em particular.

Mais precisamente, o volume de valor que uma empresa pode alegar não pode exceder seu valor agregado em condições de *barganha irrestrita*. Para ver o por quê desta restrição, suponha por um momento que uma empresa de sorte consiga um acordo que lhe permita capturar mais que seu valor agregado. O valor que sobra para os outros participantes é, portanto, inferior àquele que poderiam gerar através de um acordo entre eles mesmos. Assim, esses participantes poderão romper o acordo e formar um pacto separado que melhore sua parcela coletiva. Qualquer acordo que conceda a uma empresa mais que seu valor agregado é vulnerável e sujeito a rompimentos dessa espécie.

Para uma ilustração da utilidade deste estilo de análise, considere a malfadada decisão da Holland Sweetener Company (HSC) de entrar na indústria de aspartame no final de 1986, quando este era monopolizado pela NutraSweet.[28] Os custos da HSC eram provavelmente mais altos, mesmo depois de seu investimento inicial ter sido gasto, do que os custos da NutraSweet, devido à sua escala limitada e ao aprendizado. Além disso, a disposição dos clientes para pagar pelo aspartame da HSC era provavelmente menor, devido aos pesados investimentos da NutraSweet na consolidação da sua identidade de marca. A HSC decidiu entrar no mercado de qualquer maneira, possivelmente porque os preços que a Coca-Cola e a Pepsi-Cola estavam pagando à NutraSweet eram cerca de três vezes maiores que os custos previstos da HSC.

No fim das contas, as grandes beneficiárias da entrada da HSC foram a Coca e a Pepsi, que conseguiram extrair preços muito menores da NutraSweet. Uma explicação deste fato é sugerida no Quadro 3.6 (ver p. 69), que mostra, em termos estilizados, a disposição para pagar e os custos relevantes pós-entrada. É evidente que a entrada da HSC reduziu o valor agregado da NutraSweet (daí os preços mais baixos). Entretanto, a HSC não poderia esperar ter valor agregado pós-entrada (dada a barganha irrestrita), porque o valor total criado não seria reduzido se a empresa desaparecesse.[29] Assim, a HSC tinha de fazer algo mais se quisesse entrar nesse negócio de forma lucrativa, ao invés de simplesmente pular para dentro. Uma possibilidade teria sido convencer a Coca e a Pepsi a pagar antecipadamente pela sua entrada, em vez de confiar na "boa vontade" das duas depois da entrada para amortizar seus custos fixos.[30] Outra abordagem teria sido comunicar que as metas de participação de mercado da HSC eram suficientemente modestas para não fazer sentido uma redução generalizada de preços por parte da NutraSweet.[31]

O valor agregado pode, às vezes, ser calculado, como era aproximadamente o caso no contexto do aspartame. Porém, mesmo quando não pode, ele provê um método analítico útil para se julgar a estratégia de uma empresa. Se ela desaparecesse, alguém, em sua rede de fornecedores, clientes e complementadores, iria sentir sua falta? Esta pergunta é mais aguda que as análises similares mais antigas — vir com um produto melhor (a la Emerson), gerenciar pela singularidade, concentrar-se em sua competência distintiva e assim por diante — porque é baseada em um modelo explícito de interações entre compradores, fornecedores, concorrentes e complementadores. Este modelo também fornece um marco para comparações, especialmente interessantes.

O conceito de valor agregado também ajuda a unir a análise intra-indústria da vantagem competitiva e a análise, no nível de indústria, da lucratividade média. Numa indústria com estrutu-

QUADRO 3.6
Custos e Disposição para Pagar pelo Aspartame

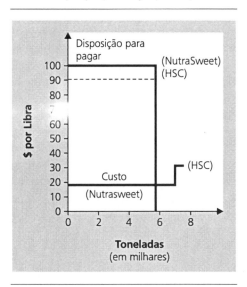

ra "não-atraente", os valores agregados dos concorrentes tendem a ser baixos, surgindo exceções somente no caso de empresas que conseguiram criar vantagens competitivas para si mesmas — isto é, obtiveram maior ligação que os concorrentes entre a disposição para pagar dos compradores e os custos. Em indústrias mais atraentes, uma empresa pode esperar sair-se melhor do que garantiria sua vantagem competitiva apenas, mediante dois mecanismos. Primeiro, o valor agregado de cada concorrente tende a ser maior que sua vantagem competitiva no ambiente da sua indústria. Segundo, algumas indústrias parecem tornar viável que os concorrentes se engajem naquilo que é educadamente chamado de "reconhecimento de dependência mútua" e, menos educadamente, de "conluio tácito" (um importante determinante do grau de rivalidade e um importante desvio do conceito de barganha irrestrita).

UM PROCESSO PARA ANÁLISE[32]

Tendo revisto o desenvolvimento histórico de conceitos para posicionamento competitivo, expomos, agora, um processo para a ligação desses conceitos ao planejamento estratégico e à ação. Como os gerentes podem identificar oportunidades para aumentar a disposição para pagar por mais do que os custos, ou para reduzir os custos sem sacrificar demais a disposição para pagar? O simples critério empreendedor certamente desempenha um grande papel na identificação dessas oportunidades de arbitragem. Michael Dell, por exemplo, conseguiu ver que os clientes estão se familiarizando com a tecnologia dos computadores, compreendeu que os canais de vendas no varejo acrescentam mais custos do que benefícios para muitos clientes e agiu segundo seu critério para iniciar um negócio de venda de computadores diretamente ao cliente.[33] Analogamente, uma empresa como a Liz Claiborne conseguiu identificar uma enorme demanda contida por uma coleção de roupas de trabalho de preços de médio a alto para mulheres.[34] A sorte também tem seu papel. Os engenheiros que buscavam um material de revestimento para mísseis nos anos 50 descobriram o lubrificante WD-40, cujas vendas continuam a dar um retorno de 40 a 50% sobre o capital quatro décadas depois da descoberta.

Acreditamos, porém, que a sorte inteligente supera a sorte pura e que a análise pode melhorar o critério. Para analisar a vantagem competitiva, os estrategistas tipicamente dividem uma empresa em atividades ou processos distintos e examinam como cada um deles contribui para a posição relativa de custos da empresa ou a disposição relativa para pagar.[35] As atividades empreendidas para projetar, produzir, vender, entregar e dar assistência técnica são as que incorrem em custos e geram a disposição do cliente para pagar. As diferenças em atividades entre empresas — diferenças naquilo que elas fazem no dia-a-dia — produzem disparidades em custos e em disposição para pagar e assim determinam o valor agregado. Analisando uma empresa, atividade por atividade, os gerentes podem (1) compreender por que ela tem ou não valor agregado, (2) identificar oportunidades para melhorar seu valor agregado e (3) prever futuras oscilações em valor agregado.

Normalmente, o ponto de partida da análise de posicionamento é catalogar as atividades de uma empresa. Em geral, podemos facilitar a tarefa de agrupar as inúmeras atividades que ela executa em um número limitado de categorias economicamente significativas usando gabaritos genéricos para a análise de atividades, como aqueles reproduzidos nos Quadros 3.2 e 3.3. A cadeia de valor de Porter, que distingue entre atividades primárias que geram diretamente um produto ou serviço e suportam atividades que tornam possíveis as atividades primárias, é particularmente útil para assegurar que se considere uma gama abrangente de atividades. Porém, os gabaritos genéricos não podem ser usados cegamente, por duas razões. Primeira, nem todas as atividades que eles identificam serão relevantes em qualquer situação. Segunda, com freqüência, os dados vêm preparados para favorecer uma determinada maneira de catalogar atividades — a menos que seja considerado necessário um esforço importante para se "limpar" esses dados.

O restante da análise, em geral, é efetuado em três etapas. Em primeiro lugar, os gerentes examinam os custos associados a cada atividade, usando diferenças em atividades para examinar como e por que seus custos diferem daqueles dos concorrentes. Em segundo lugar, eles analisam como cada atividade gera disposição dos clientes para pagar, estudando diferenças em atividades para ver como e por que os clientes estão dispostos a pagar mais ou menos pelos bens ou serviços das rivais. Finalmente, os gerentes consideram mudanças nas atividades da empresa, com o objetivo de identificar mudanças que irão aumentar a ligação entre custos e disposição para pagar.

As próximas subseções discutem essas etapas nesta ordem, embora, na prática, seja normalmente necessário ir e voltar entre elas. Para ilustrar sua aplicação, focalizamos um exemplo simples: o mercado de bolo para lanche na região oeste do Canadá.[36] Entre 1990 e 1995, a marca Little Debbie aumentou sua participação nesse mercado de 1 para quase 20%. Ao mesmo tempo, a Hostess, fabricante das marcas favoritas Twinkies e Devil Dogs, viu sua parcela dominante de 45% cair para 25%. Uma análise do posicionamento competitivo mostra por que Little Debbie e Hostess se comportaram de formas tão diferentes e ajuda a sugerir uma estratégia para a segunda.

Etapa 1: Uso de Atividades para Analisar Custos Relativos

Normalmente a análise de custos competitivos é o ponto de partida para a análise estratégica da vantagem competitiva. Em negócios puramente de *commodities*, como o cultivo de trigo, os clientes se recusam a pagar a mais pelo produto de qualquer empresa. Neste tipo de cenário, uma posição de baixo custo é a chave para o valor agregado e a vantagem competitiva. Entretanto, mesmo em indústrias que não são puramente de *commodities,* as diferenças de custos costumam exercer uma grande influência nas diferenças de lucratividade.

Para começar com nosso exemplo, no início dos anos 90, os executivos da Hostess lutavam para entender por que seu desempenho financeiro era fraco e sua participação de mercado estava caindo. Eles listaram os principais elementos da sua cadeia de valor e calcularam os custos associados a cada classe de atividades. Como mostra o Quadro 3.7, embora a Hostess vendesse o pacote típico de bolos aos varejistas por 72 centavos, as matérias-primas (ingredientes e materiais de embalagem) representavam somente 18 centavos por unidade. A operação das linhas automatizadas de assar, rechear e embalar (principalmente custos de depreciação, manutenção e mão-de-obra) totalizava 15 centavos. A logística externa — entrega de bolos diretamente às lojas de conveniência e aos supermercados e manutenção do espaço nas prateleiras — constituía a maior parcela dos custos, 26 centavos. Os gastos com propaganda e promoções acrescentavam outros 12 centavos. Assim, restava um mero centavo como lucro para a Hostess.

Depois de calcular os custos relacionados a cada atividade, os gerentes determinaram o conjunto de direcionadores de custos associados a cada uma delas. *Direcionadores de custos* são os fatores que fazem subir ou cair o custo de uma atividade. Por exemplo, os gerentes da Hostess se deram conta de que o custo da logística externa por bolo caía rapidamente com o aumento da participação de mercado, porque os custos de entrega dependiam muito do número de paradas que um motorista de caminhão precisava fazer. Assim, quanto maior a participação da empresa, maior era o número de bolos que o motorista podia entregar por parada. As entregas urbanas tendiam a ser mais dispendiosas que as suburbanas, devido ao trânsito na cidade. Os custos logísticos externos também subiam com a variedade de produtos: uma linha ampla de produtos tornava difícil, para os motoristas, reabastecer as prateleiras e remover as mercadorias vencidas. Finalmente, a natureza do produto afetava os custos logísticos. Por exemplo, os bolos com mais conservantes podiam ser entregues com menor freqüência. Usando esta informação, os executivos desenvolveram relações numéricas entre os custos das atividades e os direcionadores para atividades logísticas externas e para as outras atividades mostradas no Quadro 3.7.

QUADRO 3.7
Componentes do Custo da Hostess

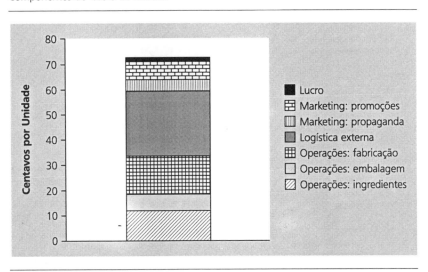

Os direcionadores de custos são críticos porque permitem aos executivos estimar as posições de custos dos *concorrentes*. Embora normalmente não se possa observar diretamente os custos de um concorrente, com freqüência é possível estudar os direcionadores. Por exemplo, é possível ver a participação de mercado de um concorrente, a porção de suas vendas em áreas urbanas, a amplitude da sua linha de produtos e os ingredientes nos mesmos. Usando seus próprios custos e as relações numéricas com os direcionadores de custos, uma equipe gerencial pode, então, estimar a posição de custos de um concorrente.

Os resultados da análise de custos foram sombrios para os executivos da Hostess. Como o Little Debbie usava matérias-primas baratas, compradas por atacado, e aproveitava as economias de escala nacional, seus custos operacionais totalizavam 21 centavos, em comparação com os 33 centavos para a Hostess. A Little Debbie embalava seu produto com conservantes para que as entregas pudessem ser menos freqüentes, mantinha sua linha de produtos muito simples e beneficiava-se de uma participação crescente de mercado. Conseqüentemente, seus custos logísticos por unidade eram menores que a metade dos custos da Hostess. E a Little Debbie também não fazia promoções. Em conjunto, estimaram os executivos, um pacote de bolos da Little Debbie custava somente 34 centavos para produção, entrega e comercialização. O Quadro 3.8 ilustra os resultados da análise de custos da Hostess e das suas principais concorrentes, a Ontario Baking e a Savory Pastries (a comparação com as duas não era tão desanimadora; na verdade, a Hostess tinha uma pequena vantagem de custo sobre elas.)

Este exemplo específico ilustra uma série de pontos gerais a respeito da análise de custos relativos:[37]

- Com freqüência, os executivos examinam os custos *reais*, em vez dos custos de oportunidade, porque os dados sobre custos reais são concretos e estão disponíveis. Embora o tratamento simétrico de fornecedores e compradores na formalização do valor agregado seja útil — lembrando-nos de que a vantagem competitiva pode provir do melhor gerenciamento das relações com os fornecedores e não exclusivamente do foco nos clientes —

QUADRO 3.8
Análise de Custos Relativos

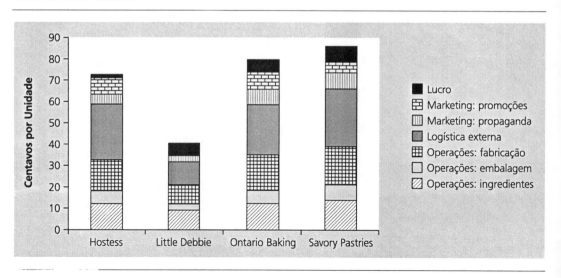

costuma-se supor que os custos de oportunidade dos fornecedores sejam muito próximos. É óbvio que esta suposição deve ser deixada de lado quando não faz sentido.

- Ao se revisar uma análise de custos relativos, é importante focalizar as diferenças em atividades individuais, não apenas as diferenças no custo total. Por exemplo, a Ontario Baking e a Savory Pastries tinham custos unitários semelhantes. Entretanto, as duas empresas tinham estruturas de custos diferentes e, como veremos, essas diferenças refletiam posições competitivas distintas.

- As boas análises de custos tipicamente focalizam um subconjunto de atividades de uma empresa. Por exemplo, a análise de custos no Quadro 3.8 não cobre todas as atividades na cadeia de valor dos bolos. As análises eficazes, em geral, detalham mais e dedicam mais atenção às categorias de custos que (1) significam diferenças importantes entre concorrentes ou opções estratégicas, (2) correspondem a atividades tecnicamente separáveis, ou (3) são suficientemente grandes para influenciar significativamente a posição geral de custos.

- As atividades que respondem por uma proporção maior dos custos merecem um tratamento mais profundo em termos de direcionadores de custos. Por exemplo, os executivos designaram vários direcionadores à logística externa e os exploraram em profundidade. Eles deram menos atenção aos direcionadores de custos de propaganda. A análise de qualquer categoria deve focalizar os direcionadores que têm maior impacto sobre a mesma.

- Um direcionador deve ser modelado somente se tem probabilidade de variar entre os concorrentes ou em termos das opções estratégicas que serão consideradas. No exemplo dos bolos, o local de fabricação influenciava salários, os impostos e, portanto, os custos operacionais. Entretanto, todas as rivais tinham fábricas no oeste do Canadá e a fabricação em outros locais não era uma opção porque a remessa era cara e os produtos tinham de ser entregues depressa. Conseqüentemente, o local de fabricação não foi considerado um direcionador de custos.

- Finalmente, como a análise de custos relativos envolve inevitavelmente um grande número de hipóteses, a análise de sensibilidade é crucial. Esta identifica quais hipóteses são realmente importantes e portanto precisam ser afinadas. Ela também diz ao analista quanta confiança ele pode ter nos resultados. Sob qualquer variação razoável de hipóteses, a Little Debbie tinha uma vantagem em custos substancial sobre a Hostess.

Várias referências discutem os direcionadores de custos com maiores detalhes e sugerem maneiras específicas para modelá-los numericamente.[38] A lista de direcionadores em potencial é extensa. Muitos estão relacionados ao porte da empresa — por exemplo, economias de escala, economias de experiência, economias de escopo e utilização da capacidade. Outros se relacionam com diferenças de localização, políticas funcionais, oportunidade (p. ex., vantagens do pioneiro), fatores institucionais, como sindicalização, e regulamentos governamentais, como tarifas. As diferenças nos *recursos* de propriedade de uma empresa também podem provocar diferenças nos custos de atividades. Por exemplo, uma fazenda com mais solo produtivo terá custos menores de fertilização.

Várias armadilhas comumente enganam os novatos em análise de custos. Muitas empresas — particularmente aquelas que produzem grande número de produtos diferentes numa única fábrica — têm sistemas de custeio profundamente inadequados, que precisam ser depurados antes de poderem ser usados como pontos de referência para se estimar os custos dos concorrentes. Como mostram os cursos de contabilidade gerencial, os sistemas contábeis convencionais costumam dar ênfase exagerada aos custos de fabricação e alocar mal os custos indiretos. À medida que as empresas passam a vender serviços e transacionar com base em conhecimento, esses sistemas obsoletos irão tornar cada vez mais difícil a análise inteligente dos custos. Também problemática é a tendência para comparar custos como percentagem das vendas em vez de em termos absolutos, a qual mistura diferenças em custos e preços. Outra prática perigosa, mas comum, é misturar custos recorrentes e investimentos feitos uma única vez. Os analistas, às vezes, confundem diferenças nos custos das empresas com diferenças em seus compostos de produtos, embora este problema possa ser evitado comparando-se as posições de custos de produtos comparáveis; por exemplo, deve-se comparar um carro médio de quatro cilindros da Ford com um carro médio de quatro cilindros da Toyota, e não um Ford "médio" imaginário com um Toyota "médio". Finalmente, o foco nos custos não deve eliminar o exame da disposição do cliente para pagar — o assunto da próxima seção.

Etapa 2: Uso de Atividades para Analisar a Disposição Relativa para Pagar

As atividades de uma empresa não geram apenas custos. Elas também (espera-se) tornam os clientes dispostos a pagar pelo produto ou serviço da empresa. Diferenças em atividades respondem por diferenças em disposição para pagar e, subseqüentemente, por diferenças em valor agregado e lucratividade. Na verdade, as diferenças em disposição para pagar respondem aparentemente por uma parcela maior da variação de lucratividade observada entre concorrentes do que as disparidades nos níveis de custos.[39]

Praticamente qualquer atividade na cadeia de valor pode afetar a disposição dos clientes para pagar por um produto.[40] Mais obviamente, o desenho do produto e as atividades de fabricação que influenciam as características do produto — qualidade, desempenho, características, estética — afetam a disposição para pagar. Por exemplo, os consumidores pagam mais pelos tênis New Balance em parte porque a empresa oferece calçados duráveis em tamanhos que é difícil encontrar. Mais sutilmente, uma empresa pode aumentar a disposição para pagar através de atividades associadas a vendas ou à entrega — isto é, via facilidade de compra, velocidade de entrega, disponibilidade e condições de crédito, conveniência do vendedor, qualidade da assessoria pré-venda e assim por diante. Por exemplo, a floricultura por catálogo Calyx and Corolla pode cobrar mais caro porque entrega flores com mais rapidez que a maioria das concorrentes.[41] As atividades associadas à assistência pós-venda ou a bens complementares — treinamento do cliente, serviços de consultoria, peças de reposição, garantias do produto, serviço de reparos, produtos compatíveis — também influem na disposição para pagar. Por exemplo, os consumidores americanos podem hesitar para comprar um automóvel Fiat pelo temor de não obter, posteriormente, as peças de reposição e a assistência técnica. Sinais transmitidos por meio da propaganda, da embalagem e da marca também desempenham um papel na determinação da disposição para pagar. Por exemplo, as atividades de propaganda e patrocínio da Nike influem no preço a mais que ela cobra. Finalmente, as atividades de apoio podem ter um impacto surpreendentemente grande, embora indireto, sobre a disposição para pagar. Assim, as práticas de contratação, treinamento e remuneração da Nordstrom criam um pessoal de vendas solícito e esforçado que permite à loja cobrar mais caro por suas roupas.

Idealmente, uma empresa gostaria de ter um "calculador de disposição para pagar" — algo que indique quanto os clientes pagariam por qualquer combinação de atividades. Porém, por uma série de razões, esse calculador, em geral, permanece fora do alcance. Em inúmeros casos, a disposição para pagar depende muito de fatores intangíveis e percepções que é difícil medir. Além, disso, as atividades podem afetar a disposição para pagar de maneiras complicadas (i. e., não-lineares e não-aditivas). Finalmente, quando uma empresa vende para usuários finais por meio de intermediários e não diretamente, a disposição para pagar irá depender de fatores múltiplos.

Carecendo de um calculador realmente preciso, a maioria dos executivos usa métodos simplificados para analisar a disposição relativa para pagar. Um procedimento típico é o seguinte: em primeiro lugar, os executivos pensam cuidadosamente a respeito de quem é o comprador *real*. Esta determinação pode ser complicada. Por exemplo, no mercado de bolos para lanche, o comprador imediato é um gerente de supermercado ou de loja de conveniência. O consumidor final é normalmente uma criança faminta em idade escolar. Entretanto, quem toma a decisão vital é provavelmente o pai que escolhe dentre as marcas.

Em segundo lugar, os executivos procuram entender o que quer o comprador. Por exemplo, o pai que compra o bolo faz uma compra baseada em preço, imagem da marca, frescor, variedade de produtos e número de pedaços por caixa.[42] O gerente de supermercado ou loja de conveniência seleciona um bolo com base em margens, giro, confiabilidade de entrega, reconhecimento pelo consumidor, apoio de *merchandising* e assim por diante. Os cursos de *marketing* discutem maneiras para descobrir essas necessidades e desejos do cliente mediante pesquisas de mercado formais ou informais.[43] É importante que a pesquisa identifique não só o que os clientes *querem*, mas também o quanto eles estão dispostos a pagar. Além disso, ela deve revelar as necessidades mais importantes para os clientes e determinar como eles fazem ajustamentos entre essas diferentes necessidades.

Em terceiro lugar, os executivos avaliam o quanto a empresa e suas concorrentes são bem-sucedidas na satisfação das necessidades dos clientes. O Quadro 3.9 mostra essa análise para o mercado de bolos para lanche, a qual nos ajuda a entender a estática e a dinâmica do mercado. A Little Debbie se destaca com base em um atributo altamente valorizado pelos clientes (baixo preço), enquanto a Hostess não é a melhor em nenhuma das necessidades dos clientes. Este tipo de análise ajuda a explicar as grandes oscilações em participação de mercado. A Ontario Baking tem a melhor imagem de marca — uma posição a qual chegou pagando alto em propaganda e promoção

QUADRO 3.9
Sucesso Relativo na Satisfação das Necessidades dos Clientes

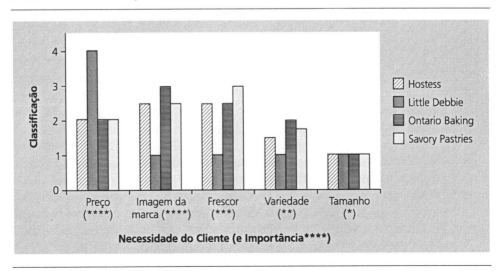

relativamente pesadas. A Savory Pastries entrega o produto mais novo, como mostra seu alto custo de fabricação e de matérias-primas. Outras análises (não realizadas no exemplo dos bolos) podem atribuir valores monetários às diversas necessidades dos clientes. Por exemplo, seria possível estimar quanto um cliente pagará por um produto que é um dia mais novo que os demais.

Em quarto lugar, os executivos associam diferenças em sucesso na satisfação das necessidades dos clientes às atividades da empresa. Por exemplo, a alta pontuação da Savory Pastries no quesito do produto mais novo pode estar ligada diretamente a atividades específicas relativas a compra e seleção de ingredientes, fabricação e entrega.

A esta altura, os executivos devem ter uma idéia refinada de como as atividades se traduzem, por meio das necessidades dos clientes, em disposição para pagar. Também devem entender como as atividades alteram os custos. Agora eles estão preparados para dar o passo final — a análise de diferentes opções estratégicas. Antes de passar para esse passo, porém, devemos destacar algumas diretrizes referentes à análise da disposição para pagar.

Um grande desafio ao se analisar a disposição para pagar é reduzir a longa lista de necessidades dos clientes a uma relação gerenciável. Em geral podemos ignorar necessidades que têm pouca influência na escolha dos clientes. Analogamente, as necessidades que são igualmente bem satisfeitas por todos os produtos existentes podem também ser ignoradas. Se o grupo de produtos concorrentes desempenha um papel pequeno na satisfação de uma necessidade relativa a outros produtos externos ao grupo, esta também pode ser retirada da lista.

Até aqui tratamos todos os clientes como se fossem idênticos. Na realidade, é claro, os compradores diferem naquilo que querem e em quanto querem. Numa livraria, alguns clientes querem novelas, ao passo que outros buscam livros de economia (este tipo de disparidade, em que clientes diferentes classificam os produtos diferentemente, é conhecido como *diferenciação horizontal*). Entre os clientes que desejam a nova novela de Toni Morrison, alguns irão pagar antes pelas edições de capa dura, mais caras, enquanto outros se contentam em esperar pela versão em brochura, mais barata (a *diferenciação vertical* surge quando os clientes concordam a respeito de qual produto é melhor — a edição de capa dura, neste exemplo —, mas diferem no quanto irão pagar pelo produto melhor).

A análise da disposição para pagar torna-se mais difícil, embora mais interessante, quando os clientes são horizontal ou verticalmente diferenciados. A resposta usual é a *segmentação:* inicialmente se encontra os grupos de clientes que têm preferências comuns e, a seguir, analisa-se a disposição para pagar, segmento por segmento. Em nossa experiência, as empresas que identificam segmentos tendem a selecionar de 2 a 12 agrupamentos de clientes. A diversidade nas necessidades dos clientes e a facilidade para adaptar o produto ou serviço da empresa normalmente aumentam com o número de segmentos considerados pela análise. Alguns observadores chegaram a afirmar que as empresas deveriam ir além da segmentação para adotar a *personalização em massa.*[44] Nesta abordagem, capacitadas por informações e tecnologias de produção, as empresas começam a adaptar seus produtos individualmente aos clientes. Por exemplo, a Levi Strauss está explorando a possibilidade de produção de *jeans* personalizados. Um cliente iria a uma loja Levi's, teria suas medidas tomadas e transmitidas à fábrica e receberia um par de *jeans* diretamente em sua casa.

Finalmente, queremos enfatizar os limites de análise da disposição para pagar. Em alguns cenários, é possível quantificar a disposição para pagar de forma bastante precisa. Por exemplo, quando uma empresa fornece um bem industrial que poupa aos seus clientes um volume conhecido de dinheiro, é relativamente fácil calcular esse valor. Entretanto, os cálculos tornam-se muito mais difíceis quando a escolha do comprador inclui um grande componente subjetivo, quando os gostos dos clientes estão mudando rapidamente e quando é difícil quantificar os benefícios que o cliente obtém com o produto. Uma ampla gama de técnicas de pesquisa de mercado — levantamentos, precificação hedônico, hierarquização de atributos e análise conjunta — foi criada para superar tais problemas. Não obstante, permanecemos especialmente precavidos quando a pesquisa de mercado pede que as pessoas avaliem sua disposição para pagar por novos produtos que elas nunca viram ou pela satisfação de necessidades que elas mesmas não reconhecem. Por exemplo, boas pesquisas de mercado "provaram" que as secretárias eletrônicas iriam vender mal.[45] Em alguns cenários, o critério criativo precisa substituir a análise. Em todos eles, a análise deve servir para refinar o critério, não para substituí-lo.

Etapa 3: Explorar Diferentes Opções Estratégicas e Fazer Escolhas

A etapa final na análise de custos e da disposição para pagar envolve a busca por formas para aumentar a conexão entre os dois. Até aqui, a equipe gerencial pesquisou como mudanças em atividades irão afetar o valor agregado. Agora, a meta é encontrar opções favoráveis. Como a geração de opções é, em última análise, um ato criativo, é difícil estabelecer muitas diretrizes para ela. Podemos, entretanto, sugerir alguns padrões com base na experiência passada:

1. Em geral, é útil extrair a essência daquilo que move cada concorrente. Por exemplo, a Little Debbie achava que os conservantes podiam substituir as entregas rápidas. Adicionando conservantes ao seu produto físico, a empresa conseguiu reduzir substancialmente seus custos de entrega. Esta abordagem também reduziu a disposição dos clientes para pagar, mas tal redução era menor que as economias de custos correspondentes. Esta análise, muitas vezes, sugere novas maneiras para criar elos entre custos e disposição para pagar. Por exemplo, a Savory Pastries estava explorando a disposição para pagar pelo frescor. Entretanto, os gerentes da Hostess achavam que a Savory Pastries não estava explorando plenamente essa necessidade dos clientes; um produto ainda mais fresco oferecido pela Savory poderia ter preço ainda mais alto, o qual poderia servir de base para um valor agregado substancial.

2. Ao se analisar mudanças em atividades, é crucial levar em conta as reações dos concorrentes. Em nosso exemplo, os gerentes da Hostess achavam que a Little Debbie iria lançar uma guerra de preços contra qualquer concorrente que tentasse igualar sua posição de baixo custo e baixo preço. Eles estavam menos preocupados a respeito de uma resposta agressiva da Savory Pastries, cujos gerentes se preocupavam com uma expansão para um negócio diferente. As reações competitivas e, em termos mais gerais, as dinâmicas competitivas, são o assunto do próximo capítulo.

3. Muitas vezes os gerentes tendem a se fixar em poucas características do produto e a pensar escassamente nos benefícios aos compradores. Eles raramente consideram toda a gama de maneiras pelas quais todas as suas atividades podem criar valor agregado. Uma forma para evitar um foco estreito é explorar não apenas sua própria cadeia de valor, mas também as cadeias de valor dos clientes e fornecedores e as ligações entre elas.[46] Este exercício pode mostrar maneiras para reduzir os custos dos compradores, melhorar seu desempenho, reduzir os custos dos fornecedores ou melhorar seu desempenho. Por exemplo, alguns fabricantes de itens de vestuário descobriram novas maneiras para satisfazer os compradores de lojas de departamentos que nada têm a ver com o caráter físico das roupas. Expedindo as roupas nos cabides adequados e em determinados contêineres, por

exemplo, esses fabricantes podem reduzir bastante a mão-de-obra e o tempo necessários à transferência das roupas da plataforma de carga da loja de departamentos até as áreas de vendas.

4. Em mercados em rápida mudança, muitas vezes é importante dedicar atenção especial a clientes de vanguarda *se* as suas exigências são um presságio das necessidades do mercado em geral. A Yahoo!, a empresa de buscas da Internet, libera versões de teste de novos serviços a usuários sofisticados para testar o *software* e sentir as necessidades futuras do mercado geral.[47]

5. Os segmentos de clientes mal atendidos representam uma importante oportunidade. A Circus Circus, operadora de cassinos, construiu grande parte do seu notável sucesso (um retorno sobre o capital acima de 40% no início dos anos 90) no sentimento de que Las Vegas pouco oferecia ao segmento de mercado orientado para a família. E como constatou a Southwest Airlines, os clientes com saturação de atendimento também oferecem uma oportunidade.

6. Em termos mais gerais, uma das formas mais poderosas para uma empresa alterar seu valor agregado e o ajustamento do *escopo* de suas operações.[48] Um escopo amplo tende a ser vantajoso quando há economias significativas de escala, escopo e aprendizado (inclusive poder vertical de barganha baseado no porte), quando as necessidades dos clientes são relativamente uniformes entre os segmentos do mercado e quando é possível cobrar preços diferentes em segmentos diferentes. É claro que mais amplo nem sempre é melhor: pode haver deseconomias de porte, em vez de economias, e as tentativas para atender clientes heterogêneos podem introduzir compromissos na cadeia de valor da empresa ou obscurecer sua mensagem externa ou interna criando conflitos cognitivos nas mentes dos clientes ou funcionários.[49] E mesmo quando o mais amplo *é* melhor, pode haver uma variedade de maneiras mediante as quais a empresa conseguirá expandir seu alcance, algumas das quais (como licenciamento, franquias ou alianças estratégicas) ficam aquém de uma expansão total do escopo.

De modo geral, uma empresa deve examinar seu sistema de negócios para eliminar atividades que gerem custos sem criar uma correspondente disposição para pagar. Ela também deve buscar maneiras pouco dispendiosas de gerar disposição para pagar, pelo menos junto a um segmento de clientes.

O TODO *VERSUS* AS PARTES

A análise descrita na seção anterior focaliza a decomposição da empresa em partes — isto é, atividades distintas. Na etapa final de exploração de opções, entretanto, a equipe gerencial deve trabalhar com atenção redobrada para construir uma visão do todo. Afinal, a vantagem competitiva provém de um *conjunto integrado* de opções a respeito de atividades. Uma empresa cujas opções não se encaixem bem entre si terá poucas probabilidades de sucesso.

A importância do encaixe interno pode ser visualizada, mais uma vez, em termos da nossa metáfora do cenário dos negócios. O que complica particularmente a busca por valor agregado neste cenário são as interações entre opções: as decisões sobre produção afetam as opções de *marketing,* as decisões de distribuição precisam se encaixar com as decisões de operações, as decisões sobre remuneração influenciam toda uma gama de atividades e assim sucessivamente. Graficamente, as interações formam um cenário irregular caracterizado por muitos picos locais.[50] Os picos representam agrupamentos coerentes de opções que se reforçam mutuamente.

A irregularidade do cenário de negócios tem várias implicações vitais. Em primeiro lugar, ela sugere que a análise e mudanças incrementais têm pouca probabilidade de levar a empresa a uma nova posição, fundamentalmente mais alta. Em vez disso, uma empresa deve normalmente considerar mudanças em muitas das suas atividades em uníssono para atingir um nível mais alto. Para melhorar suas perspectivas a longo prazo, uma empresa pode ter que descer e atravessar um vale (considere, p. ex., as medidas violentas e de longo alcance necessárias à reformulação da IBM).

Em segundo lugar, a irregularidade significa que muitas vezes existe mais de uma maneira internamente consistente de fazer negócios dentro da mesma indústria. Embora somente um número limitado de posições viáveis esteja disponível, normalmente surge mais de um pico quando há muitas interações entre as opções. Por exemplo, na indústria de corretagem de valores no varejo tanto a Merrill Lynch como a Edward Jones têm sido historicamente bem-sucedidas, mas fizeram isso de maneiras muito diferentes. A Merrill Lynch opera grandes escritórios em grandes cidades, provê acesso a toda uma gama de papéis, faz propaganda em âmbito nacional, oferece veículos internos de investimentos e atende clientes corporativos. A Edward Jones opera milhares de pequenos escritórios em áreas rurais e suburbanas, atua somente com papéis conservadores, comercializa seus serviços com visitas de porta em porta, não produz nenhum veículo de investimentos e se concentra quase que exclusivamente em investidores individuais.[51]

A metáfora do cenário também sinaliza de que a criação de vantagem competitiva envolve *opções*. Ao ocupar um pico, uma empresa renuncia a uma posição alternativa. E isto destaca o papel da concorrência: em geral vale mais habitar o próprio pico separado do que aglomerar-se em um ponto densamente povoado. Finalmente, o cenário proporciona uma perspectiva adicional sobre as técnicas para as análises de indústrias que foram vistas no Capítulo 2. Ele sugere, ao menos para nós, menos ênfase na análise da atratividade média da indústria — a qual pode ser interpretada como a altitude média do cenário acima do nível do mar — e mais ênfase na compreensão das características da indústria que têm influência sobre a localização de picos e vales e sua evolução ao longo do tempo.

RESUMO

A análise mostrada neste capítulo ajuda a sistematizar parte do paradigma SWOT (força-fraqueza-oportunidade-ameaça) para o planejamento estratégico, porque forças e fraquezas muitas vezes variam de forma substancial, mesmo entre concorrentes diretos. Em conseqüência disso, as diferenças em desempenho dentro do mesmo setor tendem a ser significativas e as empresas que pretendem ser particularmente bem-sucedidas, em geral, precisam se posicionar para criar vantagens competitivas em seus setores.

A vantagem competitiva depende de se conseguir uma ligação mais ampla que a dos concorrentes entre a disposição dos compradores para pagar e os custos. O conceito de valor agregado ajuda a integrar as considerações de vantagem/desvantagem competitiva e as condições no nível do setor em avaliações da lucratividade provável de cada empresa. Uma empresa tem valor agregado quando a rede de clientes, fornecedores e complementadores na qual ela opera fica melhor com ela do que sem ela — isto é, quando a empresa oferece alguma coisa que é única e valiosa no mercado.

Para obter uma vantagem competitiva ou um valor agregado superior ao das rivais, uma empresa precisa fazer as coisas de maneira diferente delas no dia-a-dia. Essas diferenças em atividades e seus efeitos sobre a posição relativa de custos e a disposição relativa para pagar podem ser analisadas em detalhe e usadas para gerar e avaliar opções para a criação de uma vantagem competitiva.

Porém, além de decompor a empresa em atividades, seus executivos devem igualmente desenvolver uma visão de um todo integrado. É possível obter muito poder de ligações positivas, que se reforçam mutuamente, entre atividades que fazem o todo ser maior que a soma das suas partes.

Finalmente, precisamos enfatizar que as discussões sobre posicionamento correm o risco de ser estáticas, em vez de dinâmicas. Parte deste risco provém da própria terminologia. Seria provavelmente melhor falar a respeito de traçar um caminho para o aperfeiçoamento contínuo do que discutir o estabelecimento de uma posição para sempre. Além disso, o posicionamento tem uma conotação de escolha de um conjunto prefixado e bem especificado de possibilidades, ao passo que a adoção de novas posições — fundamentalmente, novas maneiras de competir — pode ter retornos muito elevados, exigindo, portanto, atenção estratégica. Mas há um problema com a teoria básica de posicionamento que é mais que semântico: embora conseguir custos mais baixos ou entregar benefícios maiores que os concorrentes possa conduzir à vantagem competitiva, pode-se esperar que essas diferenças persistam com o tempo e, caso o façam, por quê? Essas perguntas serão discutidas no próximo capítulo deste livro, em dinâmicas competitivas.

TERMOS-CHAVE

abandono da média	encaixe interno
análise de custos	escopo
análise de sensibilidade	estratégias "genéricas"
barganha irrestrita	mapas de área
cadeia de valor	opção
cenário irregular	opção de "foco"
concessões	opções estratégicas
consistência interna	personalização em massa
custos de oportunidade	posição competitiva
diferenciação	recursos
diferenciação horizontal	segmentação
diferenciação vertical	segmentação de mercado
direcionadores de custos	valor
disposição para pagar	valor agregado
dupla vantagem competitiva	vantagem competitiva

NOTAS

1. R. Rumelt. "How Much Does Industry Matter?" *Strategic Management Journal* 1991; 12:167-185. A.M. McGahan e M.E. Porter, "How Much Does Industry Matter, Really?" *Strategic Management Journal* 1997; 18:15-30. A.M. McGahan, "The Influence of Competitive Position on Corporate Performance". Harvard Business School, 1997.

2. Anita M. McGahan e Michael E. Porter. "The Emergence and Sustainability of Abnormal Profits", estudo não-publicado, Harvard Business School, 1998.

3. Richard Caves e Pankaj Ghemawat, "Identifying Mobility Barriers", *Strategic Management Journal* 1992; 13:1-12. J.W. Rivkin, "Reconcilable Differences: The Relationship Between Industry Conditions and Firm Effects". Harvard Business School, 1997. Ver também Anita McGahan e Michael Porter, "How Much Does Industry Matter, Really?" *Strategic Management Journal* 1997; 18:15-30.

4. O desafio de criar vantagem competitiva em determinado ponto do tempo está separado neste livro, como em muitos outros, do problema de sustentar a vantagem ao longo do tempo, embora os dois assuntos estejam claramente interligados. A sustentabilidade é o tema principal dos Capítulos 4 e 5.

5. Ver Michael S. Hunt, "Competition in the Major Home Appliance Industry". Dissertação de doutorado em Administração, Harvard University, 1972. Duas outras dissertações em Harvard — Howard H. Newman, "Strategic Groups and the Structure-Performance Relationship: A Study with Respect to the Chemical Process Industries", e Michael E. Porter, "Retailer Power, Manufacturer Strategy and Performance in Consumer Good Industries" — elaboraram e testaram a noção de grupos estratégicos. Uma base teórica para os grupos estratégicos foi fornecida por Richard E. Caves e Michael E. Porter. "From Entry Barriers to Mobility Barriers". *Quarterly Journal of Economics*, novembro de 1977: 667-675.

6. Ver, por exemplo, Kenneth J. Hatten e Dan E. Schendel, "Heterogeneity within an Industry: Firm Conduct in the U.S. Brewing Industry, 1952-71". *Journal of Industrial Economics* 1997; 26:97-113.

7. Esta conclusão se baseia numa experiência de Pankaj Ghemawat trabalhando no BCG no final dos anos 70.

8. Michael E. Porter, *Competitive Advantage* (Nova York: Free Press, 1985), Capítulo 2.

9. Para uma revisão recente da análise baseada em atividades do ponto de vista da contabilidade de custos, ver Robin Cooper e Robert S. Kaplan, "Profit Priorities from Activity-Based Costing", *Harvard Business Review* 1991; 69:130-135.

10. É interessante notar que tanto os fundadores da Bain quanto os da SPA trabalham em um estudo pela BCG da Texas Instruments cujo objetivo era chamar a atenção para o problema de custos comuns. Ver Walter Kiechel III, "The Decline of the Experience Curve", *Fortune*, 5 de outubro de 1981.

11. Citado em Walter Kiechel III, "The Decline of the Experience Curve", *Fortune*, 5 de outubro de 1981.

12. O termo "diferenciado" com freqüência é mal-empregado. Quando dizemos que uma empresa se diferenciou, queremos dizer que ela elevou a disposição dos clientes para pagar por seus produtos e pode cobrar um preço mais alto. Não queremos dizer simplesmente que a empresa é diferente das suas concorrentes. Da mesma forma, um erro comum é dizer que uma empresa se diferenciou cobrando um preço menor que as rivais. A escolha de preço de uma empresa não afeta o quanto os clientes estão intrinsecamente dispostos a pagar por um bem — exceto quando o preço transmite informações a respeito da qualidade do produto.

13. Entrevista com Joseph Bower, 25 de abril de 1997.

14. Entrevista com Fred Gluck, 18 de fevereiro de 1997.

15. Michael Porter, *Competitive Strategy* (Nova York: Free Press, 1980), Cap. 2; William K. Hall, "Survival Strategies in a Hostile Environment". *Harvard Business Review* set/out. 1980:78-81.

16. Michael Porter, *Competitive Advantage* (Nova York: Free Press, 1985), p. 33.

17. Palestra de Arnoldo Hax no Massachusetts Institute of Technology em 29 de abril de 1997.

18. Michael Porter, *Competitive Strategy* (Nova York: Free Press, 1980), p. 41-44.

19. Recentemente, a McDonald's decidiu cobrar preços inferiores aos das rivais para itens comparáveis. Ver S. Chandaria, S. Khan, M. O'Flanagan, R. O'Hara e S. Parikh, "McDonald's: Have the Golden Arches Lost Their Luster?" Em M. E. Porter, ed. *Case Studies in Competition and Competitiveness*. (Harvard Business School, 1997).

20. R. Hallowell, "Dual Competitive Advantage in Labor-Dependent Services: Evidence, Analysis, and Implications". Em: D.E. Bowen, T.A. Swartz e S.W. Brown, eds. *Advances in Services Marketing and Management* (Greenwich: JAI Press, 1997).

21. M. E. Porter, *Competitive Strategy* (Nova York: Free Press, 1980), Cap. 2; M. E. Porter, "What Is Strategy?" *Harvard Business Review* 1996; 74:61-78.

22. A.M. Brandenburger e B.J. Nalebuff, *Co-opetition* (Nova York:Doubleday, 1996), p. 127-130.

23. Cynthia A. Montgomery, "Marks and Spencer, Ltd. (A)", ICCH Nº 9-391-089.

24. Ver, por exemplo, Pankaj Ghemawat, *Commitment* (Nova York: Free Press, 1991), Cap. 4. Para alguns estudos empíricos que parecem corroborar esta conclusão, ver Lyn Philips, David Chang e Robert D. Buzzell, "Product Quality, Cost Position and Business Performance: A Test of Some Key Hypotheses". *Journal of Marketing* 1983; 47:26-43; Danny Miller e Peter H. Friesen, "Generic Strategies and Quality: An Empirical Examination with American Data". *Organization Studies* 1986; 7:37-55.

25. A. Christian, P. McDonald e A. Norris, "Goldman Sachs". Em M.E.Porter, ed. *Case Studies in Competition and Competitiveness* (Harvard Business School, 1997).

26. G. Jacobson, "Enterprise's Unconventional Path", *New York Times*, 23 de janeiro de 1997.

27. Adam M. Brandenburger e Harborne W. Stuart, Jr., "Value-Based Business Strategy". *Journal of Economics and Management Strategy* 1996; 5:5-24.

28. Adam M. Brandenburger, "Bitter Competition: The Holland Sweetener Company *Versus* NutraSweet (A)", ICCH Nº 9-794-079.

29. É claro que esta conclusão supõe que a NutraSweet iria continuar a expandir sua capacidade para atender à demanda que crescia rapidamente — algo que poderia ter parecido um tanto incerto para a HSC. Uma característica limitante da análise de valor adicionado em sua forma atual é que ela não permite complexidades de informações deste gênero, embora possa ser generalizável.

30. No caso, a HSC conseguiu mais tarde remuneração para ficar.

31. Esses expedientes têm sido chamados de "economia de judô". Ver Judith Gelman e Steven Salop, "Judo Economics: Capacity Limitation and Coupon Competition", *Bell Journal of Economics* 1983; 14:315-325; Drew Fudenberg e Jean Tirole, "The Fat Cat Effect, The Puppy dog Ploy and the Lean and Hungry Look", *American Economic Review*, 1984; 74:361-368.

32. Esta seção baseia-se em idéias desenvolvidas inicialmente em M. E. Porter, *Competitive Advantage* (Nova York: Free Press, 1985), em especial Capítulos 2-4. Ver também Pankaj Ghemawat, *Commitment* (Nova York: Free Press, 1991), Cap. 4.

33. D. Narayandas e V.K. Rangan, "Dell Computer Corporation", Harvard Business School Case 596-058, 1996.

34. N. Siggelkow, "Firms as Systems of Interconnected Choices: The Evolution of Activity Systems". Harvard Business School, 1997.

35. M. E. Porter, *Competitive Advantage* (Nova York: Free Press, 1985), Caps. 2-4; M. E. Porter, "What Is Strategy?" *Harvard Business Review* 1996; 74:61-78.

36. Os autores agradecem a Roger Martin, da Monitor Company, por este exemplo. Os detalhes a respeito das empresas e outros itens foram bastante alterados para proteger informações exclusivas.

37. Ver Pankaj Ghemawat, *Commitment: The Dynamic of Strategy* (Nova York: Free Press, 1991), Cap. 4, para uma lista mais completa de diretrizes gerais.

38. Ver M. E. Porter, *Competitive Advantage* (Nova York: Free Press, 1985), Cap. 3; D. Besanko, D. Dranove e M. Shanley, *Economics of Strategy* (Nova York: John Wiley, 1996), Cap. 13.

39. R.E. Caves e P. Ghemawat, "Identifying Mobility Barriers", *Strategic Management Journal* 1992; 13:1-12. É claro que este padrão geral pode ou não se manter em um determinado cenário.

40. Ver M. E. Porter, *Competitive Advantage* (Nova York: Free Press, 1985), Cap. 4; D. Besanko, D. Dranove e M. Shanley, *Economics of Strategy* (Nova York: John Wiley, 1996), Cap. 13.

41. W.J. Salmon e D. Wylie, "Calyx and Corolla", Harvard Business School Case 592-035, 1991.

42. Apresentamos "preço baixo" como um atributo buscado pelos compradores. Não se deve pensar que esta afirmação significa que o preço determina a disposição para pagar. Em vez disso, o preço é incluído como um atributo em pesquisas de necessidades de clientes para que se possa calibrar a disposição dos clientes para pagar um preço extra por outros atributos pesquisados (como frescor).

43. Ver, por exemplo, P. Kotler, *Marketing Management: Analysis, Planning, Implementation, and Control* (Englewood Cliffs: Prentice-Hall, 1994).

44. B.J. Pine, *Mass Customization: The New Frontier in Business Competition.* (Boston: Harvard Business School Press, 1993).

45. O. Harari, "The Myths of Market Research", *Small Business Reports*, julho de 1994:48 ff.

46. M. E. Porter, *Competitive Advantage* (Nova York: Free Press, 1985).

47. M. Iansiti e A. MacCormack, "Developing Products on Internet Time", *Harvard Business Review*, 1997; 75:108-117.

48. O escopo tem várias dimensões — horizontal, vertical e geográfica — que foram discutidas no Capítulo 2. Aqui a discussão focaliza o escopo horizontal e o geográfico. O escopo vertical, que levanta um conjunto diferente de questões, é discutido com mais detalhes no Capítulo 4, no contexto de sustentação.

49. M. E. Porter, "What Is Strategy?" *Harvard Business Review*, v. 74, nº 6, 1996, p. 61-78.

50. D. Levinthal, "Adaptation on Rugged Landscapes", *Management Science* 1997; 43:934-950; J.W. Rivkin, "Imitation of Complex Strategies", Harvard Business School, 1997. A metáfora do cenário provém da biologia evolucionária, em especial S. A. Kauffman, *The Origins of Order* (Oxford: Oxford University Press, 1993).

51. R. Teitelbaum, "The Wal-Mart of Wall Street", *Fortune*, 13 de outubro de 1997; 128-130.

CAPÍTULO 4

Antecipando Dinâmicas Competitivas e Cooperativas

O motivo de sucesso não é suficiente. Ele produz um mundo míope que destrói as fontes da sua própria prosperidade. Os ciclos de depressão comercial que afligem o mundo são um alerta de que as relações de negócios estão completamente infectadas com a doença dos motivos míopes
— *Alfred North Whitehead*

O Capítulo 3 começou com conselhos para a construção de uma ratoeira melhor. Mas ratoeiras melhores atraem imitadores assim como ratos. Em termos mais amplos, na maioria das situações de negócios, os retornos dos participantes dependem não só das suas próprias ações, mas também das ações de outros participantes que buscam seus próprios fins. Este capítulo discute maneiras para prever como as interações entre participantes interdependentes irão evoluir com o tempo. Portanto, ele acrescenta uma dimensão dinâmica à discussão da vantagem competitiva do Capítulo 3.

Começamos estudando maneiras de pensar por meio de dinâmicas competitivas (e cooperativas) quando um pequeno número de participantes identificáveis está envolvido. A seguir, examinamos evidências a respeito da insustentabilidade geral de vantagens competitivas e revemos quatro dinâmicas evolucionárias que ameaçam a sustentabilidade. As implicações para as estratégias que visam a consecução e sustentação de desempenho superior são discutidas no Capítulo 5.

CONCORRÊNCIA E COOPERAÇÃO ENTRE OS POUCOS

A maneira óbvia de analisar as dinâmicas competitivas (e cooperativas) entre poucos participantes é usar informações detalhadas a respeito dessas empresas para antecipar suas prováveis ações ou reações e desenvolver estratégias capazes de prevenir ou moderar movimentos ameaçadores. Duas teorias muito diferentes foram propostas para isso: a teoria dos jogos e a teoria comportamental. A teoria comportamental (ou, pelo menos, o senso comum comportamental) entrou antes na estratégia de negócios; em contraste, as aplicações práticas da teoria dos jogos aos negócios permanecem suficientemente novas para despertarem considerável entusiasmo.[1] Porém, começaremos discutindo a teoria dos jogos, porque ela ajuda a colocar, no contexto, as visões comportamentais de tomada interativa de decisões.

Teoria dos Jogos[2]

A teoria dos jogos é o estudo de interações entre participantes cujos retornos dependem das opções uns dos outros e que levam essa interdependência em conta quando procuram maximizar seus respectivos retornos. Uma teoria geral de jogos de *soma zero*, nos quais o ganho de um participante é exatamente igual às perdas dos outros (p. ex., xadrez) foi formulada há mais de 50 anos no livro pioneiro de John von Neumann e Oskar Morgenstern, The *Theory of Games and Economic Behavior*.[3] Em sua maioria, os jogos de negócios de *soma não-zero,* no sentido de que dão oportunidades tanto para cooperação quanto para competição — estes jogos têm sido estudados sob dois conjuntos diferentes de hipóteses: como *jogos livres* com barganha irrestrita, nos quais os participantes interagem sem qualquer restrição externa, e como *jogos baseados em regras*, nos quais as interações são regidas por "regras de compromisso" específicas.[4] Nos jogos livres, que foram mencionados no Capítulo 3, nenhum bom acordo deixa de ser feito; em conseqüência disso, um jogador não pode esperar ganhar mais que seu valor agregado. Neste capítulo, focalizamos os usos e limites da teoria de jogos baseados em regras para analisar as dinâmicas competitivas entre poucos participantes.

A teoria dos jogos baseados em regras está sendo usada por um número crescente de empresas para a tomada de decisões a respeito de variáveis de *marketing,* expansão e redução de capacidade, entrada e impedimento à entrada, aquisições, propostas e negociação. A principal contribuição da teoria é que ela força os administradores a se colocarem no lugar de outros participantes, ao invés de verem os jogos exclusivamente da perspectiva de suas próprias empresas. Seria difícil fazer justiça à teoria dos jogos baseados em regras em um livro e mais ainda em um capítulo.[5] Iremos aqui simplesmente ilustrar seus usos e limitações considerando um exemplo real extraído de um estudo de precificação para uma grande empresa farmacêutica.

O cliente (daqui em diante chamado de C) vendia um produto altamente lucrativo que dominava sua categoria, mas estava se preparando para o lançamento de um sucedâneo terapêutico por outra grande empresa farmacêutica. Esperava-se que esta última (daqui em diante chamada de E) lançasse seu produto com grande desconto, apesar dos seus maiores benefícios terapêuticos. Porém, não estava claro exatamente qual seria o desconto de E e se C deveria reduzir seu próprio preço em antecipação ou reação. Mas os fluxos de caixa envolvidos eram suficientemente grandes para forçar uma cuidadosa consideração das opções de C.

A análise começou pela especificação de quatro opções, envolvendo níveis diferentes de desconto, para o preço de lançamento de E. Além disso, ela identificava quatro opções para o preço (relativo) de C que eram apoiadas pelas alternativas de se manter constante o preço de C e neutralizar a vantagem de preço de E. Peritos ajudaram a avaliar as implicações para a participação de mercado de cada par de preços. Essas participações foram então combinadas com o conhecimento dos custos de C e as estimativas dos custos de E para se calcular os valores presentes líquidos (nos livros de finanças, abrevia-se a expressão Valor Presente Líquido como VPL) dos dois produtos para suas respectivas empresas na "matriz de retorno" mostrada no Quadro 4.1 (ver p. 85). A primeira entrada em cada casa dá o retorno estimado para C e a segunda (depois da barra) estima o retorno para E.[6]

Este esquema tornou-se a peça central do estudo de precificação. Em primeiro lugar, ele levantou perguntas a respeito do plano de negócios existente, o qual supunha que E iria lançar com um preço alto e que C não mudaria seu preço. O modelo revelou que este "caso base" era altamente improvável: se C não mudasse seus preços, E teria um forte incentivo para lançar seu produto com um preço muito baixo, elevando seu VPL em US$ 75 milhões (65% do retorno do caso base), e reduzindo o VPL de C em US$ 267 milhões (para 57% do retorno do caso base). Além disso, se E lançasse com um preço muito baixo, a melhor resposta de C seria reduzir substancialmente seu

QUADRO 4.1
Matriz de Retorno Farmacêutico (milhões de dólares)

Preço do Cliente "C"	Preço de Entrada do "E"			
	Muito Baixo	Baixo	Moderado	Alto
Nenhuma mudança de preço	358/190	507/168	585/129	624/116
"E" tem grande vantagem de preço	418/163	507/168		
"E" tem pequena vantagem de preço	454/155	511/138	636/126	
"C" neutraliza a vantagem de "E"	428/50	504/124	585/129	669/128

próprio preço, deixando E com apenas uma pequena vantagem de preço. Esta opção elevava o VPL de C em US$ 96 milhões, para 73% do retorno do seu caso base. Se nenhuma das empresas conseguisse se comprometer com uma determinada estratégia, este último resultado (um preço de lançamento muito baixo para E e a concessão de uma pequena vantagem de preço por C) representava o único ponto de equilíbrio (ou estável) para o jogo, com os desvios unilaterais custando mais de US$ 10 milhões por participante.

Entretanto, esse ponto de equilíbrio era muito pouco atraente para os executivos de C, que viam-no como uma ameaça às suas carreiras. Em vez disso, eles começaram a explorar a possibilidade de mudar o jogo comprometendo-se antecipadamente com uma estratégia (relativa) de precificação para seu produto. Um compromisso prévio e digno de crédito em ceder uma grande vantagem de preço para E poderia, dada a matriz de retorno, convencer E a lançar com um preço baixo em vez de muito baixo (E ganharia US$ 5 milhões extras, ou 3% a mais, fazendo isso) e elevar os retornos de C de 73% do retorno do caso base para 81% (uma diferença de US$ 53 milhões). E um compromisso prévio e digno de crédito para neutralizar a vantagem de preço de E tinha maior probabilidade de convencer essa empresa a não lançar com um preço muito reduzido: E ganharia de US$ 74 a US$ 79 milhões extras, mais que dobrando seu VPL, entrando com um preço de baixo a moderado. Em particular, se C se comprometesse a neutralizar a vantagem de preço de E e esta entrasse com um preço baixo, os retornos de C chegariam perto de 81% do caso base; se E entrasse com um preço moderado, os retornos de C subiriam em US$ 80 milhões, para 94% do retorno do caso base. O trabalho subseqüente centralizou-se em analisar se esta estratégia de "neutralização" poderia ser implementada com credibilidade.

Este exemplo ilustra como a modelagem de situações de negócios como jogos simples e quantificáveis pode render grandes retornos. A teoria dos jogos forçou os executivos da empresa cliente a pensar a respeito do preço de lançamento que iria maximizar os lucros do novo concorrente, em vez de se fixarem no preço elevado de lançamento que eles *queriam* que este adotasse.

A análise teórica de jogos é, às vezes, formalizada esboçando-se "funções de reação". No contexto do exemplo farmacêutico, esta etapa envolvia a identificação da melhor resposta de preço da nova concorrente a cada opção possível pela cliente, e vice-versa. Quando as funções de reação se cortam em apenas um ponto, como no caso em pauta, a interseção representa o equilíbrio único — o único conjunto de ações mutuamente consistentes — na presunção de que os participantes entrem simultaneamente em ação. Em contraste, se um deles puder agir primeiro, como pretendia fazer C no final do estudo, ele poderá tentar selecionar seu ponto preferido fora da(s) função(ões) de reação do(s) concorrente(s). Esta diferença salienta a importância do tempo e da ordem dos movimentos em jogos baseados em regras.

As funções de reação podem oferecer critérios úteis sobre os incentivos dos concorrentes sem identificar necessariamente um ponto de equilíbrio único. Por exemplo, um aumento no preço de um concorrente provavelmente induz seus rivais a (1) acompanhá-lo se suas funções de reação se inclinam para cima ou (2) reduzir seus preços caso elas se inclinem para baixo. E mesmo quando as funções de reação em si não podem ser identificadas com qualquer grau de precisão, desempenhos de papéis, simulações e lições da literatura acadêmica sobre a teoria dos jogos podem — pelo fato de forçarem os gerentes a pensar de forma explícita a respeito dos incentivos e prováveis movimentos dos concorrentes — gerar critérios valiosos a respeito de maneiras para influenciar seus movimentos ou adaptar-se a eles.

O pensamento teórico de jogos é muito útil quando há somente poucos participantes cujas ações ou reações são realmente importantes para uma determinada questão. No exemplo farmacêutico, a expansão do número de participantes no modelo financeiro teria feito explodir o número de "células" a serem consideradas: de 16 para dois participantes para 64 com três e 256 com quatro participantes. Na verdade, havia um total de cinco participantes, inclusive a nova concorrente, no mercado do produto analisado, mas dois foram excluídos por se tratar de participantes marginais sem impacto perceptível sobre os resultados do mercado, sendo um terceiro eliminado porque as características únicas do seu produto isolavam-no das interações entre C e E e vice-versa. O número de participantes sob consideração às vezes também pode ser reduzido agregando-se aqueles com economias e objetivos semelhantes.

Vários fatores adicionais também influenciam os benefícios da análise teórica de jogos. Participantes identificáveis (em vez de sem rosto), opções relativamente claras para os mesmos e boas fontes de dados facilitam a tarefa de mapeamento de ações em resultados. A familiaridade dos participantes uns com os outros e suas repetidas interações aumentam a probabilidade de raciocinarem ou agirem de forma a gerar o equilíbrio teórico do jogo, aumentando sua utilidade como ponto de referência. Características estruturais atraentes — além da presença de um pequeno número de participantes — expandem o escopo da análise teórica, possibilitando que ela gere critérios "cooperativos" antiintuitivos (o estudo da precificação farmacêutica teria sido de muita utilidade caso se pudesse dar como certo que a concorrência, dentro do mercado do produto-alvo estudado, iria empurrar os preços para baixo, até os custos dos participantes). Finalmente, a adoção de uma cultura analítica por uma organização pode facilitar significativamente sua assimilação de técnicas e análises teóricas de jogos. Em particular, como ilustra o exemplo farmacêutico, a análise financeira sofisticada é normalmente um complemento — e não um substituto — da teoria dos jogos na melhoria dos resultados econômicos.

Mesmo quando essas condições são satisfeitas, simplificações tendem a ser necessárias — como em qualquer exercício de construção de modelos — antes que se possa aplicar a teoria dos jogos a uma questão estratégica. As simplificações comuns incluem a redução do número de participantes considerados, a correção de determinados parâmetros para simplificar seus efeitos, a supressão de incertezas e a redução da estrutura temporal da situação para uma representação de um ou dois estágios de jogo.[7] Essas táticas privilegiam a busca de soluções firmes em vez de exatas e a condução de análises de sensibilidade. Assim, no estudo farmacêutico, era preciso cautela ao se dar como certo que pequenas diferenças nos retornos (estimados) iriam levar a nova concorrente a preferir um preço de lançamento a outro. Uma análise de sensibilidade neste caso envolvia a consideração da sensibilidade a preços da demanda agregada (em vez de se supor que ela fosse inelástica a preços, como no modelo básico), embora esta opção não aumentasse drasticamente a atratividade do equilíbrio com baixo preço.

Entretanto, essas diretrizes processuais não respondem a pergunta mais comum a respeito da teoria dos jogos: qual é a utilidade de se prescrever um curso de ação se não se pode ter certeza de que os concorrentes irão agir de forma racional (i. e., seguir os princípios da teoria dos jogos)?[8] Uma maneira de refinar esta pergunta é supor que mesmo que os concorrentes não consigam maximizar seu valor econômico, eles maximizam alguma função objetiva bem definida. Assim, o estudo farmacêutico tratava de uma possível "miopia" por parte da nova concorrente suplementando a análise baseada nos VPLs totais com análises nas quais a nova concorrente baseava suas opções em fluxos de caixa ou na receita total livre do imposto nos cinco primeiros anos após sua entrada. Entretanto, esta abordagem tem abrangência muito limitada. Para um tratamento mais geral destas questões, devemos considerar a abordagem comportamental da análise das interações competitivas.

Teoria Comportamental

Para examinar a teoria comportamental, vamos reconsiderar a concorrência feroz (descrita no Capítulo 3) que irrompeu quando a Holland Sweetener Company (HSC) entrou no mercado de aspartame, anteriormente monopolizado pela NutraSweet. Cálculos aproximados indicam que a luta entre as duas reduziu as margens de contribuição no setor a US$ 150 milhões a.a., comparados com um potencial acima de US$ 700 milhões anuais caso a NutraSweet houvesse se ajustado à adição de capacidade relativamente pequena da HSC. Por que, então, houve a luta?

Como ocorre na maioria dos casos, é possível racionalizar esta seqüência de eventos em termos puramente da teoria de jogos.[9] Entretanto, com exceção dos teóricos de jogos irredutíveis, poucos leitores irão ver esses eventos estritamente como interações entre dois participantes que buscavam maximizar seus respectivos lucros em cada ponto do tempo. Ao contrário, há evidências de que pessoas e empresas muitas vezes elevam o compromisso em conflitos devido à falácia do "custo irremediável", a tentativas para justificar opções do passado, à percepção seletiva, hostilidade e várias outras inclinações e distorções.[10] Essas inclinações exemplificam os tipos de efeitos que os comportamentalistas tendem a focalizar.

A base comportamental para se prever as ações e reações dos concorrentes foi antecipada há 40 anos por Philip Selznick, que observou que "compromissos com maneiras de agir e reagir estão embutidos na organização".[11] Esta visão, frouxamente baseada em psicologia experimental e em economia, tem inspirado uma série de gabaritos para a previsão do comportamento de concorrentes. Um dos primeiros exemplos deste tipo é dado pela estrutura de Porter para a análise de concorrentes, a qual compreende quatro componentes principais de diagnóstico: metas futuras, hipóteses, estratégia corrente e capacidades (ver Quadro 4.2, p. 88).[12] De acordo com Porter, os dois primeiros componentes, que direcionam o comportamento futuro dos concorrentes, na prática, têm menos probabilidades de serem reconhecidos que os dois últimos, que dizem respeito àquilo que os concorrentes estão fazendo ou podem fazer. Em adição a cerca de 60 fatores que supostamente influenciam esses quatro componentes principais, Porter enumera aproximadamente 20 fontes de dados e 20 opções para se compilar, catalogar, condensar e transmitir informações a respeito dos concorrentes e sugere que é essencial um esforço permanente para se analisar os concorrentes. Ele também

QUADRO 4.2
Estrutura para Análise de Concorrentes

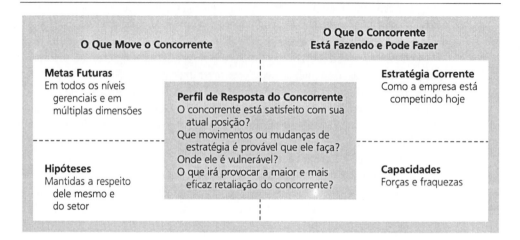

Fonte: Michael Porter, *Competitive Strategy* (Nova York: Free Press, 1980), Capítulo 3.

enfatiza a importância da *interpretação* de fatos a respeito dos concorrentes para responder a perguntas quanto aos perfis de resposta.

Embora listas de verificação como a de Porter sejam úteis, elas têm um caráter um tanto heterogêneo. Também tendem a deixar de lado algumas das influências sobre a tomada de decisões que têm sido mais claramente validadas pelos pesquisadores comportamentais.[13] Por exemplo, a lista de Porter não menciona de forma explícita o aumento irracional de comprometimento algumas vezes observado em interações competitivas reais. Uma perspectiva mais integradora, que cria uma conexão mais forte com a pesquisa comportamental, é sugerida pela visão de Selznick de que a história de uma organização tem grande importância no direcionamento do seu comportamento. Os fatores históricos que persistentemente influenciam o comportamento organizacional — em grande parte por ser difícil mudá-los a curto prazo — incluem os seguintes: recursos duráveis, capacidades e relacionamentos construídos pela organização; as pessoas que ela emprega (em particular os executivos); a maneira pela qual o pessoal está organizado e as coalizões políticas por ele formadas; precedentes, normas e crenças que endossam; e as dinâmicas de desempenho histórico da organização (as quais afetam seus pontos de referência, bem como a margem de ação de que ela dispõe para se afastar de cursos de ação de maximização do valor).[14] O Capítulo 5 irá tratar de algumas formas pelas quais a história afeta a estratégia.

Na maior parte das situações, a análise comportamental é um complemento da análise pela teoria dos jogos e não sua substituta. A análise comportamental tende a focalizar as predisposições organizacionais, ao passo que a teoria dos jogos focaliza os incentivos econômicos que as organizações têm diante de si.[15] Portanto, podemos ignorar a análise comportamental ao analisar a concorrência entre poucos somente quando se espera que todos os participantes façam opções racionais e econômicas; podemos deixar de lado a análise pela teoria dos jogos somente quando é certo que todos os participantes sucumbam a predisposições não-econômicas. Caso contrário, o debate a respeito de racionalidade *versus* irracionalidade será simplesmente um desvio: os administradores devem manter em vista as influências econômicas e também não-econômicas sobre o comportamento dos concorrentes. Como corolário, os tipos de sistemas de coleta de informações empregados pelos concorrentes na análise comportamental também devem ser usadas para gerar as informações a respeito das suas estruturas de receitas e de custos que são essenciais para a análise pela teoria dos jogos.

Finalmente, vale a pena destacar que análises pela teoria dos jogos e comportamentais estão sujeitas aos mesmos tipos de limitações. Ambas exigem grandes volumes de dados para serem eficazes. Ambas tendem a perder sua força quando os concorrentes são desconhecidos. E, mais crítico, ambas tornam-se de difícil manejo quando precisam lidar com mais que uns poucos participantes. A próxima seção deste capítulo provê uma perspectiva mais ampla e evolucionária das dinâmicas competitiva e cooperativa.

DINÂMICAS EVOLUCIONÁRIAS

As teorias dos jogos e comportamental representam maneiras relativamente "micro" de pensar a respeito da interdependência dos participantes de um mercado — isto é, elas envolvem análises detalhadas dos participantes individualmente. Uma terceira maneira, mais "macro", de pensar a respeito da interdependência, é em termos das dinâmicas evolucionárias que tendem a atingir as empresas ao longo do tempo. A atração do processo biológico de evolução no estudo de estratégia provém do fato de conceitos fundamentais como escassez, competição e especialização desempenharem papéis semelhantes em ambas as esferas de pesquisa.[16]

Como as vantagens competitivas evoluem ao longo do tempo no mundo dos negócios? Considere alguns dados analisados por Ghemawat (1991), relativos às margens (retorno sobre o investimento, ou ROI) registradas ao longo de um período de 10 anos por 692 unidades de negócios na base de dados PIMS.[17] A divisão desta amostra em dois grupos do mesmo tamanho com base no ROI inicial revelou que o ROI de um grupo era de 39% no primeiro ano e o do outro grupo, de 3%. Portanto, as empresas do primeiro grupo em geral começaram com vantagens competitivas e as do segundo grupo, com desvantagens. Se as empresas fossem mantidas nos grupos em que começaram, que mudanças você poderia prever para a diferença inicial de 36 pontos percentuais entre as médias dos grupos no ano 10?

Os gerentes aos quais se faz esta pergunta tendem a pensar que a diferença do ROI entre os dois grupos se reduz de um terço até a metade ao longo do período de 10 anos (com uma grande dispersão em torno desta tendência central). O Quadro 4.3 (ver p. 90) indica que a resposta correta é que a diferença caiu mais de 90%. Por implicação, os gerentes compreendem a idéia de regressão no sentido da média, ou mediocridade, mas não conseguem avaliar o escopo e a velocidade da sua ação.

Muitos outros têm desenvolvido dados semelhantes ilustrando a rapidez com que o desempenho acima da média cai no sentido das médias. Um estudo de Fruhan (1997) de grandes empresas com retorno sobre o patrimônio líquido (ROE) superior a 25% entre 1976 e 1982 constatou que o ROE médio do grupo era 21% mais alto que a média das 400 empresas da Standard & Poors para o período, mas somente 2% mais alto no período de 1989 a 1993.[18] Um estudo de Foster e outros na McKinsey & Company, depois de definir excelência em termos de ROE mais crescimento das vendas, chegou a conclusões semelhantes a respeito da sua impermanência.[19]

Uma parte da regressão dos altos retornos no sentido das médias provavelmente reflete opções de maximização do valor: uma empresa com um ROI de 39% (a média no ano 1 para o primeiro grupo estudado por Ghemawat) provavelmente não irá insistir que todos os novos investimentos produzam uma taxa de retorno tão alta. Entretanto, a maior parte dessa regressão no sentido da

QUADRO 4.3
Os Limites para a Sustentabilidade

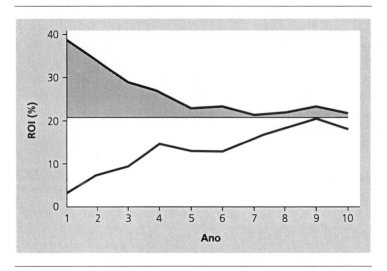

Fonte: Pankaj Ghemawat. *Commitment.* (Nova York: The Free Press, 1991).

média parece não ser desejada nem prevista. Talvez a analogia evolucionária mais óbvia esteja com o efeito "Red Queen", batizado com o nome da personagem do livro *Through the Looking Glass* (Do Outro Lado do Espelho), de Lewis Carroll, que explica a Alice que "Aqui, é preciso correr o máximo possível para permanecer no mesmo lugar". A versão empresarial do efeito Red Queen é a idéia de que, à medida que as organizações lutam para se adaptar às pressões competitivas, seus níveis de aptidão melhoram, elevando a linha de base em relação à qual a vantagem competitiva deve ser medida. Em termos de cenário, esta dinâmica poderia ser interpretada como a tendência de velhos picos de montanhas perderem altura ao longo do tempo.

Será útil, porém, ser mais concreto a respeito dos processos causais que ameaçam a sustentabilidade do desempenho máximo. O restante deste capítulo separa as ameaças à sustentabilidade em duas dinâmicas — imitação e substituição — que ameaçam o valor agregado das empresas, e duas outras — violação e negligência — que ameaçam a capacidade dos seus proprietários para apropriar por si mesmos esse valor agregado (ver Quadro 4.4 p. 91).

AMEAÇAS AO VALOR AGREGADO

Tanto a imitação como a substituição ameaçam a sustentabilidade do valor agregado de uma empresa. A *imitação* é muito invocada em biologia no contexto das pressões da população dentro de uma espécie, que alimentam a "luta pela existência".[20] Em termos de estratégia de negócios, a imitação pode ser vista como a difusão de modelos de negócios bem-sucedidos — definidos em termos de recursos empregados e/ou atividades executadas — por intermédio da população de empresas. Neste sentido, a imitação reduz a extensão até a qual o originador de um modelo de negócios bem-sucedido teria sua falta sentida se simplesmente desaparecesse (um modelo de análise para valor agregado, como foi observado no Capítulo 3).

QUADRO 4.4
As Quatro Ameaças à Sustentabilidade

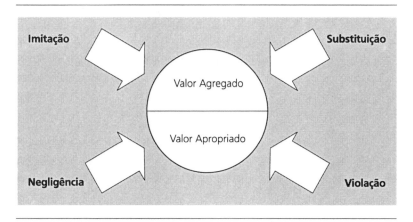

A *substituição,* como dinâmica evolucionária, é uma ameaça menos direta que a imitação ao valor agregado, embora não menos importante. Em termos biológicos, a substituição pode ser interpretada como competição entre espécies (e não dentro da mesma espécie). Em termos de estratégia de negócios, ela pode ser vista como a ameaça de perder o lugar para um modelo de negócios diferente.

Imitação

De acordo com as evidências em toda a indústria, a imitação está em toda parte. Por exemplo, as tentativas de um participante para aumentar sua capacidade costumam provocar expansões por parte dos concorrentes, que querem preservar suas parcelas de capacidade. As tentativas para aumentar a base de clientes tendem a fazer com que os concorrentes defendam ou aumentem as suas. Além disso, as tentativas de diferenciação de produtos com base em P&D (ao contrário de em estratégias de *marketing*) são vulneráveis em diversos aspectos: os dados agregados indicam que os concorrentes obtêm informações detalhadas sobre o grosso dos novos produtos menos de um ano depois do seu desenvolvimento, que as estratégias baseadas em patentes em geral não conseguem deter as imitações e que estas tendem a custar um terço menos que as inovações e a ter comercialização um terço mais rápidas. As inovações em processos não parecem ser muito menos imitáveis que as inovações em produtos.[21]

A imitação nem sempre é ruim. Algumas vezes ela pode emprestar credibilidade a um novo produto (p. ex., quando entram em jogo fatores externos à rede ou fontes alternativas). Também a imitação de determinados tipos de ações de *marketing,* como esquemas de lealdade e cláusulas de igualar a concorrência, não prejudica sua eficácia.[22] Entretanto, quando a imitação é ampla o suficiente para ameaçar transformar um modelo de negócios supostamente único em algo genérico, isso, em geral, não prejudica o valor agregado da(s) empresa(s) que originalmente desenvolveram esse modelo. Em termos de cenário, a imitação que reduz o valor agregado pode ser interpretada como o afundamento de um pico à medida que um número crescente de empresas o escalam ou se aglomeram sobre ele.

Uma parte da razão pela qual a imitação pode ser tão prejudicial à saúde financeira das empresas está ligada à extensão a que pode chegar. Embora a economia clássica indique que a imitação será reduzida quando os lucros dos imitadores caírem a zero, considerações informacionais e motivacionais sugerem que ela pode ir ainda mais longe. Uma parte relevante da pesquisa microeconômica diz respeito às "cascatas de informação", nas quais os participantes que inferem informações a partir de ações de outros participantes decidem, racionalmente, ignorar suas próprias informações e imitá-los — mesmo em situações em que poderiam, em média, se sair melhor agindo diferentemente.[23] Outra parte mostra que os administradores podem, para preservar ou conquistar reputação quando os mercados estão inadequadamente informados a respeito de suas capacidades, "ocultar-se no bando" para evitar avaliações ou "dirigir o bando" para mostrar qualidade.[24] Também é possível pensar em razões não-econômicas para "entrar no bando", como inveja ou normas.

A entrada da HSC no mercado de aspartame propicia um exemplo de imitação que aparentemente mostrou não ser lucrativa para a imitadora, reduzindo ao mesmo tempo a lucratividade da inovadora. Outro caso em que a imitação parece ter excedido a condição de lucro zero envolve o caso da televisão em horário nobre nos Estados Unidos. As três redes estabelecidas (ABC, CBS e NBC) historicamente concorrem entre si principalmente com base em sua programação. Uma observação casual sugere que suas decisões de programação têm sido parecidas por várias medidas, que vão desde o mês em que elas anunciam a programação do ano seguinte (maio) até quando introduzem novos programas (setembro) e o foco tópico dos mesmos. Assim, a série *Arquivo X* (introduzida pela Fox) foi um programa de muito sucesso nos anos 90, focalizado em extraterrestres e no sobrenatural, mas não foi o único. Entre as imitações estavam *Profiler, Dark Skies, The Burning Zone, The Visitor, Prey* e *O Fator Psi*, várias das quais fracassaram em pouco tempo.

Parte da semelhança nas decisões de programação das redes ao longo do tempo pode se dever a mudanças nas preferências dos telespectadores. Por exemplo, os *westerns* representavam pelo menos 10% da programação em horário nobre nos anos 60, mas sua participação caiu para 3% no início da década seguinte. Entretanto, uma análise mais ampla por Robert Kennedy sugere que oscilações na demanda não explicam totalmente o agrupamento tópico dos programas introduzidos pelas três redes tradicionais.[25] Partindo de um conjunto de dados que classificava toda a programação em horário nobre das redes em 15 categorias, Kennedy acompanhou os lançamentos de cada rede em cada categoria (867 no total) ao longo de um período de 28 anos (1961-1989). Constatou que, quando uma rede enfatizava uma determinada categoria de programa em seus novos lançamentos, as rivais tendiam a enfatizar a mesma categoria — mesmo depois de levar em conta as mudanças nos pontos Nielsen de classificação por categoria e a classificação média por programa dentro da categoria. Além disso, Kennedy mostrou que os programas lançados em categorias mais em moda (definidas como o terço superior das novas categorias de programação) apresentavam, em média, pontuações muito menores e vida mais curta do que os programas lançados em categorias não em moda (definidas como o terço inferior). O Quadro 4.5 (ver p. 93) resume as diferenças de médias.

Para concluir, vale notar que o comportamento imitativo nessas e em outras dimensões fez mais que apenas reduzir a lucratividade das três redes tradicionais. Ele também deu espaço para que a Fox se tornasse a primeira empresa a entrar, com sucesso, na indústria desde os anos 50, empregando em particular no início, uma estratégia de programação muito diferente.[26] A emergência da Fox como grande rede nos anos 90 significou pressão adicional sobre os valores agregados das redes, afetando as receitas publicitárias e os termos pelos quais elas podiam comprar programação (p. ex., direitos de transmissão de partidas de futebol americano profissional). Refletindo essa realidade, o autor Ken Auletta intitulou seu best-seller sobre as redes *Three Blind Mice* (Três Ratinhos Cegos).[27]

QUADRO 4.5
Tendências e Sucesso na Programação de Novas Séries de Televisão

Médias	Pontuação Ano 1	Pontuação Ano 3	Anos no Ar	% que Sobreviveu 3 Anos
Lançamentos em moda	15,3	16,4	1,8	21%
Lançamentos não em moda	16,3	20,4	2,3	27%

Fonte: Dados de Robert E. Kennedy. "Strategy Fads and Competitive Convergence: An Empirical Test for Herd Behavior in Prime Time Television Programming". Trabalho não-publicado, Harvard Business School, janeiro de 1998.

Apesar desses exemplos lúgubres, a imitação nem sempre representa uma ameaça inescapável à sustentabilidade de uma vantagem competitiva; em alguns casos ela pode ser, e é, impedida. Economistas têm usado modelos da teoria dos jogos para testar a eficácia de várias barreiras à imitação na presença de concorrentes atentos considerando resultados possivelmente assimétricos e perguntando se as empresas com piores resultados podem reduzir, de forma eficaz, a diferença que as separa das líderes.[28] Além disso, estrategistas acionaram mecanismos que poderiam tornar a imitação intrinsecamente impraticável, em vez de apenas ineficaz em relação aos custos. A lista de barreiras à imitação que se segue cobre ambos os tipos de mecanismos, embora não pretenda que seja única nem completa. Na verdade, a imitação é menos ameaçadora quando barreiras múltiplas à imitação se reforçam umas às outras.

Economias de Escala e Escopo   A barreira mais óbvia à imitação é aquela propiciada por economias de escala, isto é, as vantagens de ser grande em um determinado mercado ou segmento. Se a escala é vantajosa, uma empresa pode, potencialmente, impedir a imitação empenhando-se em ser tão grande que os candidatos a imitadores sejam contidos pelo medo de que, se igualarem sua escala, o suprimento poderá exceder a demanda a ponto deles se arrependerem do esforço. Essas economias de escala podem agir em nível global, nacional, regional ou até mesmo local, e seus efeitos não precisam se limitar à fabricação. Um bom exemplo de economias de escala locais numa empresa de serviços é dado pela Carmike, uma operadora muito bem-sucedida de cinemas, que se concentra em cidades pequenas negligenciadas pelas concorrentes. A maior parte dessas cidades não comporta dois cinemas; assim, quando a Carmike faz um investimento em um cinema multiplex para atender a cidade, ela conquista um monopólio local à prova de imitações.

As economias de escopo são uma segunda forma de barreira: elas provêm das vantagens de ser grande em mercados ou segmentos relacionados entre si. Elas podem funcionar como as economias de escala para impedir imitações. Por exemplo, se uma empresa pode repartir recursos ou atividades entre mercados ou segmentos, assegurando ao mesmo tempo que seus custos permaneçam em grande parte fixos, ela poderá demarcar para si uma posição grande e lucrativa. Além disso, mesmo na ausência de oportunidades para divisão, o agrupamento de bens ou serviços complementares pode elevar as barreiras à imitação. É claro que a exploração de economias de escopo de qualquer dessas maneiras requer muita coordenação entre mercados ou segmentos.

Aprendizado/Informações Privadas   O aprendizado, em especial se for interpretado em termos da curva de experiência, pode ser considerado como uma terceira forma de economia de porte, embora se relacione às vantagens de ser grande em determinado negócio ao longo do tempo em vez de em um ponto do mesmo. Mas, em vez de rever aqui o impedimento baseado no porte, podemos considerar uma espécie diferente de impedimento à imitação que fundamenta os efeitos do aprendizado: informações superiores ou *know-how*. Até o extremo em que as informações superiores podem ser mantidas privadas — isto é, na extensão em que seria custoso aos imitadores ter acesso a elas — a imitação será inibida. Embora uma política de não-revelação possa, às vezes, garantir a privacidade, existem muitos outros canais de vazamento potencial de informações, inclusive fornecedores, clientes, filiais, engenharia reversa e até mesmo documentos de patentes. Em conseqüência disso, o segredo das informações é mais fácil de se conseguir quando elas são tácitas ao invés de especificáveis (i. e., não conduzem por si mesmas a projetos) e quando elas são mantidas coletivamente pela organização, não consistindo de algo que alguém possa levar embora. Entraremos em detalhes sobre esses temas quando discutirmos o desenvolvimento de capacidade superior no Capítulo 5.

Contratos e Relacionamentos   Às vezes, é possível entrar em contrato ou estabelecer relacionamentos com compradores, fornecedores ou complementadores em termos melhores que aqueles disponíveis para as empresas que chegam depois. Quando é possível conseguir tais arranjos, os concorrentes podem desistir da imitação porque, mesmo que essa abordagem seja um "sucesso", ela irá deixá-los em total desvantagem — independentemente de diferenças de porte ou de informação — para que valha a pena. A exeqüibilidade desses relacionamentos irá depender de terceiros ou da própria empresa. Exemplos de coação por terceiros incluem direitos de propriedade e outros contratos formalmente especificados que possam ser tornados obrigatórios em tribunais. Neste contexto, os estrategistas têm dado ênfase especial ao controle de recursos fisicamente únicos (p. ex., ser proprietário ou inquilino a longo prazo do melhor local de varejo da cidade). Os exemplos de coação pela própria empresa incluem relacionamentos que não foram formalizados na mesma extensão, mas que se espera sejam mantidos por reputações, custos de troca, aversão a riscos ou inércia. Voltaremos a este assunto com mais detalhes ainda neste capítulo, quando abordarmos a ameaça de assalto.

Elementos Externos à Rede   Como barreiras à imitação, os fatores externos à rede incluem elementos de escala, complementaridade, efeitos de aprendizado e relacionamentos — todas as barreiras anteriormente expostas. Não obstante, vale a pena mencioná-los em separado, devido à atenção que têm despertado no contexto da economia da informação.[29] Os fatores externos existem quando as atrações para que compradores, fornecedores ou complementadores se unam a uma rede aumentam com seu porte. Em tais casos, até mesmo pequenas vantagens de porte tendem a crescer com o tempo, ampliando a vantagem da empresa que controla a maior rede (p. ex., se esse controle exclusivo é possível, em contraste com padrões abertos).

Como exemplo notável, considere como a Nintendo conseguiu levar para cima a disposição para pagar, ao mesmo tempo em que reduzia seus custos na indústria de videogames.[30] A grande base instalada de *hardware* da Nintendo atraía as melhores empresas de *software* para o desenvolvimento de jogos para ela. A disponibilidade (esperada) de numerosos jogos de sucesso aumentava a disposição dos clientes para pagar altos preços pelo *software* da Nintendo e também sua tendência para comprar muitas das suas máquinas, especialmente porque a Nintendo melhorava periodicamente sua tecnologia. Isto permitiu que a Nintendo e seus fornecedores de *hardware* descessem a curva de experiência, reduzindo os custos e preços do *hardware* e aumentando ainda mais a vantagem da rede. A Nintendo consolidou seu controle sobre esta rede instalando um chip de segurança que impedia que jogos de outros fabricantes funcionassem em máquinas Nintendo e impondo uma gama de restrições contratuais aos seus fornecedores de *software* e seus varejistas.

Ameaças de Retaliação Há várias razões, inclusive as assimetrias acima citadas, pelas quais uma empresa com uma vantagem pode ser capaz de ameaçar os candidatos a imitadores com uma retaliação maciça. A certeza de retaliação pode, por sua vez, impedir a imitação de uma estratégia, mesmo quando sua atual lucratividade é muito alta. Porém, falar de retaliação é fácil. Para haver credibilidade, é preciso ter capacidade e disposição para retaliar. A capacidade é facilitada pela criação, com sucesso, de uma vantagem competitiva que permita à empresa fazer melhor por si mesma do que com uma estratégia de acomodação enquanto ameaça um intruso com prejuízos. A capacidade para retaliar também é aumentada pela manutenção de "amortecedores" como liquidez, excesso de capacidade, pequenas participações em outras empresas dos concorrentes que possam ser usadas para perturbá-los, lutas de marcas e até mesmo aperfeiçoamentos em produtos que permanecem em segredo até que os concorrentes ameaçam imitar os produtos existentes.

Estar disposto a retaliar e comunicar este fato com credibilidade aos candidatos a imitadores é mais simples quando as ações retaliatórias são diretamente lucrativas para a empresa que tem as vantagens — uma possibilidade que, com freqüência, é aumentada escolhendo-se avenidas de retaliação que sejam relativamente eficazes em relação aos custos. Assim, uma empresa com grande participação de mercado poderá retaliar contra intrusos elevando os investimentos com P&D ou propaganda, ambas com componentes importantes de custos fixos, em vez de cortando preços, uma ação que normalmente tem um efeito mais variável e acaba custando mais aos grandes participantes em termos absolutos. A credibilidade da retaliação também pode ser elevada de várias outras maneiras: por contratos que tornem a retaliação mais atraente que um recuo, cultivando-se a reputação de retaliar contra os imitadores e até sinalizando (embora esses sinais normalmente necessitem ser suplementados por algo mais irreversível para que tenham credibilidade).

Prazos Mesmo na ausência de todas as barreiras anteriormente descritas, a imitação usualmente requer um prazo mínimo. Implícita, nesses prazos, está a idéia de que programas urgentes podem custar caro: a principal razão é que as tentativas de usar o tempo de forma ainda mais intensa podem conduzir a retornos menores. Quando esses prazos existem, eles obviamente retardam o impacto da imitação. A possibilidade desses atrasos também pode impedir a imitação, em especial quando o inovador montou um círculo virtuoso (como a Nintendo) ou está continuamente melhorando sua posição (como veremos mais tarde neste capítulo).

As estimativas da duração média desses prazos ajudam a salientar sua importância.[31] Como regra prática, as variáveis de *marketing* — em particular aquelas relacionadas a comunicações — são as únicas que podem ser mudadas de forma significativa em menos de um ano; mesmo assim, as bases de clientes que elas supostamente influenciam tendem a se mover muito mais devagar. Necessita-se de dois a três anos para se construir uma fábrica média. Algumas evidências sugerem que a formação de um novo sistema de distribuição — ou a alteração de um já existente — pode levar ainda mais tempo. A diferença de tempo entre investimentos e retornos tende a ser de quatro a seis anos. Os prazos para implementação de mudanças em práticas de recursos humanos, formação de reputação empresarial e reestruturação de portfólios corporativos pode estender-se por quase uma década, ou até mais!

Complexidade Estratégica Outro conjunto de barreiras à imitação abrange a noção da complexidade. Os estrategistas orientados pelo comportamento afirmam que a complexidade de uma estratégia pode, em um mundo caracterizado por uma racionalidade de baixa a variável, impedir sua imitação.[32] Outros têm procurado identificar as fontes da complexidade, encontrando e oferecendo respostas divergentes. Uma proposta cita a "ambigüidade causal" — a idéia de que a ambigüidade intrínseca pode ocultar as conexões causais entre ações e resultados ou, em termos mais prosaicos, que até mesmo uma empresa bem-sucedida pode desconhecer as verdadeiras causas do seu sucesso.[33] Outra proposta destaca a "complexidade social", a qual pode situar determinados recursos — a cultura corporativa é o exemplo favorito — fora do alcance da capacidade das empresas para gerenciar e influenciar de forma sistemática.[34]

Uma terceira proposta focaliza o "ajuste" como a fonte relevante da complexidade estratégica. Esta proposta diverge substancialmente das duas anteriores porque, em vez de pressupor a complexidade, ela a deduz — em um sentido estritamente algorítmico — da interconexão das opções que as empresas fazem.[35] A metáfora do cenário sugere algumas imagens úteis a este respeito: à medida que cresce a interconexão das opções, o cenário que a empresa tem diante de si torna-se progressivamente mais irregular, de uma maneira que maximiza a complexidade de mapeá-lo completamente — ou mesmo de "apenas" identificar o pico mais alto. O Capítulo 5 examina de que forma o ajuste proeminente deve figurar na agenda do estrategista.

Elevação do Nível   A última, mas não a menos importante, das barreiras à imitação é a elevação contínua do nível do valor agregado da organização. Esta estratégia envolve forçar uma cunha mais larga entre a disposição dos clientes para pagar e os custos de oportunidade dos fornecedores ao longo do tempo, e isto freqüentemente requer um investimento para que o fim seja atingido. Espera-se que a elevação do nível transforme a empresa em um alvo móvel, de forma a aumentar as dificuldades ou os atrasos para os imitadores em potencial. Uma maneira de aferir a necessidade de elevação do nível é acompanhar a taxa à qual os preços reais de uma indústria, ajustados para mudanças em qualidade, mudam ao longo do tempo. Se os preços médios de uma indústria decrescem além de uma taxa limite (de 2 a 8% a.a., de acordo com Jeffrey Williams), ela é um ambiente de "ciclo rápido", no qual a elevação contínua do nível tem especial importância.[36] Outros incentivos à elevação incluem táticas semelhantes, igual a corredores de nível olímpico, que uma empresa tem concorrentes fantasmas em seus calcanhares o tempo todo.[37] O viés no sentido da ação embutido na elevação também nos lembra que barreiras à imitação *podem* ser construídas: elas não são apenas coisas boas que acontecem às empresas com sorte.

Substituição

O valor agregado também pode ser ameaçado por substituição. Esta é freqüentemente vista como a ameaça de que um produto venha substituir outro. Na verdade, ela deve ser vista de forma mais ampla — isto é, como a ameaça de que novos modelos de negócios venham a substituir os antigos. Conseqüentemente, a substituição pode representar uma ameaça ainda mais mortal à sustentabilidade do que a imitação, como destacou há mais de meio século o economista Joseph Schumpeter.[38]

> É ainda é a concorrência dentro de um padrão rígido de condições, métodos de produção e formas de organização industrial invariáveis que praticamente monopoliza a atenção. Mas na realidade capitalista, distinta das figuras dos livros textos, não é esse tipo de concorrência que conta, mas a concorrência da nova *commodity,* da nova tecnologia, do novo tipo de organização . . . a concorrência que requer uma vantagem decisiva de custo ou qualidade e que ataca não as margens dos lucros e os resultados das

empresas existentes, mas sim suas fundações e suas próprias vidas. Este tipo de concorrência é muito mais eficaz que o outro — como é bombardear uma porta em vez de arrombá-la.

Nas imagens de cenário, a substituição pode ser descrita como um terremoto — ou, no mínimo, uma oscilação do cenário — que faz surgir novos picos e derruba os existentes. Neste sentido, ela é, ao mesmo tempo, menos direta e mais difícil de gerenciar que a ameaça de imitação por concorrentes diretos que tentam escalar o mesmo pico. Hoje ela parece despertar muito mais atenção entre os estrategistas de negócios do que na época de Schumpeter: a substituição provocou a publicação de incontáveis livros a respeito da migração de valor, de tecnologias desintegradoras e, em termos mais amplos, de mudanças nas bases de concorrência.

Para um exemplo vívido — e ainda em andamento — de uma ameaça de substituição, considere os negócios *online* com ações.[39] A execução *online* de compras e vendas de ações nos Estados Unidos cresceu de níveis desprezíveis há cinco anos para 17% do volume total do varejo em 1997, e prevê-se que ela irá representar quase 30% do volume de negócios em 1998 e mais de 50% em menos de três anos. Já existem cerca de 5 milhões de contas ativas gerando, em média, mais negócios que as contas convencionais. Embora se possam citar muitas razões para explicar a popularidade dos cibernegócios — como a disponibilidade de informações oportunas, conveniência, o *marketing* interpessoal e até mesmo o fascínio de comunidades de investimentos *online,* como a Motley Fool — de longe a razão mais importante para se operar *online* parece estar em seus preços menores, explicados por menores custos de mão-de-obra, aluguel e processamento de dados/comunicações. O Quadro 4.6 dá algumas estimativas para o início de 1996, quando a E*Trade, a pioneira das corretoras *online,* cobrava de US$ 15 a US$ 20 por operação. Desde então, os preços *online* caíram ainda mais, para menos de US$ 10 por operação em alguns casos.

QUADRO 4.6
As Economias dos Modelos de Corretagem, Início de 1996

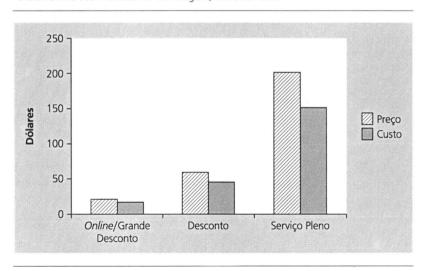

Fonte: Rajiv Lal, "E-Trade Securities, Inc." Stanford University Graduate School of Business, Caso Nº M-286, 1996.

Reconhecendo as diferenças de custos entre os modelos de negócios *online* e convencional, muitos operadores entraram agressivamente nos negócios *online*. Os corretores convencionais com descontos, de quem até agora as operações *online* tiraram mais clientes, estavam entre os primeiros. Particularmente digna de nota é a corretora Charles Schwab, que foi a pioneira em corretagem com desconto em meados dos anos 70, no uso de planejadores financeiros independentes em meados dos anos 80 e na entrada e saída fáceis em fundos mútuos no início dos anos 90. Em 1998, a Schwab havia montado numerosos *sites* para transações e informações na Web, no esforço para levar o maior número possível de seus clientes para a Internet. Sua posição de "mercado intermediário" era fundamentada em sua reputação, nas informações a respeito dos seus clientes, no desenvolvimento criativo de produtos e serviços e na sensibilidade às oscilações do mercado, apesar dos seus preços mais elevados. O serviço básico *online* custava US$ 29,95, comparado com o preço da E*Trade de US$ 14,95 e de até US$ 9 de outras corretoras *online*. Além disso, somente uma minoria dos clientes da Schwab utilizava o eSchwab; a maioria deles simplesmente recebia um desconto de 20% para operar *online*. A despeito de algumas dúvidas a respeito da sustentabilidade da sua estrutura de preços, a estratégia da Schwab parecia estar funcionando em meados de 1998: ela tinha 1,8 milhão de contas ativas *online* e uma parcela de 29% do total do volume *online*, comparados com 11% para a segunda maior operadora (E*Trade), e executava mais de US$ 2 bilhões em operações por semana.

Nenhuma corretora convencional de serviço pleno passou a operar *online* com a agressividade da Schwab ou outras corretoras com descontos. Na verdade, as duas empresas nacionais, Merrill Lynch e Prudential Securities, que haviam anunciado planos para oferecer operações *online*, adiaram repetidamente o lançamento desses serviços até a primeira metade de 1998. Além disso, relatórios indicavam que elas não iriam oferecer qualquer desconto *online* — uma receita improvável para reter os clientes existentes que estão examinando as operações *online*, e pior ainda para conquistar novos clientes. É interessante notar que grandes bancos comerciais, como o Bank of America e o Wells Fargo, fizeram uma incursão mais agressiva na corretagem *online*, ainda que isso não passasse de um complemento da automação das suas transações bancárias tradicionais com o público.

O exemplo das operações com ações *online* ilustra o mais óbvio gerador de substituições: mudanças tecnológicas drásticas e generalizadas (das quais a Internet é apenas um exemplo especialmente atual). Mas a substituição, como ameaça ao valor agregado, abrange muito mais que simples mudanças tecnológicas. Outros geradores de substituições no "lado do suprimento" incluem mudanças nos preços de insumos, ou disponibilidade e desregulamentação (ou, em sentido mais amplo, mudanças em políticas governamentais). Por exemplo, o setor de eletricidade na América Latina está sendo reformulado pela crescente disponibilidade de gás natural barato e pela privatização, na maior parte da região, da geração e distribuição de eletricidade, e não por mudanças tecnológicas. No "lado da demanda", os geradores de substituições incluem mudanças nas preferências dos clientes, necessidades anteriormente não-satisfeitas e mudanças no *mix* de clientes. Assim, embora os varejistas *online* possam usar a Internet para alcançar clientes de vanguarda, alguns observadores acreditam que serão necessários modelos de negócios muito diferentes para atender ao emergente mercado de massa.

A experiência das operações *online* com ações também ilustra as dificuldades que as empresas, muitas vezes, enfrentam para reagir a ameaças de substituição. Considere as operações *online* do ponto de vista de uma grande corretora como a Merrill Lynch. Para ela, o mercado *online* ainda é um pequeno nicho em termos de receitas (não em volume): as atividades *online* representavam pouco mais de 4% do total das comissões de corretagem (no varejo) em 1997, com as projeções indicando um crescimento até 6 ou 7% em 1998. Em segundo lugar, as perspectivas imediatas de lucros nas operações *online* parecem ser baixas. Além de um ambiente caracterizado por uma queda aguda nos preços, 75 concorrentes já estavam *online* em meados de 1998, em comparação com 30 um ano antes. Alguns observadores estimaram que, na luta por participação de mercado, essas empresas poderiam gastar até US$ 500 milhões em propaganda nos 12 meses seguintes (comparados com US$ 600 milhões em receitas totais em 1997). Em terceiro lugar, as operações *online* aparentemente não satisfazem totalmente as necessidades de muitos dos clientes das corretoras de serviços integrais. Em quarto lugar, a entrada agressiva no mercado *online* iria exigir a canibalização de redes de corretores e filiais que, no caso da Merrill Lynch, consistiam em 15.000 consultores financeiro 700 filiais. Em quinto lugar, algumas corretoras tradicionais carecem dos conhecimentos necessários para investir de forma eficiente e eficaz em empresas baseadas na rede mundial. Finalmente, ainda persiste uma grande ambigüidade a respeito de qual modelo de negócio irá vencer na corretagem *online*. A operação especializada *online* é apenas uma das possibilidades: outros competidores incluem bancos comerciais, coalizões que estão procurando criar e controlar mecanismos para faturamento e pagamento *online, software* para gerenciamento de finanças pessoais e portais para acesso *online*.

Esta discussão de por que as corretoras de serviços plenos poderão ter dificuldade para reagir às ameaças de substituição *online* sugere que podemos construir uma lista genérica de barreiras à resposta com as quais elas deverão ser prudentes e que as atacantes podem explorar. As ameaças de substituição normalmente começam em pequenos nichos, inicialmente não-lucrativos. No começo, as novas empresas tendem a não satisfazer completamente as necessidades dos clientes existentes, que são seus alvos. Muitas vezes, as ameaças inspiram motivos variados por parte das empresas que, já atuam no setor, porque elas provocam temores de autocanibalização. A neutralização das ameaças pode exigir qualificações ou conhecimentos que as empresas não possuem, nem podem adquirir efetivamente. E no início as ameaças de substituição costumam estar cercadas de ambigüidade a respeito de qual dos modelos possíveis de negócio irá vencer.[40]

Note que esta pequena lista de barreiras a uma resposta eficaz não inclui os pecados corporativos popularmente citados como abrindo a porta para ameaças de substituição: indolência, arrogância, miopia, burocracia, política e assemelhados. A possibilidade de um comportamento avesso a adaptações aumenta a dificuldade de reação às ameaças de substituição. Entretanto, a boa notícia para as empresas já atuantes é que as ameaças de substituição podem, em alguns casos, ser impedidas, desviadas ou transformadas em oportunidades. A capacidade da Schwab para assumir a liderança (até agora) em corretagem *online* é um bom exemplo. Entretanto, os administradores precisam, antes, reconhecer as barreiras à resposta acima citadas para que possam reagir com sucesso às ameaças de substituição. O reconhecimento da gama de respostas possíveis é um segundo e útil passo. Embora as respostas às ameaças de substituição sejam freqüentemente limitadas em termos da dicotomia luta-ou-muda, normalmente é melhor começar a considerar uma gama mais ampla de alternativas.

Não Responder   Em alguns casos, a melhor resposta às ameaças de substituição é não responder. Nem todas as ameaças de substituição são igualmente ameaçadoras ou bem-sucedidas. Às vezes uma avaliação cuidadosa e precoce de uma ameaça de substituição pode sugerir que esta não representa uma ameaça significativa para o valor agregado da empresa. Considere, por exemplo, o Ernie, o serviço de "consultoria no varejo" lançado recentemente pela firma de contabilidade Ernst & Young: ele permite aos clientes fazer perguntas via e-mail e receber respostas dentro de 48 horas em troca daquela que é, para os padrões de consultoria tradicional, uma pequena taxa. Não está claro se firmas de consultoria à alta gerência, como a McKinsey & Company e o Boston Consulting Group, deverão responder imediatamente a esta iniciativa. É claro que o perigo de não reagir é que as barreiras à resposta anteriormente citadas poderão influenciar inadequadamente as avaliações no sentido da inação.

Lutar   Lutar é a resposta mais comumente reconhecida às ameaças de substituição. Por exemplo, a Intel combateu a ameaça que a tecnologia de computação com conjunto reduzido de instruções (RISC) representava para sua tecnologia de computação com conjunto complexo de instruções (CISC) fazendo maciços investimentos para melhorar o desempenho de seus microprocessadores baseados em CISC. Desta maneira, a Intel aumentou tanto a disposição dos clientes para pagar por sua tecnologia quanto os obstáculos de custo enfrentados pelos patrocinadores da nova tecnologia. Porém, um grande perigo associado à luta é que um substituto, no estágio inicial de seu desenvolvimento, pode ter mais potencial a longo prazo para melhoria do que um modelo de negócio maduro.[41]

Mudar   Mudar é outra resposta comumente conhecida a ameaças de substituição. Uma mudança bem-sucedida é, especialmente em ambientes de movimentação rápida, algo como mudar de cavalos no meio de um rio: às vezes não há alternativa, mas a manobra está sujeita a respingos. Um exemplo de mudança bem-sucedida durante os anos 90 é dado pela Quantum. Ao contrário de muitos dos seus concorrentes na indústria de *disk drives* para computadores, esta empresa conseguiu fazer a transição de drives de 8 polegadas para drives de 5,25 polegadas e depois para drives de 2,5 polegadas.[42] É claro que a tarefa da Quantum foi provavelmente facilitada pelo fato de os substitutos sucessivos serem mais graus do que espécies em sua indústria — isto é, não tão violentos como, por exemplo, a ameaça dos substitutos *online* à corretagem convencional de valores.

Recombinar   Mudar tem a conotação de adoção de um modelo de negócio que, em certo sentido, "já existe". Entretanto, em muitos casos, a recombinação de elementos de um modelo existente com algumas das novas possibilidades implícitas nas ameaças de substituição parece representar uma resposta de maior sucesso a essas ameaças do que a mudança integral de modelo de negócio. As possibilidades da recombinação expandem tremendamente a gama possível de respostas a ameaças de substituição. A estratégia da Schwab em corretagem de valores *online* é um bom exemplo deste tipo de resposta: em vez de mudar para os modelos de grandes descontos oferecidos pelas primeiras empresas que entraram na corretagem *online,* ela procurou criar um modelo de negócio híbrido que mistura algumas das suas forças existentes com a tecnologia *online*. Porém, o perigo dessas estratégias de recombinação é que podem eventualmente produzir o equivalente de um camelo em vez de um cavalo de corrida — isto é, um modelo de negócio montado de forma muito estranha.

Indecisão   A indecisão significa continuar a operar os modelos de negócios tradicionais paralelamente à adoção dos novos modelos. Alguns varejistas tradicionais que entraram *online* proporcionam exemplos desta resposta. A indecisão pode ser um expediente valioso a curto prazo para preservar as opções de uma organização, mesmo não sendo uma estratégia viável a longo prazo. As indecisões também podem ser distinguidas em termos de estarem ou não equilibradas entre os antigos e novos modelos de negócios (p. ex., oferecer apenas um pequeno apoio no novo modelo de negócio). Essas idéias a respeito de indecisão também chamam atenção para a oportunidade e a magnitude de respostas a ameaças de substituição como variáveis adicionais que podem ser usadas para expandir ainda mais a gama de respostas possíveis. Talvez os maiores perigos da indecisão estejam relacionados ao comprometimento exagerado com um modelo antigo que não é mais viável, ou à falta de disposição para fazer escolhas difíceis.

Colher   Colher o próprio negócio não é um assunto capaz de provocar livros inspiradores, mas esta pode ser a resposta correta a uma ameaça de substituição quando nenhuma das outras estratégias faz sentido. Por exemplo, colher pode ser a resposta apropriada para algumas corretoras convencionais que carecem da escala, dos recursos ou do conhecimento tecnológico para fazer muito a respeito da ameaça das operações *online*. Mais uma vez, colher levanta questões interessantes de oportunidade. Como todas as respostas a ameaças de substituição consideradas nesta seção, esta tem seus próprios perigos. Por exemplo, o estudo de Clayton Christensen sobre ameaças de substituição tecnológica constatou que, embora colher pareça ser o padrão de resposta mais comum pelas empresas, com freqüência ele é acidental, ao menos nos estágios iniciais do processo.[43]

Para concluir esta seção, não existem respostas seguras e polivalentes às ameaças de substituição. Se existisse essa resposta, a substituição seria um perigo muito menor do que parece. Não obstante, o reconhecimento das barreiras típicas a uma resposta eficaz e a ampla gama de respostas possíveis devem ajudar um participante a cuidar dessas ameaças indiretas à sustentabilidade do seu valor agregado.

AMEAÇAS À APROPRIABILIDADE DO VALOR AGREGADO

Mesmo se uma organização pode proteger seu valor agregado das ameaças de imitação e substituição, a capacidade de seus proprietários para apropriar o valor não pode ser dada como certa. Existem duas ameaças sistemáticas à apropriação do valor ao longo do tempo: violação e negligência. A violação ameaça desviar valor para compradores, fornecedores, complementadores ou outros participantes da rede da empresa. A indolência, em contraste, ameaça dissipar valor ao longo do tempo.

Violação

A violação provém da coespecialização, um caso especial de uma dinâmica mais ampla, conhecida pelos biólogos como coevolução. As flores e os insetos que as polinizam e se alimentam de seu néctar são um exemplo óbvio. Um mutualismo semelhante pode ser benéfico — ou mesmo essencial para o sucesso — no mundo dos negócios, mas também pode criar um problema: à medida que os participantes se coespecializam, seus valores agregados começam a se superpor, tornando impossível que todos eles os apropriem totalmente. Portanto, pode-se dizer que cada um enfrenta a ameaça de ser violado pelos outros.[44]

O exemplo conceitual mais claro de violação é dado pelo caso de monopólio bilateral, o qual envolve somente um vendedor e um comprador. Este cenário é caracterizado pela coespecialização completa: o valor adicionado de cada participante é igual ao valor total que os dois podem criar transacionando um com o outro. Contudo, nenhum dos dois pode apropriar todo o valor. Em vez disso, o valor apropriado por um participante é exatamente igual ao tamanho da diferença provocada pela violação entre o valor adicionado do outro participante e o valor apropriado.

A mudança no relacionamento entre os fabricantes de automóveis e seus fornecedores oferece um exemplo vívido da ameaça de violação, assim como maneiras diferentes de reagir a ela. Em meados dos anos 70, as relações fabricante de carros-fornecedor nos Estados Unidos parecia ter se estabilizado em torno de um modelo no qual as Três Grandes — General Motors (GM), Ford e Chrysler — fabricavam internamente, de modo geral, uma parte das suas necessidades de qualquer componente básico (até 100% no caso de itens "críticos" como motores, transmissões e eixos cardã), terceirizando o restante para vários fornecedores. Suas relações com esses fornecedores externos, celebradas na época, eram francamente hostis.[45] A GM e a Ford, em particular, fragmentavam sua base de fornecedores usando muitos deles e incentivando a entrada de novos fornecedores. As Três Grandes estreitavam a capacidade de diferenciação dos fornecedores mantendo grandes quadros internos de P&D, forçando os inovadores a licenciar ou revelar suas tecnologias, dividindo sistemas em partes e transformando cada parte em *commodity* através de especificações abrangentes. Os contratos raramente valiam por mais de um ano e não seriam renovados se o fabricante encontrasse outro fornecedor qualificado oferecendo preços inferiores ainda que em margem insignificante. Outros mecanismos usados para forçar os preços para baixo incluíam o uso de equipes de inspeção para estimar os custos dos fornecedores e permitir que pequenos fornecedores, com baixos custos indiretos, fizessem propostas baixas que pudessem ser usadas em negociações com outros fornecedores, relacionando concessões em preços para uma determinada peça comprada de um grande fornecedor a compras continuadas de outras partes, e até mesmo lançando boatos a respeito de concorrentes em potencial.

Então, os fabricantes de carros japoneses entraram na briga. Embora muitos fatores tenham sido responsáveis pelo surpreendente sucesso dos fabricantes de automóveis japoneses no mercado americano, a contribuição do seu relacionamento com fornecedores, conforme documentada por Jeffrey Dyer e outros pesquisadores, tornou-se cada vez mais evidente durante os anos 80.[46] Apesar de uma menor integração vertical, os japoneses trabalhavam com um décimo do número de fornecedores utilizados pelos fabricantes americanos. Eles mantinham relacionamentos de longo prazo com seus fornecedores, compartilhavam com eles informações técnicas e de custos e os envolviam no desenvolvimento e na produção de produtos. Por sua vez, os fornecedores japoneses investiam em ativos específicos para os fabricantes de carros por eles atendidos (ver Quadro 4.7, p. 103). Para considerar apenas uma dimensão, a distância média entre as fábricas da Toyota e as fábricas dos seus fornecedores era inferior a 100 Km, comparadas com 640 a 800 Km para as fábricas americanas e seus fornecedores. De fato, o grosso da rede de produção da Toyota no Japão caberia entre as duas fábricas mais próximas da GM, ambas em Michigan. Esta política de proximidade geográfica foi mantida para os investimentos da Toyota e seus fornecedores para a produção nos Estados Unidos, tendo a maioria deles se localizado no estado do Kentucky.

O modelo japonês conduzia a claras reduções em estoques, os quais representavam 11,3% das vendas para os fabricantes japoneses e seus fornecedores em conjunto, comparados com 19,5% para os fabricantes americanos e seus fornecedores. Em carros comparáveis, os fabricantes japoneses gozavam de vantagens em custos de 10 a 20%. Ao mesmo tempo, os carros japoneses apresentavam 30% a menos de problemas e os ciclos para novos modelos eram 40% mais curtos. Obviamente a lucratividade média, medida em termos de retorno sobre ativos antes do imposto era significativamente maior no Japão nos primeiros anos da década de 90 — 9,3% para os fabricantes e 5,5% para seus fornecedores, comparados com 3,7 e 4,6%, respectivamente, para os americanos.

Essas vantagens provavelmente se reduziram nos últimos anos, na medida em que os fabricantes americanos, em particular a Chrysler, passaram, em graus variados, a imitar a abordagem japonesa nos relacionamentos com fornecedores. E mesmo as diferenças que ainda persistem não indicam necessariamente que mais coespecialização é sempre melhor. Quando o nível de confiança ou de interdependência de tarefas é baixo e (talvez) quando o nível de turbulência ambiental é alto, menos coespecialização pode ser mais adequada. Não obstante, em pelo menos uma indústria ame-

QUADRO 4.7
Especificidade de Ativos na Indústria Automotiva

Medidas de Especificidade de Ativos	Estados Unidos/Estados Unidos			Japão/Japão	
	Relacionamento Distante (42%)*	Parceiro (10%)*	Divisão (48%)*	Relacionamento Distante (35%)*	Parceiro (38%)*
Distância entre fábricas (km)	945	660	440	200	66
Capital que não é prontamente transferível (%)	15	18	31	13	31
"Dias-pessoas" de contato cara a cara divididos pelas vendas ao fabricante (índice)	7,7	9,0	7,9	9,9	10,6
Vendas do fornecedor ao fabricante divididas pelas suas vendas totais	34	34	94	19	60

*Parcela da produção de peças.

Fonte: Jeffrey H. Dyer, "Does Governance Matter?" Organization Science, 1996: 7(6).

ricana importante, os fabricantes americanos pareceram perder terreno em parte porque impuseram uma abordagem muito competitiva nos seus relacionamentos com fornecedores (buscando maximizar seu poder de barganha em detrimento dos fornecedores), ao passo que seus concorrentes japoneses adotaram uma postura mais cooperativa (coespecializando-se de forma a fazer crescer o bolo global). Este exemplo ecoa uma das máximas introduzidas no Capítulo 2: os estrategistas precisam pensar a respeito dos relacionamentos de forma cooperativa e também competitiva.

O exemplo dos fornecedores da indústria automotiva também ilustra uma gama de abordagens para se lidar com obstáculos que incluem tentar eliminar o problema bem como abordá-lo de forma competitiva ou cooperativa.

Contratação Um dos primeiros remédios para a violação tentados pelos fabricantes americanos de automóveis foi a contratação a longo prazo.[47] À medida que a demanda por carros mudava de carrocerias abertas, em grande parte de madeira, para carrocerias metálicas fechadas depois da I Guerra Mundial, grandes investimentos em máquinas de estampagem de metal tornaram-se importantes. Para incentivar tais investimentos, a GM assinou um contrato de 10 anos com a Fischer Body em 1919, pelo qual concordava em comprar praticamente todas as suas carrocerias fechadas daquela empresa a custos operacionais mais uma margem percentual. Entretanto, nos anos seguintes a demanda por automóveis mudou para carrocerias fechadas e cresceu mais rapidamente que o previsto. A GM passou a pensar que estava sendo violada pela Fischer, porque os aumentos substanciais de produção haviam reduzido de forma significativa os custos de capital por carroceria daquela empresa numa extensão não-prevista no contrato original. Por seu lado, a Fischer recusava-se a instalar suas fábricas de carrocerias perto das linhas de montagem da GM (apesar da insistência desta em que a proximidade era necessária em nome da eficiência), por medo de ser violada pela GM.

A implicação mais ampla desta disputa é que contratos totalmente abrangentes e cujo cumprimento pode ser forçado a custo zero — os tipos de contratos que poderiam, teoricamente, eliminar violações — em geral não são práticos. As razões incluem racionalidade forçada, incerteza a respeito do futuro e informações assimétricas.[48] É interessante notar que os fabricantes japoneses e seus fornecedores baseavam-se em salvaguardas informais em vez de nos contratos formais enfatizados pelos americanos para evitar que os problemas de violação escapassem ao controle.

Integração   Para resolver os problemas resultantes do seu contrato de 10 anos com a Fischer Body, a GM entrou em negociações para comprá-la em 1924, o que culminou com a fusão das duas empresas em 1926. Integrar verticalmente desta maneira (ou horizontalmente para lidar com os complementadores) é uma maneira óbvia para solucionar um problema de violação.[49] Porém, a experiência moderna dos fabricantes de automóveis americanos, que se tornaram muito mais integrados que seus rivais japoneses, sugere que a integração vertical não é uma panacéia. Ela pode gerar inflexibilidade e burocracia, e incentiva problemas (p. ex., manter o fornecedor interno sob quaisquer condições) e negligência, como veremos na próxima seção. Também pode expor as empresas a problemas maiores de violação ao longo de dimensões além daquelas originalmente focalizadas. Por exemplo, o porte e a influência do sindicato United Automobile Workers (UAW) nos Estados Unidos poderiam ser menores hoje, não constituindo um impedimento à reestruturação dos relacionamentos com os fornecedores, caso no passado tivesse havido menos integração vertical. Finalmente, o desempenho superior dos relacionamentos entre os fabricantes de automóveis japoneses e seus fornecedores sugere que as decisões de integrar podem precisar passar por um teste mais rígido do que "será que podemos executar internamente esta tarefa com mais eficiência do que via mecanismos de mercado?" Os relacionamentos interorganizacionais podem oferecer, em alguns casos, uma base melhor para se lidar com questões relacionadas a violações do que as transações com o mercado ou as hierarquias gerenciais induzidas pela integração, como veremos a seguir.

Conquistar Poder de Barganha   Outra maneira óbvia de lidar com questões relacionadas a violações é criar concorrência sobre o outro lado da divisão, retendo, ao mesmo tempo, a singularidade (e o valor agregado) do seu próprio lado. Desta forma, a conquista de dependência assimétrica, ou poder de barganha, amplia a "melhor alternativa para um acordo negociado" (BATNA) com um determinado fornecedor, comprador ou complementador, reduzindo, ao mesmo tempo, o BATNA do mesmo.[50] Como já vimos, os fabricantes de automóveis americanos baseavam-se tradicionalmente numa série de táticas para criar concorrência: manter grandes esforços internos de P&D e produção, fragmentar os fornecedores externos (os quais eram usados de qualquer maneira) e limitar a capacidade de qualquer fornecedor de se diferenciar dos restantes. Embora os fabricantes japoneses não forçassem tanto a criação de concorrência entre fornecedores, eles não ignoravam a questão. Em vez disso, eles, muitas vezes, adotavam dois fornecedores, mesmo quando isso limitasse a obtenção de economias de escala. Caso surgissem grandes diferenças de desempenho entre dois fornecedores externos de um componente ou subconjunto, normalmente os japoneses trabalhavam com o fornecedor mais fraco de forma a mantê-lo no jogo.

Negociar Duro   Além de conquistar poder de barganha para lidar com questões relacionadas a violações, os fabricantes de automóveis americanos tradicionalmente procuravam alavancar esse poder adotando uma postura dura de negociação. As manifestações desta tática incluíam contratos de curto prazo (com freqüência não-renovados), foco nos preços nas decisões de contratar ou recontratar, disposição para usar ligações ou seqüências para forçar os fornecedores de múltiplas partes a entrar na linha, blefe e restrições mesquinhas como cancelar os almoços com representantes de fornecedores. Apesar de um aumento no empenho formal dos fabricantes de automóveis americanos para estabelecer relacionamentos mais próximos com seus fornecedores nos anos 90, eles continuaram a negociar duramente, deixando os fornecedores com a impressão de que ainda não seriam tratados com justiça em situações em que não contassem com proteção contratual formal. Em conseqüência disso, o padrão emergente de relacionamentos com fornecedores na indústria automotiva dos Estados Unidos pode ser descrito como mais próximo, mas ainda hostil.

Reduzir a Especificidade dos Ativos   A redução da especificidade dos ativos é, algumas vezes, uma alavanca independente que pode ser puxada para reduzir a extensão do problema de violação. Em outros casos, ela acompanha as tentativas de conquista de poder de barganha ou para negociar duramente (ou é uma resposta às mesmas). Embora as evidências indiquem que esta "solução" foi levada longe demais na indústria automotiva americana, a redução da especificidade dos ativos nem sempre é uma proposição perdedora. Por exemplo, na indústria de latas metálicas, a Crown Cork & Seal procurou reduzir o poder de barganha dos compradores não localizando suas fábricas onde elas pudessem efetivamente ser dedicadas a um único cliente. Esta abordagem presumivelmente funcionou melhor na indústria de latas porque o nível de interdependência de tarefas entre os fabricantes de latas e seus compradores era menor que aquele entre os fornecedores de partes e os fabricantes de carros.

Construir Relacionamentos   Ao contrário dos três métodos anteriormente discutidos para se lidar com problemas de violação — todos os quais enfatizavam a minimização da dependência do outro lado, mesmo que isto reduzisse o tamanho total do bolo —, uma quarta abordagem, muito diferente, é evidente nos relacionamentos dos fabricantes de automóveis japoneses com seus fornecedores (e, em particular, com empresas filiadas e não-independentes). Embora os fornecedores japoneses fossem dependentes dos fabricantes de automóveis, essa dependência era de mão dupla: em sua maioria, as partes fornecidas eram "caixas pretas", com o fabricante fornecendo somente especificações gerais e o fornecedor preparando todas as especificações detalhadas e os desenhos. Isto tornava difícil mudar de fornecedor. Ambos os lados investiam efetivamente na expansão do lucro total que estaria à sua disposição somente *se* eles continuassem a trabalhar em conjunto. O ponto conceitual mais amplo é que se os parceiros fazem investimentos substanciais mutuamente específicos e cada um recebe uma parcela suficiente dos ganhos conjuntos da cooperação, esses relacionamentos interorganizacionais podem se mostrar auto-impostos. Isto é, o comportamento oportunista pode ser mantido em risco pelo temor de que os lucros maiores provenientes da cooperação venham a desaparecer.[51]

Desenvolver Confiança   A estabilidade de relacionamentos cooperativos é aumentada quando a confiança é alta. Esta depende, em parte, do contexto cultural e histórico. Por exemplo, o ambiente de negócios japonês, em comparação com o americano, dá mais ênfase a instituições sociais (normas, expectativas e assim por diante) do que aos instrumentos legais para coibir comportamentos oportunistas. Os fabricantes japoneses podem ter se beneficiado desse ambiente social na formação de relacionamentos cooperativos. Não obstante, eles também tomaram providências pró-ativas para desenvolver confiança pela troca de ações ou pela aquisição de participações minoritárias nas empresas parceiras, transferindo funcionários para as mesmas e recebendo "engenheiros hóspedes" de suas fornecedoras, trocando informações e cultivando uma reputação de equanimidade em vez da maximização da sua lucratividade transação a transação. O sucesso da Chrysler ao elevar a confiança dos fornecedores dentro do seu contexto cultural e histórico muito diferente — mediante passos como investir em comunicação e coordenação, reconhecer o comportamento passado bem como as necessidades dos fornecedores de um lucro justo, solicitar *feedback* e dividir as economias obtidas, mudar para contratos a prazos mais longos e criar a expectativa de negócios além da validade dos contratos caso os fornecedores tenham bom desempenho — sugere que soluções cooperativas para o problema da violação não são meramente uma história que acontece somente no Japão.

Finalmente, note que o contexto mais amplo no qual uma empresa opera pode criar outro tipo, muito diferente, de ameaça de violação, envolvendo expropriação unilateral (i. e., a efetiva revogação de direitos de propriedade) em vez da coespecialização mútua. Embora questões de expropriação sejam freqüentemente levantadas em relação a governos de países em desenvolvimento, algumas vezes as mesmas questões surgem em contextos desenvolvidos. Por exemplo, os procuradores gerais de várias dezenas de estados nos Estados Unidos estão procurando, atualmente, anular os honorários que concordaram em pagar a advogados da iniciativa privada pela orquestração de suas ações judiciais contra a indústria do fumo, porque as perspectivas de acordos inesperadamente elevados elevaram as possíveis remunerações destes a níveis considerados "socialmente inaceitáveis". No nível federal, preocupações semelhantes podem estar motivando as atuais investigações antitruste, em particular da Microsoft e da Intel. Embora as origens dessas ameaças de violação que não são do mercado difiram daquelas baseadas no mercado, focalizadas pela maior parte desta seção, alguns dos mesmos remédios (com a exceção óbvia da integração vertical) podem ser usados para amenizá-las.

Resumindo, a violação é uma ameaça sistemática à apropriabilidade do valor adicionado que se baseia, em grande parte, na coespecialização. Há várias opções para se lidar com ameaças de violação; essas abordagens variam em termos da extensão até a qual elas enfatizam a competição e não a cooperação. Um viés histórico em pensamento estratégico pela abordagem competitiva (i. e., maximizar o poder de barganha em situações nas quais a violação é uma possibilidade) deve ser equilibrado com o reconhecimento de oportunidades para cooperação (i. e., a possibilidade de fazer crescer o bolo de forma que cada participante da transação/relação se saia bem).

Negligência

A negligência é uma ameaça interna à apropriação do valor agregado para a qual não existe uma analogia biológica direta. Ela pode ser definida como a extensão até a qual o valor apropriado por uma organização fica abaixo da quantia potencialmente disponível para ela. Em termos dinâmicos, a negligência pode ser imaginada como uma subotimização persistente por uma organização que dissipa valor agregado apropriável em vez de passá-lo aos seus proprietários, ou até mesmo o reduz ao longo do tempo. A capacidade para suportar grandes volumes de negligência está ligada ao sucesso econômico passado e à atual existência de valor agregado potencialmente apropriável. Uma organização que não conte com nenhum dos dois não poderá dissipar valor de forma persistente e ainda assim sobreviver.

Embora a definição conceitual de negligência seja razoavelmente clara, sua medição pode mostrar-se difícil. Esta dificuldade provém de várias fontes. Alguma "negligência" (p. ex., uma sede central luxuosa) pode ser essencial para atrair clientes (p. ex., em negócios como bancos de investimentos e consultoria). Outra parcela pode representar uma exigência irredutível de inovação (i. e., de experimentação com novas estratégias e projetos inovadores que não seriam permitidos em um ambiente de recursos mais restritos). Outra pode refletir uma compensação não-monetária aos funcionários em vez de lhes pagar salários mais altos. Em termos ainda mais amplos, pode ser necessária alguma "negligência" para sustentar relações cooperativas com funcionários ou fornecedores. Portanto, alguma "negligência" aparente pode ser de considerável valor.

Apesar dessas dificuldades, os pesquisadores têm feito várias tentativas para medir a extensão e as implicações da negligência. O *benchmarking* detalhado de atividades ou processos individuais entre empresas, particularmente concorrentes diretas, revelou grandes diferenças em níveis de produtividade. Estudos que procuram organizar atividades individuais em funções de produção e medem a que distância as empresas ficam aquém da "fronteira de produtividade" corroboram a existência de quantidades significativas de negligência. As estimativas da parcela das receitas dissipada, em média, desta maneira variam entre 10 e 40% na fabricação dos Estados Unidos, embora essas medidas produzam estimativas muito instáveis quando aplicadas ao longo de países.[52] Finalmente, estão surgindo evidências de que, até certo ponto, a negligência pode fomentar a inovação.[53]

A criação de "negligência" suficiente para buscar inovação, campanhas de *marketing* e outras iniciativas potencialmente valiosas é um desafio central para muitas empresas, em particular para as relativamente malsucedidas. Entretanto, nas empresas que têm sustentado com sucesso seus valores agregados ao longo do tempo, os gerentes precisam mais tempo preocupando-se a respeito do excesso de negligência do que com sua falta. Em outras palavras, dietas ricas tendem a conduzir ao endurecimento das artérias organizacionais. Para uma ilustração dramática de quanta negligência pode resultar do sucesso passado, considere o caso da General Motors (GM).

O desempenho financeiro da General Motors, medido em termos de retornos aos acionistas, tem sido abismal desde os anos 80 (ver Quadro 4.8, p. 108). O valor de mercado das ações da empresa era de US$ 13 bilhões em 1980 e cresceu até US$ 42 bilhões no final de 1997. Entretanto, no mesmo período os investimentos estratégicos da GM —gastos líquidos de capital mais P&D— chegaram a US$ 167 bilhões, se forem simplesmente somados, e a US$ 332 bilhões em termos do seu valor presente em 1997, se considerarmos uma taxa anual de 10%. Mesmo que se suponha que, na ausência desses gastos estratégicos, o mercado da GM teria caído rapidamente a zero e a empresa teria sido incapaz de pagar aos acionistas quaisquer dividendos no período 1980-1997, ainda se fica com a impressão de que a GM destruiu mais de US$ 100 bilhões de valor ao longo do período (e talvez mais de US$ 200 bilhões, caso se admita a taxa de desconto de 10%).[54] Em outras palavras, a relação custo-benefício dos investimentos estratégicos da GM entre 1980 e 1997 foi muito inferior a meio e, talvez, igual a um terço. H. Ross Perot, diretor da GM por um curto período, observou que a empresa poderia ter comprado a Toyota e a Honda em meados dos anos 80 pela metade daquilo que gastou consigo mesma.

Podemos explicar o desempenho notavelmente fraco da GM de várias maneiras. Seus carros eram considerados muito "quadrados" e ela não reagiu de forma eficaz ao aumento das vendas de caminhonetes. Ela manteve uma infra-estrutura concebida para atender a 35% do mercado americano, apesar da sua participação de mercado ter declinado para pouco mais de 30%. Empenhou-se em um extenso programa de automação que se mostrou altamente oneroso e, por muitas medidas, incorrigivelmente ineficaz. A empresa continuou a receber notas inferiores às da Ford e Chrysler em termos de relações com seus fornecedores de partes. Suas relações com o sindicato United Auto Workers também eram piores (devido, em parte, a um histórico de integração vertical particularmente extensa), como mostrou uma greve cara, mas inconclusiva, no verão de 1998. Somente na esteira dessa greve foi que a GM decidiu desmembrar grande parte da sua divisão de componentes e consolidar suas operações nos Estados Unidos e no resto do mundo. A extensão até a qual algumas dessas mudanças, recentemente anunciadas, serão efetivadas, permanece altamente incerta.

Não é preciso dissecar a destruição de valor na GM nesses componentes para dizer que uma destruição nessa escala não teria sido possível, a menos que ela tivesse acumulado um enorme potencial para negligência em anos anteriores. Afinal, a GM era a maior empresa industrial do

QUADRO 4.8
Valor de Mercado *versus* Investimentos Estratégicos Acumulados na General Motors

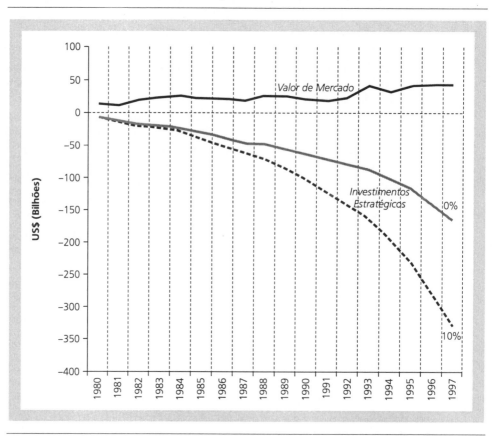

mundo — e ainda é, em termos de receitas. Ela conseguiu destruir muito mais valor do que seu valor total de mercado no início dos anos 80, possivelmente porque foram embutidas expectativas de altos níveis de negligência em sua avaliação de mercado.

As lutas permanentes da GM com a negligência depois que a concorrência japonesa abalou a indústria automotiva dos Estados Unidos sugere que a negligência é freqüentemente sustentada por poderosas forças inerciais. Não obstante, a teoria das organizações sugere algumas soluções (parciais) para a negligência sustentada, as quais serão aqui mencionadas resumidamente.[55]

Colher Informações A dificuldade para se medir a negligência aumenta, em lugar de diminuir, a importância de se colher informações a respeito da sua extensão. O *benchmarking* em relação a outras organizações, em especial concorrentes diretas, é particularmente útil para a identificação da negligência. A investigação direta dos efeitos de mudanças em processos ou em comportamento — uma idéia antiga, inerente aos estudos de tempos e movimentos, recentemente revivida como reengenharia — proporciona outra maneira para gerar informações a respeito de oportunidades para aperfeiçoamento. Entretanto, a simples coleta de informações provavelmente não identifica toda a negligência indesejada devido àquilo que Oliver Williamson chamou de "informação impactada": uma condição na qual uma parte de uma transação ou relação é relatada muito melhor que a outra, que não se pode tornar igualmente bem informada exceto a um grande custo, porque não pode confiar na total franqueza da primeira.[56]

Monitorar Comportamento

Uma segunda abordagem para se lidar com a negligência, freqüentemente complementar à opção da coleta de informações, é elevar o volume de recursos dedicados à monitoração do comportamento. Aqui a meta é identificar comportamento inadequado antes da sua ocorrência, ou reduzir sua atratividade elevando a probabilidade de detecção, apoiada por penalidades (ou por recompensas por bom comportamento). Um exemplo padrão é fazer com que os trabalhadores usem relógios de ponto e descontar seus salários caso eles cheguem tarde ou saiam cedo. Note, porém, que a monitoração provavelmente provê somente benefícios limitados quando existe uma ampla gama de opções discricionárias legítimas. Por exemplo, um criador de *software* sentado ao lado de um riacho com os olhos fechados está sendo negligente, ou está tendo uma inspiração com potencial para se mostrar comercialmente valiosa?

Oferecer Incentivos ao Desempenho

Mesmo quando a monitoração do comportamento for inviável ou antieconômica, pode ser possível recompensar indiretamente o bom comportamento premiando o bom desempenho. Esta abordagem funciona melhor quando o comportamento de um indivíduo (ou grupo) está rigidamente ligado aos resultados de desempenho realmente observados. Entretanto, esta condição, com freqüência, é violada quando o comportamento precisa ser coordenado entre indivíduos ou grupos em nome da "adequação interna", ou quando o desempenho pode ser medido somente em termos altamente agregados. Mesmo se pudermos descontar esses dois problemas (p. ex., na avaliação do desempenho de altos gerentes), ainda carecemos de um bom senso do volume "adequado" de incentivo. Por exemplo, Michael Jensen e Kevin Murphy constataram que, em média, os altos executivos americanos recebem não mais que US$ 3,25 para cada US$ 1.000 de valor criado para os acionistas.[57] Esta proporção parece absurdamente baixa para alguns; outros acham que os pacotes de remuneração resultantes estão criando um clima de cobiça em vez de uma cultura que promova a busca efetiva das metas organizacionais.

Criar Normas

Uma quarta abordagem para se lidar com a negligência envolve a suplementação (ou substituição parcial) de recompensas e punições econômicas com apelos a normas, valores, ao senso de missão e assim por diante. Subjacente a esta abordagem está a idéia humanista de que as pessoas em organizações são seres sensíveis, motivados por mais que apenas "bastões" (repressão) ou "cenouras" (incentivo). É claro que a persuasão moral também não pode ser totalmente eficaz. Dado o acalorado debate entre economistas e outros cientistas sociais a respeito da eficácia relativa de motivações econômicas e "intrínsecas", é provável que a única conclusão segura seja que a intenção de um gerente, de reduzir a indolência, pode conseguir no mínimo o mesmo reconhecendo ambos os tipos de alavancas em vez de usando somente uma delas.

Vincular Recursos

Esta é outra abordagem (econômica) à contenção da negligência. Ela deriva da teoria do fluxo de caixa livre de Michael Jensen, definida como "fluxo de caixa acima do exigido para financiar todos os projetos que têm valores presentes positivos quando descontados ao custo relevante do capital".[58] De acordo com Jensen, os gerentes são policiados de forma imperfeita pelos acionistas, têm incentivos para fazer crescer os recursos sob seu controle e são particularmente capazes de tomar essas providências quando o fluxo de caixa livre é grande — levando ao que os acionistas vêem como investimentos em atividades de retorno negativo ou puro desperdício. Uma solução óbvia, tentada por muitas empresas na segunda metade dos anos 80 (mas não pela General

Motors), é elevar o endividamento de forma a reduzir o fluxo de caixa livre (criando obrigações contratuais de pagar juros). Embora tais tentativas tenham funcionado em alguns casos, elas fracassaram em outros porque as empresas ficaram sobrecarregadas com dívidas (i. e., acabaram com fluxo de caixa negativo).

Mudar a Administração A vinculação de recursos é apenas uma de várias maneiras de forçar mudanças na estrutura de controle da cúpula de uma empresa na esperança de provocar uma resposta eficaz em toda a organização. Outras mudanças de cima para baixo visando lidar com a negligência ou, em termos mais amplos, com os desafios de mudanças organizacionais, incluem a criação de conselhos de administração pequenos, mas bem informados e poderosos, restringindo a capacidade dos presidentes e outros executivos para dominar esses conselhos; a exigência de que os membros do conselho e executivos possuam parcelas substanciais do capital da empresa (em relação às suas posses pessoais); incentivos a (outros) grandes investidores ativos e liberação de subsídios cruzados.[59] Algumas mudanças deste gênero ocorreram na GM no início dos anos 90, quando um conselho liderado por um presidente trazido de fora da empresa (John Smale, antigo presidente da Procter & Gamble) votou pela demissão do então presidente. Entretanto, a GM ainda precisa se reformular.

Mobilizar para Mudanças Forçar mudanças no topo com freqüência pode ser necessário para reverter problemas relacionados à negligência, mas raramente é suficiente. Pesquisas no campo de gerenciamento de mudanças sugerem que uma mudança organizacional bem-sucedida envolve a criação de um forte senso de insatisfação com o *status quo,* uma poderosa visão daquilo que pode ser realizado mediante mudanças e um processo para mudar que muitas vezes envolve a mudança de pessoas e da estrutura organizacional.[60] Embora uma discussão profunda do processo de mudança organizacional esteja além do escopo deste livro, voltaremos a alguns dos desafios das mudanças no Capítulo 5.

Em resumo, a negligência é uma ameaça interna e não externa à apropriabilidade do valor agregado. Isto não significa necessariamente que ela é mais fácil de controlar que as outras ameaças à sustentabilidade vistas neste capítulo. O escopo para negligência é mais alto em empresas que tenham tido, ou estejam tendo, considerável sucesso econômico e é ampliado pelas dificuldades de coleta de informações, de oferecer grandes incentivos ou, de alguma forma, de dirigir a organização no sentido da criação de valor, em vez de sua dissipação.

RESUMO

Neste capítulo, a análise forneceu uma dimensão dinâmica para a discussão do Capítulo 3 sobre vantagem competitiva e valor agregado, mediante a discussão de maneiras de prever como as interações de participantes interdependentes se desenvolvem ao longo do tempo. Uma abordagem ampla é mais adequada em situações nas quais há um pequeno número de participantes identificáveis. Nessas situações, a teoria dos jogos pode ajudar a prever as ações dos participantes com base em seus incentivos econômicos e a teoria comportamental com base em suas predisposições organizacionais. As teorias dos jogos e comportamental são, a este respeito, claramente complementares.

Uma segunda abordagem ampla é mais adequada a situações nas quais os participantes são mais numerosos ou não-identificáveis. Nessas situações, quatro dinâmicas evolucionárias que ameaçam a sustentabilidade das vantagens reais ou visadas devem ser levadas em consideração. Duas delas — imitação e substituição — ameaçam o valor agregado das empresas e duas outras — violação e negligência — ameaçam a capacidade dos proprietários para apropriar esse valor agregado para si mesmos. É claro que essas dinâmicas evolucionárias são apenas tendências gerais e não leis econômicas absolutas. Algumas empresas conseguem atingir sustentabilidade por períodos significativos, apesar de todas as ameaças que enfrentam. Contudo, dadas as evidências sobre insustentabilidade geral, compreender essas ameaças deverá ajudar os administradores a prever ativamente e a se preparar para mudanças nos cenários em que operam.

Uma terceira contribuição deste capítulo foi discutir não apenas as ameaças à sustentabilidade, mas também maneiras para neutralizá-las (ver Quadro 4.9). A compreensão de toda a gama possível de respostas aumenta a probabilidade de os administradores serem de fato capazes de reagir com sucesso às ameaças que enfrentam. Porém, é preciso garantir que a discussão neste capítulo tenha focalizado as ameaças uma por uma. No próximo capítulo, veremos as implicações abrangentes das ameaças ao valor — estáticas e dinâmicas — que identificamos para estratégias que visam alcançar e sustentar desempenho superior.

QUADRO 4.9
Reagindo às Ameaças à Sustentabilidade

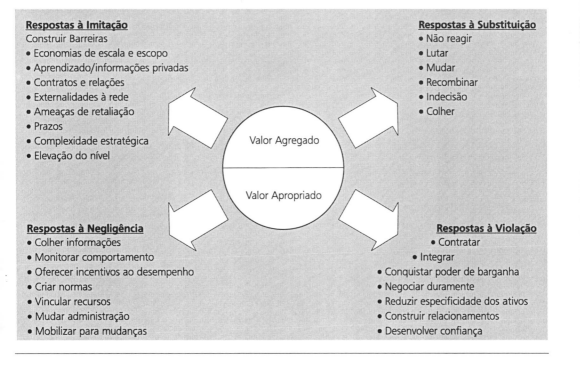

Respostas à Imitação
Construir Barreiras
- Economias de escala e escopo
- Aprendizado/informações privadas
- Contratos e relações
- Externalidades à rede
- Ameaças de retaliação
- Prazos
- Complexidade estratégica
- Elevação do nível

Respostas à Substituição
- Não reagir
- Lutar
- Mudar
- Recombinar
- Indecisão
- Colher

Valor Agregado

Valor Apropriado

Respostas à Negligência
- Colher informações
- Monitorar comportamento
- Oferecer incentivos ao desempenho
- Criar normas
- Vincular recursos
- Mudar administração
- Mobilizar para mudanças

Respostas à Violação
- Contratar
- Integrar
- Conquistar poder de barganha
- Negociar duramente
- Reduzir especificidade dos ativos
- Construir relacionamentos
- Desenvolver confiança

TERMOS-CHAVE

adequação
ambigüidade causal
análise dos concorrentes
aprendizado
apropriabilidade
auto-coação
barreiras à imitação
BATNA
benchmarking
coação de terceiros
coespecialização
complexidade
complexidade social
compromissos
economias de escala
economias de escopo
efeito da Red Queen
equilíbrio
expropriação
fluxo de caixa livre
fronteira de produtividade
funções de reação

imitação
informação impactada
intensidade de incentivo
irracionalidade
jogos baseados em regras
jogos de soma não-zero
jogos de soma zero
jogos livres
matriz de retorno
monopólio bilateral
negligência
persuasão moral
privacidade de informação
racionalidade *versus*
relações interorganizacionais
resposta à substituição
retaliação
substituição
teoria comportamental
teoria dos jogos
violação

NOTAS

1. Este atraso parece algo paradoxal porque os economistas especializados em organização industrial (OI) voltaram sua atenção para a teoria dos jogos no final dos anos 70 depois de empreender — e compreender algumas das suas limitações — centenas de estudos empíricos da ligação entre estrutura da indústria e lucratividade, que ajudaram a justificar a estrutura de "cinco forças" para a análise de indústrias. Ver Pankaj Ghemawat, *Games Business Play: Cases and Models* (Cambridge, MA: MIT Press, 1997), p. 2-11 para uma discussão.

2. Esta subseção beneficiou-se grandemente de discussões com Hugh Courtney e Patrick Viguerie, co-líderes do escritório de teoria dos jogos da McKinsey & Company.

3. John von Neumann e Oskar Morgenstern, *The Theory of Games and Economic Behavior* (Princeton: Princeton University Press, 1944).

4. Esta terminologia baseia-se em Adam M. Brandenburger e Barry J. Nalebuff, "The Right Game: Use Game Theory to Shape Strategy", *Harvard Business Review* julho-agosto de 1995:57-71. A literatura acadêmica sobre a teoria dos jogos tende a fazer uma distinção mais ou menos paralela entre a teoria dos jogos *cooperativos*, que é uma teoria de combina-

ções, e a teoria dos jogos *não-cooperativos*, que é uma teoria de movimentos.

5. Na verdade, não existe um tratamento com a extensão de um livro que preencha o papel. *Co-opetition*, de Brandenburger e Nalebuff (Nova York: Currency Doubleday, 1996) foi escrito para executivos, mas focaliza a teoria dos jogos livres. *Games Business Play: Cases and Models*, de Ghemawat (Cambridge, MA: MIT Press, 1997) focaliza a teoria dos jogos baseados em regras, mas preocupa-se principalmente em traçar seus usos e limites para pesquisa acadêmica em estratégia de negócios. O tratamento da importância de se olhar para diante e raciocinar para trás em jogos baseados em regras com a extensão de um capítulo e mais amplamente usado — de forma a descobrir qual das ações de hoje irá conduzi-lo até onde você quer ir — é, provavelmente, "Anticipating Your Rival's Response", de Avinash Dixit e Barry Nalebuff, em *Thinking Strategically* (Nova York: W.W. Norton & Company, Inc., 1991), p. 31-55.

6. Três das células na matriz de retorno foram eliminadas por inviabilidade aritmética. Nas células restantes, os retornos para C foram todos multiplicados por um fator de escala e os para E por outro, de forma a preservar a confidencialidade

dos clientes. Ambos os fatores eram muito menores que 1, fato que deve salientar o volume de dinheiro em jogo. Na última coluna, os retornos eram maiores na célula inferior porque esta assumiu aumentos de preços acima da inflação, ao contrário da célula superior.

7. Representações de jogos em dois estágios são particularmente úteis quando interações a curto prazo (p. ex., sobre preços) são usadas para vincular os resultados da concorrência a longo prazo para fazer investimentos (p. ex., em capacidade).

8. A outra pergunta comum a respeito da teoria dos jogos — como adaptá-la às incertezas do mundo real — está além do escopo desta seção; entretanto, ver *Games Businesses Play: Cases and Models*, de Ghemawat (Cambridge, MA: MIT Press, 1997), p. 224-232. O Capítulo 5 discute incerteza e estratégia em termos mais genéricos.

9. Especificamente, a disposição da NutraSweet para cortar preços nos relativamente pequenos mercados europeu e canadense, nos quais a HSC entrou primeiro, pode ser prontamente interpretada como uma tentativa da empresa para sinalizar sua decisão de impedir a entrada da HSC no mercado americano, muito maior. O início subseqüente das hostilidades nos Estados Unidos pode ser explicado, de forma menos óbvia, em termos de "neblina da guerra". Para uma ampliação desta idéia no contexto de outra guerra entre duopolistas, ver A. Brandenburger e P. Ghemawat, "Entry and Deterrence in British Satellite Broadcasting", em P. Ghemawat *Games Businesses Play: Cases and Models* (Cambridge, MA: MIT Press, 1997), p. 177-204.

10. Consulte, por exemplo, M.H. Bazerman e M.A. Neale, *Negotiating Rationally* (Nova York: Free Press, 1992), Capítulo 2, e J.Z. Rubin, D.G. Pruitt e S.H. Kim, *Social Conflict: Escalation, Stalemate, and Settlement* (Nova York: Random House, 1994), Capítulo 7.

11. P. Selznick, *Leadership in Administration* (Evanston, IL: Row, Peterson, 1957), p. 47.

12. M.E. Porter, *Competitive Strategy* (Nova York: Free Press, 1980), Capítulo 3.

13. Algumas das pesquisas mais interessantes deste tipo foram conduzidas por Amos Tversky, Daniel Kahneman e associados; ver D. Kahneman, P. Slovic e A. Tversky, eds. *Judgment under Uncertainty: Heuristics and Biases* (Cambridge: Cambridge University Press, 1992). Um ensaio recente que procura resumir algumas das implicações destas pesquisas para prever as ações e reações dos concorrentes é R.J. Meyer e D. Banks, "Behavioral Theory and Naïve Strategic Reasoning". Em G.S. Day e D.J. Reibstein, eds., *Dynamic Competitive Strategy* (Nova York: John Wiley, 1997).

14. Uma perspectiva organizacional interessante sobre fontes históricas de impulso inercial é dada por Michael T. Hannan e John Freeman, "Structural Inertia and Organizational Change", *American Sociological Review*, abril de 1984:149-164.

15. Esta linha é sabidamente indistinta por compromissos prévios — por exemplo, com recursos e capacidade — que afetam os retornos econômicos da organização. Esses compromissos prévios devem, em princípio, estar contidos na análise de incentivos pela teoria dos jogos.

16. J. Hirshleifer, "Economics from a Biological Viewpoint", *Journal of Law and Economics* 1997; 20:1-52. É claro que tam-

bém há diferenças — particularmente a variação deliberada de estratégias de negócios, que não tem equivalente óbvio em biologia.

17. Pankaj Ghemawat, *Commitment: The Dynamic of Strategy*. (Nova York: Free Press, 1991), p. 81-83.

18. William E. Fruhan, Jr., "Stock Price Valuator". Mimeógrafo, Harvard Business School, 1997.

19. Richard Foster, "The Impermanence of Excellence". Em: "Commitment: An Interview with Pankaj Ghemawat". *McKinsey Quarterly*, 1992:3-130.

20. Esta linha de pensamento originou-se em economia: Charles Darwin foi fortemente influenciado por Thomas Malthus a este respeito.

21. A evidência de imitação é discutida com mais detalhes em Pankaj Ghemawat, "Sustainable Advantage". *Harvard Business Review* (setembro-outubro de 1986). O artigo também contém citações específicas.

22. Adam Brandenburger e Barry Nalebuff, *Co-opetition* (Nova York: Currency Doubleday, 1996), Capítulos 5 e 6.

23. Ver Sushil Bikhchandani, David Hirshleifer e Ivo Welch, "Learning from the Behavior of Others: Conformity, Fads, and Informational Cascades", *Journal of Economic Perspectives* para uma discussão genérica de cascatas de informação, e Henry Cao e David Hirshleifer, "Word of Mouth Learning and Informational Cascades", estudo não-publicado, University of Michigan (1997), para uma demonstração da possibilidade de resultados abaixo de ótimos.

24. Ver, por exemplo, Abhijit Bannerjee, "A Simple Model of Herd Behavior". *Quarterly Journal of Economics*, 1992:797-818.

25. Robert E. Kennedy, "Strategy Fads and Competitive Convergence: An Empirical Test for Herd Behavior in Prime-Time Television Programming". Estudo não-publicado, Harvard Business School, janeiro de 1998.

26. Pankaj Ghemawat, Jacquelyn Edmonds e Scott Garell, "Fox Broadcasting Company", ICCH Nº 387-096.

27. Ken Auletta, *Three Blind Mice: How the TV Networks Lost Their Way* (Nova York: Vintage Books, 1992).

28. Supõe-se uma concorrência alerta porque praticamente toda assimetria pode ser racionalizada em conseqüência de uma concorrência inerte ou estúpida.

29. W. Brian Arthur, "Increasing Returns and the New World of Business", *Harvard Business Review*, julho-agosto de 1996:100-109.

30. A.M. Brandenburger, "Power Play (A): Nintendo in 8-Bit Video Games". ICCH Nº 9-795-102.

31. Citações da maior parte dessas fontes podem ser encontradas no Capítulo 26 de P. Ghemawat, *Commitment: The Dynamic of Strategy* (Nova York: Free Press, 1991).Richard Hall, "The Strategic Analysis of Intangible Resources". *Strategic Management Journal*, 1992; 13:135-144.

32. Paul J.H. Schoemaker, "Strategy, Complexity and Economic Rent". *Management Science*, outubro de 1990:1178-1192.

33. Steven A. Lippman e Richard P. Rumelt, "Uncertain Imitability: An Analysis of Interfirm Differences in Efficiency under Competition", *Bell Journal of Economics*, outono de 1982:418-438.

34. Jay B. Barney, "Firm Resources and Sustained Competitive Advantage", *Journal of Management*, março de 1991:107-111.

35. Jan W. Rivkin, "Imitation of Complex Strategies", mimeógrafo, Harvard Business School, 1997.

36. Jeffrey R. Williams, "How Sustainable Is Your Competitive Advantage?" *California Management Review*, primavera de 1992:29-51.

37. Peter T. Johnson, "Why I Race against Phantom Competitors", *Harvard Business Review*, setembro-outubro de 1988:106-112.

38. Joseph A. Schumpeter, *Capitalism, Socialism, and Democracy* (Nova York: Harper, 1942), p. 84. Ver também I. Dierick x K. Cool, "Asset Stock Accumulation and Sustainability of Competitive Advantage", *Management Science* v. 35, nº 12 (dezembro de 1989): 1504-1514.

39. Este exemplo se baseia principalmente em informações genéricas disponíveis na Internet.

40. Para uma discussão de algumas dessas barreiras à resposta no contexto de ameaças tecnológicas, ver Clayton M. Christensen, *The Innovator's Dilemma* (Boston: Harvard Business School Press, 1997).

41. Richard J. Foster, *Innovation: The Attacker's Advantage*. (Nova York: Summit Books, 1996).

42. Clayton M. Christensen, *The Innovator's Dilemma*. (Boston: Harvard Business School Press, 1997).

43. Christensen, op. cit.

44. Para a exposição pioneira da violação, ver Oliver E. Williamson, *Markets and Hierarchies*. (Nova York: Free Press, 1975).

45. Ver Michael E. Porter, "Note on Supplying the Automobile Industry (Condensado)". ICCH Nº 386-176.

46. As principais referências empregadas para este exemplo são Jeffrey H. Dyer e William G. Ouchi, "Japanese-Style Partnerships: Giving Companies a Competitive Edge", *Sloan Management Review*, outono de 1993:51-63; Jeffrey H. Dyer, "Specialized Supplier Networks as a Source of Competitive Advantage: Evidence from the Auto Industry", *Strategic Management Journal* 1996; 17:271-291; Jeffrey H. Dyer, "Does Governance Matter? Keiretsu Alliances and Asset Specificity as Sources of Japanese Competitive Advantage", *Organization Science* 1996; 7:649-666 e Jeffrey H. Dyer, "How Chrysler Created an American Keiretsu", *Harvard Business Review*, julho-agosto de 1996:42-56. Dyer baseia algumas das suas comparações de desempenho em dados coletados por outros pesquisadores.

47. O exemplo histórico que se segue é baseado em B. Klein, R.G. Crawford e A.A. Alchian, "Vertical Integration, Appropriable Rents, and the Competitive Contracting Process". *Journal of Law and Economics* 1978; 21:297-326.

48. Ver Oliver Williamson, *Markets and Hierarchies*. (Nova York: Free Press, 1975).

49. A integração pode gerar outros benefícios: ligar o acesso a um recurso ou um mercado, melhorar ou proteger informações, ampliar a coordenação, melhorar a capacidade para discriminar preços, evitar impostos (em países em que são usados impostos sobre vendas e não sobre valor agregado) e assim por diante.

50. Ver R. Fischer, W. Ury e B. Patton, *Getting to Yes: Negociating Agreement without Giving in* (Nova York: Penguin, 1991).

51. Para uma discussão geral de como as relações interorganizacionais podem levar, desta maneira, a uma vantagem competitiva sustentada, ver Jeffrey H. Dyer e Harbir Singh, "The Relational View: Cooperative Strategy and Sources of Interorganizational Competitive Advantage", na *Academy of Management Review*.

52. Compare Richard E. Caves e David Barton, *Efficiency in U.S. Manufacturing Industries* (Cambridge, MA: MIT Press, 1990), com Richard E. Caves, *Industrial Efficiency in Six Nations* (Cambridge, MA: MIT Press, 1992).

53. Nitin Nohria e Ranjay Gulati, "Is Slack Good or Bad for Innovation?" *Academy of Management Journal*, outubro de 1996; 39:1245-1264.

54. Para mais detalhes sobre esta metodologia e uma aplicação à General Motors entre 1980 e 1990, ver Michael C. Jensen, "The Modern Industrial Revolution, Exit, and the Failure of Internal Control Systems", *Journal of Finance*, 1993; 48:831-880.

55. Para uma exposição mais prolongada de algumas das idéias aqui abordadas, ver Paul Milgrom e John Roberts, *Economics, Organization and Management*, (Englewood Cliffs, NJ: Prentice-Hall, 1992), Capítulo 6.

56. Oliver E. Williamson, op. cit., p. 14.

57. Michael C. Jensen e Kevin J. Murphy, "Performance Pay and Top-Management Incentives", *Journal of Political Economy*, 1990; 98:225-264.

58. Michael C. Jensen, "Agency Costs of Free Cash Flow, Corporate Finance, and Takeovers", *American Economic Review*, 1986; 76:323-329.

59. Michael C. Jensen, "The Modern Industrial Revolution, Exit and the Failure of Internal Control Systems", *Journal of Finance*, 1993; 48:831-880.

60. Para uma exposição gerencial, ver John P. Kotter, "Leading Change: Why Transformation Efforts Fail". *Harvard Business Review*, março-abril de 1995:59-67.

CAPÍTULO 5

Construindo e Sustentando o Sucesso

Pankaj Ghemawat e Gary P. Pisano

> Se as ações são dinâmicas, se a alta direção é capaz de, alternadamente, permitir que o caos reine e a seguir reinar no caos, essa dialética pode ser muito produtiva.
>
> — *Andrew S. Grove*

Os dois últimos capítulos sugeriram testes de valor que uma estratégia precisa satisfazer para ter sucesso. Em primeiro lugar, uma estratégia deve se encaixar internamente de uma maneira que gere valor agregado para a organização como um todo no ambiente em que opera. Em segundo lugar, ela deve se adequar ao ambiente externo de forma a imunizá-lo, pelo menos até certo ponto, contra ameaças à sua sustentabilidade. Esses testes baseados em valor melhoram o rigor analítico e o dinamismo oferecido pelos critérios estratégicos convencionais de adequação interna e externa.

Não obstante, uma bateria de testes não identifica por si mesma as raízes de um desempenho superior sustentado. Neste capítulo, estaremos revisando teorias estratégicas a respeito das fontes de criação de valor sustentado à luz de alguns dos testes explícitos ou implícitos em capítulos anteriores deste livro. Em particular, focalizamos três testes dinâmicos:

- A teoria oferece um cálculo coerente de como o valor agregado é acumulado ao longo do tempo?

- Ela explica como o valor agregado pode ser sustentado em face de ameaças de imitação?

- Ela oferece critérios úteis para lidar com mudanças, em especial as fundamentais, no cenário dos negócios?

Embora pudéssemos interpretar o último teste em termos de ameaças de substituição, neste capítulo preferimos pensar na mudança em termos mais amplos — como desencadeadora, ao mesmo tempo, de oportunidades e de ameaças. Na imagem do cenário, uma mudança fundamental pode criar novos picos e também afundar os existentes. Então, a pergunta passa a ser: que ajuda oferece uma teoria estratégica para se lidar com essas mudanças, além de aconselhar que a organização continue a escalar o pico que já começou a subir?

Nossos três testes são bastante genéricos, mas começamos ilustrando sua utilidade com uma aplicação específica: para o debate permanente a respeito de se atividades-sistemas ou recursos valiosos rigidamente acoplados são as melhores explicações de sucesso sustentado. Nossa revisão desse debate sugere a necessidade de um pensamento mais explicitamente dinâmico. Em resposta a esta necessidade, destacamos dois modos de pensar a respeito de dinâmicas estratégicas que enfatizamos separadamente no passado: assumir compromissos (Ghemawat) e desenvolver capacidades (Pisano). Afirmamos que as duas são maneiras altamente complementares de construção e sustentação de desempenho superior. Em qualquer ponto do tempo, as capacidades de uma organização ditam os tipos de oportunidades de compromisso que ela pode explorar de forma realista. Ao mesmo tempo, o desenvolvimento de capacidades envolve um certo grau de irreversibilidade e, portanto, compromisso. Para concluir esta discussão de dinâmicas estratégicas, resumimos aquilo que é conhecido a respeito de quando e como mudar a estratégia.

Para fixar as idéias naquilo que, em caso contrário, poderia se tornar uma discussão abstrata, baseamo-nos numa série de exemplos de empresas bem-sucedidas operando em ambientes progressivamente mais turbulentos: Southwest Airlines, Gillette e Intel, entre outras. Embora esses exemplos acrescentem um fator concreto à discussão, eles não eliminam todas as avenidas para outros debates: isto raramente acontece em assuntos doutrinais. Em conseqüência disso, alertamos nossos leitores de que nossa tentativa de tratar do campo estratégico em um capítulo tão curto será algo idiossincrática. Portanto, os leitores interessados deverão recorrer diretamente a pelo menos algumas das fontes primárias por nós citadas, ao invés de confiar simplesmente em nossa apresentação resumida. E pedimos antecipadamente desculpas aos leitores que poderão pensar que suas perspectivas preferidas sobre estratégia estão inadequadamente caracterizadas, tratadas de forma improvisada ou, pior ainda, omitidas. A brevidade tem seus riscos, assim como suas recompensas.

ATIVIDADES *VERSUS* RECURSOS

Muitos pesquisadores de administração estratégica, quando solicitados a identificar o principal defeito na estratégia atual, poderão citar a tensão entre as visões de "sistema de atividades" e "baseada em recursos" da empresa. Como seus nomes indicam, essas duas teorias incorporam opiniões muito diferentes a respeito de como os estrategistas devem pensar as estruturas de suas empresas: em termos das atividades realizadas pelas empresas *versus* os recursos que elas utilizam. Embora as definições desses termos tendam a ser algo vagas, "recursos" podem ser vistos como variáveis de estoque, e "atividades" como variáveis de fluxo. Pode ser útil pensar na diferença entre estoques e fluxos como sendo análoga à diferença entre os balanços das empresas e suas declarações de rendimentos.

De forma talvez previsível, as visões de sistema de atividades e baseada em recursos têm alimentado um debate a respeito de se atividades-sistemas ou recursos são as *verdadeiras* raízes do desempenho superior sustentado. Abstivemo-nos de destacar esta divergência nos capítulos anteriores porque acreditamos que muitos dos instrumentos e idéias que estávamos desenvolvendo seriam aplicáveis em qualquer dos lados. Está na hora, porém, de articular essas duas teorias de estratégia e sujeitá-las aos nossos testes dinâmicos. Além de tratar do debate a respeito de atividades *versus* recursos, o exercício deverá ajudar a ilustrar como a lógica baseada em valor desenvolvida neste livro pode ser usada para avaliar a grande e crescente literatura a respeito de estratégia.

O principal exemplo que iremos usar para ilustrar as diferenças e semelhanças entre a visão de sistema de atividades e a visão baseada em recursos envolve a Southwest Airlines. Esta é a única empresa aérea americana que tem sido consistentemente lucrativa nos últimos 25 anos, tem crescido a uma taxa anual de 20 a 30% ao longo dos últimos cinco anos, mantém a frota mais nova e os níveis mais baixos de endividamento entre as principais empresas do setor, além de liderá-lo em termos de classificação dos clientes quanto ao atendimento. Este exemplo tem sido estudado fartamente na literatura acadêmica, bem como na imprensa de negócios.[1] Também tem sido citado como evidência que corrobora ambas as visões (bem como uma série de outras teorias de criação de valor com base em fatores como visão, critério e até mesmo sorte).

A Visão de Sistema de Atividades

A visão sistêmica de estratégia, que focaliza as interdependências que compõem a empresa, é uma das principais do campo da estratégia. Considere, por exemplo, uma parte da descrição do curso de Política de Negócios oferecido em 1917 na Harvard Business School:[2]

> Uma análise de qualquer problema de negócios mostra não só sua relação com outros problemas no mesmo grupo, mas também a íntima conexão entre grupos. Por exemplo, não só qualquer problema na fábrica está relacionado a outros problemas na fábrica, e qualquer problema de vendas está relacionado a outros problemas no departamento de vendas, mas também os grupos de problemas são interdependentes. Poucos problemas na empresa são puramente intradepartamentais.

Embora a visão sistêmica tenha sobrevivido à I Guerra Mundial (ela é evidente, por exemplo, na definição pioneira de Kenneth Andrews de estratégia como um padrão de decisões), ela foi recentemente reenfatizada de forma específica pelo trabalho de Michael Porter sobre sistemas de atividades.[3] A argumentação de Porter tem três partes. Primeira, a estratégia deve ser distinguida da "eficácia operacional" (i. e., execução), porque envolve a escolha de um conjunto de atividades fundamentalmente diferente para entregar uma combinação única de valor, em vez de executar essencialmente o mesmo conjunto de atividades melhor que os concorrentes. Segunda, as opções a respeito das atividades que devem ser executadas precisam se encaixar para produzir uma vantagem competitiva. Terceira, nas palavras de Porter, "a adequação estratégica entre muitas atividades é fundamental não só para a vantagem competitiva, mas também para a sustentabilidade dessa vantagem".[4]

A primeira parte da argumentação de Porter representa uma tentativa de reviver a antiga distinção entre "fazer as coisas certas" e "fazer as coisas de maneira certa". Consideramos esta tentativa de separar totalmente estratégia e execução pouco convincente, por razões que irão se tornar mais claras na discussão de desenvolvimento de capacidade na próxima seção deste capítulo.[5] Achamos muito valiosa a ênfase de Porter no papel da adequação na criação de vantagem competitiva: ela influenciou muito a redação do Capítulo 3. Entretanto, de maior interesse aqui é a terceira parte da argumentação de Porter: que a inimitabilidade de um modelo de negócio bemsucedido ao longo do tempo é melhor explicada em termos das ligações transversais entre atividades. Iremos explorar esta parte da argumentação, bem como submeter a teoria de Porter aos outros dois testes dinâmicos citados na introdução deste capítulo: a teoria oferece um relato coerente do processo pelo qual o valor agregado é construído? Oferece critérios úteis para se lidar com mudanças, em especial as fundamentais?

Felizmente para nós, a Southwest Airlines é um de vários exemplos usados por Porter para ilustrar seus argumentos. O Quadro 5.1 (ver p. 118) reproduz seu mapa do sistema de atividades da Southwest, com os círculos mais escuros denotando aquilo que ele caracteriza como "temas estratégicos de ordem superior". Porter explica que muitas das opções embutidas no sistema de atividades da Southwest são exceções no setor da aviação comercial e não práticas normais. Ele também descreve a tentativa malsucedida da Continental de imitar a Southwest em várias rotas ponto a

QUADRO 5.1
Sistema de Atividades da Southwest Airlines

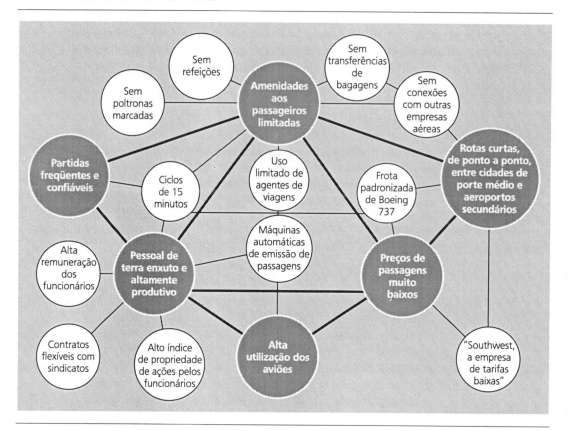

Fonte: Michael E. Porter. "What Is Strategy?" Harvard Business Review, novembro-dezembro de 1996.

ponto estabelecendo a Continental Lite, uma empresa que eliminou os serviços de primeira classe e refeições, tentou encurtar os tempos em terra, aumentou a freqüência dos vôos e reduziu as tarifas. Entretanto, a Continental Lite continuou fazendo *checking* de bagagens, reservas de assentos e a dar prêmios para usuários freqüentes, bem como a usar agentes de viagens, porque em outras rotas a Continental permanecia uma empresa de serviços plenos. Este sistema híbrido, em pouco tempo, mostrou-se inviável. Demoras devido a congestionamentos em centros de irradiação e a transferências de bagagens levaram a numerosos atrasos e cancelamentos de vôos. Os clientes ficaram aborrecidos com a decisão da Continental de reduzir os prêmios em todo o seu programa para usuários freqüentes, uma vez que a empresa não podia oferecer os mesmos benefícios para as tarifas muito inferiores da Lite. Analogamente, a Continental não podia pagar aos agentes de viagens as comissões padrão sobre as tarifas Lite, mas também não podia passar sem eles para seu negócio de serviços plenos; assim, ela decidiu cortar todas as comissões. A nova operação acumulou centenas de milhões de dólares de prejuízos e finalmente foi encerrada.

Este exemplo sugere que a interação de complementaridades e trocas ao longo de múltiplas atividades é fundamental para a possibilidade de "muitas maneiras boas de competir", a qual é representada em um cenário irregular por picos múltiplos.[6] Com esses picos, a imitação pode ser limitada por decisões de escalar outros picos pelos imitadores em potencial, isto é, competir de maneiras diferentes. Surpreendentemente, porém, Porter não dá ênfase a esta solução para o problema da imitação. O que ele enfatiza é que a imitação pode ser difícil, ou mesmo impossível, quando empresas que entraram depois precisam se igualar a uma que entrou antes ao longo de muitas dimensões, em especial se estas estão interligadas, em vez de buscarem igualdade em apenas uma ou duas dimensões.

Existe uma base analítica na argumentação de Porter de que pode ser difícil imitar um sistema de atividades que se encaixam bem devido à sua complexidade.[7] Entretanto, em nossa opinião, ele exagera ao dizer que o encaixe entre as atividades é *a* base para uma vantagem competitiva sustentada. Em primeiro lugar, a complexidade que supostamente torna difícil imitar os sistemas de atividades fortemente interligadas focaliza a atenção em apenas uma das oito barreiras à imitação citadas no Capítulo 4. Não está claro por que os estrategistas devem estreitar assim o seu foco, se a intenção é pensar de forma holística a respeito do problema da imitação.

Em segundo lugar, embora imitar muitas coisas possa, de fato, levar mais tempo, custar mais e ter menos possibilidades de sucesso do que imitar apenas uma, as vantagens da empresa pioneira de algum modo explicam por que, independentemente do número de atividades a serem imitadas, a inovação estratégica de sistemas de atividades complexos pode ser lucrativa, ao passo que a imitação estratégica não é. A visão de sistema de atividades não ajuda em nada a este respeito, porque supõe uma perspectiva inteiramente transversal (i. e., atemporal) ao tratar de uma questão fundamentalmente dinâmica.

Nosso terceiro teste dinâmico — a teoria oferece critérios úteis a respeito de como lidar com mudanças? — levanta perguntas adicionais a respeito da visão de sistema de atividades de que todas as empresas devem criar sistemas de atividades rigidamente acoplados. Pode ser que tais sistemas se mostrem mais ágeis na resposta a mudanças relativamente pequenas, mas espera-se que tenham um alto componente inercial quando o ambiente requer muitas mudanças.[8] Em conseqüência disso, vem aumentando o interesse por alternativas ao acoplamento rígido, como sistemas de atividades modulares — isto é, sistemas nos quais as atividades ou os agrupamentos de atividades (módulos) podem ser mudados ou substituídos sem afetar de forma significativa a maneira pela qual outras atividades são executadas ou o desempenho do sistema como um todo.[9]

Alguns dos mais notáveis exemplos contemporâneos de modularização provêm, como seria de se esperar, de ambientes turbulentos. Por exemplo, a indústria de computadores testemunhou o desacoplamento tecnológico e organizacional do projeto e manufatura de vários sistemas componentes (unidades centrais de processamento, memória, sistemas de armazenagem, periféricos, *software* de sistema operacional e *software* de aplicação).[10] Na indústria farmacêutica, de maneira semelhante, o dramático crescimento do número de tecnologias usadas para se descobrir drogas (química combinatória, engenharia genética, projeto racional de drogas e assim por diante) levou à dissociação entre pesquisa e testes clínicos, além de outras atividades. Embora essa modularidade possa reduzir as barreiras à imitação e limitar a sintonia fina entre módulos, ela também pode se pagar por facilitar mudanças em escala maior.

Para resumir, a visão de sistema de atividades parece mais útil quando se pensa a respeito de valor agregado ou de vantagem competitiva em um ponto do que quando se lida com questões dinâmicas.

A Visão Baseada em Recursos

Esta visão salienta a importância de se olhar para as empresas em termos dos recursos por elas utilizados.[11] Trata-se de idéia antiga, mas ela foi revivida em 1984 em um artigo de Birger Wernerfelt.[12] Este, com base em Andrews, definiu recursos de forma muito ampla, como "qualquer coisa que possa ser considerada uma força ou fraqueza de uma empresa".[13] Implícita na definição estava a idéia de que recursos eram fatores fixos — isto é, atributos da empresa que não poderiam ser variados a curto prazo.

Os aviões representam o fator fixo mais óbvio no setor da aviação comercial. Eles também figuram de forma destacada no exemplo da Southwest: ajudam a conectar a maior parte dos círculos escuros no Quadro 5.1 e uma parcela significativa dos claros. A Southwest conseguiu manter seus aviões no ar uma média de 11,5 horas por dia, comparadas com 8,6 horas para o setor (embora se pudesse esperar números menores para a Southwest, uma vez que seus vôos tendem a ser relativamente curtos).[14] Sem esta vantagem na utilização dos recursos, a Southwest iria necessitar de um terço a mais de aviões para fazer o mesmo número de viagens! A ênfase em manter os aviões no ar o máximo possível ajuda a explicar muitas das políticas da Southwest: evitar aeroportos congestionados, padronizar a frota com Boeing 737, nada de refeições nem transferências de bagagens, partidas espaçadas regularmente por todo o dia, e assim por diante.

Um teórico baseado em recursos poderia ver nossa capacidade para explicar tantos elementos do mapa de atividades de Porter (mostrado no Quadro 5.1) em termos dos imperativos para maximizar a utilização de um tipo específico de recurso como evidência do fato de a visão baseada em recursos focalizar opções estratégicas de ordem superior. Para nós, porém, este padrão reflete a complementaridade das visões baseada em recursos e de sistema de atividades, como mostra o Quadro 5.2. Os recursos (ações) de uma empresa determinam a gama e a economia das atividades (fluxos) em que ela pode se engajar em qualquer ponto do tempo. Por sua vez, as implicações de produto-mercado dessas atividades fornecem a base mais óbvia para se avaliar a superioridade ou inferioridade competitiva do portfólio de recursos da empresa.

A importância de atividades *e* recursos é ilustrada, mais uma vez, pelos curtos períodos de permanência em terra dos aviões da Southwest. Uma parte da vantagem da empresa a este respeito provém do fato de simplificar as atividades que seu pessoal executa no portão de embarque mediante, por exemplo, eliminação do serviço de alimentação e das transferências de bagagens. Mas a vantagem da Southwest reflete diferenças também nos perfis dos recursos. Assim, ela emprega menos tecnologia da informação e mais recursos humanos que suas rivais no processo em terra.[15] Especificamente, a Southwest destina um agente de operações — um "gerente de casos" — a cada avião que está em terra entre vôos, ao passo que uma concorrente como a American Airlines pode

QUADRO 5.2
A Visão Baseada em Recursos da Empresa

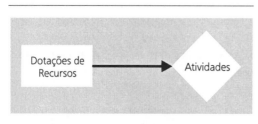

designar um agente de operações para cuidar de 10 a 15 vôos ao mesmo tempo. O padrão de distribuição de recursos da Southwest reduz os tempos de permanência em terra por facilitar o controle, o treinamento e a coordenação através de uma gama de atividades interdependentes.

Outros recursos também podem ser citados para explicar o sucesso da Southwest, seja individualmente ou por meio da sua interligação. Entretanto, a visão baseada em recursos se propõe a fazer mais que apenas chamar nossa atenção de uma multidão de atividades para uma multidão de recursos. Sua lógica também nos dirige para os recursos específicos da empresa como as fontes de vantagem competitiva sustentada. Com base nesta lógica, é improvável que os aviões em si sirvam como fontes de diferenças de lucro sustentadas entre as empresas aéreas, porque eles podem ser (e com freqüência são) comprados e vendidos em mercados de funcionamento razoavelmente bom. Os recursos humanos, que também foram citados acima, são uma alternativa óbvia no caso da Southwest, por três razões: (1) são específicos da empresa; (2) os custos de mão-de-obra representam uma grande parcela de custo agregado no setor da aviação comercial; e (3) pode-se esperar que os custos de mão-de-obra sejam especialmente altos para uma empresa fortemente sindicalizada, com tarifas baixas e um modelo de negócio relativamente intensivo de mão-de-obra. Apesar dessas restrições, a Southwest apresenta altos níveis de produtividade do pessoal e tem sido classificada como uma das melhores empresas para se trabalhar nos Estados Unidos, conseguindo, ao mesmo tempo, altos níveis de satisfação e retenção de clientes. Da perspectiva baseada em recursos, a Southwest poderia ser descrita como abençoada a curto prazo com uma dotação de excelentes recursos/relacionamentos humanos. A sustentabilidade do valor agregado através desses recursos se baseia em várias barreiras à imitação citadas no Capítulo 4: aprendizado, contratos/relacionamentos e prazos, bem como na complexidade estratégica.

A aplicação de forma mais ampla da perspectiva baseada em recursos ao setor da aviação comercial também nos faz lembrar de que os recursos específicos da empresa, que são vitais para a lucratividade (ou não-lucratividade), podem variar entre empresas, de maneiras que dependem de suas estratégias ou, mais especificamente, dos seus modelos de negócios. Considere as seis empresas aéreas americanas cujo porte excede o da Southwest. No caso delas, os centros de irradiação são candidatos óbvios à condição de recurso vital, porque todas enfatizam a operação centro-raio em vez de ponto a ponto. Embora os dados correntes sobre a lucratividade dos centros de irradiação permaneçam bem guardados, dispõe-se de estimativas a partir de 1989, antes da indústria mergulhar em vários anos de prejuízos devido a uma recessão doméstica. De acordo com um estudo, os três maiores centros — Chicago, Dallas-Forth Worth e Atlanta — responderam por quase 80% da receita operacional das seis maiores empresas aéreas em 1989.[16] Há numerosas barreiras à imitação de centros particularmente bem-sucedidos, inclusive a singularidade física, contratos a longo prazo para portões e vagas e vantagens de escala e escopo.

A visão baseada em recursos tem muitos pontos de contato com nossa discussão anterior de barreiras à imitação, porque ela reconhece que a história é importante: que as vantagens da empresa pioneira proporcionam uma maneira simples, mas proveitosa, de explicar por que o sucesso pode se mostrar sustentável diante das ameaças de imitação. Outra maneira, mais técnica, de expor esta idéia é a seguinte: a visão baseada em recursos reconhece ligações intertemporais na função lucro de uma empresa, de uma forma que a visão pura de sistema de atividades não reconhece.

Tendo dito que a visão baseada em recursos parece explicar bem como o valor agregado pode ser sustentado face às ameaças de imitação, precisamos acrescentar duas advertências. A visão baseada puramente em recursos não se sai tão bem em termos de nossos dois outros testes dinâmicos: oferecer uma explicação coerente de como o valor adicionado é construído e suprir critérios úteis sobre como lidar com mudanças, em especial as fundamentais.[17] Considere esses dois problemas.

A visão baseada puramente em recursos desincentiva o estudo detalhado de como recursos superiores poderiam ter sido juntados ao longo do tempo por meio da chamada "inimitabilidade intrínseca" de recursos realmente valiosos. Assim, um teórico baseado em recursos poderia salientar a complexidade social ingerenciável de recursos como a "cultura" em casos como o da Southwest. Contudo, coisas interessantes podem certamente ser aprendidas a respeito do gerenciamento deliberado de recursos humanos, ao menos no setor de serviços (que responde por dois terços do PNB dos Estados Unidos), pelo estudo do exemplo da Southwest. Especificamente, as políticas e práticas da Southwest para gerenciar seus recursos humanos incluem a contratação por atitudes em vez de por qualificações, a ênfase no trabalho em equipe em vez da hierarquia, a concepção de posições — e contratos sindicais — de forma que os funcionários possam executar várias funções caso necessário, a oferta de liberdade aos funcionários da linha de frente para que possam cuidar das necessidades dos clientes sem recorrer a um supervisor, recompensá-los econômica e emocionalmente por comportamento apropriado (mediante comunicação de valores e informações, bem como aquela que foi descrita como uma ênfase sistemática em abraços), e até incentivar ligações fora do trabalho entre funcionários (por meio de atividades caritativas e altas taxas de casamentos internos) para promover um sentimento de "família".[18] Esses processos são evidentemente complexos, mas certamente foram gerenciados.

Um segundo problema com a visão baseada puramente em recursos provém do seu foco na exploração de recursos de "herança". Contudo, o potencial de geração de caixa dos recursos de que as empresas já dispõem muitas vezes responde por menos da metade ou mesmo um quarto dos seus valores de mercado, em especial no caso de indústrias ou empresas em fase de crescimento rápido.[19] Por exemplo, no caso da Southwest, dados recentes sugerem que o valor dos recursos já aplicados é pouco mais que um terço do valor de mercado da empresa.[20] É claro que o mercado de ações espera que a Southwest cresça. Entretanto, a mais significativa questão estratégica na Southwest no final dos anos 90 parece ser que ela está ficando sem espaço para crescer no "nicho estrutural" em que começou — isto é, seu nicho tradicional de viagens curtas — e, portanto, começou a operar linhas mais longas. Será que esta estratégia faz sentido, dadas as mudanças que poderá significar para o modelo tradicional de negócio da Southwest: fornecer em vôo algo além de amendoins, a erosão da vantagem associada às curtas permanências em terra, a introdução de aviões de grande capacidade numa frota antes composta somente de Boeing 737, e assim por diante? A visão baseada em recursos, com sua ênfase em fatores fixos, não pode ser de muita ajuda para responder a esta pergunta. Em outras palavras, a visão baseada em recursos é histórica, mas não plenamente dinâmica. Estendê-la para que explique como as dotações de recursos das empresas evoluem com o tempo é uma tarefa importante, tratada na próxima seção.

TEORIAS DINÂMICAS

Uma abordagem plenamente dinâmica da estratégia requer uma teoria que ligue não só aquilo que a organização fez ontem (i. e., no passado) ao que ela pode fazer bem hoje, mas também aquilo que ela pode fazer bem hoje ao que ela poderá fazer bem amanhã (i. e., no futuro). Como já dissemos, a visão baseada em recursos focaliza apenas uma dessas ligações, do passado com o presente, e de forma algo restritiva. No restante deste capítulo, procuramos corrigir essa deficiência, integrando a influência tanto das opções do presente quanto do passado sobre o desempenho da empresa.

O Quadro 5.3 (ver p. 123) resume nossa estrutura dinâmica para pensar a respeito de estratégia em situações nas quais tanto o gerenciamento quanto a história são importantes. Esta estrutura procura integrar e generalizar as visões de sistema de atividades e baseada em recursos de uma

QUADRO 5.3
Uma Visão Dinâmica da Empresa

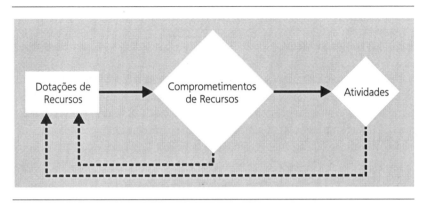

maneira que liga a evolução das dotações de recursos ou conjuntos de oportunidades das empresas às opções, relacionadas a atividades e a recursos, que elas fazem a partir de seus respectivos cardápios de oportunidades. Os dois laços de *feedback* (indicados pelas linhas pontilhadas no Quadro 5.3), que vão da direita para a esquerda, enfatizam de que forma as atividades executadas por uma empresa e os comprometimentos de recursos que ela faz afetam sua futura dotação de recursos ou seu conjunto de oportunidades. As duas setas da esquerda para a direita sugerem dois pontos separados. Em primeiro lugar, as opções a respeito de quais atividades executar e como executá-las são restritas por recursos que, com freqüência, podem ser variados somente a médio para longo prazo. Em segundo lugar, a história é importante com respeito tanto às opções de longo prazo — relacionadas a recursos — quanto às opções de curto prazo — relacionadas a atividades. Em outras palavras, os termos sobre os quais uma organização pode efetuar comprometimentos de recursos e executar atividades, muitas vezes, dependem muito do legado (i. e., o resíduo não-depreciado) das opções feitas pela organização no passado.

Note que a estrutura apresentada no Quadro 5.3 inclui, como casos especiais, as visões de sistema de atividades e baseada em recursos da empresa. Um partidário de atividades como base de análise provavelmente iria focalizar as opções no último elemento do quadro; um partidário dos recursos iria se concentrar no primeiro elemento e em como ele restringe opções no último. Porém, o Quadro 5.3 faz mais que apenas apresentar essas duas perspectivas diferentes. Ele agrega valor identificando duas maneiras de obtenção de vantagens sustentáveis: fazendo *comprometimentos* concentrados de recursos e orquestrando propositadamente as atividades executadas pela empresa, um processo mais incremental muitas vezes chamado de desenvolvimento de *capacidades*. Os investimentos em comprometimentos e em capacidades podem, devido à sua natureza irreversível, conduzir à emergência e persistência de vantagens (ou desvantagens) específicas da empresa. Mas dadas as estruturas diferentes de opções a seu respeito — concentrados *versus* espalhados —, iremos discuti-los separadamente.[21]

Em vez de especular a respeito do destino da Southwest Airlines quando ela procura se expandir para fora do seu nicho (vôos relativamente curtos), usaremos a história da Gillette, uma empresa que tem alterado de forma significativa suas dotações de recursos ao longo do tempo, para ilustrar nossa discussão da importância de se fazer comprometimentos e desenvolver capacidades. O uso de um único exemplo pretende sugerir que ambos muitas vezes estão entrelaçados: empresas com capacidades acima da média provavelmente são capazes de fazer comprometimentos com retornos esperados mais altos e menor risco que suas rivais, e os comprometimentos podem provocar o desenvolvimento de capacidades, mais incremental.

Fazendo Comprometimentos

Entendemos por comprometimentos poucas grandes decisões que envolvem pesadas mudanças em dotações de recursos — como adquirir outra empresa, desenvolver e lançar um produto que constitui um grande avanço, engajar-se numa grande expansão de capacidade e assim por diante — que tenham efeitos significativos e duradouros nos futuros cardápios de oportunidades ou opções da empresa.[22] A irreversibilidade dessas grandes decisões, ou os custos de se mudar de idéia a seu respeito, requer uma profunda análise do futuro por razões que foram particularmente bem articuladas por Robert Townsend, antigo presidente da Avis:

> Uma decisão como a de produzir o Edsel ou o Mustang (ou localizar sua fábrica em Orlando ou Yakima) não deve ser tomada apressadamente, nem sem muitas informações . . . Mas não faz sentido levar, três semanas para tomar uma decisão que pode ser tomada em três segundos — e corrigida mais tarde sem custos, se estiver errada. A organização inteira pode parar enquanto você oscila entre copos de café azuis ou marrons.[23]

Uma ilustração mais recente de um grande comprometimento é dada pelo lançamento, pela Gillette, do seu sistema de barbear Sensor em janeiro de 1990.[24] O lançamento do Sensor foi peça vital de uma estratégia para revitalizar uma empresa que havia sido alvo de numerosas tentativas de aquisição hostil do controle na segunda metade dos anos 80 e tinha acabado com capital negativo em conseqüência da sua defesa. O lançamento custou à Gillette mais de US$ 75 milhões em P&D (iniciada nos anos 70), US$ 100 milhões em investimentos em fabricação e US$ 100 milhões em propaganda. À medida que a empresa investia mais dinheiro no projeto, ela acumulava recursos cujo valor era especializado para apoiar o lançamento. Esses recursos criaram uma presunção a favor do prosseguimento do lançamento, porque tinham poucos outros usos ou usuários óbvios. Em termos mais gerais, o investimento em recursos especializados é a primeira fonte de irreversibilidade que baseia nosso conceito de comprometimento.

Uma segunda fonte de irreversibilidade é o não-comprometimento: ele resulta de custos de oportunidade ao invés de custos de investimentos especializados. O conceito pode ser ilustrado pelo lançamento de um produto anterior que a Gillette adiou, para seu prejuízo. No início dos anos 60, a Gillette saiu atrás da Wilkinson, da Schick e da American Safety Razor no lançamento de lâminas de aço inoxidável, por várias razões: sua lâmina Super Blue, de aço carbono (lançada em 1960) estava indo bem; as lâminas de inox ameaçavam reduzir o preço por barbeação, uma vez que duravam três ou mais vezes mais que as de aço carbono; e a Gillette continuou em busca de melhoramentos tecnológicos adicionais. Mas como a demanda por lâminas de inox crescia devido ao barbear mais rente que elas propiciavam, a Gillette teve que se apressar para entrar naquela categoria de produtos. Ajudada por problemas de produção dos concorrentes, em pouco tempo ela conseguiu atingir a liderança da categoria. Não obstante, estima-se que sua participação mundial em lâminas duplas tenha caído de 90 para 70% em conseqüência do atraso.[25]

Este exemplo ilustra que comprometimento não é apenas mais um sinônimo para investimento. Os custos de oportunidade podem levar à mesma irreversibilidade dos investimentos em recursos especializados. Em termos mais gerais, os efeitos do não-investimento podem persistir devido às dificuldades para se reativar recursos adormecidos, readquirir recursos descartados ou recriar oportunidades perdidas para alocar determinados recursos de determinadas maneiras. Ambas as possibilidades devem ser examinadas para se determinar se uma decisão em particular representa um comprometimento importante.

Como devemos avaliar comprometimentos? Os testes de valor desenvolvidos nos dois últimos capítulos nos ajudam a chegar a um rigor maior do que simples regras para "pensar grande". Reconsidere o exemplo do barbeador Sensor da Gillette. Devido aos custos fixos associados ao lançamento do novo sistema de barbear e aos custos variáveis mais altos de produção dos cartuchos Sensor, a decisão de lançamento essencialmente dependia de se um número suficiente de clientes estariam dispostos a pagar 6 cents por barbeação com um Sensor, comparados com aproximadamente 5 cents com o sistema Atra da Gillette e 3,5 cents ou menos com lâminas descartáveis. Supondo-se que os clientes estariam dispostos a pagar mais por um barbear mais suave, a imitação não representava uma grande ameaça. Embora preocupações com a legislação antitruste tenham levado a Gillette a colocar suas 22 patentes sobre o Sensor à disposição dos concorrentes, estes nem tentaram imitar o produto, presumivelmente devido à inferioridade de suas capacidades de desenvolvimento de processos (como veremos ainda neste capítulo). As ameaças de substituição, de fato, favoreciam o lançamento. O negócio de cartuchos da Gillette nos Estados Unidos vinha perdendo, anualmente, de dois a três pontos percentuais de participação de mercado para os barbeadores descartáveis de margens menores. A perspectiva de deter essa tendência constituía um dos maiores atrativos para se lançar o Sensor agressivamente como fez a Gillette. É claro que o produto se mostrou inesperadamente lucrativo, porque, na verdade, ele reverteu a tendência favorável aos descartáveis, em vez de apenas reduzi-la.

Também vale a pena enfatizar que os testes baseados em valor desenvolvidos nos dois capítulos anteriores têm algumas limitações: eles não garantem automaticamente todos os comprometimentos de fato efetuados. Considere o lançamento, pela Gillette, da geração de sistemas de barbear Mach 3 em 1998 — o primeiro grande comprometimento com o negócio de barbear desde o lançamento do Sensor. A Gillette gastou mais que o triplo — cerca de US$ 1 bilhão — para lançar uma nova tecnologia de três lâminas com o Mach 3 do que havia gasto para passar de lâminas duplas convencionais (Atra) para lâminas duplas sobre molas (Sensor). Entretanto, o valor de mercado da Gillette caiu mais de US$ 2 bilhões no dia em que o Mach 3 foi anunciado. Os testes baseados em valor ajudam a explicar as preocupações a respeito deste lançamento. Em primeiro lugar, ao número recomendado pela Gillette de barbas por cartucho, o preço havia subido para mais de 10 cents por barba. Será que os clientes estão dispostos a pagar tudo isso? Segundo, o número recomendado pela Gillette pode ser superado devido ao revestimento especial das lâminas do Mach 3. Embora esses aumentos na durabilidade do produto melhorem o preço, eles também reduzem o número de unidades vendidas. Terceiro, do ponto de vista dinâmico, o quadro é mais confuso que no caso do Sensor: embora o Mach 3 se mostre ainda mais difícil de imitar, isso não ajudará a combater uma séria ameaça de substituição. Ao contrário, ele provavelmente irá canibalizar as vendas do Sensor Excel (a versão aperfeiçoada do Sensor), que já eram altamente lucrativas.

A possibilidade de o Mach 3 destruir, ao invés de criar, valor para a Gillette nos faz lembrar que grandes comprometimentos estratégicos também são importantes demais para serem subordinados à estratégia existente: eles precisam ser analisados em profundidade, porque representam pontos de verificação importantes nos quais uma organização deve estar preparada para reavaliar toda a sua estratégia. Com base em seus padrões de lançamento desde os anos 60, a Gillette parece ter adotado o princípio de programar seus esforços para a inovação de produtos de forma a lançar um novo sistema de barbear ao menos a cada 10 anos.[26] Assim, alguns observadores esperam que o próximo novo sistema seja lançado em 2006, oito anos depois do lançamento do Mach 3, ocorrido oito anos depois do Sensor.[27] Embora possa ser desejável impor um certo ritmo às programações de desenvolvimento de produtos, este não pode ser decidido no vazio. Em vez disso, deve estar sincronizado com as oportunidades e ameaças no cenário dos negócios — e ajustado às mudanças nessas condições — para poder maximizar o valor.

A teoria do comprometimento certamente oferece uma explicação coerente de como o valor agregado é formado ao longo do tempo (embora o desenvolvimento de capacidade costume desempenhar um papel complementar, como veremos na próxima seção). Os comprometimentos também desempenham um papel vital na criação das barreiras à imitação vistas no Capítulo 4, uma vez que a maior parte delas se baseia em alguma fonte subjacente de irreversibilidade. A pergunta mais desafiadora que pode ser levantada a respeito da teoria do comprometimento diz respeito ao nosso terceiro teste dinâmico: ela oferece critérios úteis sobre como lidar com mudanças, em particular as fundamentais? Em um nível, a resposta é claramente "sim": a formação de mudanças fundamentais — e mesmo a adaptação a elas — em geral exige comprometimentos importantes. Em outro nível, porém, as coisas são menos claras: as mudanças usualmente são acompanhadas por incerteza, a qual emerge como uma questão particularmente importante no contexto de comprometimentos, dada sua extrema irreversibilidade.

A dificuldade para se prever com perfeita certeza se um comprometimento (como o lançamento do sistema Mach 3) será bom ou mau deu origem a uma farta bibliografia sobre como incorporar a incerteza à sua análise, que contém algumas lições muito úteis.

Em primeiro lugar, os comprometimentos podem levar a um desempenho persistentemente inferior (caso fracassem), assim como a um desempenho superior sustentado.

Em segundo lugar, para tratar a incerteza de forma eficaz, precisamos reconhecer a multiplicidade de resultados possíveis. Esta necessidade normalmente requer a construção de cenários múltiplos em vez de enfiar todos os riscos numa taxa de desconto ou dificuldade.

Em terceiro lugar, embora a incerteza possa, às vezes, aumentar a atratividade das alternativas ao comprometimento, como investir em recursos menos especializados, proteger as apostas ou retardar as ações, raramente vale a pena permanecer *totalmente* flexível. Essa opção aumenta os riscos, reduz a capacidade da empresa para influenciar na resolução da incerteza e resulta, na melhor hipótese, em desempenho medíocre.

Em quarto lugar, o problema do comprometimento em condições de incerteza é amenizado pelo fato de muitas opções intensivas de comprometimento apresentarem altas relações "aprenderqueimar". Esta relação é definida como a velocidade com a qual são recebidas as informações a respeito dos resultados do produto (bons ou maus) dividida pela velocidade com a qual os custos (em recursos especializados ou de oportunidade) são incorridos. Relações elevadas aprender-queimar proporcionam um *feedback* oportuno que permite revisões de comprometimentos em resposta a más notícias — uma importante fonte de valor de opção em um mundo incerto.

Em quinto lugar, a realização do potencial para altas relações aprender-queimar requer um gerenciamento cuidadoso e pode ser ampliada de várias maneiras — por experimentação, programas pilotos, pela graduação ou seqüenciamento dos comprometimentos, pelo estabelecimento de marcos e gatilhos para cancelar um comprometimento ao longo de um curso de ação perdedor, pela garantia de que os incentivos apropriados estejam em ordem e assim por diante.

Finalmente, uma das abordagens mais poderosas para se lidar com a incerteza é desenvolver capacidades superiores que aumentem as probabilidades de sucesso e façam com que a empresa "caia para frente" e não para trás em resposta aos desafios imprevistos que surgem inevitavelmente no decorrer de comprometimentos importantes. O desenvolvimento de capacidade é exposto a seguir.

Desenvolvendo Capacidades

O desenvolvimento de capacidades envolve opções que, individualmente, são pequenas e freqüentes em vez de importantes e esporádicas. Em termos do Quadro 5.3, as capacidades podem ser associadas ao laço de *feedback* que vai das atividades até as dotações de recursos. A idéia é que as capacidades específicas da empresa para executar atividades melhor que os concorrentes podem ser construídas gradualmente e reforçadas no decorrer de longos períodos de tempo. Note que a visão das capacidades dinâmicas da empresa difere da visão baseada em recursos porque as capacidades precisam ser desenvolvidas em vez de serem consideradas existentes, como descreve um artigo de David Teece, Gary Pisano e Amy Shuen:

> Se o controle sobre recursos escassos é a fonte de lucros econômicos, logicamente questões como aquisição de qualificações e aprendizado assumem importância estratégica fundamental. É esta segunda dimensão, que abrange aquisição de qualificações, aprendizado e acumulação de aptidões que . . . chamamos de "abordagem dinâmica das capacidades" . . . As rupturas são vistas não só como resultantes de incerteza . . ., mas também de atividades dirigidas por empresas que criam capacidades diferenciadas e de esforços gerenciais para distribuir estrategicamente esses ativos de maneiras coordenadas.[28]

Levar a sério as capacidades dinâmicas também significa que um dos aspectos mais estratégicos da empresa é "a maneira pela qual as coisas são feitas na empresa, ou aquilo que pode ser chamado de suas 'rotinas', ou padrões correntes de prática e aprendizado".[29] Em conseqüência disso, "a pesquisa em áreas como gerenciamento de P&D, desenvolvimento de produtos e processos, fabricação e recursos humanos tende a ser bastante relevante (para a estratégia)".[30] Essa pesquisa proporciona conteúdo específico à idéia de que a execução da estratégia é importante.

A Gillette é um bom exemplo de empresa que construiu capacidades superiores de fabricação ao longo do tempo. Ela conseguiu se recuperar em lâminas de inox revestidas porque foi capaz de elevar a produção muito mais depressa que suas rivais. A maior barreira à imitação do Sensor parece ter sido o conhecimento de processos exigido para o desenvolvimento de tecnologia de solda a laser (a qual anteriormente era usada somente para aplicações de baixo volume, como dos marca-passos cardíacos) para uma aplicação de volume muito elevado — chegando a quase 100 soldas por segundo com um índice de rejeição de apenas 10 lâminas por milhão. Com o Mach 3, a Gillette foi além: com base em seu investimento de US$ 750 milhões em linhas de produção contínuas e robótica avançada, ela espera triplicar seus índices de produção — apesar do desenho mais complexo do Mach 3.

Grandes comprometimentos com o desenvolvimento de processos e novo maquinário são, em parte, responsáveis pelos avanços registrados pela Gillette ao longo do tempo, mas também é fácil imaginar outras empresas gastando o mesmo que ela gastou sem conseguir grandes avanços comparáveis. A pesquisa sistemática através de uma gama de outros cenários documenta grandes diferenças em capacidades organizacionais, que não podem ser explicadas por diferenças em gastos. Essas capacidades abrangem não só o desenvolvimento de produtos e processos, mas também de qualificações de *marketing,* capacidade para aprender e se adaptar, de integrar por meio de funções e uma série de outras dimensões.[31]

Com base nesta pesquisa, parece que as capacidades superiores podem realmente conduzir ao desempenho superior, melhorando os termos nos quais as atividades podem ser executadas ou os comprometimentos de recursos efetuados. Para atingir esta meta, a capacidade de uma empresa ao longo de uma determinada dimensão precisa realmente ser superior competitivamente. Isto parece relativamente óbvio no caso das capacidades de fabricação da Gillette. Entretanto, na maior parte dos casos, a superioridade competitiva em termos de diferenças em custos, disposição para pagar, adaptabilidade e outras áreas deve ser testada em termos objetivos. Na ausência de um teste objetivo, o excesso de confiança e a política podem conduzir a auto-avaliações excessivamente favoráveis e à tendência a designar qualquer coisa com a qual a pessoa se importa como uma capacidade organizacional vital (um problema análogo surge na identificação de recursos vitais ou competências essenciais). Em conseqüência disso, normalmente as capacidades devem passar por uma comparação competitiva, mesmo que o processo produza resultados incompletos.

Para que uma empresa sustente seu desempenho superior, suas capacidades devem ser de difícil imitação, além de competitivamente superiores. Em outras palavras, elas devem satisfazer nosso segundo teste dinâmico, bem como o primeiro. As barreiras à imitação mais freqüentemente invocadas pelos teóricos de competência envolvem aprendizado, prazos, complexidade e elevação do nível. Em particular, muitas vezes eles caracterizam aprendizado como tendo raízes em processos organizacionais detalhados e complexos que abrangem muitos indivíduos, podem ligar várias empresas, e são, com freqüência, dificilmente observáveis pelos concorrentes. Esse aprendizado se acumula em um reservatório de conhecimento que tende a ser o mais específico da empresa e inimitável quando é tácito em vez de especificável (i. e., não pode ser impresso) e quando é retido coletivamente pelos membros da organização em vez de estar disponível para que qualquer funcionário saia com ele. Note que o conhecimento pode ser administrado de maneiras que tornem menos provável que ele vaze para os concorrentes. Assim, ao se preparar para lançar o Mach 3, a Gilette dividiu o trabalho de montagem dos componentes das linhas de produção entre várias dezenas de oficinas, construiu altas paredes de madeira compensada dentro da sua fábrica para ocultar as linhas de produção, restringiu o acesso a essa área a funcionários portadores de cartões magnéticos especiais, lembrou constantemente os trabalhadores da necessidade de sigilo (proibindo discussões sobre o novo produto, até mesmo com os cônjuges dos funcionários) e contratou o FBI para ajudar a identificar vazamentos.[32]

As capacidades que podem sustentar desempenho superior normalmente permanecem algo específicas para determinados usos, assim como as empresas. Compare, a este respeito, as capacidades que apoiaram o lançamento do Sensor com aquelas que supostamente apoiaram a decisão da Gannett, em 1981, de lançar o jornal USA Today.[33] Dez anos depois, o novo jornal nacional havia acumulado prejuízos de US$ 800 milhões, sem contar o valor tempo do dinheiro, e ainda operava no vermelho. Embora muitas razões estejam por trás do fracasso financeiro do USA Today, algumas delas parecem relacionadas ao fato de serem um tanto genéricas as capacidades e os recursos que supostamente tornaram atraente para a Gannett lançar um jornal nacional. Elas incluíam a reputação de ser uma das cinco empresas mais bem administradas dos Estados Unidos, conhecimento editorial (embora somente com jornais locais) e dinheiro. Comparadas com as profundas capacidades tecnológicas, de fabricação, marketing e distribuição que a Gillette havia acumulado por ocasião do lançamento do Sensor, as capacidades da Gannett parecem tão pouco profundas quanto genéricas.

Tendo provado que não existem capacidades para todos os fins, devemos reconhecer que elas diferem em termos de sua especificidade de uso de maneiras diferentes. Neste mundo incerto e em mudança — o desafio destacado por nosso terceiro teste dinâmico — pode valer a pena dedicar alguma atenção à amplitude além da profundidade; isto é, pode ser útil colocar alguma ênfase em "mobilidade", ou flexibilidade de uso, em vez de simplesmente depender de capacidades para usos específicos, aumentando, assim, a rigidez.[34] A Microsoft, por exemplo, foi capaz de se transformar numa grande participante em aplicações para a Internet e em software para redes em resposta à ameaça de substituição representada pela emergência da Internet para a computação em PCs. Esta mudança reflete não só táticas de braço forte da Microsoft, mas também suas capacidades "básicas", móveis até certo ponto, para projetar e administrar o desenvolvimento de sistemas de *software* extremamente complexos.

A mobilidade parece aumentar de acordo com a amplitude da base de conhecimento de uma empresa. Tem-se afirmado, por exemplo, que a bem-sucedida transição da Canon pelas várias descontinuidades em equipamento de fotolitografia (usado na produção de semicondutores) originou-se na ênfase em "conhecimento arquitetônico", ou amplo conhecimento a respeito de tecnologias de componentes e suas interações.[35] Um estudo de 440 das empresas tecnologicamente mais ativas do mundo chega a concluir que:

> A gerência das grandes empresas precisa sustentar um conjunto mais amplo (mesmo que menos profundo) de competências tecnológicas para coordenar aperfeiçoamento e inovação contínuos no sistema de produção e na cadeia de suprimentos corporativos.[36]

Embora haja limites claros para restringir o escopo das capacidades tecnológicas de uma empresa (inclusive o perigo de acabar "inferior" em cada tecnologia), às vezes, uma certa amplitude pode ser útil.

Tendo notado esta transação teórica entre capacidades mais profundas e mobilidade mais ampla, devemos acrescentar que muitas organizações teriam potencial para melhorar em ambas as frentes, se os processos usados para administrá-las — em termos de mecanismos de alocação de recursos, estrutura organizacional, padrões de contratação de pessoal, compensação e promoção, e assim por diante — fossem mais adequados. Para tomar um exemplo, Christensen usou evidências do setor de mecanismos acionadores de disquetes para afirmar que, quando os processos de alocação de recursos de uma organização são ligados com rigidez excessiva à sua base existente de clientes e suas necessidades, é provável que ela deixe passar oportunidades para desenvolver tecnologias que inicialmente satisfaçam somente os requisitos de uma base diferente de clientes.[37] Assim sendo, a administração pode ajudar a melhorar as concessões entre amplitude e profundidade que uma organização enfrenta na vida real.

Para encerrar esta discussão, devemos fazer um alerta a respeito da natureza aparentemente incremental da maior parte das tentativas de desenvolvimento da capacidade (ou mobilidade). As empresas que procuram desenvolver capacidades superiores como base de vantagens competitivas sustentáveis devem evitar que a coerência geral dos seus esforços de desenvolvimento de competência seja censurada, opção por opção, por pequenos vieses e assemelhados. Em conseqüência disso, a escolha das capacidades a serem desenvolvidas e como desenvolvê-las torna-se uma grande opção — como os comprometimentos importantes que vimos anteriormente. A semelhança faz sentido quando se nota que um impulso pelo desenvolvimento de competência tem os mesmos efeitos associados às decisões a respeito de comprometimentos.

O DESAFIO DAS MUDANÇAS

Este desafio já pode ter se cristalizado nas mentes de alguns leitores como o tema latente deste capítulo, uma vez que temos feito uso dele (na forma de nosso terceiro teste dinâmico) para conseguir alguma perspectiva sobre atividades, recursos, comprometimentos e competências. Com relação à visão de sistema de atividades, o desafio de mudanças fundamentais nos forçou a observar os argumentos em favor de sistemas modulares em vez de rigidamente acoplados. A visão baseada em recursos pura pouco tinha a dizer a respeito de mudanças fundamentais, além do conhecimento de que, à medida que o ambiente muda, uma organização pode — em alguns casos — querer desenvolver sua nova estratégia em torno dos recursos que possui e que se torna mais difícil alterar. As duas extensões dinâmicas da visão baseada em recursos — fazer comprometimentos e desenvolver competências — nos ajudaram a tratar das mudanças em recursos ao longo do tempo, mas tiveram que ser qualificadas com discussões de uma gama de ampliadores de flexibilidade/mobilidade.

Essas qualificações eram essenciais porque, normalmente, pensamos que criar e sustentar desempenho superior equivale a subir ao topo (ou parte do caminho até ele) de um determinado pico no cenário dos negócios. Entretanto, com as mudanças nesses cenários, saber quando mudar o pico em que se está subindo pode ser tão importante quanto escalar um determinado pico. Nesta seção, procuramos sintetizar este ponto de vista, em vez de lidar com ele por partes (como fizemos nas duas últimas seções).

Começamos distinguindo entre dois tipos extremos de cenários de negócios e os tipos de estratégias que podem fazer sentido dentro dos mesmos. Em um extremo, podemos imaginar um cenário estável no qual o futuro é relativamente seguro. Seria de se esperar que as organizações bem-sucedidas apresentassem continuidade estratégica nesses cenários — isto é, foco na escalada de um determinado pico, mas buscando continuamente melhoramentos dentro desse conjunto fixo de condições iniciais. Ghemawat e Ricart i Costa chamaram esta mentalidade organizacional de busca de eficiência estática.[38] No outro extremo, podemos imaginar um cenário turbulento, à beira do caos, no qual o futuro é realmente ambíguo. Neste, podemos esperar que as organizações pensem continuamente em mudanças em suas estratégias — isto é, um foco contínuo na reconsideração das condições iniciais, ou qual pico escalar. Ghemawat e Ricart i Costa batizaram esta mentalidade organizacional como busca da eficiência dinâmica.

Esta distinção adquire utilidade pelo fato de que parece surgir alguma tensão entre os arranjos organizacionais que promovem a eficiência estática (ou o aprendizado local) e aqueles que promovem a eficiência dinâmica. O Quadro 5.4 (ver p. 131) ilustra esta tensão: ele procura distinguir entre arquétipos organizacionais com base em se eles envolvem "eficiência e regularidade correntes" (eficiência estática) ou "inovação e flexibilidade" (eficiência dinâmica).[39] Na extensão em que é difícil misturar e igualar através das duas colunas no Quadro 5.4 — por exemplo, porque são necessários tipos diferentes de funcionários —, é provável que essa tensão possa conduzir a uma "inclinação" no sentido dos extremos. Portanto, as organizações podem enfrentar pressões para que optem entre dois arquétipos muito diferentes.

Opções extremas são mais satisfatórias nos dois tipos extremos de cenários de negócios acima mencionados. Elas são menos satisfatórias quando precisamos lidar com casos intermediários, nos quais o cenário não é nem continuamente estável nem caótico. Esses cenários parecem representar a maior parte dos casos. Por exemplo, níveis intermediários de mudança e incerteza parecem ser responsáveis pelo fato de as estratégias, em vez de apresentarem continuidade ou mudança contínua, seguirem um padrão conhecido como equilíbrio interrompido; neste padrão, a continuidade estratégica é a norma, mas é interrompida por breves períodos de mudanças radicais (ver Quadro 5.5, p. 132).[40] Os equilíbrios interrompidos provêm tanto de fatores internos (padrões de crescimento organizacional e evolução que requerem mudanças descontínuas) quanto de fatores externos (em particular, ciclos tecnológicos, nos quais choques tecnológicos "desamadurecedores" são seguidos por um amadurecimento tecnológico — uma passagem da inovação em produtos para a inovação em processos e um decréscimo geral na taxa de inovação — até a chegada do choque seguinte).

A navegação bem-sucedida desses ciclos requer o domínio de mudanças evolucionárias e também revolucionárias. Este processo de pilotagem é inerentemente desafiador devido às tensões entre as duas estratégias delineadas no Quadro 5.4. Contudo, muitas organizações de vanguarda

QUADRO 5.4
Alinhamento de Elementos de Estratégia

	Sumário de Estratégia Desenvolvida para Eficiência e Regularidade Correntes	Sumário de Estratégia Desenvolvida para Inovação e Flexibilidade
Recursos		
Humanos	Ênfase em qualidades de submissão e empenho	Ênfase em qualidades de originalidade e empenho
Financeiros	Crescimento financiado em grande parte pelos negócios em andamento	Grande investimento em desenvolvimento exigindo capacidade financeira
Tecnológicos	Ênfase em melhoramentos incrementais em produtos e processos	Ênfase no desenvolvimento de produtos totalmente novos e novas tecnologias básicas
Organização		
Estrutura	Orientação centralizada/funcional Clara cadeia vertical de autoridade para decisões/comunicação Vendas e/ou operações como funções dominantes	Orientação descentralizada/para produtos Rede de influência e comunicação Utilizar projetos e forças-tarefas *Marketing* e/ou P&D como funções dominantes
Controles	Planos e orçamentos rígidos e detalhados Revisões freqüentes	Planejamento flexível em torno de objetivos (gerência por objetivos)
Padrões	Metas específicas, individuais ou grupais Concorrer com comparações internas Metas "forçadas" definidas em termos de níveis de vendas ou produção	Metas gerais Concorrer com comparações externas Metas "forçadas" definidas em termos de datas de entrega de projetos
Recompensas	Recompensas ligadas ao desempenho individual ou grupal Promover por fazer planos	Recompensas ligadas ao desempenho da empresa como um todo Promover por resultados inovativos Premiar os que assumem riscos com uma "aterrissagem suave" em caso de fracasso
Políticas/ processos	Processo decisório de cima para baixo Estabelecer carreiras claras	Processos decisórios de baixo para cima e vice-versa
Ambiente de trabalho	Orgulho pela precisão Ênfase no cumprimento dos planos em termos de custos, entrega e qualidade Horários e roupas de trabalho regulares	Usar uma "confusão" clara Orgulho por ser o primeiro com idéias brilhantes Ênfase no trabalho criativo em equipe Horários e roupas de trabalho segundo as preferências pessoais

Fonte: Heskett, op. cit.

consideram este desafio crítico para a sua capacidade de sustentar o sucesso. Tushman e O'Reilly escreveram sobre o desafio da combinação de concepções estática e dinâmica de eficiência:

> O verdadeiro teste de liderança é ser capaz de competir com sucesso, elevando o alinhamento ou adequação entre estratégia, estrutura, cultura e processos e, ao mesmo tempo, preparando-se para as inevitáveis revoluções exigidas pelas mudanças ambientais descontínuas. Isto requer qualificações organizacionais e gerenciais para se competir em um mercado maduro (onde custo, eficiência e inova-

QUADRO 5.5
Padrões de Mudança Estratégica

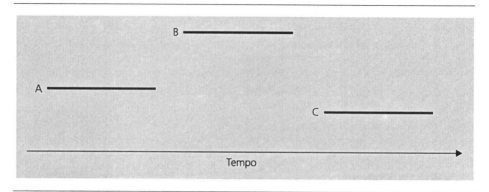

ção incremental são vitais) e para desenvolver novos produtos e serviços (onde inovações radicais, velocidade e flexibilidade são críticas).[41]

Tushman e O'Reilly também acham que encontraram organizações que possuem maneiras institucionalizadas para superar os desafios gêmeos das mudanças evolucionárias e revolucionárias. A este respeito, eles citam três empresas — Hewlett-Packard, Johnson & Johnson e Asea Brown Boveri (ABB) que compartilham determinadas características comuns:[42]

- Grande descentralização das tomadas de decisões, mas com consistência obtida mediante a responsabilidade individualizada, partilha de informações e forte controle financeiro. Mas por que isto não resulta em fragmentação e perda de sinergia? A resposta é encontrada no uso de controle social

- A confiança em controles sociais fortes . . . (que) são, simultaneamente, rígidos e frouxos. São rígidos porque a cultura corporativa de cada empresa é amplamente partilhada e enfatiza normas críticas para inovações como abertura, autonomia, iniciativa e assumir riscos. A cultura é frouxa porque a maneira pela qual esses valores comuns são expressos varia de acordo com o tipo de inovação (ou mudança) exigida.

- Administradores ambidestros comandando unidades que seguem estratégias amplamente diferentes e têm estruturas e culturas variadas . . . A visão corporativa provê a bússola pela qual os administradores podem tomar decisões a respeito de em quais, dos muitos negócios e tecnologias, fazer investimentos; mas o mercado é o árbitro supremo de vitoriosos e perdedores.

Se a maior parte das organizações ou dos gerentes pode ou não aspirar a tornar-se ambidestra no sentido de administrar, ao mesmo tempo, mudanças evolucionárias e revolucionárias, isto permanece uma questão aberta. Andy Grove, presidente do conselho da Intel, propicia uma visão interessante das trincheiras que é mais seqüencial que simultânea. Ele supõe que, em organizações que funcionam bem, a maioria dos administradores faz as coisas certas a maior parte do tempo e acerta nas ocasiões em que a prática gerencial usual provavelmente não funciona, as quais ele chama de pontos de inflexão estratégica:

Um ponto de inflexão estratégica é uma ocasião na vida de uma empresa em que seus fundamentos estão prestes a mudar. Essa mudança pode significar uma oportunidade para subir a novas alturas. Mas também pode sinalizar o início do fim.[43]

Os exemplos de pontos de inflexão estratégica citados por Grove para sua própria empresa incluem a invasão dos produtores de DRAM japoneses sobre o mercado de memórias da Intel nos anos 80, o problema do ponto flutuante que surgiu no processador Pentium no final de 1994 e, mais recentemente, a emergência da Internet e do computador pessoal abaixo de US\$ 1.000.

Grove também destaca as barreiras ao reconhecimento dos pontos de inflexão estratégica e à reação aos mesmos e os instrumentos necessários para aumentar a probabilidade de uma empresa atingir essa meta. Sua lista de barreiras inclui baixas relações sinal-ruído, o impulso natural humano para negar mudanças (em especial quando elas são dolorosas), desincentivos (determinados na cúpula) à adaptação ou ao aproveitamento de mudanças fundamentais, abalos/paralisações e uma liderança que corre o risco de tornar-se obsoleta devido às mudanças (em conjuntos de qualificações e mentalidades) que são necessárias. Sua lista de aumentadores de desempenho inclui reunir pessoas com "poder de conhecimento" e com "poder organizacional", um debate vigoroso e franco sem qualquer desavença pela exposição de opiniões contrárias, observação cuidadosa de mudanças no comportamento de outros participantes vitais e o uso de melhores estruturas analíticas (p. ex., a rede de valor em vez da estrutura das "cinco forças" no caso da Intel). Finalmente, Grove afirma que uma vez que uma organização conclui que atingiu um ponto de inflexão estratégica, seu líder precisa calcular o que ela irá e não irá fazer (muitos chamam isso de "visão", embora Grove rejeite o termo por considerá-lo demasiado grandioso) e, então, liderá-la através do "vale da morte" para escalar o novo pico assim indicado.

Consideramos a exposição de Grove uma descrição adequadamente clara e concisa de ação gerencial para encerrar este capítulo. Grande parte dessa ação — não apenas a estratégia — envolve tentativas de escalar determinados picos pela ligação de atividades, pelo desenvolvimento de competências e por comprometimentos. Entretanto, quase todas as organizações mais antigas precisam reavaliar periodicamente os picos que estão escalando. Em conseqüência disso, os administradores precisam saber quando manter ou alterar sua estratégia. Tomar essa decisão é, em certo sentido, o desafio meta-estratégico.

RESUMO

Este capítulo reviu teorias estratégicas a respeito das fontes de criação de valor sustentado à luz dos testes desenvolvidos em capítulos anteriores deste livro. Ele concluiu que as visões de sistema de atividades e baseada em recursos da empresa são complementares, mas precisam ser ampliados dinamicamente para responder pelas maneiras pelas quais os administradores podem moldar a evolução das dotações de recursos de suas empresas ao longo do tempo. Fazer comprometimentos e desenvolver competências oferecem maneiras para satisfazer essa necessidade de dinamização.

Entretanto, este capítulo também enfatizou que fazer comprometimentos ou desenvolver competências não é uma panacéia estratégica, como não o são a formação de sistemas de atividades rigidamente acopladas ou a concentração em recursos vitais. A razão está relacionada à tensão permanente entre o caráter irreversível das opções e mudanças das empresas nos cenários em que elas operam. Em conseqüência disso, as opções relativas a atividades, recursos, comprometimentos e competências devem ser examinadas em profundidade, com um olho nos testes de valor econômico desenvolvidos neste livro.

Finalmente, a discussão deste capítulo deve ter ilustrado maneiras de avaliar a grande e crescente bibliografia a respeito de estratégia. Idéias sobre estratégia continuam a aparecer (e desaparecer) a taxas rápidas, provavelmente crescentes. A lógica baseada em valor desenvolvida neste livro fornece uma base para distinguir novas idéias e provavelmente valiosas daquelas que não o são. Achamos que esta é a melhor contribuição possível de um livro como este.

TERMOS-CHAVE

competências
complementaridades
comprometimentos
eficiência dinâmica
eficiência estática
equilíbrio interrompido
fatores fixos
irreversibilidade
mobilidade

mudança
pontos de inflexão estratégica
recursos específicos da empresa
relações aprender-queimar
rotinas
sistemas de atividades modulares
valor de opção
visão baseada em recursos
visão de sistema de atividades

NOTAS

1. Ver, por exemplo, James L. Heskett, W. Earl Sasser, Jr. e Leonard A. Schlesinger, *The Service Profit Chain: How Leading Companies Link Profit and Growth to Loyalty, Satisfaction and Value* (Nova York: Free Press, 1997), e Jody H. Gittell, "Coordinating Services Across Functional Boundaries: The Departure Process at Southwest Airlines", Harvard Business School Working Paper Nº 98-050. Outras fontes serão citadas oportunamente.

2. Harvard University. *Official Register, Graduate School of Business Administration* (março de 1917), p. 42-43. Estamos em dívida para com Jan Rivkin por esta citação.

3. Ver Kenneth R. Andrews, *The Concept of Corporate Strategy* (Homewood, IL: Richard D. Irwin, 1971) e Michael E. Porter, "What Is Strategy?", *Harvard Business Review*, novembro-dezembro de 1996: 61-78. Para impressionantes e recentes contribuições de pesquisa à visão sistêmica, consulte Jan W. Rivkin, "Consequences of Fit", dissertação de doutoramento não-publicada, Universidade Harvard, 1997, e Nicolaj Siggelkow, "Benefits of Focus, Evolution of Fit, and Agency Issues in the Mutual Fund Industry", dissertação de doutoramento não-publicada, Universidade Harvard, 1998.

4. Porter, op. cit., p. 73.

5. Amar Bhide também destacou o seguinte argumento lógico: é difícil imaginar como uma empresa pode executar com eficiência — isto é, executar atividades semelhantes em grau melhor que suas rivais — sem ao menos fazê-lo de maneiras ligeiramente diferentes.

6. Somente com as complementaridades, o cenário dos negócios teria apenas um pico — isto é, existiria uma única maneira melhor para competir. Esta é a situação estudada por Paul Milgrom e John Roberts, "The Economics of Modern Manufacturing: Technology, Strategy, and Organization", *American Economic Review*, v. 80, 1990: p. 511-528.

7. Ver em particular os ensaios em Jan Rivkin, op. cit.

8. Nicolaj Siggelkow, op. cit., p. 52-53.

9. Ver Ron Sanchez, "Strategic Flexibility in Product Competition", *Strategic Management Journal*, v. 16, 1995, p. 135-159.

10. Carliss Y. Baldwin e Kim B. Clark, *Design Rules* (Boston: Harvard Business School Press, a ser lançado).

11. Para uma revisão ainda valiosa desta literatura, ver Kathleen R. Conner, "A Historical Comparison of Resource-Based Theory and Five Schools of Thought within Industrial Organization Economics: Do We Have a New Theory of the Firm?" *Journal of Management* 1991, 1:121-154.

12. Ver Edith T. Penrose, *The Theory of the Growth of the Firm* (Oxford: Basil Blackwell, 1959) e Birger Wernerfelt, "A Resource-Based View of the Firm", *Strategic Management Journal* 1984; 5:171-180.

13. Wernerfelt, op. cit., p. 172.

14. Ver Kevin Freiberg e Jackie Freiberg, *Nuts!: Southwest Airlines' Crazy Recipe for Business and Personal Success* (Austin: Bard Press, 1996), p. 51.

15. Jody H. Gittell, "Coordinating Service Across Functional Boundaries: The Departure Process at Southwest Airlines", Harvard Business School Working Paper Nº 98-050.

16. O estudo foi conduzido por uma empresa de consultoria em estratégia que preferiu permanecer anônima.

17. Por visão baseada em recursos "pura", pretendemos nos referir ao trabalho que enfatiza a fixidez de recursos vitais específicos da empresa. Um exemplo é Jay B. Barnes, "Firm

Resources and Sustained Competitive Advantage,", *Journal of Management*, março de 1991, p. 99-120. Obras baseadas em recursos que reconhecem a importância da elevação do nível dos recursos vitais chegam muito mais perto, em espírito, da perspectiva mais dinâmica que defendemos na seção seguinte. Ver, por exemplo, David J. Collis e Cynthia A. Montgomery, "Competing on Resources: Strategy in the 1990s", *Harvard Business Review*, julho-agosto de 1995, p. 118-128.

18. Essas políticas são revistas por James L. Heskett, W. Earl Sasser, Jr. e Leonard A. Schlesinger em *The Service Profit Chain* (Nova York: Free Press, 1997). Entretanto, como muitos outros autores focalizados puramente na execução, Heskett *et al.* não reconhece a teoria das barreiras à imitação.

19. W. Carl Kester, "Today's Options for Tomorrow's Growth". *Harvard Business Review*, março-abril de 1984:153-160.

20. Este cálculo usa a mesma metodologia de Kester, op. cit., e uma taxa de desconto de 15%.

21. Nossa ênfase desta distinção diferencia nossa tentativa para dinamizar a visão baseada em recursos de outros esforços para fazê-lo, como a teoria de competências essenciais.

22. Para uma discussão mais prolongada de como fazer comprometimentos que expande muitas das idéias mencionadas nesta seção, ver Pankaj Ghemawat, *Commitment* (Nova York: Free Press, 1991). Para um resumo, ver "Commitment: An Interview with Pankaj Ghemawat", *McKinsey Quarterly*, 1992, nº 3, p. 121-137.

23. Robert Townsend, *Up the Organization* (Nova York: Knopf, 1970), p. 49.

24. O exemplo da Gillette baseia-se, em grande parte, em Benjamin Esty e Pankaj Ghemawat, "Gillette's Launch of Sensor". ICCH Nº 9-792-028. Outras fontes são citadas oportunamente.

25. Gordon McKibben, *Cutting Edge* (Boston: Harvard Business School Press, 1998), p. 58.

26. A grande exceção ocorreu durante a década de 80, quando o lançamento mais importante foi o aperfeiçoamento, em 1985, da lâmina Atra (lançada originalmente em 1977).

27. William Symonds, "Gillette's Edge". *Business Week*, 19 de janeiro de 1998:70.

28. David J. Teece, Gary Pisano e Amy Shuen, "Dynamic Capabilities and Strategic Management". Mimeógrafo, junho de 1992, p. 12-13.

29. David Teece e Gary Pisano, "The Dynamic Capabilities of Firms: An Introduction". *Industrial and Corporate Change* 1994; 3:540-541. A idéia de "rotinas" como unidades de análise foi criada por Richard R. Nelson e Sidney G. Winter. *An Evolutionary Theory of Economic Change* (Cambridge, MA: Harvard University Press, 1982).

30. David J. Teece, Gary Pisano e Amy Shuen, "Dynamic Capabilities and Strategic Management". Mimeógrafo, junho de 1992, p. 2.

31. Vários estudos têm documentado diferenças significativas em produtividade entre empresas do mesmo setor. Para focalizar apenas fabricação e tecnologia, tem havido obras importantes sobre (1) produtividade na fabricação (p. ex., Robert H. Hayes e Kim B. Clark, "Exploring the Sources of Productivity Differences at the Factory Level". Em: Kim B. Clark, Robert H. Hayes e Christopher Lorenz, eds., *The Uneasy Alliance: Managing the Productivity-Technology Dilemma* [Boston: Harvard Business School Press, 1985]; e James Womack, Daniel Jones e D. Roos, *The Machine That Changed the World* [Nova York: Macmilan, 1990]); (2) qualidade dos produtos (David A. Garvin, *Managing Quality*; Nova York: Free Press, 1988); (3) flexibilidade da fabricação (David M. Upton, "Flexibility as Process Mobility: The Management of Plant Capabilities for Quick Response Manufacturing", *Journal of Operations Management* 1995: 205-224); (4) produtividade de P&D (Rebecca M. Henderson e Ian Cockburn, "Scale, Scope, and Spillovers: The Determinants of Research Productivity in Drug Discovery", *RAND Journal of Economics*, primavera de 1996; 27:32-60); e (5) velocidade e eficiência no desenvolvimento de produtos e processos (Kim B. Clark e Takahiro Fujimoto, *Product Development Performance: Strategy, Organization, and Management in the World Auto Industry* [Boston, MA: Harvard Business School Press, 1991]; Gary Pisano, *The Development Factory* [Harvard Business School Press, 1996]; e Marco Iansiti, *Technology Integration* [Harvard Business School Press, 1997]).

32. Mark Maremont, "A Cut Above?" *Wall Street Journal*, 14 de abril de 1998.

33. A maior parte das informações sobre o *USA Today* baseia-se em Scott Garell e Pankaj Ghemawat, "USA Today Decision (A)", ICCH Nº 792-030 e no caso de acompanhamento (B), ICCH Nº 792-031.

34. Dorothy Leonard-Barton, em "Core Capabilities and Core Rigidities: A Paradox in Managing New Product Development", *Strategic Management Journal*, v. 13, 1992, p. 111-125, enfatizou que, com a especificidade do uso, uma competência essencial pode se tornar uma rigidez essencial. David M. Upton, em "Flexibility as Process Mobility: The Management of Plant Capabilities for Quick Response Manufacturing", *Journal of Operations Management*, 1995, p. 205-224, discute o conceito de "mobilidade" no contexto de operações, onde ele se refere à velocidade com a qual uma operação pode passar da produção de um tipo de produto ou serviço para outro. Pankaj Ghemawat e Patricio del Sol, em "Commitment *versus* Flexibility?" *California Management Review*, v. 40, verão de 1998, p. 26-42, discute questões semelhantes em um contexto estratégico e salienta que recursos específicos da empresa não precisam ser específicos no uso.

35. Rebecca Henderson, "Successful Japanese Giants: Investment in Architetural Knowledge as a Strategic Choice", trabalho não-publicado, Massachusetts Institute of Technology, maio de 1992.

36. Ove Granstrand, Pari Patel e Keith Pavitt, "Multi-Technology Corporations: Why They Have 'Distributed' rather than 'Distinctive Core' Competences", *California Management Review*, v. 39, verão de 1997, p. 8-25.

37. Ver Clayton M. Christensen, *The Innovator's Dilemma* (Boston: Harvard Business School Press, 1997) bem como a discussão de ameaças de substituição no Capítulo 4.

38. Ver Pankaj Ghemawat e Joan Ricart i Costa, "The Organizational Tension between Static and Dynamic Efficiency", *Stra-*

tegic Management Journal, v. 14, 1993, p. 59-73, para formalização e análise dos conceitos de eficiência estática e dinâmica.

39.   James L. Heskett, "Establishing Strategic Direction: Aligning Elements of Strategy", ICCH Nº 9-388-033. Embora várias linhas da tabela original de Heskett tenham sido omitidas, em outros aspectos ela não foi modificada.

40.   Para evidências desses padrões de mudança em estratégias, ver Danny Miller e Peter Friesen, *Organizations: A Quantum View* (Englewood Cliffs, NJ: Prentice-Hall, 1984) e Michael L. Tushman e Elaine Romanelli, "Organizational Evolution: A Metamorphosis Model of Convergence and Reorientation", *Research in Organizational Behavior*, v. 7, 1985, p. 171-222. E

para um resumo de algumas evidências relacionadas aos níveis de incerteza em vez de mudanças estratégicas, ver Hugh Courtney, Jane Kirkland e Patrick Viguerie, "Strategy under Uncertainty", *Harvard Business Review*, novembro-dezembro de 1997, p. 67-79.

41.   Michael L. Tushman e Charles A. O'Reilly, "The Ambidextrous Organization: Managing Evolutionary and Revolutionary Change", *California Management Review*, v. 38, verão de 1996, p. 8-30.

42.   Os três pontos que se seguem são citações tiradas das páginas 26-28 de Tushman e O'Reilly, op. cit.

43.   Andrew S. Grove, *Only the Paranoid Survive* (Nova York: Currency Doubleday, 1996), p. 3.

CASOS

CASO 1

Intel Corporation: 1968-1997

Em janeiro de 1997 a Intel, uma empresa típica do Vale do Silício, havia atingido uma cotação de US$ 113 bilhões no mercado de ações, o que a colocava entre as cinco maiores empresas americanas. Grande parte do sucesso da Intel se devia aos microprocessadores, um produto que ela havia inventado em 1971 e um mercado no qual ela continuava a estabelecer o ritmo. A despeito da ilustre história da empresa e do seu invejável sucesso, seu presidente, Andy Grove, preocupava-se com os desafios à frente:

> O sucesso da empresa contém as sementes da sua própria destruição. Quanto maior o seu sucesso, mais as pessoas querem um pedaço do seu negócio, depois mais um, até não restar nada. Acredito que a principal responsabilidade de um executivo é protegê-la constantemente contra os ataques das outras pessoas.[1]

Este caso começa descrevendo as origens da Intel como empresa de semicondutores, antes de voltar-se para sua evolução até a condição de maior fabricante de microprocessadores.

INTEL: OS PRIMEIROS ANOS

A Intel foi fundada em 1968 por Robert Noyce (um dos co-inventores do circuito integrado) e Gordon Moore, os dois ex-executivos na Fairchild Semiconductors. Por sua vez, eles contrataram Andy Grove, que era então diretor assistente de pesquisa na Fairchild. Desde o início, este trio foi a força motriz da Intel. A estratégia inicial da empresa era de desenvolver chips de memória para computadores de grande porte e minicomputadores.

Andy Grove recordou que, depois de receber um Ph.D. em química da Universidade da Califórnia em Berkeley, ele foi entrevistado para empregos na Bell Laboratories e também na Fairchild. Para ele, "a escolha foi muito fácil: na época, a Bell Labs era o lugar para se trabalhar. Assim, escolhi

Este caso foi escrito, a partir de fontes públicas, por Peter Boticelli, Associado de Pesquisa, e pelos Professores David Collis e Gary Pisano, como base para discussão em classe, e não para ilustrar o manejo eficaz ou não de uma situação administrativa.

a Fairchild".[2] O ato audacioso de Grove foi temperado por algumas preocupações quando ele foi para a Intel:

> Quando vim para a Intel, estava muito temeroso. Deixei um emprego seguro, onde eu sabia o que estava fazendo, e comecei a dirigir P&D para um empreendimento totalmente novo em território inexplorado. Era aterrador. Eu tinha pesadelos.[3] Eu deveria ter sido diretor de engenharia, mas éramos tão poucos que me nomearam diretor de operações. Minha primeira atribuição foi conseguir uma caixa postal, para que pudéssemos receber literatura descrevendo o equipamento que não tínhamos dinheiro para comprar.[4]

Na época, como agora, o Vale do Silício era um bom lugar somente para aqueles que estivessem dispostos a assumir riscos e enfrentar problemas difíceis. De acordo com Noyce,

> Eu costumava caracterizar nossa empresa . . . como trabalhando à beira do desastre. Estamos sempre tentando fazer as coisas que mais ninguém poderia fazer do ponto de vista técnico. E nossa indústria é única porque é muito, muito complexa em termos da tecnologia que nela entra. É muito fácil cometer um erro. Estamos trabalhando onde uma partícula de poeira arruina tudo.[5]

A Intel no Negócio de DRAM

Os dois primeiros produtos da Intel foram lançados em 1969: a 3101 (uma memória estática de acesso randômico [SRAM] bipolar de 64 bit) e o 1101 (um semicondutor de óxido metálico [MOS] de 256 bit).[6] Apesar de serem tecnicamente avançados, nenhum dos dois produtos foi um sucesso comercial. Então, em 1971 a Intel lançou o 1103, um chip DRAM (memória dinâmica de acesso randômico) de 1 kilobit.[7] Em 1972, o 1103 era o produto semicondutor mais vendido no mundo, respondendo por mais de 90% das receitas de vendas da empresa.

Desde o início, a estratégia da Intel foi de liderar em projeto de produtos e ser a primeira a entrar no mercado com os mais novos dispositivos. Esta estratégia obviamente exigia alta competência no projeto de produtos. Como os processos de fabricação de semicondutores eram enormemente complexos e influenciavam as características dos produtos, a Intel precisava se manter na vanguarda também em tecnologia de processos. Com cada geração de tecnologia de produtos, a empresa era forçada a investir pesadamente em novos equipamentos de fabricação capazes de produzir dispositivos cada vez mais complexos (ver Quadro 1.1 p. 141). Além disso, o rendimento da produção — um fator chave dos custos de fabricação de semicondutores — cairia drasticamente com a introdução de novos processos. A produtividade subiria somente à medida que a fábrica ganhasse experiência com o novo processo, identificasse e resolvesse os pontos problemáticos e explorasse as oportunidades para a otimização e o aperfeiçoamento do processo. Os preços de DRAM para qualquer geração cairiam drasticamente uma vez alcançada a capacidade competitiva (ver Quadros 1.2 e 1.3, p. 142 e 143 respectivamente).

Até por volta de 1979, a estratégia da Intel parecia funcionar bem. Com quatro gerações de DRAMs (1K, 2K, 4K e 16K), a Intel foi bem-sucedida no lançamento de dispositivos e tecnologias de processos que estavam à frente da concorrência e permitiam a prática de preços altos. Mas esta estratégia de liderança mediante o desenvolvimento de produtos foi colocada em teste à medida que os ciclos de vida de produtos para os DRAMs começaram a encolher e os concorrentes japoneses começaram a introduzir novos produtos mais rapidamente. Por exemplo, em 1979, a Intel introduziu um DRAM de 16K que incorporava um suprimento único de energia, uma característica que possibilitava à empresa cobrar aproximadamente o dobro do preço das concorrentes. A Fujitsu

QUADRO 1.1
Custo de Capital para Instalação de Fábrica de Semicondutores

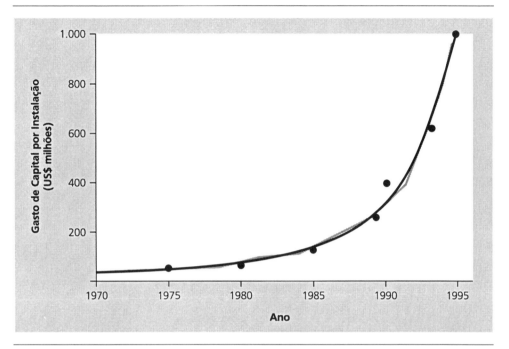

Fonte: Jonathan West, "Institutional Diversity and Modes of Organization for Advanced Technology Development: Evidence from the Semicondutor Industry". Tese de Doutoramento em Administração, Harvard Business School (1996).

respondeu a este produto lançando um DRAM de 64K com desenho convencional. Embora o dispositivo da Fujitsu não apresentasse a característica de suprimento único de energia, tinha capacidade de memória superior e, assim, conquistou uma parcela significativa do mercado de DRAM. Esta parcela maior da Fujitsu traduziu-se em volumes de produção maiores, os quais deram à empresa uma vantagem no custo de fabricação. Este cenário repetiu-se em 1982, quando a Intel introduziu uma versão melhorada do DRAM de 64K, para logo depois perder participação de mercado para a Fujitsu e a Hitachi, as quais lançaram produtos de 256K. Os fabricantes japoneses também conseguiram chegar ao mercado mais de um ano e meio à frente dos americanos com DRAMs de 1 megabit.

Um elemento chave da estratégia japonesa em DRAMs foi investir pesadamente em fabricação. Entre 1980 e 1984, as empresas japonesas investiram 40% de suas receitas de vendas em novas fábricas e em equipamentos, contra 22% para as empresas americanas.[8] Os fabricantes japoneses de semicondutores também tinham uma importante vantagem tecnológica em fotolitografia (o processo pelo qual os circuitos são gravados em placas de silício). Os produtores japoneses, inclusive Fujitsu, Hitachi e NEC, trabalhavam em íntimo contato com seus fornecedores, como a Nikon, para projetar equipamentos superiores ainda não-disponíveis nos Estados Unidos.[9] No início dos anos 80, os rendimentos da produção japonesa para semicondutores estavam entre 70 e 80% *versus* 50 a 60% para as empresas americanas.[10] Mais importante, os concorrentes japoneses eram muito mais rápidos no desenvolvimento de tecnologias de processos e na elevação da capacidade de produção (e dos rendimentos) que os americanos. A Intel constatou que, em meados dos anos 80, seus lança-

QUADRO 1.2
Tendências de Preços de DRAMs

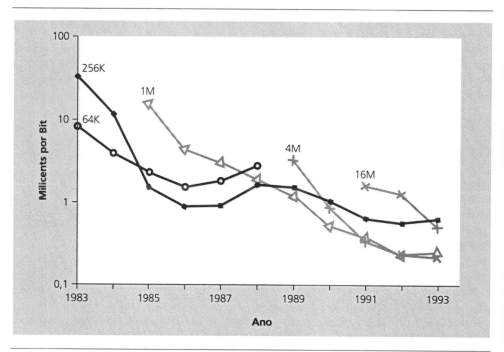

Fonte: Jonathan West, "Institutional Diversity and Modes of Organization for Advanced Technology Development: Evidence from the Semiconductor Industry". Tese de Doutoramento em Administração, Harvard Business School (1996).

mentos de novos produtos estavam sendo adiados em cerca de dois anos devido a problemas no desenvolvimento de processos de produção.[11] No início dos anos 90, as empresas japonesas de semicondutores haviam conquistado quase a metade do mercado mundial de DRAMs (ver Quadro 1.4, p. 143, para dados adicionais sobre participação de mercado).

A Intel e o Microprocessador

Em 1970, uma empresa japonesa chamada Busicom contratou a Intel para a produção de um conjunto de chips para uma calculadora eletrônica. Ted Hoff, cientista da Intel, criou um desenho inovador que representou a primeira "unidade central de processamento" de semicondutores, ou CPU. O mercado para esse produto, o 4004, não se tornou imediatamente evidente, mas a Intel decidiu adquirir os direitos do 4004 não-relativos a cálculo da Busicom. Três anos depois, a Intel introduziu um microprocessador de 8 bit denominado 8080. Os primeiros microprocessadores foram saudados como um grande avanço tecnológico, mas aparentemente os executivos da Intel não previram seu verdadeiro potencial comercial como "cérebros" para microcomputadores. De acordo com Gordon Moore,

Em meados dos anos 70, alguém veio a mim com uma idéia para algo que era basicamente o PC. A idéia era que poderíamos equipar um processador 8080 com um teclado e um monitor e vendê-lo no mercado

QUADRO 1.3
Tendências de Volumes em DRAMs

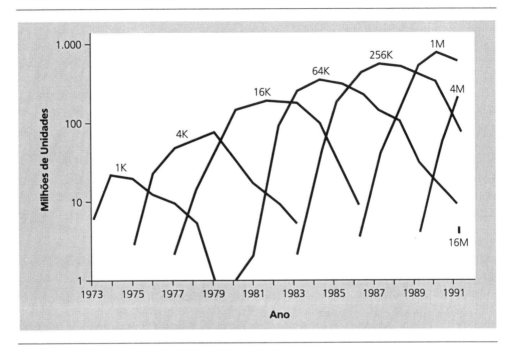

Fonte: Jonathan West, "Institutional Diversity and Modes of Organization for Advanced Technology Development: Evidence from the Semiconductor Industry". Tese de Doutoramento em Administração, Harvard Business School (1996).

QUADRO 1.4
Dez Maiores Fabricantes de DRAMs e SRAMs, 1984

Empresa	Participação de Mercado (%)
1. Hitachi	15,1
2. NEC	13,0
3. TI	10,8
4. Fujitsu	7,8
5. Toshiba	7,1
6. Mostek	7,1
7. Motorola	6,1
8. Mitsubishi	4,0
9. Intel	3,4
10. National	1,1

Fonte: George W. Cogan, "Intel Corporation (A): The DRAM Decision", Graduate School of Business, Stanford University, Case BP-256A, p. 26. Os números são da Dataquest e de relatórios anuais.

doméstico. Perguntei: "Para que serve isso?" E a única resposta foi que uma dona de casa poderia guardar nele suas receitas. Pessoalmente, nada vi de útil naquilo e assim nunca mais pensamos no caso.[12]

Embora inicialmente Moore não tenha reconhecido o vasto potencial do microprocessador, outros o fizeram. Em 1977, Steve Jobs e Steve Wozniak fundaram a Apple Computer para produzir os primeiros computadores de mesa usando um microprocessador (não da Intel) como unidade central de processamento. No mesmo ano, a Radio Shack e a Commodore também entraram no mercado de computadores de mesa. Em 1980, estimava-se que essas três empresas controlavam dois terços do mercado total, lideradas pela Apple com uma participação de 27%.[13]

A Batalha para Estabelecer um Padrão para Computadores Pessoais

Como nenhuma das empresas fabricantes de computadores de mesa era capaz de produzir microprocessadores, deixou-se que Intel e Motorola competissem por esse mercado emergente. Cada uma delas lançou microprocessadores de segunda geração, de 16 bit: o Intel 8086, lançado em 1978, e o Motorola 68000, lançado um ano depois. Apesar da vantagem de ser o primeiro no mercado, inicialmente o 8086 vendeu pouco. A Apple Computer escolheu o chip da Motorola como seu padrão. Anos depois, Andy Grove lamentava o fato: "Estávamos a apenas três quilômetros de distância da Apple e não a levamos a sério. Isso nos prejudicou muito".[14]

Quando a IBM decidiu entrar no mercado de microcomputadores com seu PC no início de 1980, sua estratégia visava a conquista de uma grande parcela de mercado o mais rapidamente possível, de forma a estabelecer um padrão e criar economias de escala naquele que ainda era um mercado relativamente fragmentado. A IBM decidiu que a maneira mais rápida para fazer crescer o negócio de PCs era adotar uma arquitetura aberta, pela qual os PCs da empresa usariam *software* e componentes (inclusive microprocessadores) que qualquer empresa pudesse comprar de outros fornecedores.

Esta decisão levou a uma batalha feroz entre Intel e Motorola, com ambas as empresas sabendo que provavelmente nenhum dos outros fabricantes de microcomputadores teria poder de mercado para desafiar o padrão da IBM. Assim, em 1980, a Intel iniciou o "projeto CRUSH", um esforço de vendas que pretendia garantir 2.000 contratos naquele ano, inclusive o da IBM. A campanha foi um sucesso, registrando 2.500 contratos, inclusive um para fornecimento à IBM do microprocessador 8088, uma versão de 8 bit do 8086. O 8088 teve participação no grande sucesso da divisão de PCs da IBM, que tornou uma operação incluída na lista de 500 da revista *Fortune* em 1983. Em 1985, o PC gerou US$ 5,5 bilhões em receitas para a IBM, um aumento de US$ 5 bilhões em quatro anos.[15]

Apesar dessa vitória monumental, a Intel continuou com seu *marketing* agressivo contra a Motorola. Na verdade, o padrão 68000 da Motorola conseguiu dominar o mercado de estações de trabalho até o final dos anos 80, servindo também como arquitetura para o computador Macintosh da Apple. Assim, quando a Intel introduziu sua geração seguinte de microprocessadores, o 80286, em 1983, também lançou o "projeto CHECKMATE", outro grande esforço para conseguir contratos para seu produto. Dennis Carter, um gerente envolvido no *marketing* do 80286, observou que "quando lançamos o CHECKMATE, alguns segmentos de mercado estavam a favor da Motorola na proporção de três a quatro para um. Quando terminamos, a situação havia se invertido".[16]

Abandono dos DRAMs

Em 1984, os cientistas da Intel projetaram um DRAM de 1 megabit. Como na época o padrão da indústria era um DRAM de 256 kilobit, o novo chip da Intel tinha potencial para superar o restante do setor. A pergunta era se a empresa estava disposta a arriscar as centenas de milhões de dólares necessárias à produção do DRAM de 1M em grande escala. Além disso, a produção de um dispositivo tão complexo iria exigir, mais uma vez, avanços significativos em tecnologia de processos, uma área na qual os concorrentes japoneses pareciam ter uma grande vantagem. O DRAM de 1M somente teria sucesso se a Intel atingisse o mercado e conseguisse rendimentos de fabricação comercialmente viáveis antes que os concorrentes japoneses introduzissem seus próprios DRAMs de 1M. Em 1984, a Intel tomou a difícil decisão de interromper o desenvolvimento do seu DRAM de 1M.

Ao longo dos dois anos seguintes, a Intel continuou a investir em P&D para DRAMs. A empresa sempre havia considerado os DRAMs como seu principal "direcionador de tecnologia", significando que eles constituíam a área de produtos em que novas técnicas de processos eram aplicadas em primeiro lugar. A eficácia dos DRAMs como direcionadores de tecnologia foi salientada pelo fato de o mercado exigir altos volumes a preços baixos, o que possibilitava aos produtores desenvolver economias de escala que não teriam sido possíveis com outros dispositivos (como microprocessadores) naquela época. Em 1985, os DRAMs ainda representavam um terço dos gastos da Intel com pesquisa e desenvolvimento,[17] embora gerassem somente 5% das suas receitas.[18] A Intel também havia se tornado uma participante relativamente pequena no mercado de DRAMs (ver Quadro 1.5).

Embora a alta administração permanecesse comprometida com o negócio de DRAMs até 1986, os gerentes de nível médio da Intel haviam começado a afastar os recursos de produção dos DRAMs muito antes disso passar a ser estratégia oficial da empresa. Como explicou Andy Grove, "em mea-

QUADRO 1.5
O Mercado de DRAMs: Volumes Mundiais e a Parcela da Intel, 1974-1984

	Volume de DRAMs (em milhares de unidades)	Parcela de Mercado da Intel (%)
1974	615	82,9
1975	5.290	45,6
1976	28.060	19,0
1977	59.423	20,0
1978	97.976	12,7
1979	140.064	5,8
1980	215.676	2,9
1981	247.144	4,1
1982	394.900	3,5
1983	672.050	3,6
1984	1.052.120	1,3

Fonte: Robert A. Burgelman, "Fading Memories: A Process Theory of Strategic Business Exit in Dynamic Markets", *Administrative Science Quarterly* 39 (1994), p. 37. Os números são da Dataquest.

dos de 1984, alguns gerentes de nível médio haviam tomado a decisão de adotar uma nova tecnologia de processos que favorecia avanços em microprocessadores em vez de memórias, limitando, assim, o espaço de decisões dentro do qual a alta administração podia operar".[19]

Grove enfatizou a maneira pela qual o abandono dos DRAMs pela empresa foi precipitado não pela alta administração, mas pelas ações no dia a dia de gerentes de nível médio. Em suas palavras,

> Com o passar do tempo, cada vez mais os nossos recursos de produção foram dirigidos para o negócio emergente de microprocessadores, não em conseqüência de qualquer direção estratégica específica da alta administração, mas de decisões diárias de gerentes de nível médio: os planejadores da produção e o pessoal de finanças que realizavam infindáveis reuniões de alocação da produção. Pouco a pouco, eles alocavam uma parcela cada vez maior da nossa capacidade de produção àquelas linhas que eram mais lucrativas, como os microprocessadores, retirando capacidade das memórias que davam prejuízo. Fazendo simplesmente seu trabalho diário, esses gerentes de nível médio estavam ajustando a postura estratégica da Intel. Quando tomamos a decisão de abandonar o negócio de memórias, somente uma das oito fábricas ainda as produzia. Enquanto a gerência era impedida de reagir com base em crenças geradas por nossos sucessos anteriores, os planejadores de produção e analistas financeiros lidavam com alocações e números em um mundo objetivo. Para nós, a alta administração, foi necessária a visão de prejuízos inexoráveis para que conseguíssemos reunir a iniciativa necessária à execução de um desvio drástico em relação ao nosso passado.[20]

A independência demonstrada pelos gerentes de nível médio era consistente com a cultura empreendedora da Intel, que a empresa se esforçou para manter apesar do seu rápido crescimento. Em 1980, Bob Noyce havia explicado que "o planejamento estratégico está embutido na organização. Ele é uma das principais funções dos gerentes de linha. Eles aceitam o programa; eles o executam. Eles estão determinando seu próprio futuro; assim, penso que a motivação para trabalhar bem é elevada".[21] Em 1986, a alta administração da empresa aprovou oficialmente as decisões dos gerentes de nível médio de deixar o negócio de DRAMs e concentrar os recursos em microprocessadores.

A INTEL COMO EMPRESA DE MICROPROCESSADORES

A Estratégia de Fabricação do 80386

Como primeiro computador verdadeiramente de massa, o PC oferecia muitos desafios aos seus produtores. Logo no início, a IBM sabia que muitos anos se passariam antes que ela pudesse gerar economias de escala suficientes em todos os componentes; assim, ela optou por comprar muitos deles de fornecedores externos. Apesar disso, foi preciso um enorme empenho organizacional ao longo de vários anos para criar uma rede de montagem e distribuição para o PC. Por seu lado, a Intel sabia que não tinha capacidade para fabricar microprocessadores na escala projetada para o PC. De fato, para satisfazer a demanda pelo 8086, ela precisou licenciar 12 outras empresas para produzir os chips, ficando com apenas 30% das receitas e dos lucros para o produto. A Intel saiu-se melhor com a segunda geração, o 80286, licenciando somente quatro fontes externas e retendo 75% das receitas e dos lucros. Para a terceira geração, o 80386, só a IBM recebeu licença para produzir os chips, os quais eram usados exclusivamente em seus próprios computadores.[22] Assim, para todos os fabricantes de PC exceto a IBM, a Intel era a única fonte para o 386.

A decisão de não licenciar a produção do 386 provocou uma grande transformação na organização da Intel. Menos de dois anos após seu lançamento, estimava-se que haviam sido entregues 800.000 unidades. Em contraste, do 8086, haviam sido entregues 50.000 unidades nos dois primeiros anos.[23] Como lembra Grove,

> Tínhamos de nos empenhar para suprir todas as necessidades da indústria. Isso nos motivou a maximizar nosso desempenho em fabricação. Desenvolvemos fontes internas múltiplas, de forma que várias fábricas e vários processos estivessem fazendo os chips ao mesmo tempo. Fizemos grandes investimentos para elevar a produção, e não nos resguardamos.[24]

Um impacto a longo prazo da decisão sobre o 386 para a Intel foi que ela tornou-se mais dependente do preço extra que podia cobrar por uma nova geração de microprocessadores. Estimava-se que o 386 havia custado à Intel US$ 200 milhões para ser desenvolvido (sem incluir gastos de capital para a capacidade de fabricação — uma cifra que podia chegar perto de US$ 800 milhões).[25] Nas palavras de Grove, "determinadas pelas condições difíceis dos negócios, decidimos exigir uma compensação tangível por nossa tecnologia. Nossos concorrentes relutavam em pagar pela tecnologia que anteriormente costumávamos dar praticamente de graça".[26]

Na mesma ocasião em que a Intel estava decidindo se licenciaria ou não a produção do 386 a terceiros, a IBM tomou uma decisão que iria ter um impacto ainda maior sobre a indústria do PC. Depois de passar meia década observando fabricantes externos de componentes conquistar em uma parcela significativa de valor dos PCs, a IBM decidiu não vender nenhum computador baseado no 386 até que pudesse desenvolver uma nova arquitetura que usasse uma parcela maior de componentes dos quais fosse a produtora exclusiva. Para a Intel, é claro, essa decisão significava que seu maior cliente não se comprometeria em comprar seu produto mais novo.

Entretanto, felizmente para a Intel, uma jovem empresa chamada Compaq apressou-se a preencher a lacuna. A Compaq havia sido fundada em 1983 para comercializar PCs portáteis e quase não tinha experiência na venda de sistemas de mesa, mas em meados de 1986 ela entrou no mercado com o Deskpro 386. Era uma aposta alta para uma pequena empresa que aparentemente nada tinha a perder e tudo a ganhar. Inicialmente, a Compaq não podia nem mesmo ter certeza de que os compradores de PC iriam querer o 386 em vez do 286, mais barato, que ainda era vendido pela IBM e por muitas outras. Michael Swavely, vice-presidente de *marketing* da Compaq, avaliou que "até 1989, a arquitetura 386 certamente irá se tornar a principal entre os PCs".[27] Em retrospecto, a predição de Swavely foi muito modesta. O Deskpro 386 foi um sucesso imediato entre os consumidores. Em 1989, o 80486, a *quarta* geração, já estava gerando grandes pedidos dos compradores de PC.

Outro obstáculo em potencial para o 386 era o *software*. O 386 era um processador de 32 bit que oferecia vários avanços tecnológicos importantes, inclusive memória virtual e tarefas múltiplas, mas essas características não eram apoiadas pelas versões existentes de MS-DOS (Microsoft Disk Operating System). De fato, por ocasião do lançamento do 386, a Microsoft ainda estava trabalhando no DOS 4.0, que pretendia otimizar a capacidade do 286. A Microsoft afirmou que iria liberar o DOS 5.0 para o 386, mas esse projeto estava longe de ser concluído em 1985.

O atraso em se ter um sistema operacional para o 386 era outro sério risco para a Intel. Dave Vineer, líder da equipe que projetou o 386SL, disse em 1991 que "lançamos o 386 em outubro de 1985 e, em novembro, estávamos muito frustrados pelo fato de não terem surgido aplicações importantes de 32 bit nem a Microsoft criado um DOS de 32 bit". Mas Vineer entendia que "é claro que é preciso haver uma massa crítica de *hardware* instalado e um mercado claro . . . para o *software* de 32 bit para que este seja produzido". Depois, ele reconheceu que o mercado para um *software* de 32 bit somente havia começado a se desenvolver de forma significativa a partir do lançamento do 486 em 1989.[28]

A Indústria de Computadores Transformada

A notável ascensão da Compaq, da Intel e da Microsoft no final dos anos 80 foi exatamente oposta ao resultado esperado pela IBM com a redefinição do padrão do PC (ver Quadro 1.6). A longo prazo, o 386 representou um sério abalo no domínio que a IBM tinha sobre o mercado de computadores de mesa. A avaliação posterior de Grove sobre a estratégia da IBM foi dura. Em 1993, Andy Grove afirmou que

> O ano de 1986 foi aquele em que a IBM começou a perder. Por motivos deles mesmos, eles estavam relutantes em se envolver com nosso microprocessador 386. Foi quando a Compaq entrou em cena. Então, em 1990, a Microsoft rompeu com a IBM e lançou o Windows 3.0.

Por seu lado, William Gates (fundador da Microsoft) concordou:

> A decisão da Compaq de lançar um sistema 386 antes da IBM é a grande transição. Nossas duas empresas realmente encorajaram a Compaq a ser não apenas a líder em portáteis, que ela era àquela altura, mas também líder em desempenho. Afinal, havia um vácuo na liderança do mercado de PC e nossas duas organizações reconheceram a necessidade e a oportunidade de entrar e preenchê-lo. Mas uma coisa vital que se deve saber a respeito da cronologia do nosso relacionamento é que tem sido gasto mais tempo na colaboração Intel/Microsoft nos dois últimos anos do que em todas as décadas anteriores.[29]

A ascensão do 386 marcou uma interdependência crescente entre as empresas do setor de computadores (ver Quadros 1.7 e 1.8 p. 149). Grove afirmou que, nos anos 80, o setor de computadores foi transformado de "vertical", baseado no uso exclusivo de tecnologias exclusivas, em "horizontal", com padrões abertos. Em suas palavras, "uma empresa de computadores verticalizada tinha que produzir plataformas, sistemas operacionais e *software*. Uma empresa horizontalizada fornece apenas um produto. Em virtude da especialização funcional, as indústrias horizontais tendem a ter custos menores que suas equivalentes verticais".[30]

QUADRO 1.6
Os Cinco Maiores Fabricantes de PC, por Receita (U$ milhões)

1991		1992		1993		1994		1995	
1. IBM	8,5	1. IBM	7,7	1. IBM	9,7	1. Compaq	9,0	1. IBM	12,9
2. Apple	4,9	2. Apple	5,4	2. Compaq	7,2	2. IBM	8,8	2. Compaq	9,1
3. NEC	4,1	3. Compaq	4,1	3. Apple	5,9	3. Apple	7,2	3. Apple	8,5
4. Compaq	3,3	4. NEC	4,0	4. Dell	2,6	4. Dell	2,9	4. Fujitsu	6,4
5. Fujitsu	2,3	5. Fujitsu	2,6	5. AST	2,0	5. Gateway	2,7	5. Toshiba	5,7

Fonte: Datamation, 15 de junho, 1992-1996.

QUADRO 1.7
A Antiga Indústria Vertical de Computadores — Cerca de 1980

	IBM	DEC	Sperry Univac	Wang
Chips				
Computadores				
Sistemas Operacionais				
Software de Aplicação				
Vendas e Distribuição				

Fonte: Andrew S. Grove, *Only the Paranoid Survive* (Nova York: Currency/Doubleday, 1996), p. 40.

QUADRO 1.8
A Nova Indústria Horizontal de Computadores — Cerca de 1995 (não em escala)

Chips	Arquitetura Intel			Motorola	RISCs
Computadores	Compaq	Dell	Packard Bell	Hewlett-Packard	IBM Etc.
Sistema Operacional	DOS e Windows		OS/2	Macintosh	UNIX
Software de Aplicação	Word			WordPerfect	Etc.
Vendas e Distribuição	Varejo		Superlojas	Revendedores	Pelo Correio

Fonte: Andrew S. Grove, *Only the Paranoid Survive*, p. 42.

SUSTENTANDO O DOMÍNIO NA INDÚSTRIA DE MICROPROCESSADORES

A decisão de não licenciar o 386 a nenhum outro fabricante além da IBM posicionou a Intel como maior participante em seu "nicho" horizontal dentro da indústria de computadores. Mas para sustentar essa liderança, ela enfrentou desafios de numerosos participantes. Esta seção descreve como a Intel gerenciou seus relacionamentos com três classes de participantes: concorrentes, compradores e fornecedores.

Concorrentes

A Ameaça da RISC Em 1989, quando a Intel lançou seu microprocessador de quarta geração, o 80486, ela enfrentava uma ameaça competitiva em potencial de uma arquitetura alternativa de microprocessador, a RISC (*Reduced Instruction Set Computing*). A RISC era vista, de modo geral, como tendo vantagens de custo e velocidade sobre a arquitetura CISC (*Complex Instruction Set Computing*) da linha X86 da Intel. Os processadores RISC haviam dominado o mercado de estações de trabalho, que utilizavam o sistema operacional UNIX. A ameaça era que, à medida que a relação preço/desempenho dos processadores RISC melhorasse, eles poderiam invadir o domínio dos PCs em escritórios. Analistas previam que as máquinas RISC poderiam conquistar até 40% do mercado de escritórios dentro de cinco anos.[31] T.J. Rodgers, presidente da Cypress Semiconductor (fabricante do chip SPARC da Sun), afirmou: "Não dá para saber se realmente um lance de *marketing* irá ganhar ou perder esta guerra".[32]

Entretanto, para a Motorola não havia dúvida. "Estamos numa grande guerra, com apostas gigantescas. Estamos falando a respeito da próxima geração de computadores e de quem irá ou não ganhar", disse Murray Goldman, gerente geral do grupo de microprocessadores da Motorola.[33] Para dar um impulso ao seu processador 88000 RISC, a Motorola veiculou 13 anúncios de página inteira no *Wall Street Journal*. James Norling, vice-presidente executivo e chefe do Setor de Produtos Semicondutores da Motorola, comentou que os anúncios pretendiam criar "a sensação de que estamos comprometidos. Você não anuncia alguma coisa em página inteira do *Wall Street Journal* e depois a joga fora".[34]

Para a Motorola, RISC *versus* CISC era um assunto sério, porque seus chips CISC da série 68000 haviam sido deslocados, em grande parte, do mercado de estações de trabalho por microprocessadores RISC como o SPARC da Sun e o Mips da Silicon Graphics. Para a Intel, a ameaça imediata era menos séria, porque os chips RISC ainda não eram considerados uma ameaça ao seu mercado de computadores de mesa. A pergunta era se a Intel deveria forçar a i860 (uma arquitetura RISC) como possível substituta para sua linha X86 (uma arquitetura CISC).

Para a Intel, o fato de ter uma arquitetura RISC era acidental. A empresa nunca havia mudado sua política oficial de desenvolver somente produtos plenamente compatíveis com a base de *software* X86. Assim, como explicou Grove,

> Para enganar a tela de radar que protegia nosso dogma de compatibilidade, os engenheiros e gerentes técnicos que acreditavam que a RISC seria uma abordagem melhor, camuflaram seus esforços e defendiam seu chip como um dispositivo auxiliar que iria trabalhar com o 486. É claro que o tempo todo eles estavam esperando que a força da sua tecnologia iria impelir seu chip até um papel mais central. Tínhamos, então, dois chips muito poderosos, que estávamos lançando mais ou menos ao mesmo tempo: o 486, em grande parte baseado em tecnologia CISC e compatível com todo o *software* IBM, e o i860, baseado em tecnologia RISC, muito rápido, mas que não era compatível com nada. Não sabíamos o que fazer. Então lançamos ambos, pensando em deixar que o mercado decidisse.[35]

Inicialmente, a Intel fez esforços consideráveis para vender o i860. De fato, Forest Baskett, vice-presidente de P&D da Silicon Graphics, disse que a Intel estava forçando sua "conexão IBM", sugerindo que esta empresa iria adotar o i860 como seu padrão. Nas palavras de Baskett, "eles estão tentando fazer com que as pessoas acreditem que o i860 na IBM irá suplantar ou igualar o 386 e o 486".[36]

Os dirigentes da Compaq estavam aparentemente preocupados com a possibilidade de o i860 ser desenvolvido como um novo padrão exclusivo para a computação de mesa, fato que poderia derrubar sua posição de maior distribuidora de PC. Para reforçar o padrão X86, ela investiu numa nova empresa chamada NexGen, a qual tinha capacidade para projetar microprocessadores que pudessem substituir o X86 da Intel. Diziam que a participação da Compaq era de 10%.[37]

Na verdade, a Compaq pressionou a Intel diretamente para que esta se comprometesse novamente com o padrão X86. Como revelou Grove mais tarde, "por um lado, o CEO da Compaq . . . inclinou-se para nós — em particular para mim — e nos encorajou a colocar todos os nossos esforços no aperfeiçoamento do desempenho de nossa linha CISC de microprocessadores".[38]

A decisão entre CISC e RISC tornou-se mais complicada pelo fato de "o gerente de tecnologia da Microsoft . . . estar nos encorajando a prosseguir no sentido de um '860 PC' ". Para a Intel, a questão só foi resolvida depois que Grove foi a Chicago para o lançamento do 486 em 1989. Em suas palavras,

> Lembro-me de estar, no lançamento do produto em Chicago, reunido com um virtual "Quem é Quem" do mundo da fabricação de computadores, os quais haviam comparecido para anunciar que estavam prontos para produzir computadores baseados no 486, e pensando "RISC ou não, como poderemos deixar de envidar todos os nossos esforços em apoio a este impulso?" Depois daquele evento, os debates terminaram e refocalizamos nossos esforços no 486 e seus sucessores.[39]

O "impulso" ao qual Grove se referiu provinha da falta de disposição dos usuários para mudar para uma nova arquitetura que não oferecia plena compatibilidade de *software* com sua antiga arquitetura (ver Quadro 1.9). Vin Dham, vice-presidente e gerente geral do grupo Intel e responsável pelo desenvolvimento do Pentium (a geração seguinte à do 486), disse que a meta da Intel era

> . . . minimizar a diferença de desempenho entre nossa arquitetura e a RISC. Se chegarmos perto, nossos clientes não irão mudar. Não valerá a pena. A mudança requer muito esforço . . . (no início dos anos 90) efetuamos extensas pesquisas e perguntamos aos nossos clientes: "O que faria vocês mudarem?" Eles disseram que seria necessária uma diferença equivalente a mais que o dobro do desempenho.[40]

A ameaça da RISC provocou uma intensificação do trabalho de P&D da Intel para novas gerações do X86. Ela decidiu desenvolver duas gerações da sua linha X86 ao mesmo tempo (o Pentium

QUADRO 1.9
Embarques Mundiais de Unidades de PCs por Tipo de Processador (em milhares)

	8088/86	286	386	486	Total PC	680X0	RISC
1981	72				72	5	
1982	324				324	18	
1983	1.135				1.135	66	
1984	2.894	61			2.995	665	
1985	3.626	610			4.236	626	
1986	4.289	1.875	42		6.206	919	1
1987	5.139	4.387	449		9.975	1.564	5
1988	5.633	6.652	1.445		13.729	2.048	21
1989	4.221	8.284	3.391	5	15.901	2.443	80
1990	2.633	7.968	7.691	162	18.455	2.883	195
1991	1.174	5.318	12.442	1.162	20.096	3.363	323
1992	526	2.847	13.865	4.523	21.760	3.865	448

Nota: O total de PCs inclui todos os microprocessadores Intel e com eles compatíveis.
Fonte: Dan Steere, "Intel Corporation (D): Microprocessors at the Crossroads", Graduate School of Business, Stanford University, Case BP-256D, Quadro 8, p. 27. Os números são da International Data Corporation.

e o Pentium Pro) e empenhar-se numa maciça expansão em capacidade de fabricação para esses produtos.

A Ameaça dos Clones   Historicamente as empresas de semicondutores não haviam sido muito vigilantes com relação ao respeito aos direitos de propriedade intelectual através de ações legais de infração de patentes. A razão para isso era que a tecnologia mudava tão ligeiro que as patentes tornavam-se rapidamente obsoletas. Além disso, como a maior parte das empresas utilizava bases comuns de tecnologia, nem sempre estava claro quem poderia estar infringindo a patente de quem.

No final dos anos 80, a Intel assumiu uma abordagem diferente em relação aos concorrentes que, para ela, estavam clonando seus produtos. Bob Reed, diretor financeiro da empresa, disse que no início dos anos 90, "a Intel buscou uma vantagem contra os concorrentes. Quando olhamos hoje para 10 anos atrás podemos ver que a proteção à propriedade intelectual salvou o mercado americano de semicondutores. A proteção conduziria essencialmente a uma segmentação da indústria de semicondutores em talvez 10 segmentos, todos com seus líderes".[41] Entretanto, a vigorosa proteção da Intel de sua propriedade intelectual não foi inteiramente bem-sucedida para bloquear a entrada em microprocessadores. Seu litígio contra a AMD foi um exemplo. Em 1976, as duas empresas assinaram um contrato que dava à AMD direitos perpétuos a todos os microcódigos da Intel para seus "microcomputadores". A Intel havia recebido US$ 325.000 pelo acordo. Em 1987, a Intel rompeu unilateralmente o contrato, alegando que um "microcomputador" e um "microprocessador" eram coisas diferentes; assim, a AMD não tinha direito nenhum ao código da Intel para microprocessadores. O resultado foi uma batalha judicial de oito anos, que custou centenas de milhões de dólares. Finalmente, em 1995, chegou-se a um acordo pelo qual a AMD obteve plenos direitos ao microcódigo da Intel para o 386 e o 486, mas não para o Pentium ou quaisquer futuros projetos. A Intel recebeu US$ 40 milhões por danos — consideravelmente menos que suas despesas jurídicas só nos anos de 1994 e 1995.[42]

No início dos anos 90, a Intel enfrentou ameaças reais de várias rivais, inclusive AMD, Texas Instruments e Cyrix, todas capazes de produzir microprocessadores compatíveis com o sistema operacional MS-DOS da Microsoft. A AMD fizera, havia muito, pesados investimentos em instalações de fabricação e em engenharia de processos.[43] Sua fraqueza estava em projeto de chips, mas esta foi corrigida em outubro de 1995, quando ela comprou a NexGen, a qual fez um projeto viável de sexta geração, o Nx686. Jerry Sanders, presidente e CEO da AMD, afirmou que "pretendemos ter 30% do mercado compatível com Windows até 1998".[44] De acordo com Rob Herb, vice-presidente do grupo de produtos de computação da AMD, com o chip K-6 a AMD "não está jogando apenas no espaço de entrada, mas em toda a ampla gama de ofertas de produtos", continuando ao mesmo tempo a praticar preços cerca de 25% inferiores aos da Intel.[45] John Greenagel, porta-voz da AMD, acrescentou: "Pretendemos acabar com a Intel para sempre".[46]

Para reagir a esses concorrentes, a estratégia da Intel para suas quinta (Pentium) e sexta (Pentium Pro) gerações de microprocessadores foi conseguir uma vantagem esmagadora em desempenho sobre os concorrentes. Albert Yu, em conjunto com Paul Otellini, o responsável pelos esforços da Intel em microprocessadores, explicou que

> O volume é a chave de tudo. Para o desenvolvimento de um projeto de vanguarda são necessários de 50 a 100 dos melhores engenheiros durante dois ou três anos. É provável que os custos de desenvolvimento variem ente US$ 50 e US$ 100 milhões. Além disso, para ser viável, o processador precisa fazer uso da mais recente tecnologia de fabricação. Uma fábrica de semicondutores de vanguarda pode exigir de

QUADRO 1.10
Ciclos de Vida de Produtos para Gerações Sucessivas de Chips Microprocessadores (Estimativas e Projeções)

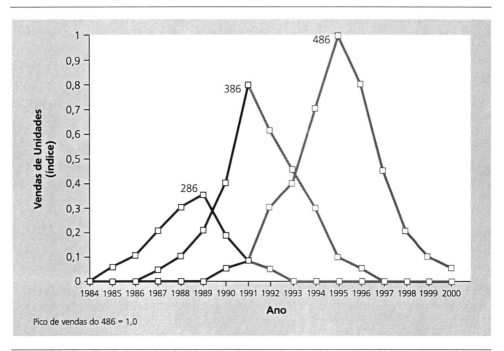

Fonte: Gita Mathur, sob a supervisão do professor Robert H. Hayes, "Intel PED (A)", Harvard Business School, case #693-056.

US$ 700 a US$ 800 milhões em investimento de capital. É preciso vender uma porção de processadores para recuperar esses custos (ver Quadro 1.10 acima).[47]

A recuperação dos custos foi ainda mais complicada pelo fato de os preços, para cada geração de microprocessadores, como no caso dos DRAMs, caírem drasticamente depois do lançamento (ver Quadro 1.11).

QUADRO 1.11
Preços e Características dos Processadores Intel

	Data de Lançamento	Preço de Lançamento	Preço em 1993	Transistores
8086	Junho de 1978	US $ 360	Descontinuado	29.000
80286	Fev. de 1982	$ 360	US $ 8	134.000
80386	Out. de 1985	$ 299	$ 91	275.000
80486	Ago. de 1989	$ 950	$ 317	1.200.000
Pentium	Março de 1993	$ 995	—	3.100.000

Fonte: Dan Steere, "Intel Corporation (D): Microprocessor at the Crossroads", Graduate School of Business, Stanford University, Case BP-256D, Quadro 8, p. 24. Números de BYTE, maio de 1993.

Clientes

Dependendo da configuração exata do sistema e da época no ciclo de vida do produto, o microprocessador podia representar de 20 a 40% dos custos totais de fabricação de um computador pessoal. Além disso, apesar da entrada da AMD e outras no negócio, a Intel era, de longe, a fornecedora dominante de microprocessadores, com uma participação de mercado de aproximadamente 90%.

Essas interdependências conduziram a relacionamentos complexos e, às vezes, tensos entre a Intel e seus clientes, como mostram três decisões e práticas. Uma foi a decisão da empresa de iniciar o programa publicitário "Intel Inside". A segunda foi seu crescente envolvimento com projeto e fabricação de subsistemas e sistemas (em vez de apenas microprocessadores). A terceira área importante de tensão dizia respeito a como a Intel alocava os suprimentos de chips recém-lançados diante de fortes restrições de capacidade. Cada uma dessas questões é examinada a seguir.

"Intel Inside"   Em 1990, a Intel lançou a campanha publicitária "Intel Inside" no esforço para criar reconhecimento de marca entre os usuários de PCs. Na maior parte dos casos, a Intel sempre havia considerado seus clientes como os fabricantes originais de equipamentos (OEM) que comercializavam sistemas de computador acabados. O "Intel Inside" foi criado para complementar os esforços de *marketing* dos OEMs. A campanha foi montada como um empreendimento cooperativo no qual a Intel reembolsava os OEMs de uma determinada percentagem dos seus custos de propaganda em troca do uso do logo "Intel Inside" em seus anúncios e nos próprios PCs. Em 1991, mais de 300 clientes da Intel estavam participando da campanha. Não obstante, alguns deles se mostravam preocupados com a possibilidade de o "Intel Inside" criar uma identidade de marca distinta para a Intel, a qual poderia prejudicar suas próprias marcas. Muitos sentiam-se ameaçados pela simples escala do "Intel Inside"; entre 1990 e 1993, estima-se que a Intel gastou mais de US$ 500 milhões na campanha.[48]

A Intel procurou afastar essas preocupações insistindo que a campanha era dirigida exclusivamente a usuários finais e pretendia expandir o mercado total de PCs. Em 1994, Sally Fundakowski, diretora de *Marketing* de Marca de Processadores, disse que "quando lançamos a campanha, os usuários finais não tinham muita consciência da Intel. Eles não sabiam que éramos uma empresa de microprocessadores — nem mesmo o que era um microprocessador".[49] Paul Otellini, vice-presidente senior para Vendas Mundiais, comparou o "Intel Inside" com outras "marcas clássicas de ingredientes", inclusive NutraSweet, Gore-Tex e Dolby. "Não creio que o logo da NutraSweet na lata da Coca-Cola seja destrutivo. A combinação das duas é muito forte. Essa foi nossa idéia desde o início".[50]

Em 1994, a campanha "Intel Inside" foi expandida para conter não apenas OEMs, mas também fornecedores de *software*. A Intel pediu que eles colocassem, nas suas embalagens, um adesivo com a frase "Funciona ainda melhor com um processador Pentium". "Essa mensagem torna-se ainda mais importante à medida que são lançados *softwares* que tiram proveito do Pentium", disse Sally Fundakowski. "Seria fácil falar apenas do desempenho dos microprocessadores até ficar sem fôlego".[51] A percentagem de compradores de computadores que prefeririam Intel subiu de 60% em 1992 para 80% em 1993.[52]

Outros fabricantes de microprocessadores reagiram ao esforço da Intel denunciando a idéia. Em 1994, Steve Tobak, vice-presidente de *Marketing* Corporativo da Cyrix, disse que "nosso cliente é rei. É ele que deve dar marca ao seu produto".[53] "Não há nada que possamos fazer em *marketing* que seja tão eficaz quanto aquilo que a Intel está fazendo para nós", disse Steve Domenik, vice-presidente de *Marketing* da Cyrix. Os OEMs "nos reconhecem como um parceiro estratégico mais natural. Eles sabem que não iremos tentar passá-los para trás", vendendo diretamente aos usuários finais. De acordo com Bob Kennedy, gerente de propaganda da AMD, "os usuários finais não estão preocupados com a marca do microprocessador. Isso não é realista. Precisamos fazer com que as pessoas compreendam que a questão é a compatibilidade com o *software,* não com a Intel. Não deveria fazer diferença quem faz o chip".[54]

Inicialmente, alguns dos principais clientes da Intel resistiram ao programa "Intel Inside". Por exemplo, em 1994 a IBM e a Compaq decidiram sair da campanha. Como observou um porta-voz da IBM, "existe uma marca e para a IBM é a sua. Queremos focalizar aquilo que faz os computadores IBM diferentes, não o que os torna iguais a outros".[55] Em setembro de 1994, Eckhardt Pfeiffer, presidente da Compaq, alertou: "A Intel está numa encruzilhada. Ou ela aprende a fazer o melhor para seus clientes ou não mais será a principal fornecedora para este setor".[56] Na época, as margens brutas de lucro da Intel eram, no mínimo, o dobro daquelas da Compaq e dos outros grandes fabricantes de PCs.[57]

No final, o simples peso dos esforços de *marketing* da Intel bastou para vencer a resistência da IBM e da Compaq. No início de 1996, a Compaq inverteu o curso em várias frentes em seu relacionamento com a Intel. Em primeiro lugar, assinou um acordo de licenciamento mútuo de patentes que permitia a livre troca de informações entre as duas empresas. John Rose, vice-presidente senior da Compaq e gerente geral de Sistemas de Mesa Comerciais, disse que "ambas as empresas gastaram muito em P&D e isto elimina a necessidade de proteção de informações em conversações. Também significa que podemos entrar em novas áreas e novos mercados. Temos acesso à tecnologia da Intel e ela tem acesso à nossa". Em segundo lugar, a Compaq concordou em comprar placas mães para os sistemas Pentium Pro. Ross Cooley, vice-presidente senior da Compaq North America, indicou que sua empresa "provavelmente irá comprar mais se acreditarmos que podemos comprar da Intel e não ter nenhuma vantagem produzindo internamente".[58] Finalmente, a Compaq concordou em voltar à campanha "Intel Inside". Em março de 1997, a IBM fez o mesmo. Um porta-voz da empresa anunciou que a "IBM realizou novas pesquisas, que basicamente mostraram que a participação em campanhas como esta ajuda a comunicar que os PCs IBM se baseiam em padrões abertos e não em tecnologia exclusiva. Este é o fator principal para a decisão de retorno da empresa".[59]

Em 1997, informou-se que a Intel iria gastar US$ 750 milhões no mundo inteiro em seus esforços de *marketing.* Com a Compaq e a IBM de volta, os dez maiores vendedores de PCs e 1.400 fornecedores no mundo todo haviam aderido. O programa incluía um desconto de 6% no preço dos chips Intel, sendo 4% usados para subsidiar até 66% do custo dos anúncios impressos apresentando o logo "Intel Inside" e 2% usados para subsidiar até 50% dos anúncios na mídia eletrônica.[60]

O Negócio de Sistemas da Intel   Embora fosse mais conhecida como produtora de componentes para computadores, a Intel havia estado no negócio de projeto, fabricação e vendas de subsistemas eletrônicos e até de sistemas completos. No início dos anos 70, o "Grupo de Sistemas" foi formado para desenvolver uma série de instrumentos, baseados em computador, para simulações e testes de produtos baseados na Intel.[61] Em meados dos anos 70, as vendas desses sistemas haviam se transformado numa fonte significativa de lucros para a empresa. Os sistemas posteriores incluíam supercomputadores e placas de circuitos impressos que podiam ser adicionadas a computadores pessoais para melhorar seu desempenho.[62] Em 1987, a empresa começou a produzir computadores pessoais inteiros (sem monitor ou teclado) que vendia a mais de uma dúzia de OEMs, inclusive AT&T, DEC, Olivetti e Unisys. Nos anos 90, a Intel vendia "placas mães" a vários OEMs, inclusive Dell, Hewlett-Packard, Gateway e Zeos. Em 1990, o negócio de sistemas da Intel respondia por 25 a 30% das receitas totais da empresa.[63] Em 1994, a Intel assinou um contrato para vender de 40.000 a 50.000 PCs acabados por ano à agência de notícias Reuters e fornecer PCs acabados ao Carrefour, a rede francesa de varejo. Acreditava-se que a Intel pudesse vender PCs por cerca de 25% a menos que as principais marcas. Um antigo executivo da empresa, falando anonimamente, disse: "Durante anos eles estiveram loucos para entrar no negócio de produto final. Acho que continuam a entreter a idéia e estão se preparando para ela, em especial no mercado de consumo".[64]

O negócio de sistemas da Intel continuou a crescer de forma dramática para sua sexta geração Pentium Pro, à medida que a empresa integrava mais e mais funções de sistemas diretamente ao processador e seus chips de suporte.[65] Em janeiro de 1997, a Intel declarou que "para o Pentium Pro . . . a percentagem de placas para processadores era muito mais alta que para os processadores Pentium, como seria de se esperar quando uma nova tecnologia é introduzida no mercado".[66] De acordo com John Hyde, gerente técnico do Pentium Pro,

> Os OEMs estão satisfeitos por comprar um nível mais alto de integração e fazem suas agregações de valor em gabinetes, *software,* configuração de memória e placas adicionais. Em vez de projetar as suas, eles vêm a nós e . . . compram placas.[67]

Lançamentos de Novos Produtos   Quando a Intel lançava um microprocessador de nova geração, os fabricantes de PCs ficavam ansiosos para lançar novos produtos com o mais recente projeto. À medida que encolhiam os ciclos de vida dos microprocessadores, a demanda inicial tornou-se particularmente pronunciada (ver Quadro 1.10). Porém, devido ao prazo necessário para se elevar a produção até a capacidade plena, normalmente os novos chips estavam em falta durante os primeiros meses após o lançamento. A Intel lidava com este problema de duas maneiras. Inicialmente, ela vendia os chips de nova geração a um preço maior para limitar a demanda. Os preços altos também possibilitavam à empresa gerar lucros no início do ciclo de vida de um novo produto. Como explicou David House, vice-presidente senior de Estratégia Corporativa,

> As receitas dos produtos de hoje precisam pagar pelo desenvolvimento amanhã. Estamos gastando este ano cerca de US$ 2 bilhões em novos produtos e novas tecnologias. Mas a concorrência desempenha claramente um papel no processo de determinação de preços — não negarei isto.[68]

Com o passar do tempo, à medida que a capacidade para produção em massa fosse instalada e se desenvolvesse a ameaça de concorrência de clones, a empresa gradualmente reduziria os preços dos microprocessadores.

Um segundo dispositivo para equilibrar suprimento e demanda era "alocar" suprimentos entre os OEMs. Colocar clientes em alocação não era uma prática unicamente da Intel. Em muitas indústrias nas quais surgiam restrições semelhantes de capacidade, os fornecedores racionavam as entregas aos clientes com base em várias diretrizes. A política da Intel era usar o histórico de compras anteriores como guia para determinar quantos chips um cliente iria receber quando a oferta estivesse escassa.

Relacionamentos com Fornecedores[69]

Com investimentos de capital de cerca de US$ 4,5 bilhões em 1997, a Intel havia se tornado uma das maiores compradoras de equipamento para fabricação de semicondutores do mundo. Sua estratégia de compras havia evoluído ao longo dos anos. Em 1985, a empresa adotou uma política de selecionar o melhor fornecedor para itens críticos de equipamentos e dar-lhe exclusividade. Esta política era motivada pelo desejo de obter a maior padronização possível dos equipamentos de processos entre as diferentes fábricas. Por sua vez, a padronização era desejável devido aos efeitos sutis, mas poderosos, que diferentes desenhos de equipamentos podiam ter sobre o desempenho dos processos. Padronizando os equipamentos, a empresa esperava facilitar o processo de transferência de tecnologia e elevação da produção em todas as fábricas. Embora esta abordagem funcionasse com respeito ao aumento de produção e à transferência de tecnologia, ela criava outros problemas, comumente associados aos arranjos de fornecedor único. Por exemplo, a Intel constatou que os fornecedores únicos tendiam a se tornar menos sensíveis às solicitações de apoio técnico ou melhoramento. Assim, em 1990, a empresa mudou mais uma vez sua política para permitir a participação de dois fornecedores para itens críticos de equipamentos de produção.

A INTEL E A INTERNET

Os resultados financeiros da Intel haviam sido notáveis (ver Quadro 1.12). Em 1997, os analistas esperavam que ela lucrasse mais de US$ 7 bilhões, ameaçando a posição da GE como empresa mais lucrativa dos Estados Unidos. Dizia-se que sua margem bruta estava em torno de 60%, numa indústria que havia crescido mais de 20% a.a. nos cinco últimos anos. A Dataquest, uma firma de pesquisa de mercado, previu que os embarques do Pentium Pro iriam crescer de 2,8 milhões de unidades em 1996 para 25 milhões em 1997 e 65 milhões em 1998. Em comparação, a AMD e a Cyrix

QUADRO 1.12
Resultados Financeiros da Intel (funcionários em milhares; todos os outros números em milhões de dólares)

	Receitas Líquidas	Custo de Vendas	Funcionários	P&D	Renda Líquida	Adições de Capital	Ativos Totais	Capitalização de Mercado
1974	135	68	3,1	11	20	13	75	—
1975	137	67	4,6	15	16	11	103	—
1976	226	117	7,3	21	25	32	157	—
1977	283	144	8,1	28	32	45	221	—
1978	399	196	10,9	41	44	104	357	663
1979	661	313	14,3	67	78	97	500	1.449
1980	855	399	15,9	96	97	156	767	1.763
1981	789	458	16,8	117	27	157	872	1.012
1982	900	542	19,4	131	30	138	1.056	1.755
1983	1.122	624	21,5	142	116	145	1.680	4.592
1984	1.629	883	25,4	180	198	388	2.029	3.192
1985	1.365	943	21,3	195	2	236	2.153	3.364
1986	1.265	861	18,2	228	-173	155	1.977	2.478
1987	1.907	1.044	19,2	260	248	302	2.499	4.536
1988	2.875	1.506	20,8	318	453	477	3.550	4.344
1989	3.127	1.721	21,7	365	391	422	3.994	6.290
1990	3.921	1.930	23,9	517	650	680	5.376	7.400
1991	4.779	2.316	24,5	618	819	948	6.292	9.996
1992	5.844	2.557	25,8	780	1.067	1.228	8.089	18.392
1993	8.782	3.252	29,5	970	2.295	1.933	11.344	26.334
1994	11.521	5.576	32,6	1.111	2.288	2.441	13.816	26.432
1995	16.202	7.811	41,6	1.296	3.566	3.550	17.504	48.439
1996	20.847	9.164	48,5	1.808	5.157	3.024	23.735	109.193

Fonte: Relatórios da empresa.

estavam planejando dobrar seus embarques de microprocessadores compatíveis com a Intel, de 4 milhões em 1996 para 8 milhões em 1997.[70]

Com cada geração sucessiva de microprocessadores, a Intel tinha conseguido colocar mais poder de computação nos computadores de mesa e portáteis dos usuários. Até o início dos anos 90, quase todos os observadores concordavam que a tendência no sentido de computadores de mesa com maior desempenho iria continuar no futuro. Entretanto, a inesperada explosão no uso da Internet criou incerteza a respeito de se a trajetória técnica da rede iria continuar a ser tão lucrativa quanto no passado.

Nas palavras de Grove, em sua maioria, os PCs pretendiam ter dois usos básicos: "dados e aplicações do indivíduo" (o mercado original de computadores de mesa) e "enviar dados e partilhá-los com outras pessoas" — a ascensão do "groupware" e outras comunicações em rede como o e-mail. Nessas frentes, a Intel era inegavelmente competitiva. Mas, então, na mente de Grove,

> A Internet promove a emergência de uma terceira classe de uso: aplicações e dados que estão armazenados em algum outro computador, preparado e possuído por pessoas ou organizações não-relacionadas, que qualquer um pode acessar, por meio deste conjunto de conexões difundido e barato, a conexão cooperada.[71]

Alguns acreditavam que a Internet logo iria permitir que os usuários individuais usassem aplicações, dados e poder de processamento por intermédio de dispositivos de mesa relativamente simples e baratos. Várias empresas já estavam desenvolvendo estratégias para forçar essa trajetória técnica alternativa. Uma líder neste campo era a Sun Microsystems, que havia inventado uma linguagem de programação denominada Java, a qual dava apoio ao desenvolvimento de aplicações (como planilhas ou processadores de textos) que podiam acessar poder de processamento pela Internet. A Sun também havia lançado um "computador para rede" (NC) relativamente barato — uma máquina que consistia de um teclado, monitor e um processador simples — projetado para dar aos usuários acesso à Internet e ao poder de computação disponível de servidores remotos. O NC da Sun não utilizava processadores da Intel, nem sistema operacional da Microsoft.

A respeito do impacto potencial da Internet sobre a Intel, Grove comentou:

> Não creio que nossos clientes ou nossos fornecedores serão afetados de maneira significativa. E quanto aos nossos concorrentes? É claro que haverá novos participantes em cena, mas eles têm probabilidade de desempenhar o papel tanto de complementadores quanto de concorrentes. Ao mesmo tempo, empresas que costumavam ser complementadoras para nossos concorrentes estão agora gerando *software* que funciona tão bem em computadores baseados em nossos microchips quanto naqueles baseados em outros. Isto os torna também nossos complementadores. Novas empresas também estão sendo criadas quase que diariamente para tirar proveito da oportunidade propiciada pela Internet. Energia criativa e fundos estão entrando, grande parte dos quais irá trazer novas aplicações para nossos chips. Tudo isso sugere que a Internet não é um ponto de inflexão estratégica para a Intel. Mas embora os sinais clássicos sugiram que não seja, a totalidade das mudanças é tão esmagadora que lá no fundo eu penso que ela é.[72]

Grove via a Internet como tendo potencial para representar uma ampliação de dez vezes para o negócio da Intel (ver Quadro 1.13 p. 159). Para proteger seu risco, a Intel havia investido meio bilhão de dólares em capital de risco, comprando posições em mais de 50 empresas, muitas das quais estavam envolvidas em tecnologias da Internet. Grove explicou:

> Somos simplesmente uma empresa em crescimento. Toda a nossa cultura, nossa cultura técnica, nossa cultura gerencial, depende disso. Ao mesmo tempo, não se pode garantir que alguém está me espionan-

QUADRO 1.13

Diagrama de Seis Forças — com uma Força de "10X"

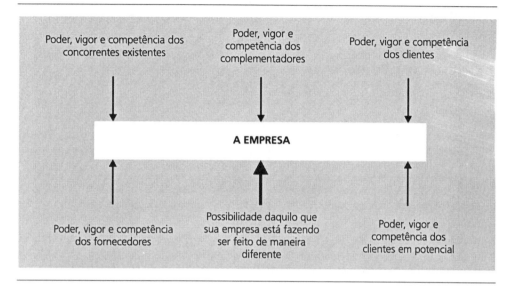

Fonte: Andrew S. Grove, *Only the Paranoid Survive* (Nova York: Currency/Doubleday, 1996), p. 30.

do, mesmo no atual ambiente de PCs. A única vantagem da Intel é termos sido mais rápidos que os outros para chegar a alguns lugares. Isso significa que temos lugares para ir. Se não tenho para onde ir, perco tempo como vantagem competitiva. Assim, prefiro um mundo turbulento a um mundo estável.[73]

NOTAS

1. Andrew S. Grove, *Only the Paranoid Survive* (Nova York: Currency/Doubleday, 1996), p. 3.
2. Brent Schlender, "Why Andy Grove Can't Stop", *Fortune*, 10 de julho de 1995, p. 92.
3. *Intel: 25th Anniversary* (ordem nº 241730), 1993, p. 2.
4. Brent Schlender, "Why Andy Grove Can't Stop", *Fortune* (10 de julho de 1995, p. 92.
5. Citado por Lynn M. Salerno, "Creativity by the Numbers: An Interview with Robert N. Noyce", *Harvard Business Review,* maio/junho de 1980, p. 129-130.
6. Estes e outros termos técnicos são explicados no glossário da página 25.
7. A capacidade de memória de um semicondutor é determinada pelo número de "bits" que podem ser armazenados no chip. Um "bit" é simplesmente uma parte de um código binário (0 ou 1). Por exemplo, um DRAM de 1K pode armazenar cerca de 1.000 bits. Gerações sucessivas de DRAMs elevaram a densidade de armazenagem para 2K (2.000), 4K, 16K, 256K e assim por diante. Em 1997, os dispositivos de memória mais avançados tinham capacidade para armazenas 256 milhões de bits.
8. George W. Cogan, "Intel Corporation (A): The DRAM Decision", Graduate School of Business, Stanford University case BP-256A, p. 13.
9. Robert A. Burgelman, "Fading Memories: A Process Theory of Strategic Business Exit in Dynamic Environments", *Administrative Science Quarterly* 39 (1994), p. 34.
10. Clyde V. Prestowitz, Jr., *Trading Places: How We Allowed Japan to Take the Lead* (Nova York: Basic Books, 1988), p. 46.
11. Gita Mathur, sob a supervisão do professor Robert H.Hayes, "Intel-PED (A)", Harvard Business School case #693-056.
12. *Intel: 25th Anniversary* (ordem nº 241730), 1993, p. 12.
13. Alfred D. Chandler, Jr., "The Computer Industry — The First Half-Century", trabalho de seminário, 15 de novembro de 1996, p. 52.

14. Citado por Nick Hasell, "The Intelligence of Intel", *Management Today*, novembro de 1992, p. 76-78.
15. Alfred D. Chandler, Jr., "The Computer Industry — The First Half-Century", p. 49.
16. Citado por George W. Cogan, "Intel Corporation (A): The DRAM Decision", Graduate School of Business, Stanford University, Case BP-256A (1990), p. 8.
17. Robert A. Burgelman, "Intraorganization Ecology of Strategic Making and Organizational Adaption: Theory and Field Research", *Organization Science* 2, agosto de 1991, p, 245.
18. *Intel: 25th Anniversary*, p. 21.
19. Citado por Robert A. Burgelman, "Intraorganization Ecology of Strategy Making", p. 251-252.
20. Andrew S. Grove, *Only the Paranoid Survive*, p. 96-97.
21. Citado por Lynn M. Salerno, "Creativity by the Numbers: An Interview with Robert N. Noyce", p. 123.
22. David Yoffie, Ralinda Laurie e Ben Huston, *Intel Corporation 1988*, Harvard Business School case #389-063 (1989), p. 99.
23. George W. Cogan, "Intel Corporation (C): Strategy for the 1990s", Graduate School of Business, Stanford University, Case BP-256C, p. 6.
24. Andrew S. Grove, *Only the Paranoid Survive*, p. 69-71.
25. David Yoffie, Ralinda Laurie e Ben Huston, *Intel Corporation 1988*, p. 98.
26. Andrew S. Grove, *Only the Paranoid Survive*, p. 70.
27. Citado por Ira Sager, "386 Tempts More PC Firms to Beat IBM in Market Race", *Electronic News*, 29 de setembro de 1986, p. 1.
28. Citado por Owen Linderholm, Rich Malloy, Andrew Reinhardt e Kenneth M. Sheldon, "A Talk with Intel", *Byte* 16, abril de 1991, p. 131.
29. Citado por Brent Schlender, "A Conversation with the Lords of Wintel", *Fortune*, 8 de julho de 1996, p. 26-33.
30. Andrew S. Grove, *Only the Paranoid Survive*, p. 52.
31. Citado por Michael R. Leibowitz, "The Microprocessor Marketing Wars", *Electronic Business*, 10 de julho de 1989, p. 28.
32. Citado por Michael R. Leibowitz, "The Microprocessor Marketing Wars", p. 28.
33. Idem, p. 28.
34. Ibidem, p. 28.
35. Andrew S. Grove, *Only the Paranoid Survive*, p. 104-106.
36. Citado por Michael R. Leibowitz, "The Microprocessor Marketing Wars", p. 28.
37. Jaikumar Vijayan, "AMD to Bolster Intel Defenses", *Computerworld*, 30 de outubro de 1995, p. 32.
38. Andrew S. Grove, *Only the Paranoid Survive*, p. 105-106.
39. Andrew S. Grove, op. cit., p. 106.
40. Citado em Dan Steere, "Intel Corporation (D): Microprocessor at the Crossroads", Graduate School of Business, Stanford University, Case BP-256D (1994), p. 5.
41. Citado por George W. Cogan, "Intel Corporation (C): Strategy for the 1990s", Graduate School of Business, Stanford University, Case BP-256C (1991), p. 7.
42. Jaikumar Vijayan, "AMD to Bolster Intel Defenses", p. 32.
43. Idem, p. 32.
44. Citado por Brooke Crothers, "AMD, NexGen to Merge, Jointly Develop K6 Chip", *Infoworld*, 30 de outubro de 1995, p. 35.
45. Ken Yamada, "AMD Seeks to Compete with Intel on Pentium Pro Level", *Computer Reseller News*, 2 de setembro de 1996, p. 6.
46. Anônimo, "The Microprocessor Market: Chipping Away", *Economist*, 14 de novembro de 1992, p. 82-84.
47. Dan Steere, "Intel Corporation (D): Microprocessors at the Crossroads", Graduate School of Business, Stanford University, Case BP-256D, p. 5.
48. Dan Steere, "Intel Corporation (D)", p. 8.
49. Citado por Nancy Arnott, "Inside Intel's Marketing Coup", *Sales and Marketing Management*, fevereiro de 1994, p. 78-81.
50. Citado por David Kirkpatrick, "Why Compaq is Mad at Intel", *Fortune*, 31 de outubro de 1994, p. 171-178.
51. Vincent Ryan, "Vulnerable Intel Leaves PC Innards Open", *Advertising Age*, 14 de novembro de 1994, p. S-12.
52. Nancy Arnott, "Inside Intel's Marketing Coup", *Sales and Marketing Management*, fevereiro de 1994, p. 78-81.
53. Citado por Joseph Epstein, "Why Andy Grove Should Be Worried", *Financial World*, 1 de agosto de 1995, p. 28-31.
54. Vincent Ryan, "Vulnerable Intel Leaves PC Innards Open", p. S-12.
55. Citado em Bradley Johnson, "IBM, Compaq Tire of the 'Intel Inside' Track", *Advertising Age*, 19 de setembro de 1994, p. 52.
56. Citado por David Kirkpatrick, "Why Compaq is Mad at Intel", *Fortune*, 31 de outubro de 1994, p. 171-178.
57. Idem, p. 171-178.
58. Citado em Deborah DeVoe, "Compaq Buries the Hatchet with Intel", *Infoworld*, 29 de janeiro de 1996, p. 25.
59. Bradley Johnson, "IBM Moves Back to Intel Co-op Deal: Saw Disadvantage in Being Only PC Marketer not Using Program", *Adversiting Age*, 10 de março de 1997, p. 4.
60. Idem, p. 4.
61. Marco Iansiti, "Intel Systems Group", Harvard Business School case #691-040, p. 3.
62. Idem, p. 3.
63. Tom McCusk, "Intel Corp.", *Datamation*, 15 de junho de 1990, p. 86.
64. David Kirkpatrick, "Why Compaq Is Mad at Intel", p. 171-178.
65. Jaikumar Vijayan, "Intel Heads for Collision", *Computerworld*, 8 de maio de 1995, p. 6.
66. Notícia fornecida pela Intel, "Intel's 1996 Revenue and Earnings Set New Records", 14 de janeiro de 1997.
67. Citado por Fred Gardner e Kelley Damore, "Rift Between Intel, Compaq to Widen", *Computer Reseller News*, 8 de maio de 1995, p. 3, 145.
68. David Coursey, "Intel Speeds Up the Chips, Slows Down the Clones", *Infoworld*, 13 de julho de 1992, p. 94.
69. As informações para este segmento foram extraídas de Gita Mathur, sob a supervisão do Professor Robert H. Hayes, Intel-PED (A)", Harvard Business School case #693-056.

70. Dean Takahashi, "Intel's Net Doubles on Overseas Demand", *Wall Street Journal*, 15 de janeiro de 1997, p. A3.
71. Andrew S. Grove, *Only the Paranoid Survive*, p. 179.
72. Idem, p. 181.

73. Citado em Rich Karlgaard e George Gilder, "Talking with Intel's Andy Grove", *Forbes* (suplemento ASAP), 26 de fevereiro de 1996, p. 63.

GLOSSÁRIO

Arquiteturas de 8, 16 ou 32 bits: Refere-se ao número de dígitos binários, ou bits de informação, que um microprocessador pode recuperar da memória de uma só vez.

Bipolar: refere-se a um tipo genérico de transistor e à família de processos usados para produzi-lo. O transistor bipolar consome mais energia que o MOS, mas pode ser acionado mais rapidamente. O processo bipolar é relativamente complexo.

Fotolitografia: O processo ótico de criação de imagens pelo qual os circuitos são impressos em placas de silício para se fazer semicondutores.

Memória Dinâmica de Acesso Randômico (DRAM): Um tipo de semicondutor que provê memória de acesso randômico (RAM) para o microprocessador. Esses semicondutores são chamados de "dinâmicos" porque as informações que contêm precisam ser continuamente "renovadas".

Memória Estática de Acesso Randômico (SRAM): Um tipo de semicondutor de memória de acesso randômico (RAM) que não requer renovação, desde que seja aplicada constantemente energia. Em geral, as SRAMs são mais rápidas que as DRAMs, mas ocupam mais espaço e sua fabricação é mais cara. Os microprocessadores normalmente contêm alguma memória na forma SRAM.

Microprocessador: Um semicondutor que atua como unidade central de processamento (CPU) de um computador. Efetua cálculos matemáticos baseado em instruções programadas da memória do computador.

Placa mãe: A principal placa de circuitos de um computador, a qual inclui o microprocessador e RAM.

Semicondutor Complementar de Óxido Metálico (CMOS): Refere-se a um processo de semicondutor usado para produzir chips que possuem a vantagem de um consumo muito baixo de energia. Os computadores *laptop* usam exclusivamente circuitos integrados CMOS.

CASO 2

A Adolph Coors
na Indústria Cervejeira

"Raro foi, nos 113 anos de história da Adolph Coors Company, um ano com tantas histórias de sucessos como o de 1985". O relatório anual da Coors não poupou palavras para lembrar os recordes estabelecidos pela Divisão de Cervejaria da companhia. Num ano em que o consumo nacional de cerveja não mostrou crescimento, a participação da cerveja Coors no mercado aumentou 13%, chegando a um novo pico de 14,7 milhões de barris. E os rendimentos com a cerveja superaram US$ 1 bilhão pela primeira vez na história da companhia.

A Divisão de Cervejaria respondeu por 84% dos lucros da Coors em 1985, e por mais de 100% da sua renda operacional. Embora a Coors tivesse diversificado suas atividades, entrando, entre outros, nos ramos da porcelana, produtos alimentícios, biotecnologia, petróleo e gás e sistemas de saúde, o presidente Bill Coors reconheceu que, num futuro previsível, a sorte da empresa continuaria amarrada à produção de cerveja.

A estratégia da Divisão de Cervejaria passara por drásticas alterações ao longo do período 1975-1985. As mudanças continuaram: numa decisão qualificada pela própria companhia como "o evento mais importante de 1985 e talvez da nossa história", foram confirmados os planos de construção da segunda cervejaria no Shenandoah Valley, no estado de Virgínia.

A primeira seção deste caso descreve a concorrência no setor cervejeiro dos Estados Unidos e suas conseqüências estruturais. As duas seções seguintes descrevem a posição da Coors no setor, e os planos anunciados para sua segunda cervejaria.

A CONCORRÊNCIA NA INDÚSTRIA CERVEJEIRA DOS ESTADOS UNIDOS

Em 1985, os norte-americanos gastaram $ 38 bilhões para comprar 183 milhões de barris de cerveja.[1] Desse total 12%, foram para impostos, 42% para os varejistas, 12% para os atacadistas e o remanescente para a cerveja como preços (líquidos) de atacado. Os produtores nacionais abasteceram 96% do mercado a um preço médio atacadista de US$ 67 por barril. O restante desta seção descreve de que maneira os grandes produtores faziam e vendiam cerveja, e a estrutura industrial resultante.

Compras

A matéria-prima custou mais da metade da receita líquida dos grandes fabricantes. Os insumos agrícolas representaram um quarto ou um quinto dos custos totais de matérias-primas, e os insumos para embalagens levaram o restante. Os insumos agrícolas básicos eram malte (cevada germinada e seca), um cereal gomoso como arroz ou milho, lúpulo e fermento. Havia mercados grandes e relativamente eficientes para todos esses produtos. Uma cervejaria que dispusesse de uma unidade de produção de tamanho adequado — cerca de 3% do mercado norte-americano em 1985 — podia comprar esses itens pelos melhores termos disponíveis.

Insumos para embalagem incluíam latas, garrafas e barris. Em 1945, 3% da cerveja produzida nos EUA eram enlatados, 61% engarrafados e 36% em barris; em 1985, essas proporções haviam mudado para 57, 30 e 13%, respectivamente. As latas haviam sido promovidas por fabricantes de aço e alumínio, as garrafas passaram a ser relativamente pesadas e as vendas de barris caíram à medida em que os norte-americanos bebiam cada vez mais em suas casas.

Desde a II Guerra Mundial os preços das cervejas caíram em termos reais, enquanto que os custos dos insumos passaram a representar uma parcela maior: de 35% em 1945 para a faixa de 50 a 60% em 1985. Em resposta, as maiores cervejarias haviam se integrado para trás. A mais recente — e talvez a mais custosa — etapa de integração havia focalizado as latas, cujos preços aumentaram agudamente em meados dos anos 70, depois da remoção dos controles de preços. Em 1985, as principais cervejarias produziam uma parte — mas não todas — das latas de que necessitavam. Uma unidade eficiente de produção de latas custava de US$ 40 a 45 milhões e produzia 1 bilhão de latas por ano. Os fabricantes independentes de latas haviam enfrentado um significativo excesso de capacidade durante os anos 80.

Produção

Os custos de produção, divididos mais ou menos igualmente entre mão-de-obra direta e outros componentes, representavam cerca de 25% das receitas líquidas das principais cervejarias. A produção envolvia duas etapas: fabricação e embalagem. Na primeira, os insumos agrícolas eram misturados com água, fermentados e envelhecidos. A cerveja destinada a ser engarrafada ou enlatada também era normalmente pasteurizada, para poder durar por até seis meses sem refrigeração. As cervejarias menores tradicionalmente pasteurizavam uma parcela menor da sua produção; vendiam mais na forma de chope, embalado em barris. A principal inovação na indústria cervejeira no pós-guerra havia sido um processo de fermentação que reduzia o prazo de envelhecimento da cerveja de 30 para 20 dias. Como as adegas de envelhecimento eram, com freqüência, gargalos da produção, isto "aumentou" a capacidade em 20 a 30%, a partir do final dos anos 60.

Na embalagem, os recipientes eram enchidos com cerveja, rotulados e (no caso das latas e garrafas) empacotados. As economias de escala em embalagem haviam crescido desde a II Guerra por duas razões. Primeira, os modelos mais novos de linhas de enchimento — em especial para enlatar e engarrafar — eram mais rápidos e eficientes. Segunda, os tamanhos de embalagens haviam proliferado; devido aos custos de mudança de embalagem nas linhas, aumentou a importância do tamanho dos lotes.

Em conseqüência disso, a escala mínima eficiente de produção para uma cervejaria integrada (uma instalação de produção e embalagem) havia subido de 100.000 barris por ano em 1950 para 1 milhão de barris em 1960, 2 milhões em 1970 e de 4 a 5 milhões de barris desde meados dos anos 70. Em 1985, uma cervejaria de 5 milhões de barris custava de US$ 250 a US$ 300 milhões. Os custos de capital explicavam grande parte do efeito do aumento ou da redução da escala de produção; de acordo com uma fonte, dobrar a escala de uma cervejaria significaria um corte de 25% nos custos unitários de capital; reduzi-la à metade provocaria um aumento de 33% nesses custos. As cervejarias poderiam ser expandidas caso tivessem sido construídas tendo-se em mente essa possibilidade.

A utilização da capacidade da indústria cervejeira havia flutuado na faixa de 60% nos anos 50, devido à estagnação da demanda. Ela subiu nos anos 60 e início dos anos 70, à medida que a demanda cresceu rapidamente: as grandes cervejarias, em particular a Anheuser-Busch e a Schlitz, instalaram fábricas adicionais relativamente grandes e venderam-nas rapidamente; muitas cervejarias menores foram fechadas. A utilização da capacidade da indústria atingiu um pico em meados dos anos 70, chegando perto de 90%. No final dos anos 70 a capacidade aumentou, apesar da demanda estagnada. As expansões da Miller foram as mais agressivas, mas as outras cervejarias nacionais também cresceram para obter economias de escala. Por exemplo, somente quatro das 10 fábricas da Anheuser-Busch tinham capacidade superior a 4 milhões de barris em 1977; em 1985, todas as suas 11 fábricas haviam superado esse limite. A utilização da capacidade caiu para 80% e permaneceu nesse nível durante os anos 80. Em 1984, o excesso de capacidade na região leste forçou a Miller a dar por perdido os US$ 280 milhões gastos numa fábrica quase concluída em Ohio, com capacidade de 10 milhões de barris e que ela pretendia abrir em 1982.

O Quadro 2.1 mostra mudanças nas capacidades reais das cervejarias a partir do final dos anos 50 e o Quadro 2.2 (ver p. 166) resume as configurações de produção das principais cervejarias

QUADRO 2.1
Cervejarias Sobreviventes por Capacidade, 1959-1983 (milhares de barris)

Capacidade	1959	1963	1967	1971	1975	1979	1983
0-100	68	54	36	21	11	10	21
100-1.000	121	105	79	65	32	21	14
1.000-2.000	18	17	18	21	13	11	13
2.000-3.000	5	6	5	9	9	6	4
3.000-4.000	3	4	5	3	3	7	5
4.000 +	2	3	4	7	15	20	23

Fonte: Kenneth G. Elzinga, "The Beer Industry", em Walter Adams, ed., *The Structure of American Industry*, Nova York: Macmillan, 1986.

QUADRO 2.2
Configurações das Maiores Cervejarias Norte-Americanas em 1985ª (milhões de barris)

Empresa	Número de Fábricas	Capacidade Total	Capacidade em Fábricas de Escala Eficiente (%)ª	Utilização da Capacidade (%)
Anheuser-Busch	11	74,0	100	85
Miller	6	44,0	100	84
Stroh	7	24,5	70	96
Heileman	10	26,0	42	62
Coors	1	16,0	100	92
Pabst	4	11,0	60	81

ªA escala eficiente é definida como uma capacidade de 4,5 milhões de barris. Os números para a Stroh e a Pabst são estimados.
Fonte: Gregory Pieschala, "G. Heileman Brewing Company", Harvard Business School, 1985.

americanas em 1985. Naquela ocasião, todas elas, exceto a Coors, operavam várias fábricas. As configurações de fábricas múltiplas reduziam o risco de fechamentos catastróficos devido a greves, incêndios ou explosões, permitiam a produção centralizada de pacotes de baixos volumes (o que aumentava o tamanho dos lotes) e permitia às empresas a absorção das repercussões da produção de uma grande fábrica nova pelas fábricas existentes.

Distribuição

A cerveja ia dos produtores aos consumidores por intermédio de atacadistas e varejistas. Havia duas categorias amplas de pontos de varejo para cerveja; a primeira composta por bares e restaurantes (pontos de dose), que trabalhavam com um número limitado de marcas e com margens médias de 190% em 1985. Os bares, em particular, vendiam uma grande parcela de chope escuro de produção local. Leis estaduais e federais proibiam que as cervejarias operassem pontos de dose, exceto em suas fábricas. A segunda categoria de pontos de varejo incluía supermercados, mercearias e lojas de conveniência e de bebidas. Estes trabalhavam com uma variedade muito maior de marcas e praticavam margens médias de 21% em 1985. A partir de 1945, a participação desta segunda categoria no volume de vendas de cerveja havia crescido de 42 para 67%.

Em geral as cervejarias menores distribuíam a produção em seus mercados locais, com ênfase na venda de chope em barris para pontos de dose. Mas menos de 5% do volume das principais cervejarias eram vendidos diretamente. Em vez disso, elas tendiam a usar atacadistas independentes que compravam e armazenavam a cerveja e a vendiam e entregavam aos pontos de varejo. Os atacadistas também trabalhavam com as cervejarias para abrir grandes contas, garantir espaço nobre nas prateleiras e financiar promoções locais. Em 1985, os atacadistas praticavam em média uma margem de 28% sobre o custo.

Havia 4.500 atacadistas independentes nos Estados Unidos em 1985. Cada um deles tinha direitos exclusivos para vender uma marca específica dentro de um mercado em geral não maior que uma área metropolitana. Muitas vezes, os atacadistas operavam com mais de uma marca e podiam representar mais de uma cervejaria. Em 1985, um mercado costumava ter pelo menos dois grandes atacadistas (um para a Anheuser-Busch e um para a Miller), um ou dois outros grandes que podiam trabalhar com outra grande cervejaria e vários menores que trabalhavam com marcas ou atendiam pontos de varejo que os maiores não queriam. A rede da Anheuser-Busch era a mais forte: seus 970 atacadistas normalmente não trabalhavam com outras cervejarias, simplificando o gerenciamento dos estoques e as entregas. Os atacadistas da Miller eram quase tão grandes, mas com freqüência trabalhavam com 5 a 12 marcas além da Miller. Os outros concorrentes tinham dificuldade crescente para achar grandes atacadistas que distribuíssem seus produtos como principais. O retorno médio sobre vendas (antes do imposto) para os atacadistas havia caído de 3% em 1981 para 2,1% em 1984.

Em 1985, cinco das seis maiores cervejarias — a Coors era a exceção — distribuíam sua cerveja em todos os 50 estados. As cinco cervejarias nacionais enviavam seus produtos a uma distância média de 480 a 640 Km aos depósitos dos atacadistas, ao custo médio de US$ 1,50 a US$ 2,00 por barril. Este custo era absorvido pelas cervejarias, mediante o ajuste dos preços F.O.B. As distâncias médias haviam permanecido as mesmas ao longo das três últimas décadas porque as cervejarias nacionais, depois de acabar com os concorrentes regionais e locais, tinham todas passado para configurações de múltiplas fábricas.

MARKETING

O Quadro 2.3 mostra o consumo de cerveja nos Estados Unidos ao longo do período de 1945 a 1985. A demanda cresceu a uma taxa inferior a 1% entre 1945 e 1960 e entre 1980 e 1985; essa também era a taxa prevista para o período 1985-2000. Virtualmente, todos os ganhos de volume no

QUADRO 2.3
Consumo de Cerveja nos Estados Unidos, 1945-1985

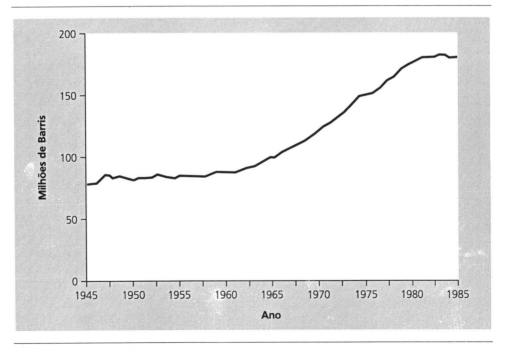

Fonte: David J. Collis, "The Value-Added Structure and Competition within Industries", dissertação de doutoramento não-publicada, Harvard University, 1986.

período posterior à II Guerra ocorreram entre 1960 e 1980. A principal razão para os ganhos era demográfica: à medida que os "baby boomers" chegavam à idade em que podiam beber legalmente, crescia o número de consumidores de cerveja; o volume subiu ainda mais porque os bebedores mais jovens consumiam mais cerveja que os mais velhos. A segunda razão importante estava relacionada às variáveis mercadológicas com as quais as cervejarias trabalhavam: preço e diferenciação.

Sem controle das mudanças na mistura, os preços das cervejas caíram 30% entre 1960 e 1980; isto deve ter estimulado o volume, embora a elasticidade em relação ao preço da demanda por cerveja parecesse ser relativamente baixa (entre –0,7 e –0,9). Quase todos os observadores achavam que os preços caíam devido a reduções de custos e a pressões para preencher o excesso de capacidade, e não como conseqüência de uma predação consciente. A Anheuser-Busch e, em menor extensão, a Miller, continuaram a cobrar preços acima da média. As cervejarias usavam preços baixos para entrar em novos mercados ou promover novos produtos, mas, caso os mantivessem baixos, poderiam prejudicar as imagens de todas as marcas, exceto as "populares". Pabst e Schlitz eram citadas com freqüência como exemplos de empresas que enfraqueceram suas melhores marcas dando descontos.

As empresas diferenciavam suas cervejas por meio de propaganda, segmentação e embalagem. A propaganda cresceu depois da guerra devido à emergência da TV, das rendas crescentes dos consumidores, da mudança do consumo para as casas e pelas providências das cervejarias para alargar a distribuição: os gastos totais com propaganda saltaram de US$ 50 milhões (2,6% das vendas brutas da indústria) em 1945 para US$ 225 milhões (7,1% das vendas) em 1965. Em parte porque os gastos em 1965 estavam exagerados e em parte porque os lançamentos nacionais das principais marcas haviam sido concluídos, eles caíram até US$ 200 milhões (3,3% das vendas) em 1973. Mas, então, subiram novamente, devido a uma elevação aguda por parte da Miller (que tinha sido adquirida pela Philip Morris em 1969), a uma resposta ainda mais aguda pela Anheuser-Busch e a tentativas de outras grandes cervejarias de acompanhá-las. Em 1980, os gastos com propaganda atingiram US$ 641 milhões (4,5% das vendas); em 1985, chegaram perto de US$ 1,2 bilhão (cerca de 10% das vendas) (ver Quadro 2.4). Estudos estatísticos sugeriram que 90% dos efeitos da propaganda desapareciam em menos de um ano.

A intensificação da propaganda ajudou as cervejarias nacionais de várias maneiras: elas podiam comprar espaço ou tempo em quantidades maiores, utilizar veículos como TV em rede e revistas de circulação nacional, atingir limiares críticos de exposição e dividir os custos fixos das campanhas por um volume maior. Não obstante, uma grande cervejaria regional ainda tinha uma ampla opção

QUADRO 2.4
Propaganda pelas Principais Cervejarias Norte-Americanas, 1985

Empresa	Propaganda Total (US$ milhões)	Propaganda/ Barril (US$)	Propaganda/ Vendas (%)
Anheuser-Busch	471	6,92	8,9
Miller[a]	300	8,09	11,6
Stroh[a]	150	6,41	9,4
Heileman	103	6,36	12,0
Coors	165	11,20	15,3
Pabst	15	1,70	3,1

[a]Estimativas aproximadas.
Fonte: Relatórios anuais e estimativas dos autores do caso.

de veículos eficazes: a TV em pontos selecionados, embora custasse de 15 a 30% mais que a TV em rede, podia ser adaptada às condições dos mercados locais. De acordo com um cuidadoso estudo realizado no início dos anos 70, "as reduções de custos atribuíveis à propaganda em escala nacional (ao invés de regional) dificilmente chegavam a mais de 1% das . . . receitas, mantidos iguais os outros fatores".[2]

A segmentação era o segundo instrumento usado para diferenciar a cerveja. Antes de 1970, havia apenas duas categorias: cervejas populares vendidas principalmente devido ao preço e cervejas premium que não tinham custo maior de produção, mas eram vendidas principalmente com base em suas imagens. O segmento premium havia decolado quando as cervejarias que passaram a vender em escala nacional colocaram um adicional em seus preços para compensar os custos adicionais de transporte. Depois disso, a construção de cervejarias regionalmente dispersas havia eliminado aqueles custos extras, mas o adicional nos preços permaneceu: ele era usado, entre outras coisas, para financiar a propaganda. Devido ao aumento da propaganda das cervejarias e à mudança de hábitos dos consumidores, a participação das cervejas populares havia declinado de 86% em 1947 para 58% em 1970.

Ao longo do período de 1970 a 1985, as maiores cervejarias americanas lançaram marcas com preços ainda mais altos e também passaram a diferenciar as cervejas de acordo com seu teor alcoólico (ver Quadro 2.5, p. 170). Entre 1970 e 1975, as cervejas populares perderam 16 pontos de participação, principalmente para as marcas premium. Entre 1975 e 1980, as marcas populares perderam outros 22 pontos, mas desta vez as cervejas leves, lideradas pela marca premium Miller Lite, introduzida em 1975, absorveram a maior parte desses pontos. E ao longo do período 1980-1985, as marcas premium perderam 8 pontos; as cervejas leves registraram um ganho equivalente. As cervejas superpremium, lideradas pela Michelob, da Anheuser-Busch, haviam aumentado sua participação de 1% em 1970 para 6% em 1980, mas depois recuaram para 4%.

As marcas das principais cervejarias proliferaram à medida que se multiplicavam os segmentos: só entre 1977 e 1981, seu número cresceu de 30 para 60. As maiores cervejarias gozavam de várias vantagens na introdução de novas marcas: suas marcas já existentes proporcionavam alavancagem, elas podiam arcar com os custos de lançamento (de US$ 20 a US$ 30 milhões por marca) e propaganda de sustentação (cerca de US$ 10 milhões anuais por marca), e sua capacidade de produção e distribuição lhes permitia elevar rapidamente as vendas. Em 1985, uma grande cervejaria tinha normalmente uma marca popular, uma premium e uma superpremium na categoria regular e no mínimo uma na categoria leve. O Quadro 2.6 (ver p. 171) mostra as participações de mercado das sete maiores cervejarias ao longo do período de 1977 a 1985.

A embalagem era a terceira maneira pela qual a cerveja se diferenciava. Tradicionalmente, as cervejarias engarrafavam ou enlatavam sua produção em recipientes de 12 onças (350 ml). Isso mudou em 1972 com o lançamento, pela Miller, da garrafa de sete onças (210 ml), a qual atraiu os consumidores que bebiam pouco ou devagar. À medida que os estados abrandaram os regulamentos de tamanhos de pacotes nos anos 70, a cerveja passou a ser oferecida em recipientes contendo 7, 8, 10, 12, 14, 16, 24 e 32 onças, embalados em unidades de 6, 8, 12 ou 24.

Impacto Estrutural

Em 1934, um ano depois da abolição da Lei Seca, 700 cervejarias haviam sido reabertas nos Estados Unidos. Um terço delas fecharam as portas antes do início da II Guerra Mundial. Depois da guerra, a consolidação prosseguiu. Desde então, sete grandes cervejarias passaram a responder por virtualmente todo o mercado doméstico: os Quadros 2.7 a 2.9 (ver p. 172-175) fornecem informações

QUADRO 2.5
A Segmentação das Cervejas Domésticas, 1985

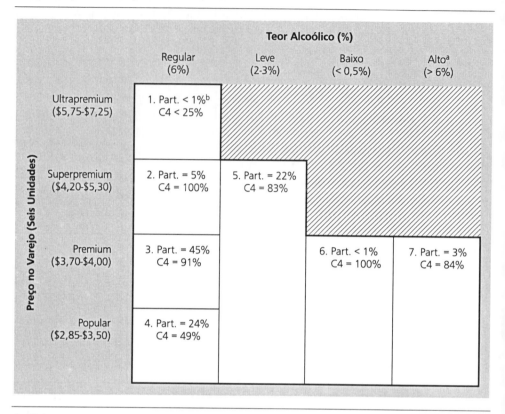

	Teor Alcoólico (%)			
	Regular (6%)	Leve (2-3%)	Baixo (< 0,5%)	Alto[a] (> 6%)
Ultrapremium ($5,75-$7,25)	1. Part. < 1%[b] C4 < 25%			
Superpremium ($4,20-$5,30)	2. Part. = 5% C4 = 100%	5. Part. = 22% C4 = 83%		
Premium ($3,70-$4,00)	3. Part. = 45% C4 = 91%		6. Part. < 1% C4 = 100%	7. Part. = 3% C4 = 84%
Popular ($2,85-$3,50)	4. Part. = 24% C4 = 49%			

Preço no Varejo (Seis Unidades)

[a]Destilados.
[b]Participação: a proporção da produção doméstica para um determinado segmento (todas as marcas).
[c]C4: a proporção de volume de um determinado segmento representada pelas quatro maiores marcas dentro dele.
Fontes: Coors Corporate Communications Department, *Beer Marketer's INSIGHT.*

sobre suas participações de mercado e seu desempenho operacional. Somente a extremidade superior do mercado havia resistido à consolidação. Várias centenas de marcas importadas, com preços em média duas vezes maiores que os das marcas domésticas, respondiam por 4% do consumo doméstico. E as cervejas ultrapremium de "butique", oferecidas por microcervejarias domésticas, totalizavam menos de 1% do consumo doméstico. Nas palavras de um analista, as cervejas importadas e de butique poderiam representar "duas ou três gotas no balde, em vez de apenas uma".

Em sua maioria, os outros grandes países industrializados também tinham indústrias cervejeiras altamente concentradas. A Alemanha Ocidental, o segundo maior mercado para cerveja depois dos Estados Unidos, era uma notável exceção a esta regra.[3] O mercado daquele país era caracterizado por contratos a longo prazo entre cervejarias e pontos de varejo, que garantiam àquelas direitos exclusivos de fornecimento, e por restrições sobre a propaganda de cerveja na televisão. Embora a concentração do setor tivesse aumentado de forma significativa na Alemanha Ocidental desde os anos 60, principalmente devido a fusões, as três maiores cervejarias ainda representavam menos de 30% do total da produção e cerca de 1.300 cervejarias continuavam em operação. As cervejarias de

QUADRO 2.6
Participações de Mercado das Principais Marcas Norte-Americanas, 1977-1985 (percentagem do volume doméstico total)

Empresa	Marca	Segmento	1977	1978	1979	1980	1981	1982	1983	1984	1985
Anheuser-Busch	Michelob	Superpremium	4,0	4,5	4,6	4,8	4,7	4,7	4,0	3,8	3,2
	Budweiser	Premium	15,7	16,4	17,4	19,0	20,8	21,7	22,8	24,0	25,8
	Busch	Popular	2,0	2,0	1,6	1,7	1,6	1,9	2,4	2,9	3,3
	Michelob Light	Leve	–	0,6	1,0	1,2	1,3	1,4	1,4	1,5	1,5
	Bud Light	Leve	–	–	–	–	–	1,8	2,1	2,3	3,1
	Natural Light	Leve	1,0	1,4	1,4	1,3	1,1	1,1	NA	NA	NA
Miller	Lowenbrau	Superpremium	0,3	0,7	0,5	0,7	0,6	0,9	0,9	0,8	0,8
	High Life	Premium	10,6	12,6	13,7	12,8	12,3	11,2	9,6	7,8	7,0
	Lite	Leve	4,3	5,7	6,1	7,4	9,0	9,6	9,7	10,0	10,5
Schlitz[a]	Schlitz	Premium	9,1	7,5	5,4	4,0	3,1	2,3	NA	NA	NA
	Old Milwaukee	Popular	2,7	2,2	1,8	2,9	3,3	3,3	3,7	2,8	4,1
Stroh	Stroh's	Premium	3,6	3,2	3,2	3,0	3,0	3,1	3,1	3,2	2,6
Heileman	Old Style	Premium	1,9	2,3	2,7	3,0	3,1	3,0	3,0	2,9	2,0
Coors	Coors Banquet	Premium	8,2	7,4	6,7	6,5	5,7	4,8	5,5	4,8	4,9
	Coors Light	Leve	–	0,3	1,0	1,4	1,8	1,8	2,1	2,6	3,4
Pabst	Blue Ribbon	Popular	9,4	8,5	7,5	6,3	5,3	4,8	4,3	3,4	2,8

NA = não-aplicável.
[a]A Schlitz foi adquirida pela Stroh em 1982.
Fonte: Research Corporation of America.

QUADRO 2.7
Participações de Mercado das Principais Cervejarias Norte-Americanas, 1950-1985

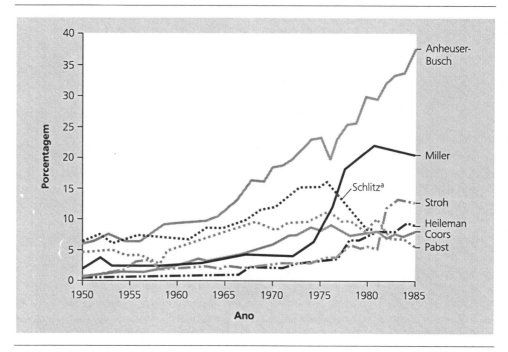

[a]A Stroh adquiriu a Schlitz em 1982.
Fonte: David J. Collis, "The Value-Added Structure and Competition within Industries", dissertação não-publicada de doutorado, Harvard University, 1986.

porte médio a grande dominavam a categoria de preço baixo; em contraste, muitas das pequenas cervejarias locais operavam no segmento de preço médio.

A DIVISÃO DE CERVEJARIA DA ADOLPH COORS

Antecedentes

Adolph Coors, Sr., abriu as portas de sua cervejaria em Golden, Colorado, em 1873. Sua empresa sobreviveu à Lei Seca produzindo cerveja não-alcoólica, leite maltado, cimento e porcelana. Adolph Coors, Jr., assumiu em 1929 quando seu pai morreu. Quatro anos depois, foi abolida a Lei Seca; naquele ano, a Coors vendeu 90.000 barris de cerveja. Ela também nomeou seus primeiros atacadistas independentes e começou a vender fora do Colorado, acrescentando o Arizona ao seu território de distribuição.

Durante os anos 30, a Coors começou a vender cerveja em outros oito estados do oeste: Califórnia, Idaho, Kansas, Nevada, Novo México, Oklahoma, Utah e Wyoming. Em 1941, ela lançou sua marca premium "Banquet". E em 1948, começou a vender no Texas. A empresa limitou-se a esses 11 estados até 1975.

QUADRO 2.8

Vendas por Região das Maiores Cervejarias Norte-Americanas (em milhões de barris)

1977

Região	AB	Miller	Schlitz	Stroh	Heileman	Coors	Pabst	Outras	Total
Nova Inglaterra	2,0	1,8	1,6	ND	ND	—	0,3	1,7	7,4
Sudeste	6,4	4,4	4,1	ND	ND	—	1,6	1,8	18,2
Central Nordeste	3,6	3,3	1,4	3,2	1,8	—	5,9	3,6	22,9
Central Noroeste	2,7	1,4	1,7	ND	ND	0,9	2,2	3,3	12,2
Central Sudoeste	3,0	2,7	5,1	—	ND	3,7	0,3	2,5	17,3
Montanha	2,2	0,6	0,9	—	ND	3,1	0,2	1,5	8,4
Pacífico	6,0	1,8	1,7	—	ND	5,1	0,5	6,3	21,4
Outros Estados e Exportações	10,9	8,1	5,7	ND	ND	—	5,0	24,1	53,8
Total	**36,6**	**24,2**	**22,1**	**6,1**	**6,2**	**12,6**	**16,0**	**37,8**	**161,7**

1981

Região	AB	Miller	Schlitz	Stroh	Heileman	Coors	Pabst	Outras	Total
Nova Inglaterra	2,9	2,8	0,6	ND	0,1	—	0,2	1,4	8,0
Sudeste	8,6	6,4	2,8	0,7	0,8	0,3	1,1	1,2	21,9
Central Nordeste	3,8	6,3	1,0	2,5	3,6	—	4,1	3,2	24,4
Central Noroeste	3,5	2,6	1,2	ND	1,9	1,5	1,8	1,3	13,7
Central Sudoeste	5,7	6,1	3,2	—	0,2	4,5	0,3	2,0	22,0
Montanha	3,5	1,9	0,8	—	0,4	2,9	0,2	1,1	10,7
Pacífico	10,4	3,1	1,3	—	1,8	4,1	1,1	3,6	25,5
Outros Estados e Exportações	16,1	11,2	3,5	ND	5,1	—	4,6	18,0	58,5
Total	**54,5**	**40,3**	**14,3**	**9,1**	**14,0**	**13,3**	**13,5**	**25,7**	**184,6**

1983

Região	AB	Miller	Schlitz/Stroh	Heileman	Coors	Pabst	Outras	Total
Nova Inglaterra	3,4	2,4	0,7	0,2	—	0,1	1,2	8,0
Sudeste	9,1	5,3	4,4	1,4	2,2	0,8	1,1	24,2
Central Nordeste	4,3	6,7	4,0	4,1	—	3,2	2,1	24,3
Central Noroeste	4,1	2,3	1,5	2,2	1,2	1,7	0,5	13,5
Central Sudoeste	6,6	5,9	3,2	1,0	3,8	0,3	1,2	22,0
Montanha	3,9	1,7	0,8	0,7	2,4	0,8	0,3	10,6
Pacífico	11,2	3,0	1,2	2,6	3,4	2,1	1,8	25,2
Outros Estados e Exportações	18,0	10,3	8,5	5,7	0,8	4,2	11,4	58,9
Total	**60,5**	**37,5**	**24,3**	**17,9**	**13,7**	**13,2**	**19,5**	**186,6**

Continua

QUADRO 2.8
Continuação

Região	AB	Miller	Schlitz/Stroh	Heileman	1985 Coors	Pabst	Outras	Total
Nova Inglaterra	3,5	1,8	0,4	0,1	0,9	0,1	0,9	7,8
Sudeste	11,4	5,3	4,0	1,3	1,7	0,7	1,1	25,5
Central Nordeste	5,8	6,5	3,5	3,5	0,5	2,1	2,1	24,0
Central Noroeste	4,4	2,2	2,0	1,9	1,1	1,0	0,3	13,0
Central Sudoeste	7,5	6,4	2,9	0,9	3,2	0,2	1,1	22,1
Montanha	4,4	1,7	1,0	0,7	2,1	0,5	0,3	10,7
Pacífico	11,5	3,2	1,5	2,4	3,2	0,1	3,3	25,3
Outros Estados e Exportações	19,5	9,9	8,0	5,3	2,0	2,9	10,4	58,0
Total	68,0	37,1	23,4	16,2	14,7	8,9	18,0	186,4

ND = não-disponível.
AB = Anheuser-Busch.

Nova Inglaterra: Maine, Massachusetts, New Hampshire, Rhode Island e Vermont.
Sudeste: Alabama, Flórida, Georgia, Mississipi, Carolina do Sul, Tennessee e West Virginia.
Central Nordeste: Indiana, Michigan, Ohio e Wisconsin.
Central Noroeste: Iowa, Kansas, Minnesota, Missouri, Nebraska, Dakota do Norte e Dakota do Sul.
Central Sudoeste: Arkansas, Louisiana, Oklahoma e Texas.
Montanha: Arizona, Colorado, Idaho, Montana, Nevada, Novo México, Utah e Wyoming.
Pacífico: Califórnia, Oregon e Washington.
Outros estados: Connecticut, Virginia, Carolina do Norte, Kentucky, Maryland, Alasca, Havaí, Illinois, Nova York, New Jersey, Delaware e Pennsylvania; Washington, D.C.; exportações.
Fontes: Beer Marketer's INSIGHT; Beer Statistics News.

QUADRO 2.9

Declarações Operacionais das Principais Cervejarias Norte-Americanas (em milhões de unidades)

	Anheuser-Busch	Miller[a]	Schlitz[b]	Stroh[a]	Heileman	Coors	Pabst[a]
1977							
Barris Vendidos	36,6	24,2	22,1	5,8	6,2	12,8	16,0
Receita Líquida	$ 1.684	$ 1.110	$ 900	$ 223	$ 216	$ 532	$ 583
Custo dos Bens Vendidos	1.340	ND	698	180	152	371	486
Propaganda	73	60	54	11	13	14	27
Outras Despesas de Vendas, Gerais e Administrativas	102	ND	90	19	27	38	32
Receita Operacional	$ 169	$ 106	$ 58	$ 13	$ 25	$ 109	$ 38
1985							
Barris Vendidos	68,0	37,1		23,4	16,2	14,7	8,9
Receita Líquida	$ 5.260	$ 2.591		$ 1.592	$ 860	$ 1.079	$ 490
Custo dos Bens Vendidos	3.524	ND		ND	617	727	ND
Propaganda	471	300		150	103	165	<15
Outras Despesas de Vendas, Gerais e Administrativas	491	ND		ND	74	94	ND
Receita Operacional	$ 774	$ 136		ND	$ 67	$ 93	ND

ND = não-disponível.
[a] Os números para 1985 foram estimados.
[b] A Schlitz foi adquirida pela Stroh em 1982.
Fontes: Relatórios anuais e estimativas dos autores do caso.

As vendas da cerveja Coors haviam pulado de 137.000 barris em 1940 para 666.000 barris em 1950. Entre 1951 e 1974, a Coors teve ganhos anuais de volume ininterruptos: o volume chegou a 1,9 milhão de barris em 1960, 7,3 milhões em 1970 e 12,3 milhões de barris em 1974. Um analista, comentando sobre o retorno sobre as vendas de 16% obtido pela Coors em 1972, disse: "É a melhor empresa privada da América. Eu pagaria qualquer coisa por suas ações". Uma mística havia se desenvolvido em torno da única marca da empresa, a premium Coors Banquet (usualmente chamada apenas de Coors). Paul Newman e Clint Eastwood insistiam em tê-la durante as filmagens; Gerald Ford e Henry Kissinger levavam caixas em suas viagens; os universitários de fora dos 11 estados em que a cerveja era distribuída pagavam mais que o dobro do preço por fornecimentos contrabandeados. Preocupada com a manutenção da qualidade (i. e., uma refrigeração consistente), a Coors chegou a veicular um anúncio incomum no *Washington Post*: "Por favor, não compre nossa cerveja".

Em 1975, o volume da Coors caiu pela primeira vez em duas décadas: 4%, para 11,9 milhões de barris. Mais ou menos na mesma época, ela começou a acrescentar novos estados ao seu território de distribuição: sua posição oficial passou a ser "queremos ter distribuição nacional, se isto fizer sentido em termos financeiros".[4] A partir daí, seu crescimento e sua lucratividade passaram a estar sob pressão, assim como sua avaliação no mercado. A família Coors havia aberto o capital da empresa — pela oferta de ações exclusivamente preferenciais, sem direito a voto — em junho de 1975, para acertar uma conta de US$ 50 milhões de impostos sobre heranças. As ações foram vendidas a US$ 25,50 no final de 1975, pagaram dividendos de US$ 2,79 por ação até 1985 e, no mesmo ano, eram vendidas a US$ 21,25. Em 1985, a família Coors continuava mantendo todas as ações com direito a voto (4% do total), bem como 16% das ações preferenciais. O valor contábil do total das ações era de US$ 936 milhões no final do ano, correspondendo a US$ 26,46 por ação, e a empresa havia fixado para si mesma a meta de um retorno de 10% depois do imposto sobre o capital.

Em maio de 1985, as operações da empresa foram oficialmente entregues à quarta geração da família Coors. Bill Coors, aos 68 anos, abdicou do título de presidente, mas manteve a posição de presidente do conselho; Joe Coors, com 67, deixou de ser presidente da empresa, mas permaneceu como vice-presidente do conselho. Os filhos de Joe — Jeff, 40, e Peter, 38 — assumiram respectivamente as presidências da empresa *holding* e da Divisão de Cervejaria. Os quatro membros da família permaneceram no conselho; os outros quatro membros deste também pertenciam à empresa.

Os membros mais jovens da família Coors acreditavam que as forças tradicionais da empresa em produção precisavam ser suplementadas com atenção nas aptidões mercadológicas. Na verdade, o primeiro voto dissidente no conselho na história da empresa havia sido de Peter Coors em 1976, contra a manutenção de uma tampa difícil de abrir nas latas de cerveja. Também esperava-se que Peter e Jeff se mantivessem longe das controvérsias periodicamente provocadas pelos membros mais velhos da família. Um exemplo datava de março de 1984: o jornal *Rocky Mountains News* noticiou que Bill Coors havia dito, a um público de mais de 100 empresários representantes de minorias, que os negros "careciam de capacidade intelectual para ter sucesso"; Bill insistia que havia sido mal interpretado. Sob a nova geração, a Coors havia se comprometido a gastar US$ 650 milhões ao longo de cinco anos trabalhando com fornecedores e distribuidores pertencentes a minorias, contratando funcionários a elas pertencentes e dando apoio às suas comunidades locais.

O restante desta seção descreve a estratégia tradicional da Coors em cervejaria e as mudanças que nela foram feitas entre 1975 e 1985. O Quadro 2.10 (ver p. 177) resume as estatísticas vitais da Divisão de Cervejaria no período de 1975 a 1985.

QUADRO 2.10
Dados Resumidos sobre a Divisão Cervejeira da Coors

	1975	1976	1977	1978	1979	1980	1981	1982	1983	1984	1985
Volumes											
Território de Distribuição											
Número de Estados	11	13	14	16	16	17	20	20	28	37	44
% do Mercado dos EUA	25%	27%	28%	32%	32%	34%	40%	40%	54%	67%	79%
Atacadistas	ND	212	223	254	254	260	266	374	368	521	574
Capacidade (milhões de barris)	13,2	14,2	15,1	15,6	15,6	15,9	15,9	15,9	16,0	16,0	16,0
Vendas (milhões de barris)											
Coors Banquet	11,9	13,5	12,8	12,1	11,3	11,3	10,0	8,5	9,7	8,4	8,5
Coors Light	–	–	–	0,5	1,6	2,5	3,1	3,2	3,8	4,6	6,0
Outras	–	–	–	–	–	–	0,1	0,2	0,2	0,2	0,2
Total	11,9	13,5	12,8	12,6	12,9	13,8	13,2	11,9	13,7	13,2	14,7
Utilização da Capacidade (%)	90%	95%	85%	81%	83%	87%	83%	75%	86%	83%	92%
Dados Financeiros[a]											
Vendas	ND	545	532	549	639	759	788	766	948	938	1.079
Custo dos Bens Vendidos	ND	ND	371	396	447	538	559	–	614	666	727
Propaganda	7	10	14	29	40	57	73	88	119	139	165
Outras despesas de vendas, Gerais e administrativas	ND	ND	38	46	54	77	92	–	66	80	94
Receita Operacional	118	139	109	79	98	87	64	46	149	53	93
Depreciação	ND	31	37	40	42	45	50	54	57	65	72
Acréscimos a Imóveis	ND	69	72	72	64	92	130	84	120	92	60
Ativos Totais	ND	518	562	605	650	704	754	772	850	905	893
Índice de Preços ao Consumidor	161	171	182	195	217	247	272	289	298	311	322

ND = não-disponível.

[a]Todos os dados financeiros estão em milhões de dólares correntes, exceto o índice de preços ao consumidor.

Fontes: Relatórios anuais, relatórios 10-K e Beer Marketer's INSIGHT.

Compras

Na compra de insumos, a Coors sempre havia enfatizado qualidade e autoconfiança. A "água pura das Montanhas Rochosas" destacada pela empresa em seu rótulo por meio século provinha de 60 fontes em terras de sua propriedade em Golden, Colorado; ela continuava a adquirir direitos de água e a acrescentar capacidade de reservatórios como garantia contra uma seca prolongada.

Dos vários insumos agrícolas, a Coors produzia seu próprio malte a partir de variedades exclusivas de cevada plantada por 2.000 fazendeiros sob contratos de longo prazo. Seu processo de fabricação podia usar arroz ou outros cereais refinados; havia muito a Coors operava suas próprias instalações de processamento de arroz para proteger-se de flutuações de preços e, em 1983, havia adquirido uma instalação de processamento de cereais que supria um terço das suas necessidades durante 1985. Os lúpulos especiais eram comprados de fornecedores domésticos e também europeus. De acordo com a empresa, "Do ponto de vista agrícola, a Coors é . . . a cerveja mais cara feita na América".

Embora as garrafas custassem um pouco menos que as latas, a Coors enlatava uma proporção maior da sua produção do que outras cervejarias americanas: 69% contra uma média de 57% para o setor como um todo. A Coors havia sido a pioneira em latas inteiramente de alumínio em 1959 e, desde então, comprava todas as suas latas de um fabricante exclusivo que se tornara o maior do mundo. Ela foi a primeira cervejaria a iniciar um programa de reciclagem de latas e, em 1984, utilizando tecnologia desenvolvida com a Alusuisse, inaugurou sua primeira instalação de reciclagem. Mesmo enfrentando problemas iniciais, ela já supriu 14% das necessidades de alumínio da Coors em 1985; os planos a longo prazo exigiam que ela suprisse um terço dessas necessidades.

A Coors também produzia a maior parte dos rótulos e outros itens de embalagem e, depois da aquisição, em 1976, do seu maior fornecedor de garrafas, virtualmente todas as garrafas necessárias (ao contrário de qualquer outra grande cervejaria). Este padrão acima da média de integração vertical estendia-se a outras áreas além da embalagem. Num setor em que até a maior cervejaria comprava maquinário de fornecedores externos, a Coors construía todo o seu equipamento de maltagem, 90% do equipamento para fermentação e 75% do equipamento de embalagem. Desde meados dos anos 70, ela também havia investido fortemente para se tornar auto-suficiente em energia, principalmente desenvolvendo sua própria jazida de carvão.

Produção

Na área de produção, a Coors havia enfatizado qualidade e escala. As afirmações de qualidade superior da empresa baseavam-se não só nos ingredientes que usava, mas também em dois aspectos únicos do seu processo de fermentação. Primeiro, ela envelhecia sua cerveja por 70 dias, contra a média de 20 a 30 dias das outras cervejarias; uma parte da razão era o processo "natural" de fermentação, que minimizava o uso de aditivos. O ciclo mais longo de fermentação retinha mais capital: em 1984, os ativos por barril de capacidade somavam US$ 57 para a Coors, US$ 45 para a Anheuser-Busch, US$ 43 para a Miller e US$ 16 para a Heileman, as quais haviam adicionado capacidade a baixo custo comprando cervejarias regionais falidas.

Segundo aspecto: a Coors, ao contrário de outras grandes cervejarias, não pasteurizava a cerveja que engarrafava ou enlatava; ela afirmava que o calor intenso prejudicava o sabor da cerveja (em conseqüência disso, toda a cerveja Coors era chope, independentemente da embalagem). Para evitar contaminação bacteriana, a Coors fermentava sua cerveja de forma asséptica, usava um processo esterilizado para embalagem e a armazenava em armazéns frigorificados. Os custos adicionais da refrigeração eram mais ou menos iguais à energia poupada pela não-pasteurização.

Tradicionalmente a Coors controlava seus custos de produção fermentando uma única espécie de cerveja, operando as mais rápidas linhas de embalagem da indústria e a maior cervejaria do mundo. A empresa havia ampliado sua única fábrica em Golden, Colorado, de 3 milhões de barris em 1963 para 7 milhões em 1970 e 13 milhões em 1975. Embora os planos originais previssem a expansão da cervejaria de Golden para 20 milhões de barris em meados dos anos 80, tiveram de ser adiados devido à estagnação da demanda: em 1985, a capacidade em Golden era de 16 milhões de barris.

Até 1975, os acréscimos de capacidade da Coors haviam ficado para trás em relação ao crescimento das vendas, fato que provocava escassez em períodos de pico de consumo. Um analista descreveu como segue a estratégia de expansão da capacidade da Coors: "Fazemos um pouco de cerveja; se vendemos, fazemos um pouco mais". A utilização da capacidade tradicionalmente estava na faixa de 90 a 95%. Entretanto, a partir de 1977, a utilização havia caído para 84%, ligeiramente acima da média da indústria como um todo.

Um fator que ajudou na utilização da capacidade da Coors nos anos 60 e início dos anos 70 foi a escassez de capacidade nos 10 estados a oeste do Colorado (inclusive o Novo México, mas excluindo o Alasca e o Hawai): por exemplo, em 1975, 24 milhões de barris de cerveja foram consumidos nesses estados, mas a capacidade instalada na região era de apenas 17 milhões. A Coors estava bem posicionada para neutralizar esse déficit, porque sua cervejaria, no Colorado, estava mais próxima desses mercados do que as cervejarias dos concorrentes no Texas, Missouri e Wisconsin. Mas, no final dos anos 70 e início dos 80, a Anheuser-Busch e a Miller reagiram acrescentando, respectivamente, 11 milhões e 3 milhões na Califórnia. Em 1985, 31 milhões de barris de capacidade estavam disponíveis na região para atender 34 milhões de barris de demanda.

As práticas operacionais da Coors haviam levado a numerosas greves dos trabalhadores e, ocasionalmente, a ações judiciais pelo governo federal. As acusações incluíam discriminação racial e sexual, testes com detector de mentiras e juramentos de lealdade obrigatórios e demissões por motivos como difamação da família Coors. Para citar um artigo de 1978 na revista *Forbes*, "a Coors está junto com a J.P. Stevens nas listas de ódio dos sindicatos". A greve mais recente foi aquela convocada em abril de 1977 pelo Brewery Workers Union, que representava 1.500 dos 8.200 funcionários da empresa. A Coors declarou que trabalhadores que não aderiram à greve, funcionários transferidos de outros departamentos e novos funcionários haviam feito a cervejaria voltar aos níveis normais de produção em três semanas. A greve terminou oficialmente em dezembro de 1978, quando os trabalhadores decidiram eliminar o Brewery Workers Union como seu agente nas negociações. Desde então, a AFL-CIO e outros grupos haviam organizado um boicote à Coors, a qual havia finalmente retaliado com ações legais que ainda estavam em andamento. De acordo com Bill Coors, "este é o tipo de guerra em que queremos entrar".[5] O boicote continuou em 1985, embora analistas independentes o tivessem considerado ineficaz. E a Coors continuou a ser a única grande cervejaria não-sindicalizada.

Distribuição

A distribuição da Coors era regida pelo fato da sua cerveja não-pasteurizada tender a se estragar rapidamente. A empresa despachava sua cerveja em vagões e caminhões frigoríficos para os armazéns dos atacadistas. Estes tinham de mantê-la gelada e respeitar uma severa "política de frescor":

qualquer cerveja Coors que ficasse nas prateleiras mais que 60 dias era destruída às expensas do atacadista. De acordo com a própria empresa, "a Adolph Coors possui um dos mais extensos programas de monitoração de distribuidores".

As políticas rígidas da empresa com relação aos seus canais havia sido contestada em 1971 pela Comissão Federal de Comércio (CFC)*, a qual atacou a Coors por restringir a distribuição geográfica da sua cerveja e também acusou-a de se recusar a vender seu chope aos bares, a menos que lhe dessem exclusividade, que ela não permitia que seus atacadistas reduzissem preços e que suas provisões para a suspensão de atacadistas eram arbitrárias. Em janeiro de 1975, os tribunais haviam decidido em favor da FTC nas três primeiras acusações e em favor da Coors na quarta.

Citando vantagens econômicas, a Coors começou a ampliar seu território de distribuição em 11 estados em 1976, entrando inicialmente em dois ou três estados por ano. Em 1981, ela começou a vender cerveja a leste do rio Mississipi. Em 1983, ela acelerou o ritmo: entre esse ano e 1985, ela acrescentou em média oito estados por ano. O Quadro 2.11 resume o padrão da entrada em 44 estados até 1985. A empresa planejava entrar em Michigan em 1986, Nova York e New Jersey em 1987 e nos três estados restantes — Pennsylvania, Delaware e Indiana — no final da década.

A distribuição nacional teve duas conseqüências importantes. Primeira, a distância média para a qual a Coors despachava sua cerveja aumentou de 1.300 Km em 1977 para 2.400 Km em 1985. A Coors reagiu estabelecendo centros de distribuição em mercados remotos (Sacramento, Baltimore, Memphis e Greenville, S.C.) em 1983; ela absorveu o custo do transporte da sua cervejaria até esses centros diretamente e, de acordo com a prática da indústria, também o custo do transporte dos centros de distribuição até os atacadistas. Segunda, a Coors precisava encontrar rapidamente

QUADRO 2.11
Distribuição Nacional da Coors

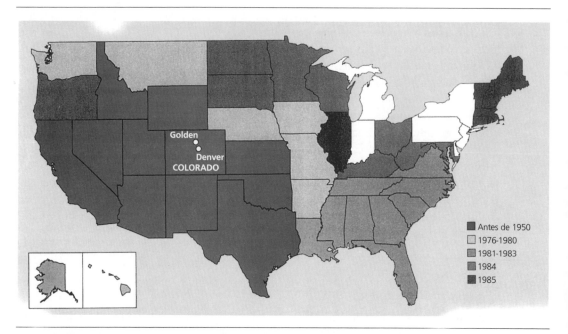

Fonte: Relatórios anuais.

---

*N. do T. Comissão que investiga práticas ilegais no comércio interestadual.

novos atacadistas nos novos estados. Ela normalmente escolhia atacadistas mais fracos dispostos a trabalhar com a Coors como sua principal marca, em vez dos atacadistas mais fortes da Anheuser-Busch ou da Miller, que iriam tratá-la como marca secundária. Cada novo atacadista precisava investir de US$ 500.000 a US$ 2 milhões em desenvolvimento de mercado, dependendo do porte do seu território.

As circunstâncias dos atacadistas existentes da Coors também haviam mudado. Nos anos 70, eles tinham tanto lucro que dezenas e, às vezes, centenas de candidatos clamavam por cada nova licença de distribuição da Coors; na época, mais de dois terços dos atacadistas da empresa não trabalhavam com outras marcas. Mas, nos anos 80, os atacadistas que trabalhavam com exclusividade para a Coors passaram a ser minoria e um quinto das empresas licenciadas mudaram de mãos somente no período de 1980 a 1982 (em alguns dos estados em que a Coors havia entrado depois de 1975, essa proporção chegava a um terço). Em resposta, a Coors havia começado a dar mais importância à experiência anterior dos candidatos no ramo de cervejas; seus atacadistas também concordaram que ela havia se tornado mais sensível às suas preocupações e sugestões.

Em 1985, a rede de distribuição da Coors abrangia 569 atacadistas independentes e 5 de propriedade da empresa. Esta despachava 74% da sua cerveja em vagões ferroviários refrigerados e o restante em caminhões também refrigerados. Sua subsidiária de transportes rodoviários, a Coors Transportation Company, ficava com quase a metade dos embarques por caminhão — uma proporção superior à de outras cervejarias. Embora a Coors Transportation Company tenha adquirido a condição de transportadora comum em 1982, ela não conseguira muitas fontes de tráfego ou fretes de retorno como uma transportadora independente; isto provavelmente elevava seus custos em 10 a 15%.

Marketing

A Coors tradicionalmente confiava que sua cerveja se vendesse por si mesma em virtude do seu sabor. Supunha-se que a cerveja Coors devesse suas qualidades superiores à água das fontes das Montanhas Rochosas e a outros ingredientes escolhidos, bem como ao processo único de fermentação da empresa. Entretanto, em testes de sabor, os consumidores que conseguiam distinguir a Coors de outras marcas premium o faziam principalmente com base em seu corpo relativamente leve — uma característica que não tinha apelo universal. Bill Coors admitira uma vez: "Você poderia fazer a Coors com água de pântano e ela seria exatamente a mesma".[6]

Quaisquer que fossem suas razões, em 1975 os consumidores bebiam toda a cerveja Coors que conseguiam obter. Apesar do declínio em volume experimentado pela empresa naquele ano, ela vendia mais que qualquer outra cervejaria em 10 dos 11 estados em que operava. Entretanto, desde então, seu volume havia estagnado e se espalhado por um número crescente de estados. Embora ela houvesse conquistado participações de mercado de dois dígitos em vários estados nos quais entrou, em quase todos essas participações haviam caído nos anos seguintes.

No final dos anos 70, essa queda convenceu Bill e Joe Coors de que a empresa precisava investir mais em *marketing*. A Coors começou a contratar pessoal de *marketing* de outras empresas e a visar nichos em que sua penetração tinha sido limitada, como os consumidores afro-americanos e hispânicos. E também lançou novas marcas e elevou de forma aguda seus gastos com *marketing*.

Os lançamentos provocaram muitas discussões dentro da empresa porque, desde 1958, ela havia oferecido somente uma marca, a Coors Banquet. A primeira marca nova, a Coors Light, uma cerveja premium leve, foi lançada em 1978. Seguiram-se lançamentos em todos os segmentos, exceto os populares. A Herman Joseph's, uma marca superpremium em desenvolvimento desde

1977, passou para testes de mercado em 1980 e foi finalmente lançada em sete estados em 1984. A George Killian's Irish Red, uma marca superpremium para a qual a Coors havia obtido os direitos de fabricação nos Estados Unidos, foi para testes de mercado em 1981 e lançada mais depressa; em 1985, a Coors comercializava a Killian's em 34 estados. A Golden Lager, uma marca premium mais escura e robusta que a Coors Banquet, passou por testes de mercado em 1983, mas foi a seguir suspensa; a Coors reposicionou a marca como Coors Extra Gold e recomendou teste de *marketing* em 1985. Também naquele ano, a Coors juntou-se à Molson do Canadá e à Kaltenberg Castle da Alemanha Ocidental para formar a Masters Brewing Company e produzir a ultrapremium Masters III e testá-la em quatro cidades. No mesmo ano, a Coors concedeu à Molston a licença para produzir sua cerveja no Canadá. Esses novos produtos haviam contribuído para a proliferação de embalagens: em 1984, por exemplo, a Coors tinha 320 embalagens diferentes em suas linhas.

A Coors teve seu primeiro sucesso na propaganda com o tema "Silver Bullet" para a Coors Light (o rótulo da Coors Light era prateado; o da Coors Banquet era dourado). Cada comercial da Coors Light apresentava uma vinheta de homens e mulheres que trabalhavam no bar Silver Bullet ou eram seus freqüentadores. Os personagens não bebiam Coors Light; em vez disso, ela era o pano de fundo para a história. Isso a diferenciava das duas outras maiores cervejas leves, a Miller Lite e a Bud Light: seus comerciais apresentavam atletas e personagens masculinos pedindo ou consumindo suas marcas de cerveja. Em 1985, a Coors Light tinha se tornado a segunda cerveja leve mais vendida; ela também representava mais de 40% do volume total da Coors. Embora a introdução da Coors Light houvesse criado inicialmente problemas técnicos e operacionais, ela acabara contribuindo mais para a lucratividade da empresa do que a Coors Banquet, em parte porque as cervejas leves usavam menos de tudo (exceto água) que as cervejas premium, reduzindo os custos de fabricação em US$ 2 a US$ 3 por barril.

A Coors levou mais tempo para anunciar com sucesso sua marca premium Banquet; numa pesquisa de 1984, seus atacadistas lhe haviam dado nota C+ a este respeito.[7] Depois de anos com insucessos temáticos, o sucesso veio em 1985 com a primeira campanha publicitária nacional da empresa, "Coors is the One". Os anúncios eram tranqüilos — os cenários incluíam lagos de montanha e campos de cevada — e apresentavam Mark Harmon, um jogador de futebol americano transformado em ator com considerável *sex appeal* (de acordo com a revista *People*) expondo por que a Coors era uma cerveja melhor. Em contraste, outras marcas premium usavam comerciais cujo tema era estilo de vida, cheios de pessoas (normalmente um grupo de homens), ação e música, e não discutiam a qualidade dos produtos. De acordo com uma pesquisa da *Advertising Age*, os novos comerciais da Coors eram os mais lembrados anúncios de cervejas em 1985.

À medida que fortalecia sua propaganda, a Coors também aumentava seus preços, particularmente nos novos territórios de distribuição. A Coors Banquet tradicionalmente tinha um preço muito abaixo do da Budweiser no oeste; nos mercados do leste os preços eram mais próximos. Entretanto, a maior parte da receita adicional era consumida pelo custo adicional de transporte a distâncias maiores.

PLANOS DA COORS PARA EXPANSÃO EM FÁBRICAS EM VÁRIOS LOCAIS

Quando a Coors iniciou sua expansão para distribuição nacional, preocupações a respeito do teto de capacidade de 25 a 30 milhões de barris na fábrica de Golden e do aumento das distâncias de transporte levaram-na a estudar um segundo local. Em 1979, a empresa havia identificado duas possíveis localizações: uma em Rockingham County, Virgínia, à beira do rio Shenandoah, e outra em Anson County, North Carolina, à beira do rio Pee Dee. Em 1981, ela concluiu a aquisição de 850 hectares de terra em Rockingham County. E, em agosto de 1985, a Coors anunciou planos de construir, lá, uma cervejaria com capacidade para 10 milhões de barris.

A construção teria duas fases. Na primeira, iniciada em novembro de 1985, a Coors iria acrescentar uma instalação embaladora para 2,4 milhões de barris, a qual iria engarrafar e enlatar cerveja enviada de Golden em vagões refrigerados. Esperava-se que essa instalação custasse US$ 95 milhões e iniciasse as atividades no primeiro semestre de 1987. A Coors estimava que ela iria reduzir em US$ 2,50 por barril o custo do envio de cerveja à Costa Leste, ajudando a empresa a concluir sua expansão nacional.

Na segunda fase, a qual ainda não recebera investimentos, a instalação seria expandida, transformando-se numa cervejaria para 10 milhões de barris por ano. Os analistas achavam que a segunda fase poderia custar de US$ 500 a US$ 600 milhões e iria reduzir os custos de transporte em outros US$ 2,50 por barril. Eles também observaram que, para construir a cervejaria, a Coors provavelmente teria de recorrer a financiamento externo pela segunda vez em sua história. Entretanto, a idéia de assumir dívidas continuava a enfrentar a resistência de Jeff e Peter Coors.

O sindicato de caminhoneiros International Brotherhood of Teamsters anunciou rapidamente sua intenção de organizar de 225 a 250 trabalhadores que a nova fábrica iria empregar em sua primeira fase. Este e outros sindicatos eram relativamente fortes nos mercados que a fábrica de Rockingham pretendia atender.

NOTAS

1. Um barril contém cerveja suficiente para encher 331 garrafas ou latas de 12 onças.
2. F.M. Scherer *et al., The Economics of Multi-Plant Operation*, Harvard University Press, 1975, p. 248.
3. John Sutton, *Sunk Costs and Market Structure*, MIT Press, p. 300-301.
4. *Beverage World*, novembro de 1977, p. 134.
5. *Wall Street Journal*, 6 de outubro de 1982, p. 27.
6. *San Francisco Chronicle*, 27 de janeiro de 1979.
7. *Beverage World*, outubro de 1984, p. 43.

CASO 3

As Guerras das Colas Continuam: Coca *vs.* Pepsi nos Anos 90

Durante décadas, a competição entre Coca e Pepsi tem sido descrita como uma "luta competitiva cuidadosamente promovida". As batalhas mais intensas nas guerras das colas foram travadas pela indústria de US$ 48 bilhões nos Estados Unidos, onde um americano médio bebia mais de 210 litros por ano. Entretanto, analistas da indústria diziam que a indústria de refrigerantes havia se estagnado e que era pouco provável um aumento significativo do consumo total a curto prazo. Em conseqüência disso, as guerras das colas estavam passando para mercados internacionais. "A Coca-Cola era uma empresa americana com um grande negócio internacional. Hoje, somos uma grande empresa internacional com um negócio americano considerável", explicou Roberto Goizueta, presidente da Coca-Cola.[1] A Coca, a maior empresa de refrigerantes do mundo, teve 80% dos seus lucros fora dos Estados Unidos em 1993. A Pepsi, com apenas 15% dos seus lucros operacionais de bebidas provenientes do exterior, estava usando "táticas de guerrilha" para atacar a Coca em mercados internacionais selecionados. "Com o tamanho da Coca-Cola, você certamente não quer um tiroteio ao meio-dia", disse Wayne Calloway, presidente da PepsiCo.[2] Roger Enrico, antigo presidente da Pepsi-Cola, descreveu a situação da seguinte maneira:

> A guerra deve ser vista como uma batalha permanente sem sangue. Sem a Coca, a Pepsi teria dificuldade para ser uma concorrente original e vigorosa. Quanto maior o sucesso deles, mais espertos nós temos de ser. Se a Coca-Cola Company não existisse, rezaríamos para que alguém a inventasse. E, do outro lado da cerca, estou certo de que os colegas da Coca diriam que nada contribui tanto para o atual sucesso da Coca-Cola Company quanto . . . a Pepsi.[3]

Sharon Foley preparou este caso sob a supervisão do professor David B. Yoffie como base para discussão em classe e não para ilustrar o manejo eficaz ou ineficaz de uma situação administrativa.

Com a continuação das guerras das colas na década de 90, a Coca e a Pepsi tinham que lutar com perguntas antigas: poderiam manter seu crescimento fenomenal nos mercados doméstico e externo? O que irá acontecer com suas margens com a continuação da guerra? E as mudanças econômicas do seu setor irão manter os lucros médios da indústria nos níveis históricos?

DADOS ECONÔMICOS DO SETOR NOS ESTADOS UNIDOS

Em 1970, o consumo de refrigerante nos Estados Unidos era de 87 litros por pessoa, um índice que saltou para 181 litros por pessoa em 1993 (ver Quadro 3.1, p. 187). Na base desse significativo aumento estiveram fatores como a crescente disponibilidade e fácil acesso aos refrigerantes no mercado, bem como o lançamento e a boa aceitação dos refrigerantes *diet*. Havia muitas alternativas aos refrigerantes: café, cerveja, leite, chá, água mineral, sucos, bebidas em pó, vinho, destilados e água da torneira. Contudo, os americanos bebiam mais refrigerantes do que qualquer outra coisa, sendo eles e as águas minerais as únicas categorias a apresentar crescimento todos os anos. Quanto aos preços, porém, desde o começo dos anos 80 os preços reais dos refrigerantes estiveram caindo. Usando 1978 como ano base, o Índice de Preços ao Consumidor (IPC) cresceu à taxa média anual de 5,9%, enquanto os preços dos preços dos refrigerantes aumentaram apenas 3,8%. A demanda parecia acompanhar o ritmo do aumento dos preços. O segmento de colas da indústria de refrigerantes detinha a parte maior (68%) do mercado em 1992, seguido pelo segmento lima/limão (12%), mentolados (7%), laranja (3%), salsaparrilha (2%) e outros (8%).

Produtores de Concentrados

Os refrigerantes consistiam de uma base de sabor, um adoçante e água gaseificada. Três importantes participantes na cadeia de valor produziam e distribuíam refrigerantes: (1) produtores de concentrado e xarope, (2) engarrafadores e (3) distribuidores. As empresas de embalagens e de adoçantes eram as principais fornecedoras do setor.

O produtor de concentrado (PC) misturava as matérias-primas necessárias (fora o açúcar ou xarope de milho com alto teor de frutose), embalava em recipientes de plástico e os enviava ao engarrafador. O PC adicionava adoçante artificial (aspartame) para fazer concentrado para refrigerantes diet, enquanto os próprios engarrafadores adicionavam açúcar ou xarope de milho.[4] O processo exigia pouco investimento de capital em maquinário, custos indiretos ou mão-de-obra. A construção de uma fábrica típica de concentrado custava de US$ 5 a US$ 10 milhões em 1993 e ela poderia atender a todo o território dos Estados Unidos. Os custos mais significativos para um PC eram de propaganda, promoção, pesquisa de mercado e relações com os engarrafadores. Os programas de *marketing* eram implementados em conjunto e financiados pelos PCs e pelos engarrafadores. Normalmente, os PCs assumiam a liderança no desenvolvimento dos programas, particularmente em planejamento de produtos, pesquisa de mercado e propaganda. Os engarrafadores assumiam um papel maior no desenvolvimento de promoções junto à rede e aos consumidores e pagavam uma percentagem prefixada dos custos promocionais e de propaganda. Os PCs empregavam grandes equipes de vendas e apoio de *marketing* para trabalhar com seus engarrafadores licenciados e melhorar seu desempenho. Eles estabeleciam padrões para seus engarrafadores e sugeriam procedimentos operacionais. Os PCs também negociavam diretamente com os principais fornecedores dos engarrafadores — em especial os fornecedores de adoçante e embalagens — para incentivar suprimento confiável, entregas rápidas e preços mais baixos. Coca-Cola e Pepsi-Cola eram PCs e

QUADRO 3.1
Dados Estatísticos da Indústria Norte-Americana

	1965	1970	1975	1980	1985	1986	1987	1988	1989	1990	1991	1992	1993E
Consumo Histórico de Refrigerantes													
Caixas (milhões)	ND	3.670	4.155	5.180	6.500	6.770	7.155	7.530	7.680	7.914	8.040	8.160	8.395
Galões/capita	17,8	22,7	26,3	34,2	40,8	42,1	44,1	46,0	46,6	47,4	47,2	48,0	48,9
Percentagem do consumo													
Total de bebidas	9,8	12,4	14,4	18,7	22,4	23,1	24,2	25,2	25,5	26,0	26,2	26,3	26,8
Participação no Mercado dos EUA por Sabor (%)													
Cola		57,6	58,0	64,0	67,5	68,8	69,0	69,0	69,5	69,9	69,7	68,3	67,0
Lima/Limão		12,0	12,7	12,6	12,2	11,3	10,6	10,4	12,0	11,7	11,8	12,0	12,1
Mentolados		4,1	6,6	5,7	4,9	4,6	4,7	5,1	5,3	5,6	6,2	6,9	7,3
Salsaparrilha		4,4	4,1	3,0	2,7	2,2	2,4	2,4	2,6	2,7	2,8	2,7	2,7
Laranja		4,8	3,9	5,7	0,8	1,4	1,0	0,8	2,4	2,3	2,3	2,2	2,3
Outros		17,1	14,7	9,0	11,9	11,7	12,3	12,3	8,2	7,8	7,2	7,9	8,6
		100,0	100,0	100,0	100,0	100,0	100,0	100,0	100,0	100,0	100,0	100,0	100,0
Isentos de cafeína							4,1	4,6	5,2	6,0	6,1	6,0	5,6
Diet					23,1	24,0	24,8	25,9	27,7	30,0	29,8	29,3	28,2
Tendências do Consumo de Líquidos nos EUA													
Refrigerantes		22,7	26,3	34,2	40,8	42,1	44,1	46,1	46,7	47,7	47,8	48,0	48,9
Café		35,7	33,0	27,2	26,8	27,1	27,1	26,5	26,4	26,4	26,5	26,1	25,9
Cerveja		18,5	21,6	24,3	23,8	24,1	23,9	23,7	23,6	24,1	23,3	23,1	22,9
Leite		22,8	21,8	20,6	19,8	19,9	19,7	19,4	19,6	19,4	19,4	19,2	18,9
Chá		5,2	7,3	7,3	7,3	7,3	7,3	7,4	7,2	7,0	6,7	6,8	6,9
Água mineral		–	1,2	2,7	5,2	5,7	6,4	7,2	8,1	9,2	9,6	9,9	10,5
Sucos		6,5	6,8	6,9	7,4	7,3	7,0	7,1	6,8	6,2	6,4	6,6	7,0
Bebidas em pó		–	4,8	6,0	6,3	5,2	4,9	5,3	5,4	5,7	5,9	5,6	6,0
Vinho		1,3	1,7	2,1	2,4	2,4	2,4	2,2	2,1	2,0	1,9	1,8	1,7
Destilados		1,8	2,0	2,0	1,8	1,7	1,6	1,5	1,5	1,5	1,4	1,3	1,3
Subtotal		114,5	126,5	133,3	141,6	142,8	144,4	146,4	147,4	149,2	148,9	148,4	149,4
Consumo de água atribuído		68,0	56,0	49,2	40,9	39,7	38,1	36,1	35,1	33,3	33,6	34,1	32,6
Total*		182,5	182,5	182,5	182,5	182,5	182,5	182,5	182,5	182,5	182,5	182,5	182,5

E: Estimativa.

*Esta análise supõe que cada pessoa consome, em média, meio galão de líquido por dia.

Fontes: John C. Maxwell, Jr., Beverage Industry Annual Manual 1992/1993 e The Maxwell Consumer Report, 3 de fevereiro de 1994.

engarrafadoras, ao passo que Dr Pepper/Seven Up, Cadbury Schweppes e RC Cola estavam envolvidas somente com a produção de concentrado nos Estados Unidos (ver no Quadro 3.2, p. 190-191, dados financeiros sobre os principais concorrentes em refrigerantes). Durante a maior parte dos anos 80 e 90, o preço do concentrado vendido aos engarrafadores aumentou todos os anos.

Engarrafadores

Os engarrafadores compravam concentrado, adicionavam água gaseificada e xarope de milho com alto teor de frutose, engarrafavam ou enlatavam o refrigerante e o entregavam aos clientes. Os engarrafadores de Coca e Pepsi ofereciam a entrega "direta na porta da loja" (DPL), a qual envolvia os vendedores na colocação física e no gerenciamento do refrigerante da marca nas lojas. Marcas nacionais menores, como Shasta e Faygo, distribuíam através de depósitos de lojas de alimentos. A DPL incluía o gerenciamento do espaço de prateleira pelo empilhamento do produto, posicionamento do rótulo da marca, a limpeza das embalagens e prateleiras e a colocação de *displays* de ponto de venda e de fim de corredor. A importância do relacionamento do engarrafador com o varejo era crucial para a disponibilidade permanente da marca e sua manutenção. Acordos de *merchandising* cooperativo (AMC) entre varejistas e engarrafadores eram usados para promover as vendas de refrigerantes. As atividades promocionais e os níveis de desconto eram acertados no AMC com o varejista em troca de um pagamento pelo engarrafador.

O processo de engarrafamento era de capital intensivo e envolvia linhas especializadas de alta velocidade. As linhas eram intercambiáveis somente para embalagens do mesmo tamanho e construção. As linhas de engarrafamento e enlatamento custavam de US$ 4 a US$ 10 milhões cada, dependendo do volume e do tipo de embalagem. O custo mínimo de instalação de uma pequena fábrica engarrafadora, com espaço para depósito e escritórios, era de US$ 20 a US$ 30 milhões. O custo de uma fábrica grande e eficiente, com cerca de cinco linhas e um volume de 15 milhões de caixas, era de US$ 30 a US$ 50 milhões. Eram necessárias de 80 a 85 fábricas para distribuição nacional nos Estados Unidos. A embalagem representava aproximadamente 48% do custo dos bens vendidos pelos engarrafadores, o concentrado 35% e os adoçantes nutritivos 12%. A mão-de-obra representava a maior parte dos custos variáveis restantes. Os engarrafadores também investiam capital em caminhões e redes de distribuição. Seus lucros brutos com freqüência excediam os 40%, mas as margens operacionais eram reduzidas (ver no Quadro 3.3, p. 192, as estruturas de custos de um PC e engarrafador típico em 1993).

Historicamente, os PCs utilizavam redes franqueadas de engarrafamento. O engarrafador típico possuía uma operação de fabricação e vendas em um pequeno território exclusivo, com direitos concedidos perpetuamente pelo franqueador. No caso da Coca-Cola, os direitos territoriais não se estendiam a contas-fontes — a Coca entregava diretamente a estas, não através de engarrafadores. Os direitos concedidos aos engarrafadores estavam sujeitos a cancelamento pelo PC somente em caso de omissão pelo engarrafador. Os contratos não continham provisões especificando o desempenho exigido dos engarrafadores ou do PC. Nos contratos originais de engarrafamento da Coca-Cola, o preço do concentrado era fixado perpetuamente, sujeito a ajustes trimestrais para refletir mudanças no preço do açúcar. Não havia exigência de renegociação devido a mudanças nos custos dos ingredientes do concentrado. A Coca modificou o contrato em 1978, fato que lhe permitiu elevar o preço do concentrado de acordo com o Índice de Preços ao Consumidor e, no caso do xarope, ajustar trimestralmente seu preço com base no preço médio do açúcar nos Estados Unidos. Em troca, a Coca obrigava-se a ajustar seus preços para refletir quaisquer reduções de custos obtidas em conseqüência de modificações de ingredientes e a permitir que os engarrafadores comprassem o concentrado não-adoçado e adquirissem adoçante no mercado. No final de 1986, a Coca-Cola propôs que seu contrato de licenciamento fosse substituído pelo Master Bottler Contract, o qual propiciava flexibilidade adicional aos preços. Em 1993, mais de 70% do volume da Coca nos Estados Unidos eram cobertos pelo Master Bottler Contract. A Pepsi negociava os preços do concentrado com sua associação de engarrafadores e normalmente baseava seus aumentos de preços no IPC.

Os contratos de franquia da Coca e da Pepsi permitiam que os engarrafadores trabalhassem com refrigerantes de sabor não-cola de outras marcas. Também lhes permitiam escolher comercializar, ou não, novas bebidas lançadas pelo PC. Havia, entretanto, algumas restrições: os engarrafadores não podiam trabalhar com marcas diretamente competitivas. Por exemplo, um engarrafador de Coca-Cola não podia vender RC Cola, mas podia distribuir Seven-Up, desde que não trabalhasse com Sprite. Os engarrafadores tinham liberdade para participar, ou não, do lançamento de novas embalagens, de campanhas publicitárias e promoções locais e de testes de *marketing*. Eles também tinham a última palavra em decisões relativas a preços, novas embalagens, vendas, propaganda e promoções em seus territórios. Entretanto, só podiam utilizar as embalagens autorizadas pelo franqueador.

Em 1971, a Comissão Federal de Comércio iniciou uma ação contra oito grandes PCs, argumentando que a exclusividade territorial concedida aos engarrafadores franqueados impedia a concorrência intramarca (dois ou mais engarrafadores competindo na mesma área com a mesma bebida). Os PCs afirmaram que a concorrência intramarca era suficientemente forte para garantir a continuação dos acordos territoriais existentes. Depois de nove anos de litígio, o Congresso aprovou, em 1980, a "Lei de Concorrência Intramarca de Refrigerantes", preservando o direito dos PCs para conceder exclusividade territorial.

Distribuidores

Em meados dos anos 80, a distribuição de refrigerantes nos Estados Unidos era feita nos supermercados (42%), fontes (post-mix) (20%), máquinas automáticas (12%) e outros pontos (26%). Em 1994, a distribuição de refrigerantes havia variado ligeiramente para os supermercados (40%), fontes (17%), máquinas automáticas (8%), lojas de conveniência e postos de combustíveis (14%) e outros pontos (21%). Comerciantes em massa, clubes de depósitos e drogarias constituíam cerca de 12% dos outros pontos. Os lucros dos engarrafadores variavam por ponto de varejo (ver Quadro 3.4, p. 193). Os lucros dependiam do método e da freqüência de entrega, de propaganda e *marketing*. Em 1993, as marcas Pepsi-Cola e Coca-Cola Classic tinham, cada uma, uma participação de 16% no volume do canal varejo.

O principal canal de distribuição para refrigerantes eram os supermercados. Os refrigerantes estavam entre as cinco linhas de produtos mais vendidas pelos supermercados, rendendo tradicionalmente uma margem bruta de 15 a 20% (mais ou menos a média para produtos alimentícios) e respondendo por 4% das receitas das lojas em 1993. Os refrigerantes representavam uma grande percentagem dos negócios de um supermercado e atraíam muito tráfego. Os engarrafadores lutavam por espaço nas prateleiras para assegurar visibilidade e acesso fácil para seus produtos e buscavam novos locais para aumentar as compras por impulso, como a colocação de geladeiras ao lado dos caixas. A participação dos supermercados nas vendas de refrigerantes caiu ligeiramente devido à consolidação no setor, à ascensão de novos formatos de varejo, a pressões por espaço nas prateleiras devido ao número crescente de produtos, ao lançamento de refrigerantes com marcas privativas de supermercados e à disseminação dos descontos.

QUADRO 3.2
Dados Financeiros para os Maiores Concorrentes em Refrigerantes (milhões de dólares)

	1975	1980	1985	1986	1987	1988	1989	1990	1991	1992	1993
Coca-Cola Company*											
Refrigerantes, Estados Unidos											
Vendas	ND	1.486	1.865	2.016	2.120	2.012	2.222	2.461	2.646	2.813	2.966
Lucro operacional/vendas		11,1%	11,6%	14,5%	15,3%	17,5%	17,6%	16,5%	17,7%	18,1%	20,8%
Refrigerantes, internacional											
Vendas	ND	2.349	2.677	3.629	4.109	4.504	4.759	6.125	7.245	8.551	9.205
Lucro operacional/vendas		21,0%	22,9%	24,5%	27,0%	29,7%	31,9%	29,4%	29,7%	29,5%	29,9%
Consolidado											
Vendas	2.773	5.475	5.879	6.977	7.658	8.065	8.622	10.236	11.572	13.074	13.957
Lucro líquido/vendas	9,0%	7,7%	12,3%	13,4%	12,0%	13,0%	14,0%	13,5%	14,0%	12,7%	15,6%
Lucro líquido/capital	21,0%	20,0%	24,0%	27,0%	29,0%	31,0%	49,0%	36,0%	38,0%	43,0%	51,7%
Endividamento a longo prazo/ativos	3,0%	10,0%	23,0%	19,0%	15,0%	14,0%	10,0%	8,0%	10,0%	10,0%	11,9%
Coca-Cola Enterprises (CCE)†											
Vendas				1.951	3.329	3.821	3.822	3.933	3.915	5.127	5.465
Lucro operacional/vendas				8,6%	10,1%	9,3%	8,1%	8,3%	3,1%	6,0%	7,0%
Lucro líquido/vendas				1,4%	2,7%	4,0%	1,9%	2,4%	-2,1%	-3,6%	-0,3%
Lucro líquido/capital				2,0%	6,0%	8,0%	4,0%	6,0%	-5,8%	-14,8%	-1,2%
Endividamento a longo prazo/ativos				47,0%	49,0%	44,0%	37,0%	39,0%	51,0%	43,4%	47,0%
PepsiCo, Inc.‡											
Refrigerantes, Estados Unidos											
Vendas	1.065	2.368	2.725	3.450	3.113	3.667	4.623	5.035	5.172	5.485	5.918
Lucro operacional/vendas	10,4%	10,3%	10,4%	10,1%	11,7%	11,1%	12,5%	13,4%	14,4%	14,6%	15,8%
Refrigerantes, internacional											
Vendas	ND	ND	ND	ND	863	971	1.153	1.489	1.744	2.120	2.720
Lucro operacional/vendas					5,4%	5,5%	6,8%	6,3%	6,7%	6,7%	6,3%
Consolidado											
Vendas	2.709	5.975	7.585	9.017	11.018	12.381	15.241	17.515	19.292	21.970	25.021
Lucro líquido/vendas	4,6%	4,4%	5,6%	5,1%	5,5%	6,2%	6,0%	6,2%	5,6%	5,9%	6,4%
Lucro líquido/capital	18,0%	20,0%	30,0%	22,0%	24,0%	24,0%	23,0%	22,0%	19,5%	23,0%	25,1%
Endividamento a longo prazo/ativos	35,0%	31,0%	36,0%	33,0%	25,0%	21,0%	38,0%	33,0%	42,0%	38,0%	31,4%

continua

QUADRO 3.2
Continuação

	1975	1980	1985	1986	1987	1988	1989	1990	1991	1992	1993
Dr Pepper											
Vendas	138	339	174	181	207						
Lucro líquido/vendas	8,6%	7,8%	2,3%	2,5%	-0,1%						
Lucro líquido/capital	24,0%	24,0%	30,0%	ND	-1,0%						
Endividamento a longo prazo/ativos	ND	38,0%	47,0%	50,0%	38,0%						
Seven-Up§											
Vendas	214	353	678	271	297						
Lucro líquido/vendas	9,5%	ND	ND	-2,4%	2,5%						
Lucro líquido/capital	24,0%	ND	ND	-2,5%	14,8%						
Endividamento a longo prazo/ativos	2,0%	ND	ND	42,0%	66,0%	1985					
Dr Pepper/Seven-Up Companies**											
Vendas						511	514	540	601	659	707
Lucro operacional/vendas						11,7%	22,2%	22,8%	23,0%	24,4%	25,9%
Prejuízo líquido/lucro						(79)	(42)	(33)	(38)	(140)	78
Endividamento a longo prazo/ativos						140,6%	149,0%	152,2%	138,5%	163,4%	116,3%
Royal Crown Corporation††											
Vendas	258	438	986	1.102	1.109	1.122	1.175	1.231	1.027	1.075	1.058
Lucro líquido/vendas	5,2%	2,3%	0,6%	-0,8%	1,6%	3,2%	-0,1%	-0,9%	-1,6%	-0,7%	-5,7%
Lucro líquido/capital	17,0%	10,0%	5,0%	-9,0%	15,0%	23,0%	-1,0%	-11,0%	-39,0%	-7,7%	ND
Endividamento a longo prazo/ativos	ND	38,0%	47,0%	50,0%	38,0%	46,0%	46,0%	46,0%	34,0%	35,3%	53,7%

ND = não-disponível.

*As vendas de refrigerantes da Coca-Cola consistiam principalmente de vendas de concentrados. A participação de 44% da Coca na CCE foi contabilizada pelo método de capital. A participação da Coca nos ganhos líquidos da CCE foi incluída em sua receita líquida consolidada.

†O prejuízo líquido da CCE em 1991 e 1992 deveu-se a transações de endividamento que aumentaram a despesa da renda líquida.

‡As vendas de refrigerantes da PepsiCo incluíram vendas de engarrafadores de propriedade da empresa.

§A Seven-Up foi comprada pela Philip Morris em 1978; em 1986, sua operação nacional foi vendida à Hicks and Haas e a operação internacional à PepsiCo.

**A Dr Pepper/Seven-Up foi formada em 1988. A empresa teve prejuízos líquidos devido a cobranças relativas a novas regras contábeis e a um plano de recapitalização.

††A Royal Crown foi comprada pela DWG Corporation no final de 1984. A Royal Crown Corporation era composta pela RC Cola e pela Arby's, uma cadeia de franquias de restaurantes.

Fonte: Relatórios anuais das empresas.

QUADRO 3.3

Estrutura Comparativa entre Custos e Estrutura Financeira de um Produtor de Concentrado e de um Engarrafador
Típico dos Estados Unidos (por caixa de 24 garrafas de 8 onças), 1993

	Produtor de Concentrado		Engarrafador	
	Dólares por Caixa	Percentagem do Total	Dólares por Caixa	Percentagem do Total
Dados de Lucros e Perdas				
Vendas líquidas	0,66	100%	2,99	100%
Custo de vendas	0,11	17	1,69	57
Lucro bruto	0,55	83	1,30	43
Venda e entrega	0,01	2	0,85	28
Propaganda e *marketing*	0,26	39	0,05	2
Custos gerais e administrativos	0,05	13	0,13	4
Lucro antes do imposto	0,23	29	0,27	9
Dados de Balanço				
Caixa, investimentos	0,12		0,16	
Contas a receber	0,32		0,30	
Estoques	0,02		0,16	
Imóveis, fábrica e equipamento	0,07		0,82	
Boa vontade	0,03		1,37	
Ativos totais	0,56		2,81	
Lucro antes do imposto/ativos totais	0,41		0,10	

Fontes: analistas da indústria e estimativas dos autores do caso.

Lojas de descontos, clubes de depósitos e drogarias vendiam cerca de 12% dos refrigerantes. Os dois primeiros muitas vezes trabalhavam com marcas próprias ou vendiam uma marca privada como a President's Choice. Os refrigerantes de marcas privadas eram em geral entregues no depósito de um varejista, ao passo que aqueles com marcas nacionais eram entregues diretamente na loja. De acordo com as empresas de refrigerantes, os varejistas ganhavam uma margem maior sobre os refrigerantes entregues por DPL do que com aqueles de marcas privadas, os quais eram entregues nos depósitos das lojas, ou com os refrigerantes de marcas nacionais entregues nos depósitos (ver Quadro 3.5, p. 193). Doug Ivester, diretor de operações da Coca-Cola para a América do Norte, disse o seguinte: "A Coca entrega e estoca sua soda, ao passo que a Cott entrega a sua nos depósitos. O problema é que a maioria dos varejistas nunca soube bem quais são realmente seus custos".[5] As empresas de refrigerantes tentavam educá-los a respeito dessa diferença nas margens, embora a questão fosse controvertida. Com o método de entrega no depósito, o varejista era responsável por armazenagem, transporte, comercialização e mão-de-obra para colocar o produto nas prateleiras. Esses custos extras reduziam a margem líquida das marcas privadas para o varejista em relação às marcas nacionais.

Historicamente, a Pepsi havia se concentrado em vendas através de pontos de varejo, ao passo que a Coca sempre dominara as vendas em fontes. A Coca-Cola tinha uma participação de 59% do mercado de fontes em 1993, enquanto a Pepsi tinha 27%. A concorrência pelas fontes era intensa e caracterizava-se por "descontos significativos diários para clientes nacionais e locais".[6] Os clientes nacionais de fontes eram essencialmente "amostragem paga", com as fabricantes de refrigerantes

QUADRO 3.4

Pontos de Varejo de Refrigerantes nos Estados Unidos, 1993

	Super-mercados	Conveniência e Postos	Fontes	Máquinas Automáticas	Outros	Total
Percentagem do volume da indústria	40,0%	14,0%	17,0%	8,0%	21,0%	100,0%
Participação no canal						
Coca-Cola (todas as marcas)	32,8	29,6	58,9	48,6	45,4	40,7%
Pepsi-Cola (todas as marcas)	28,5	37,4	27,0	40,6	32,5	31,3%
Outras marcas	38,7	33,0	14,1	10,8	22,1	28,0%
Lucratividade do Engarrafamento por Caixa (192 onças por caixa)						
Preço líquido	$ 3,14	$ 3,09	$ 1,52	$ 6,05	$ 1,90	$ 3,13
NOPBT*	$ 0,25	$ 0,40	$ 0,05	$ 0,69	$ 0,31	$ 0,34

*NOPBT: Lucro líquido operacional antes do imposto.
Fontes: Analistas da indústria e estimativas dos autores do caso.

lucrando pouco ou nada. Para os clientes locais de fontes, os fabricantes obtinham margens de lucro operacionais antes do imposto de cerca de 2%. Usavam as fontes para aumentar a disponibilidade de suas marcas. Para os restaurantes, as fontes eram extremamente lucrativas — os refrigerantes estavam entre os produtos de margens mais altas. A Coca e a Pepsi investiam no desenvolvimento de equipamento de fontes e forneciam aos clientes copos, materiais de ponto de venda, propaganda e promoções nas lojas para elevar a presença da marca. Depois que a PepsiCo entrou no ramo de restaurantes com as aquisições da Pizza Hut, Taco Bell e Kentucky Fried Chicken, a Coca-Cola persuadiu cadeias de *fast food* como Wendy's e Burger King a trabalhar com Coca, posicionando essas cadeias como concorrentes das três da Pepsi.

Coca e a Pepsi eram as maiores fornecedoras de refrigerantes para o canal de máquinas automáticas. Os engarrafadores compravam e instalavam as máquinas e os PCs ofereciam descontos para incentivá-los. Os proprietários do imóvel em que o equipamento era instalado normalmente recebiam uma comissão sobre vendas. As vendas de refrigerantes em máquinas concorriam com as vendas de outras bebidas em máquinas, como chá, sucos e limonada.

QUADRO 3.5

Análise Comparativa de Margens de Lucro de Refrigerantes para Entrega na Loja, Marca Privada e Entregues no Depósito nos Estados Unidos, 1993

Categoria	Preço no Varejo	Custo dos Bens	Lucro Bruto	Custos de Manuseio	Lucro Líq./ Unidade	Lucro Líq./ Caixa	Margem Líquida
Entrega na Loja	$ 1,01	$ 0,86	$ 0,15	$ 0,07	$ 0,08	$ 0,48	7,9%
Marca Privada	0,69	0,55	0,14	0,17	0,17	(0,03)	(0,18)
Depósito	0,82	0,65	0,17	0,17	0,00	0,00	0,00

Fonte: Jesse Meyer's Beverage Digest, julho de 1993.

Fornecedores

Os PCs e engarrafadores compravam dois insumos principais: embalagens, que incluíam US$ 3,4 bilhões em latas (29% do consumo total de latas), US$ 1,3 bilhão de garrafas plásticas e US$ 0,6 bilhão em vidro; e adoçantes, os quais incluíam US$ 1,1 bilhão em açúcar e xarope de milho com alto teor de frutose, e US$ 1,0 bilhão em aspartame. Em 1993, a maior parte dos refrigerantes era embalada em latas (55%), seguidas por garrafas plásticas (40%) e vidro (5%). As latas eram um material de embalagem atraente devido a vários fatores: facilidade de venda, pouco peso, eram inquebráveis e recicláveis e podiam ser aquecidas ou resfriadas rapidamente. As latas de alumínio eram as embalagens unitárias mais baratas para refrigerantes, devido, em parte, ao fato de a Rússia estar inundando o mercado mundial com alumínio, cortando seus preços pela metade em 1993. As garrafas plásticas, introduzidas em 1978, elevaram o consumo doméstico de refrigerantes através de seus tamanhos maiores de 1, 2 e 3 litros.

A estratégia dos PCs em relação aos fabricantes de latas era típica dos seus relacionamentos com fornecedores. A Coca e a Pepsi negociavam em nome de suas redes de engarrafadores e estavam entre as maiores clientes da indústria de latas. Como a lata constituía cerca de 40% do custo total de uma bebida embalada, engarrafadores e PCs muitas vezes mantinham relacionamentos com mais de um fornecedor. Nos anos 60 e 70, a Coca e a Pepsi integraram-se para trás e passaram a produzir uma parte das suas latas, mas abandonaram quase totalmente esse negócio até 1990. Em 1994, a Coca e a Pepsi procuraram estabelecer relacionamentos de longo prazo com seus fornecedores para garantir o suprimento. Entre os maiores produtores de latas figuravam American National Can, a Crown Cork & Seal e a Reynolds Metals. As latas eram vistas como bens de conveniência e havia excesso crônico de suprimento na indústria. Seguidamente dois ou três fabricantes competiam por um único contrato, o que resultava em margens baixas.

Com o advento dos refrigerantes diet, a Coca e a Pepsi negociaram com as empresas de adoçantes artificiais, principalmente com a NutraSweet Company, passando a vender seus concentrados aos engarrafadores já adoçados. Uma segunda fonte de aspartame era a Holland Sweetener Company, com matriz na Holanda. A patente da NutraSweet para o aspartame expirou em dezembro de 1992, levando ao seu enfraquecimento como fornecedora. Com a queda do custo do aspartame, a Coca-Cola corrigiu seu contrato de franquia com os engarrafadores para repassar a eles dois terços de qualquer redução ou acréscimo de custos. Na prática, a Pepsi fez o mesmo para não deixar seus engarrafadores em desvantagem no mercado em relação aos da Coca, embora isso não estivesse especificado em seu contrato. Esta questão ilustra um dos muitos exemplos das guerras das colas em que os concorrentes imitavam um ao outro.

HISTÓRIA DAS GUERRAS DAS COLAS

A estrutura e o caráter da indústria de refrigerantes dos Estados Unidos foram moldados pela batalha competitiva de 100 anos entre a Coca e a Pepsi. No passado, um negócio fragmentado com centenas de fornecedores locais; em 1994, a indústria de refrigerantes era altamente concentrada. A Coca e a Pepsi tinham em conjunto 73% do mercado norte-americano de refrigerantes. As seis maiores empresas — Coca-Cola, Pepsi, Dr Pepper/Seven Up, Cadbury Schweppes, Royal Crown e A&W Brands — detinham 89% do mercado. Os 11% restantes representavam empresas regionais e fabricantes de marcas privadas (ver Quadro 3.6, p. 195).

As guerras das colas foram travadas em muitas frentes, como propaganda, embalagem e novos produtos. O reconhecimento da marca era uma vantagem competitiva que diferenciava os refri-

QUADRO 3.6

Participações no mercado de refrigerantes dos Estados Unidos por volume de caixas (percentual)

	1966	1970	1975	1980	1985	1986	1987	1988	1989	1990	1991	1992	1993E
Coca-Cola Company													
Classic					5,8	19,1	19,8	19,9	19,5	19,4	19,5	19,4	19,6
Cola-Cola	27,7	28,4	26,2	25,3	14,4	2,4	1,7	1,3	0,9	0,7	0,6	0,4	0,2
Cherry Coke					1,6	1,7	1,2	0,9	0,7	0,6	0,5	0,6	0,5
Diet Coke					6,3	7,2	7,7	8,1	8,8	9,1	9,2	9,0	8,8
Diet Cherry Coke						0,2	0,4	0,3	0,3	0,2	0,2	0,2	0,2
Tab	1,4	1,3	2,6	3,3	1,1	0,6	0,4	0,3	0,2	0,2	0,1	0,1	0,1
Caffeine Free Coke, Diet Coke e Tab					1,8	1,7	1,7	1,9	2,2	3,1	3,3	3,2	3,0
Sprite e Diet Sprite	1,5	1,8	2,6	3,0	4,2	4,3	4,3	4,3	4,4	4,4	4,6	4,7	4,9
Outros	2,8	3,2	3,9	4,3	1,9	2,6	2,7	2,8	3,0	2,7	2,7	3,1	3,8
Total	**33,4**	**34,7**	**35,3**	**35,9**	**37,1**	**39,8**	**39,9**	**39,8**	**40,0**	**40,4**	**40,7**	**40,7**	**41,1**
PepsiCo, Inc.													
Pepsi-Cola	16,1	17,0	17,4	20,4	18,2	18,6	18,6	18,4	17,8	17,3	16,6	16,3	16,0
Diet Pepsi	1,9	1,1	1,7	3,0	3,7	4,4	4,8	5,2	5,7	6,2	6,2	6,2	6,1
Caffeine-Free Pepsi e Diet Pepsi					2,3	2,0	1,8	2,0	2,1	2,3	2,3	2,3	2,0
Mountain Dew	1,4	0,9	1,3	3,3	2,9	3,0	3,3	3,4	3,6	3,8	4,1	4,3	4,6
Diet Mountain Dew								0,4	0,5	0,5	0,5	0,6	0,6
Slice					0,7	1,5	1,3	1,1	1,0	0,9	0,9	0,9	1,0
Diet Slice					0,6	1,0	1,0	0,7	0,6	0,4	0,3	0,3	0,2
Outros	1,0	0,8	0,7	1,1	0,2	0,1	0,0	0,1	0,4	0,4	0,6	0,4	0,5
Total	**20,4**	**19,8**	**21,1**	**27,8**	**28,6**	**30,6**	**30,8**	**31,3**	**31,7**	**31,8**	**31,5**	**31,3**	**31,0**
Seven-Up	6,9	7,2	7,6	6,3	5,7	5,0	5,1	4,7	4,3	4,0	3,9	4,0	3,9
Dr Pepper	2,6	3,8	5,5	6,0	4,7	4,8	5,0	5,3	5,6	5,8	6,6	7,1	7,5
Royal Crown Co.	6,9	6,0	5,4	4,7	2,9	3,0	2,9	2,8	2,6	2,6	2,5	2,3	2,2
Cadbury Schweppes	ND	ND	ND	ND	4,5	4,2	3,7	3,5	3,1	3,2	3,1	3,2	3,1
Outras empresas	29,8	28,5	25,1	19,3	16,5	12,6	12,6	12,6	12,6	12,2	11,7	11,4	11,2
Total (milhões de caixas)	**2.927**	**3.670**	**4.155**	**5.180**	**6.500**	**6.770**	**7.155**	**7.530**	**7.680**	**7.914**	**8.040**	**8.160**	**8.395**

E: Estimativa.

ND = não-disponível.

Fontes: John C. Maxwell, Jr., *Beverage Industry Annual Manual 1992/1993*, e *The Maxwell Consumer Report*, 3 de fevereiro de 1994.

gerantes entre os consumidores. A Coca e a Pepsi investiram pesadamente em suas marcas ao longo do tempo, com as campanhas de *marketing* das duas marcas, sendo reconhecidas entre as mais inovadoras, sofisticadas e agressivas de todos os maiores anunciantes (ver no Quadro 3.7, p. 197, os investimentos de refrigerantes em propaganda). A Coca e a Pepsi vendiam somente suas marcas principais até o lançamento do Sprite, pela Coca, em 1961 e do Tab em 1963. O movimento seguinte foi da Pepsi, com o lançamento da Diet Pepsi e da Mountain Dew em 1964. Não se olhava para trás. Entre 1961 e 1993, a Coca lançou 21 novas marcas, e a Pepsi, 24.

EMERGÊNCIA DO DUOPÓLIO

A Coca-Cola e a Pepsi-Cola foram inventadas no final do século XIX como bebidas servidas em fontes. Cada uma delas se expandiu por meio de engarrafadores franquiados — a Coca com sua garrafa curvilínea de 6 onças e a Pepsi com uma garrafa de 12 onças; ambas eram vendidas por cinco cents. Robert Woodruff, uma das figuras mais marcantes na história da Coca-Cola, trabalhou com os engarrafadores para tornar a Coca disponível em toda parte e sempre que um consumidor a quisesse. Ele forçava os engarrafadores a colocar a bebida "ao alcance do desejo" e afirmava que, se ela não estivesse disponível quando o consumidor ficasse com sede, a venda estaria perdida para sempre. Woodruff desenvolveu o negócio internacional da Coca, principalmente pela exportação. Uma das suas decisões mais memoráveis, tomada por solicitação do general Eisenhower no início da II Guerra Mundial, foi providenciar para "que cada homem de uniforme consiga uma garrafa de Coca-Cola por 5 cents onde quer que esteja e seja lá o que isso possa custar". A empresa foi isenta do racionamento de açúcar iniciado em 1942, quando o refrigerante era vendido aos militares ou a varejistas que atendiam soldados. As instalações de engarrafamento da Coca-Cola acompanhavam os movimentos das tropas americanas, com 63 delas instaladas durante a guerra — em grande parte, às expensas do governo. Este fato conduziu à participação dominante da Coca na maior parte dos mercados europeus e asiáticos, uma liderança que a empresa ainda mantinha em 1994.

Em contraste com o sucesso da Coca antes da II Guerra, a Pepsi lutou, chegando à beira da falência nos anos 20 e 30. Em 1950, a participação da Coca no mercado de refrigerantes era de 47% e a da Pepsi 10%. Ao longo dos 20 anos seguintes, a Coca-Cola Company nunca se referia pelo nome à sua mais próxima concorrente. A administração da Coca também se referia à sua famosa marca como "Coca", a qual era sagrada e nunca se estendeu a outros produtos. A "Mercadoria 7X", a fórmula para o xarope de Coca-Cola, era zelosamente guardada. A Coca preocupava-se tanto em protegê-la que, quando a Índia exigiu que a fórmula fosse revelada ao seu governo, a Coca encerrou seus negócios naquele país quente e sedento de 850 milhões de habitantes.[7]

A partir dos anos 50, a Coca-Cola começou a usar uma propaganda que finalmente reconhecia a existência de concorrentes, como fica evidenciado por *slogans* como "Sabor Preferido dos Americanos" (1955), "Fique Realmente Refrescado" (1958) e "Não é de se Admirar que a Coca Refresque Melhor" (1960). Nos anos 60, a Coca, juntamente com a Pepsi, começou a experimentar novos sabores de cola e não-cola, opções de embalagens e campanhas publicitárias. Elas seguiam estratégias de segmentação de mercado, que levaram a lançamentos de novos produtos como Teem e Mountain Dew, da Pepsi, e Fanta, Sprite e Tab, da Coca. As novas embalagens incluíram garrafas de vidro sem retorno e latas de 12 onças (355 ml). Tanto a Coca como a Pepsi buscaram crescer fora da indústria de refrigerantes nos anos 60: a Coca comprou a Minute Maid, a Duncan Foods e a Belmont Springs Water; a Pepsi fez uma fusão com a Frito-Lay para tornar-se a PepsiCo, alegando sinergias baseadas em clientes-alvo, sistemas de entrega a lojas e orientações de *marketing* comuns (ver Apêndice 3A sobre as histórias corporativas da Coca e da Pepsi).

QUADRO 3.7
Gastos publicitários por marca nos Estados Unidos (milhões de dólares)

	1975	1980	1985	1986	1987	1988	1989	1990	1991	1992
Coca-Cola Company										
Coca-Cola	$ 25,3	$ 47,8	$ 71,6	$ 57,4	$ 57,8	$ 85,2	$ 77,4	$ 90,4	$ 89,1	$ 112,1
Diet Coke	—	—	40,6	40,3	40,0	56,8	59,2	69,1	71,2	70,0
Cherry Coke	—	—	6,6	10,0	7,2	1,0	0,5	0,1	0,2	0,5
Sprite	2,6	10,7	22,2	24,6	22,2	22,4	22,5	23,4	27,4	28,5
Diet Sprite	—	—	6,7	5,0	3,3	7,5	2,2	7,6	5,9	*
Tab	6,5	12,6	15,6	5,1	0,5	*	*	*	0,2	0,4
Total	**34,4**	**71,1**	**163,3**	**142,4**	**131,0**	**172,9**	**161,8**	**190,6**	**194,0**	**211,5**
Pepsi-Cola Company										
Pepsi-Cola	17,9	40,2	56,9	54,9	60,2	70,9	71,9	79,4	74,8	76,2
Diet Pepsi	3,7	11,6	32,9	33,8	35,5	48,5	57,2	76,5	67,5	43,4
Pepsi Free (regular e isenta de açúcar)	—	—	—	*	*	*	*	*	*	
Mountain Dew	2,8	10,2	9,1	8,3	8,0	5,7	9,1	11,7	1,5	8,1
Diet Mountain Dew	—	—	9,0	—	—	4,2	1,6	1,6	15,3	11,6
Pepsi Light	0,9	5,2	0,4	*	*	*	*	*	*	8,0*
Total	**25,3**	**67,2**	**108,3**	**97,0**	**103,7**	**129,3**	**139,8**	**169,2**	**159,1**	**147,3**
Dr Pepper Company										
Dr Pepper	6,2	15,1	9,6	9,6	11,3	14,5	17,8	24,1	23,6	29,4
Pepper Free	—	—	0,5	0,3	*	*	*	*	ND	ND
Diet Dr Pepper	1,6	2,9	5,7	6,8	9,2	9,7	9,4	6,6	23,6	18,8
Total	**7,8**	**18,0**	**15,8**	**16,7**	**20,5**	**24,2**	**27,2**	**30,7**	**47,2**	**48,2**
Seven-Up Company										
7-Up	10,2	25,5	22,3	33,3	27,1	27,6	27,2	31,4	28,1	13,6
Diet 7-Up	3,3	7,9	15,6	8,2	11,0	7,3	5,2	8,5	9,9	12,8
Cherry 7-Up	—	—	—	—	8,7	14,5	4,4	0,2	*	*
Like	—	—	1,5	*	*	*				
Total	**13,5**	**33,4**	**39,4**	**41,5**	**46,8**	**49,4**	**36,8**	**40,1**	**38,0**	**26,4**
Royal Crown Cola										
Royal Crown	10,9	6,6	5,1	6,4	6,4	5,9	6,2	1,4	2,7	3,0*
Diet Rite Cola	3,5	3,4	3,5	2,9	3,5	2,3	1,9	3,2	0,8	*
Total	**14,4**	**10,0**	**8,6**	**9,3**	**9,9**	**8,2**	**8,1**	**4,6**	**3,5**	**3,0**
Canada Dry	5,2	10,1	12,4	11,6	8,0	7,1	4,6	4,5	ND	ND
Shasta	2,8	4,4	4,6	*	*	1,4	*	*	*	1,2
Todas as outras	10,5	26,3	30,4	70,5	72,1	65,5	49,7	58,3	55,0	60,0
Total da indústria	**114,0**	**241,0**	**383,0**	**389,0**	**392,0**	**458,0**	**428,0**	**498,0**	**502,0**	**503,0**

ND = não-disponível.
*Propaganda abaixo de US$ 250.000.   Fontes: *Advertising Age, Beverage Industry;* company annual reports.

Ao longo da maior parte desse período, a Coca-Cola nunca agiu com agressividade diretamente contra a Pepsi. A Coca mantinha uma rede altamente fragmentada de 800 engarrafadores, centralizada nas cidades norte-americanas com população de 50.000 habitantes ou menos. Na verdade, nesse período, a Coca voltou a maior parte de suas atenções para os mercados do exterior, dos quais, em meados de 70, procediam quase dois terços do seu volume de vendas. Enquanto isso, a Pepsi lutava agressivamente, uma fatia de mercado nos Estados Unidos, dobrando-a entre 1950 e 1970. A rede de engarrafadores da Pepsi era maior e mais flexível, oferecendo, em geral, preços mais baixos às redes nacionais de supermercados. De forma lenta, porém segura, a Pepsi cresceu em relação à Coca, principalmente pela centralização nos supermercados. Tanto isso é verdade que o crescimento da Pepsi acompanhou o crescimento dos supermercados e lojas de conveniência. Havia 10 mil supermercados nos Estados Unidos em 1945, 15 mil em 1955 e 32 mil no pico do crescimento em 1962. Em 1970, as lojas de conveniência já eram cerca de 24 mil.

A campanha "Geração Pepsi" de 1963 fez ligação direta com os jovens, destacando o estilo de vida baseado no consumo e dando à Pepsi uma imagem que não poderia ser confundida com a nostalgia da cidade do interior que marcava a Coca. A agência de publicidade da Pepsi criou um comercial de visual forte, usando carros esporte, motos, helicópteros, personagens da vida real em vez de atores, um *jingle* cativante e o *slogan:* "Venha para a Vida — Você está na Geração Pepsi". A campanha foi tão bem-sucedida que a Pepsi conseguiu reduzir a liderança da Coca à proporção de 2 por um. E o movimento mais agressivo da Pepsi nem havia começado.

O DESAFIO DA PEPSI

O "Desafio da Pepsi", em 1974, foi o primeiro choque frontal entre Coca e Pepsi em público. Quando o Desafio da Pepsi foi inventado em Dallas, Texas, a Coca era a marca dominante na cidade. A Pepsi estava em terceiro lugar atrás, da Dr Pepper, que tinha sua sede em Dallas. Em testes cegos de sabor efetuados pelo pequeno engarrafador local da Pepsi, a empresa demonstrou que os consumidores preferiam a Pepsi à Coca. Depois que as vendas de Pepsi subiram, a empresa começou a veicular a campanha em âmbito nacional. A Coca reagiu com descontos, afirmações semelhantes, cortes de preços e uma série de anúncios questionando a validade do teste. A resposta da Coca com descontos em preços ocorreu principalmente em mercados nos quais o engarrafador era de propriedade da empresa e o da Pepsi era um franqueado independente. Mesmo assim, o Desafio da Pepsi alimentou a erosão da participação de mercado da Coca; em 1979, a Pepsi ultrapassou a Coca em vendas em supermercados pela primeira vez, com uma vantagem de 1,4 ponto de participação. Os gastos com publicidade cresceram significativamente no período de 1975 a 1980, quando a propaganda da Coca passou de US$ 34 milhões para mais de US$ 70 milhões, e a da Pepsi saltou de US$ 25 para US$ 67 milhões.

Nessa ocasião crucial, a atenção da Coca foi desviada para a negociação do novo contrato de franquia de engarrafamento, em 1978. Em maio daquele ano, Don Keough levou o que engarrafadores mais irônicos chamaram de "apresentação cuidadosamente elaborada" para seis reuniões pelo país para persuadir os engarrafadores hesitantes a assinar o acordo.[8] A aprovação veio somente depois que a empresa concordou em fornecer o concentrado de Coca-Cola aos engarrafadores sem adoçante. Este acordo alinhou as políticas da Coca com as da Pepsi, que vendia seu concentrado não-adoçado. A Pepsi reagiu ao aumento de preço da Coca para os engarrafadores com um aumento de 15%.

O inquérito da Comissão Federal de Comércio sobre a exclusividade territorial de franquias ocorreu durante este período (1971-1980) e os dirigentes da Coca-Cola admitiram que, ao contrário da Pepsi, eles estavam perdendo o foco sobre o negócio de colas. Don Keough disse, a respeito desse período: "Nosso sistema estava imobilizado. Olhando para trás, eu deveria ter contratado uma porção de advogados e lhes dito para lidar com o inquérito para que pudéssemos tocar os negócios".[9] A Coca estava tão aturdida que Brian Dyson, seu presidente, abriu um precedente e pronunciou o nome Pepsi diante da maioria dos engarrafadores da Coca numa conferência em 1979, ao dizer: "A participação corporativa da Coca-Cola cresceu ridículos três décimos de ponto percentual em dez anos. No mesmo período, a participação corporativa da Pepsi cresceu de 21,4% para 24,2%".[10]

AS GUERRAS DAS COLAS SE INTENSIFICAM

Em 1980, a Coca-Cola passou por uma mudança profunda na administração, com Roberto Goizueta como diretor-presidente e Don Keough como presidente. Goizueta descreveu a cultura corporativa quando assumiu: "Antiprofissional seria dizer pouco. Estávamos lá para carregar as malas dos engarrafadores. Éramos torcedores ou críticos deles. Hoje, somos jogadores".[11] Sob o comando de Goizueta, a Coca começou a adquirir com determinação seus engarrafadores. Ela foi a primeira a abandonar o açúcar e adotar o xarope de milho com alto teor de frutose, de preço mais baixo, uma providência que a Pepsi imitou em 1983. Como observou Roger Enrico, presidente da Pepsi, "a decisão da Coca a respeito da frutose foi, provavelmente, a primeira que Roberto Goizueta e Don Keough — a equipe administrativa que estava prestes a assumir na Coca-Cola Company — tomou usando a filosofia *preparar-fogo-apontar*. Com essa nova filosofia, eles provavelmente não faziam muitos testes. Deviam apenas olhar para as reduções de custos, apostar que não iriam prejudicar as vendas e mandar bala".[12] Goizueta vendeu quase todos os negócios não ligados a refrigerantes que havia herdado, inclusive vinho, café, chá e tratamento industrial de água. A Coca-Cola intensificou seus esforços de *marketing,* com os investimentos em propaganda subindo de US$ 74 milhões em 1981 para US$ 181 milhões em 1984. A Pepsi também elevou seus gastos com propaganda de US$ 66 para US$ 125 milhões no mesmo período. A Coca-Cola continuou perseguindo a expansão no exterior com investimentos crescentes.

Pela primeira vez, a Coca-Cola Company usou a marca "Coke" como extensão de linha, quando lançou a Diet Coke em 1982. Este movimento, que enfrentou a oposição dos advogados da empresa por representar um risco para o copyright, foi uma grande mudança de estratégia. Entretanto, a Diet Coke foi um sucesso fenomenal — provavelmente o lançamento mais bem-sucedido de um produto nos anos 80. No final de 1983, ela era a diet cola mais popular da nação e, em 1984, tornou-se a terceira de maiores vendas entre todos os refrigerantes domésticos. Além da Diet Coke, outras marcas proliferaram, com a Coke lançando 11 novos produtos, inclusive Cherry Coke, Caffeine Free Coke e Minute-Maid Orange. A Pepsi lançou 13 produtos inclusive a Caffeine Free Pepsi-Cola, Lemon Lime Slice e Cherry Pepsi. A batalha por espaço nas prateleiras de supermercados e outras lojas tornou-se feroz. Uma das respostas mais visíveis da Pepsi à Coke foi uma campanha publicitária apresentando o astro Michael Jackson.

Com a explosão de novas marcas também emergiu o desconto nos preços, que corroeu as margens para todos os produtores de refrigerantes gaseificados. Em todo o setor, houve um aumento agudo no nível de descontos, na luta por participação de mercado. Os consumidores eram constantemente expostos a promoções e muitos outros descontos. Aqueles que anteriormente compravam sempre a mesma marca de refrigerante passaram a comprar aquela que estivesse em oferta, mudando de marca a cada nova compra.

O golpe mais dramático nas guerras das colas surgiu em 1985, quando a Coca mudou a fórmula da Coca-Cola. Explicando esse rompimento com a tradição, Goizueta disse que via "o valor da marca Coca-Cola em queda" na medida em que "o produto e a marca tinham uma participação declinante em um segmento cada vez menor do mercado".[13] A Coca-Cola não estava preparada para a reação intensamente negativa dos seus clientes mais leais, a maioria dos quais consumia enormes quantidades de Coca-Cola por dia. Em conseqüência dessa reação, a empresa trouxe de volta a fórmula original três meses depois, com o nome Coca-Cola Classic, mantendo a nova fórmula como carro chefe com o nome New Coke. Com os consumidores ainda insatisfeitos, a Coca anunciou seis meses depois que a Coca-Cola Classic (a fórmula original) seria considerada a marca principal. Refletindo sobre o lançamento da nova Coca, pessoas bem informadas disseram que a reformulação teria sido abandonada se a Coca não pretendesse achar novas maneiras para atacar a Pepsi. Da mesma forma, o lançamento pela Pepsi de uma garrafa de 3 litros em 1984 foi continuado apesar da escassa receptividade dos consumidores. Um diretor de *marketing* da Pepsi explicou: "Mesmo que não estivesse funcionando, precisávamos ficar na frente . . . basicamente, queríamos saltar do penhasco antes que a Coca o fizesse".[14]

Na permanente batalha por participação de mercado, a Coca e a Pepsi procuraram comprar os participantes de nicho mais proeminentes dos Estados Unidos. Em janeiro de 1986, a Pepsi anunciou sua intenção de adquirir a Seven-Up da Philip Morris. Em resposta, a Coca-Cola contra-atacou anunciando, um mês depois, que planejava adquirir a Dr Pepper. Em junho daquele ano, a Comissão Federal de Comércio se opôs a ambas as aquisições. Entretanto, a Pepsi comprou as operações internacionais da Seven-Up.

Nos anos 80, os PCs menores passaram de um proprietário para outro. No período de cinco anos, a Dr Pepper seria vendida (no todo e em parte) duas vezes, a Canada Dry também duas, a Sunkist uma, a Shasta uma e a A&W Brands uma vez. Algumas das vendas foram para empresas de produtos alimentícios, mas várias eram compras alavancadas por firmas de investimentos. Ao mesmo tempo, muitos engarrafadores, antes independentes, estavam sendo absorvidos e fundidos (ver Apêndice 3B).

REORGANIZANDO A INDÚSTRIA

Comprando os Engarrafadores

A partir de meados da década de 80, a Coca e a Pepsi iniciaram um processo de alteração da estrutura do sistema de franquias. No início da década, cada uma delas era dona de 20 a 30% dos seus engarrafadores. As operações próprias de engarrafamento da Pepsi nos EUA representavam 55,7% do seu volume de vendas, com o volume dos sócios da Pepsi batendo em 70,8%; a Coca-Cola tinha participação em quatro engarrafadores, representando 70,1% do volume. Os 10 maiores engarrafadores da Pepsi tinham 81% do volume e os da Coca tinham 86%. Analistas de mercado deram várias razões para a compra dos engarrafadores. No início, as guerras das colas enfraqueceram muitos engarrafadores independentes, levando-os a procurar compradores. Alguns engarrafadores eram pequenos, produzindo menos de 10 milhões de caixas por ano, e não dispunham nem da capacidade nem da estrutura necessárias para cumprir as metas corporativas em determinado mercado. Outros foram comprados por estarem localizados perto de um engarrafador de propriedade da própria empresa ou por investirem pouco em instalações e equipamentos.

Em 1986, a Pepsi tomou a decisão de adquirir progressivamente todo o seu sistema de engarrafamento. Nos primeiros anos, adquiriu a MEI Bottling por $ 591 milhões, as operações da Grand Metropolitan por US$ 705 milhões e as operações nacionais da General Cinema por US$ 1,8 bilhão. Como a PepsiCo era uma empresa de ativos intensivos — sendo o negócio dos concentrados a exceção —, acreditava estar amplamente capacitada a administrar o setor de engarrafamento, com sua exigência de capital intensivo. A Coca-Cola, por outro lado, queria um balanço limpo. Em 1985, 11% do volume da Coca eram produzidos por engarrafadores próprios. Um ano depois, a Coca-Cola comprou dois de seus grandes engarrafadores que, em conjunto com os que já eram de sua propriedade, elevaram a produção própria para um terço do total. As aquisições culminaram com a criação da Coca-Cola Enterprises (CCE) e a venda de 51% de seu capital ao público, com a Coca retendo uma parcela de 49%. Em 1992, a CCE era a maior engarrafadora da Coca, com vendas de $ 5 bilhões. A CCE havia enveredado pelo caminho das "megafábricas", com capacidade para produzir até 50 milhões de caixas, devido aos seus altos níveis de automação, enormes depósitos e a capacidade de entrega cada vez mais extensiva.

Como a Coca, a Pepsi via várias vantagens de controlar os engarrafadores. Por isso, passou de 435 para 120 engarrafadores, sendo proprietária de 56% deles e tendo participação acionária na maior parte dos demais. A tendência à compra dos engarrafadores persistiria na década de 90, apesar dos indícios de que o sistema de franquias continuaria a existir num futuro previsível. A Pepsi não tinha donos corporativos e tendia a manter sua rede de engarrafamento mais local, com engarrafadores menores que os da Coca. A fábrica mais eficiente da Pepsi, por exemplo, produzia entre 10 a 15 milhões de caixas.

A consolidação dos engarrafadores significava que os produtores menores de concentrado, à exceção da RC Cola, teriam de vender seus produtos por intermédio do sistema de engarrafamento da Pepsi ou da Coca. Não constituía surpresa alguma, por isso mesmo, o fato de a Comissão Federal de Comércio manter a indústria de refrigerantes no alto de sua lista de prioridades. Algo que não impedia a Pepsi e a Coca de continuarem a considerar o setor como um sistema total em vez de mercados individuais; apesar da maior integração vertical, elas seguiam administrando seus engarrafadores como se fossem empresas independentes. Além disso, elevaram os preços do concentrado no início da década de 90 e exigiram que os engarrafadores participassem dos gastos com *marketing*.

Mudanças nos Canais de Distribuição e Marcas Privadas

Na esteira do rápido desenvolvimento das redes de lojas de descontos, como Wal*Mart e K-mart, e de clubes de depósitos como o Sam's Clubs e o PriceCostco, estes postos de venda passaram a ser cada vez mais importante para a distribuição de refrigerantes. Com vendas estimadas em US$ 87 bilhões em 1994, previa-se que a Wal*Mart fosse usar o formato de *supercentro* (um misto de supermercado e loja de descontos) como seu principal veículo de crescimento na década de 90. A Wal*Mart estocava Coca e Pepsi em suas lojas de descontos, supermercados e *supercentros*. Embora Coca e Pepsi vendessem seus produtos à Wal*Mart e aos demais supermercados a preços iguais, a Wal*Mart com custos operacionais menores, obtinha margens de lucro maiores. Em conseqüência, os supermercados passaram a pressionar os fabricantes de refrigerantes, exigindo a redução dos preços do produto.

A Wal*Mart, como outros supermercadistas, vendia sua marca própria de cola. Com a desaceleração do crescimento do setor de refrigerantes, as marcas nacionais viam-se frente a um novo desafio. Embora os norte-americanos continuassem a consumir mais refrigerantes do que qualquer outra bebida, o volume de vendas registrou aumento de apenas 1,5% em 1992, chegando a pouco menos de 8,2 bilhões de caixas (24 embalagens de 8 onças, ou 236 ml). Uma lentidão de forte contraste com os índices de 5 a 7% registrados na década de 80. De acordo com os analistas do setor, as marcas próprias das redes muitas vezes custavam até 35% menos que as marcas nacionais. A maior fornecedora dos varejistas que tinha também marcas próprias era a Cott Corporation, que comprava seu concentrado da RC Cola, engarrafava ou enlatava a cola e a vendia com rótulos como President's Choice. Além disso, tinha acordos com mais de 40 redes de varejo, entre as quais a American Stores, Safeway, A&P e Wal*Mart. A Cott produzia quatro fórmulas diferentes para colas e podia adaptar um produto às exigências do cliente.

As colas de marcas privadas não constituíam, no entanto, um fenômeno novo. Sua participação nas vendas de varejo, que havia atingido um pico de 12,8% em 1971, declinara lentamente nos anos 70 e flutuando em torno de 8% na década seguinte. Em 1993, elas representavam 9% do volume total de refrigerantes. Na década de 90, os supermercados desenvolviam marcas privadas de cola enquanto questionavam a lucratividade das marcas nacionais e usavam os produtos de marca própria para marcar a identidade das suas lojas e atrair a preferência dos consumidores. Executivos da Coca reuniram-se com analistas do mercado de ações em maio de 1993 para avaliar o impacto das marcas privadas sobre o rumo dos negócios no setor. E garantiram: "Nós e o nosso maior concorrente temos suprido o desejo dos consumidores por refrigerantes dietéticos, descafeinados e outras variações. Sabemos, pois, como enfrentar este fenômeno das marcas privadas. Aliás, é um fenômeno que temos enfrentado com sucesso há muitos anos".[15] Os executivos da Coca observaram que as marcas privadas eram concorrência somente em matéria de preços, mas que os consumidores pagavam por uma Coca em 1993 o mesmo preço de dez anos antes.

Bebidas da "Nova Era"

Outro desafio para os fabricantes de refrigerantes gaseificados estava nas bebidas da "nova era", como águas engarrafadas e bebidas à base de chá. Medidas em galões, as vendas dessas bebidas aumentaram 17% em 1992, em comparação com um crescimento de 1,5% para águas engarrafadas e 1,5% para o conjunto dos refrigerantes. Embora esse ganho viesse de uma base muito menor (250 milhões de galões vendidos em 1992, contra 12 bilhões de galões do conjunto dos refrigerantes), não deixou de despertar atenções, tanto da Coca quanto da Pepsi. Por isso mesmo, na década de 90, a Coca lançou PowerAde, Nordic Mist e Tab Clear; a Pepsi colocou no mercado Crystal Pepsi, Diet Crystal Pepsi, All Sport, Tropical Chill e Strawberry Burst. Em bebidas à base de chá, a Coca aliou-se à Nestea e a Pepsi à Lipton, com a Pepsi planejando investimentos de US$ 50 milhões para melhorar e expandir sua capacidade de enchimento a quente para suas marcas de chá pronto para beber. Em 1993, o segmento de bebidas da "nova era" valia US$ 900 milhões. Na liderança estava a Clearly Canadian, com sua linha de latas azuis de 11 onças de sodas de sabores naturais, seguida pelas bebidas engarrafadas da Snapple. A renda líquida da Snapple saltou de US$ 13 milhões em 1988 para US$ 232 milhões em 1992. A empresa tinha vários sabores e uma participação de 33% do mercado de chá pronto para beber, a maior da categoria.

Em 1993, as vendas de sodas com sabores cresceram duas vezes mais rapidamente que as vendas de colas nos supermercados. Por exemplo, as vendas de Dr Pepper e de Mountain Dew subiram 10% em mercearias nas 40 semanas terminadas em 3 de outubro de 1993. A Pepsi promoveu suas nove marcas Slice, com sabores de frutas, e a Coca estava promovendo sua concorrente da Dr Pepper, a Mr. Pibb, assim como uma linha ampliada de sabores da Minute Maid. Em contraste com as sodas com sabores, o crescimento dos refrigerantes diet caiu drasticamente em relação à expansão de dois dígitos registrada no final dos anos 80. Em 1992, o segmento diet não cresceu, pela primeira vez em sua história. Analistas previram pouco ou nenhum crescimento em 1993 devido às bebidas da "nova era", às marcas privadas e ao declínio da lealdade às marcas. Em parte para combater essas tendências, a Pepsi denominou-se uma "empresa total de bebidas", enquanto a Coca-Cola parecia andar na mesma direção. A filosofia orientadora dessa estratégia, de acordo com o vice-presidente da Pepsi para Novos Negócios, era que sempre que um norte-americano tomasse uma bebida, essa deveria ser um produto Pepsi. "Se os americanos quiserem beber água de torneira, queremos que ela seja água de torneira Pepsi".[16] Ambas as empresas previram aumentos de participação de mercado, às custas das bebidas não-gaseificadas. Como parte deste reposicionamento, a Coca-Cola optou pela estratégia de mudar sua imagem, deixando a McCann-Erickson, sua principal agência de propaganda desde 1955, e contratando a Creative Artists Agengy (CAA), de Hollywood. A Coca queria revitalizar sua propaganda e superar a percepção de que o refrigerante para o mercado jovem era a Pepsi.[17]

INTERNACIONALIZAÇÃO DAS GUERRAS DAS COLAS

Na década de 90, algumas das mais intensas batalhas das guerras das colas estavam sendo travadas em mercados internacionais. As oportunidades para o crescimento internacional das vendas e dos lucros eram enormes, pois os níveis de consumo *per capita* em todo o mundo representavam uma fração ínfima do mercado americano. Por exemplo, cada norte-americano bebia 296 refrigerantes Coca-Cola de 8 onças (236 ml) por ano em 1993; cada chinês bebia um. Se a Coca aumentasse as compras dos chineses até o consumo *per capita* da Austrália, que era de 217 refrigerantes/ano, "isso equivaleria a outra Coca-Cola Company do tamanho que ela é hoje. Seriam 10 bilhões de caixas por ano", disse Goizueta.[18] Analistas da indústria acreditavam que o mercado internacional iria crescer de 7 a 10% a.a.[19] Algumas das áreas mais interessantes incluíam a Europa Oriental, a China e a Índia, onde as atividades da Coca e da Pepsi haviam sido limitadas ou proibidas no passado. Em 1993, a Coca-Cola tinha uma participação de 45% do mercado global, comparados com 14% da Pepsi. A lucratividade da Coca era particularmente forte na Alemanha, com uma parcela de 50% do mercado. A Coca também era líder de mercado na Europa Ocidental, no Japão e no México. A maior força da Pepsi estava no Oriente Médio, na Europa Oriental e na Rússia (ver Quadro 3.8, p. 204).

A Coca e a Pepsi adotaram abordagens a longo prazo diferentes do mercado internacional de refrigerantes. A Pepsi possuía engarrafadores em muitos territórios internacionais, ao passo que a Coca-Cola investia em franqueados. Ao contrário dos Estados Unidos, os contratos internacionais de engarrafamento normalmente não continham restrições sobre o preço dos concentrados, o que dava aos PCs muito maior flexibilidade para elevar seu preço. Os contratos no exterior não eram perpétuos, durando em geral entre três e 10 anos. As margens operacionais em muitos mercados internacionais eram até 10 pontos percentuais mais altas do que no mercado norte-americano. Os PCs tomavam decisões sobre o preço de concentrados na base de país para país, levando em conta as condições locais. Os preços no varejo eram estabelecidos pelos engarrafadores locais com sugestões do franqueador e baseados em desenvolvimento de canais, aumento da renda disponível e disponibilidade de bebidas alternativas. Havia barreiras ao crescimento em muitos países, inclusive controles de preços, impossibilidade de remessa de lucros, controles sobre moedas estrangeiras, instabilidade política, restrições sobre a propaganda e sobre fontes de matérias-primas e questões ambientais.

Em 1992, a Coca obteve 80% de seus lucros fora dos Estados Unidos, ao passo que a Pepsi-Cola obteve de 15 a 20%. Executivos da Coca previram que as operações internacionais iriam con-

QUADRO 3.8

Indústria de Refrigerantes — Algumas Participações em Mercados Internacionais, 1993 (192 onças por caixa, em milhares)

	Galões per capita	Caixas Industriais	Coca-Cola	PepsiCo	Participação Coca-Cola	Participação PepsiCo
Ásia						
Japão	6	2.020.000	646.400	141.400	32%	7%
Filipinas	7	324.000	246.240	64.800	76	20
Austrália	25	260.850	153.900	26.100	59	10
Coréia	8	215.460	107.710	17.230	50	8
Tailândia	5	185.740	107.730	16.700	58	9
China	0,8	666.700	76.950	33.330	12	5
Outros		377.350	200.070	57.780	53	15
Total		**4.050.100**	**1.539.000**	**357.340**	**38%**	**9%**
Comunidade Européia						
Alemanha	27	1.281.450	627.910	102.520	49%	8%
Grã-Bretanha	14	651.510	201.970	78.180	31	12
Espanha	19	513.000	277.020	66.690	54	13
Itália	13	436.520	240.080	48.020	55	11
França	8	300.640	129.280	21.040	43	7
Outros		746.240	370.540	115.780	50	16
Total		**3.929.360**	**1.846.800**	**432.230**	**47%**	**11%**
América Latina						
México	33	1.925.150	1.058.830	481.290	55%	25%
Brasil	8	902.880	541.730	108.340	60	12
Argentina	16	397.160	246.240	142.980	62	36
Chile	18	158.865	98.500	28.590	62	18
Outros		1.175.945	517.100	59.600	54	5
Total		**4.560.000**	**2.462.400**	**820.800**	**54%**	**18%**
Nordeste da Europa/África		2.972.970	1.126.000	501.000	38%	17%
Canadá	27	603.530	205.200	193.130	34	32
Total Internacional		**16.115.960**	**7.179.400**	**2.304.500**	**45%**	**14%**
Estados Unidos	48	**8.160.000**	**3.345.600**	**2.529.600**	**41%**	**31%**

Fontes: Andrew Conway, "Thirsting for Growth, Soft Drinks in the 1990s", Salomon Brothers, junho de 1993; analistas do setor; estimativas do autor do caso.

tribuir com 85% da receita operacional até o final da década. A partir da década de 80, a Coca relicenciou e reestruturou seus engarrafadores internacionais, em particular aqueles que estavam tendo dificuldades para administrar seus territórios, provendo capital e experiência gerencial para promover o crescimento lucrativo do volume. A Coca empregava uma estratégia de "engarrafadores âncoras" — experientes, dedicados e com grandes instalações como Ringnes da Noruega e Amatil da Austrália — que estavam entrando em novos mercados como a China, a Europa Oriental e a antiga União Soviética. Da mesma forma que nos Estados Unidos, a Coca tendia a ter participações inferiores a 50% em seus engarrafadores no exterior. Contudo, ela também gostava de investir o suficiente para influenciar a administração local. A Coca construiu a presença da sua marca em mercados com baixo consumo de refrigerantes, mas grande cujo potencial a longo prazo, como Indonésia, com uma população de 180 milhões, idade média de 18 anos e consumo *per capita* de apenas quatro refrigerantes Coca-Cola por ano. Como observou um executivo da Coca, "eles estão na linha do equador e todos são jovens. É o paraíso dos refrigerantes".[20] No período de 1981 a 1993, a Coca investiu mais de US$ 3 bilhões no exterior. Goizueta disse: "Recém começamos a nos voltar para os 95% da população do mundo que vivem fora dos Estados Unidos. Hoje, nossos 16 maiores mercados representam 80% do nosso volume e eles cobrem somente 20% da população mundial".[21] O capital da Coca ou sua participação em empreendimentos conjuntos respondiam por mais de 38% do seu volume mundial em 1993.

A Pepsi era mais lenta que a Coca em suas investidas internacionais. Em meados da década de 70, a Pepsi estava preocupada com suas operações domésticas. Depois de enfrentar problemas no México e nas Filipinas no início dos anos 80, ela começou a se desfazer dos investimentos internacionais em engarrafamento. O dinheiro foi usado para a aquisição de engarrafadores domésticos e o aumento de eficiência e lucratividade. A PepsiCo Foods International (PFI) continuou a operar em sete países, e a empresa descobriu que podia ter bom desempenho no exterior. No final da década de 80, a Pepsi-Cola começou a repensar seus esforços internacionais e decidiu que, se quisesse crescer entre 17 e 18% anualmente, teria de investir fora dos Estados Unidos. Muitas das suas operações restantes de engarrafamento no exterior eram ineficientes, com um *marketing* deficiente, a qualidade do produto inconsistente e ausência de uniformidade nos padrões gráficos. Como disse Chris Sinclair, presidente da Pepsi-Cola International,

> Internacionalmente, éramos operadores horríveis. Não posso ser mais franco que isso. Não era incomum encontrar níveis de distribuição de 20% a 30% em determinados mercados. Tínhamos operações de engarrafamento que não conheciam seus clientes, menos ainda pensavam, por exemplo "como otimizar vendas e entregas?" Tínhamos estruturas de custos que eram alarmantemente anticompetitivas. Precisávamos atacar não só as questões de custos no sistema, mas, acima de tudo, por serem fundamentais, as questões de atendimento aos clientes.[22]

A Pepsi utilizava uma estratégia de nicho que visava áreas geográficas onde o consumo *per capita* se apresentava relativamente estabilizado e os mercados ofereciam oportunidades para altos volumes e lucros. Com freqüência, elas eram "fortalezas da Coca" e a Pepsi punha para funcionar sua tática de guerrilhas. Um exemplo desses assaltos foi em Monterrey, México, onde 90% do mercado pertenciam ao engarrafador local da Coca. Em meados de 1992, com a precisão de um batalhão de infantaria, a Pepsi triplicou sua participação de mercado, que chegou a 24% em quatro meses, usando uma equipe bem treinada, 250 novos caminhões e uma nova e moderna instalação de engarrafamento. Outra fortaleza da Coca era o Japão, onde foi lançado um "Desafio Pepsi" antes que um juiz acionasse a Pepsi para impedi-la de continuar usando o nome da sua concorrente em sua propaganda. A Coca respondeu a essas investidas reduzindo seus preços em mercados internacionais para conseguir volume.

A Pepsi estabelecia parcerias locais de engarrafamento por meio de empreendimentos conjuntos, investimentos de capital ou controle direto. Ao contrário da Coca, que usava engarrafadores âncoras para entrar rapidamente em um novo mercado, a Pepsi precisava encontrar parceiros dotados das qualificações adequadas para negócios. Seus engarrafadores trabalhavam lado a lado com os varejistas para construir presença da marca e disponibilidade. A Pepsi havia reestruturado ou relicenciado cerca de metade da sua rede internacional de engarrafamento desde 1990, investindo quase US$ 2 bilhões. Incluindo as operações de engarrafamento de sua propriedade, a Pepsi mantinha o controle acionário em mais de 20% do seu sistema em volume e cerca de 50% com base em receitas.

Os analistas acreditavam que a partida internacional seria jogada, e decidida, na América Latina, Índia, China e Europa Oriental. Com vários desses mercados em rápida expansão, a pergunta para todas as empresas de refrigerantes no final da década de 90 é a seguinte: Será que a batalha pelo mercado global de refrigerantes irá evoluir para outro duopólio dominante, como nos Estados Unidos, ou poderá emergir um padrão diferente, com participantes diferentes, estruturas verticais diferentes e margens diferentes?

NOTAS

1. John Huey, "The World's Best Brand", *Fortune*, 31 de maio de 1993.
2. *Wall Street Journal*, 13 de junho de 1991.
3. Roger Enrico, *The Other Guy Blinked and Other Dispatches from the Cola Wars* (Nova York: Bantam Books, 1988).
4. A Coca foi a exceção a esta regra geral. Ela adicionava açúcar antes de enviar o xarope aos seus engarrafadores.
5. Patricia Sellers, "Brands — It's Thrive or Die", *Fortune*, 23 de agosto de 1993.
6. *Beverage World*, 1989.
7. Roger Enrico, op. cit.
8. Mark Pendergrast, *For God, Country and Coca-Cola.* (Nova York: Macmillan Publishing Company, 1993).
9. Thomas Oliver, *The Real Coke, The Real Story* (Nova York: Random House, 1986).
10. Mark Pendergrast, op. cit.
11. John Huey, "The World's Best Brand".
12. Roger Enrico, op. cit.
13. *Wall Street Journal*, 24 de abril de 1986.
14. *Forbes*, 27 de novembro de 1989.
15. Jesse Meyers, *Beverage Digest*, 14 de maio de 1993.
16. Marcy Magiera, "Pepsi Moving Fast to Get Beyond Colas", *Advertising Age*, 5 de julho de 1993.
17. Kevin Goldman, "Coke Blitz Keeps Successful '93 Strategy", *Wall Street Journal*, 8 de fevereiro de 1994.
18. Martha T. Moore, "Fountain of Growth Found Abroad", *USA Today*, 16 de agosto de 1994.
19. Value Line, *Soft Drink Industry*, 20 de agosto de 1993.
20. Martha T. Moore, "Fountain of Growth Found Abroad".
21. John Huey, "The World's Best Brand".
22. Larry Jabbonsky, "Room to Run", *Beverage World*, agosto de 1993.

História Corporativa das Principais Aquisições e Alienações da Coca e da Pepsi

COCA-COLA

A Coca-Cola foi incorporada em 1919. Seu negócio principal era a produção de concentrado para refrigerantes gaseificados e xaropes. Ao longo dos anos, a Coca-Cola comprou e vendeu muitos negócios diferentes (a lista abaixo contém as aquisições e as vendas de engarrafadores franqueados que excederam US$ 200 milhões).

1960   Adquiriu a Minute Maid, produtora de sucos de frutas concentrados e congelados.

1964   Adquiriu a Duncan Foods Company. Em 1967, consolidou as operações da Minute Maid e da Duncan Foods na Coca-Cola Foods Division.

1968   Adquiriu a Belmont Springs Water Company por 13.250 ações.

1977   Adquiriu a Taylor Wine Company e a Sterling Vineyards da Califórnia. Também adquiriu a Gonzales & Company, que operava a Monterey Vineyard na Califórnia.

1978   Adquiriu a Presto Products, fabricante de produtos de filme plástico como sacos para sanduíches e para lixo e toalhinhas umedecidas.

1981   Vendeu a Aqua-Chem, fabricante de sistemas de conversão de água, para a Lyonnaise American Holdings.

1982   Adquiriu a Columbia Pictures por US$ 333 milhões em dinheiro e ações avaliadas em US$ 692 milhões. Adquiriu a Ronco Foods Company, fabricante e distribuidora de massas. Em junho, comprou a Associated Coca-Cola Bottling Company por US$ 419 milhões; no fim do ano, 70% dos ativos operacionais da Associated haviam sido vendidos.

1983   Vendeu seu setor de vinhos por US$ 230 milhões.

1984   Vendeu a Ronco Foods Company.

1985   Vendeu a Presto Products e a Winkler Flexible Products por US$ 112 milhões. Comprou ativos e imóveis da Embassy Communications e Tandem Productions por US$ 267 milhões, compreendendo 7,1 milhões de ações ordinárias da empresa e o pagamento das dívidas existentes. A Tandem foi comprada por US$ 178 milhões em dinheiro. A Embassy e a Tandem eram produtoras e distribuidoras de programas de televisão. Em 1986, vendeu a Embassy Home Entertainment à Nelson Entertainment por US$ 85 milhões. Adquiriu a Nutri-Foods International, produtora de sobremesas congeladas à base de sucos, por US$ 30 milhões.

1986 Adquiriu a January Enterprises (hoje Merv Griffin Enterprises) por US$ 200 milhões. Transferiu os ativos operacionais das empresas engarrafadoras de sua propriedade nos Estados Unidos para a Coca-Cola Enterprises, uma subsidiária na qual possuía 49% das ações. Adquiriu a Coca-Cola Bottling Company of Southern Florida por US$ 325 milhões e as engarrafadoras de Coca-Cola afiliadas à Mr. Crawford Rainwater por US$ 211 milhões.

1987 Cadbury Schweppes e Coca formaram uma empresa conjunta conhecida como Coca-Cola and Schweppes Beverage Ltd., a qual cuidava do engarrafamento, enlatamento e distribuição dos produtos da empresa na Grã-Bretanha.

1988 Adquiriu os ativos de serviços de alimentos cítricos da H.P. Hood por US$ 45 milhões. Vendeu as Coca-Cola Bottling Companies de Memphis, Miami e Maryland e uma parte da operação de Delaware, à Coca-Cola Enterprises por US$ 500 milhões.

1989 Adquiriu a S.P.B.G., uma subsidiária da Pernod Ricard. Vendeu o setor de café da Coca-Cola Foods à Maryland Club Foods. Adquiriu ações da Frank Lyon Company, a única acionista da Coca-Cola Bottling Company de Arkansas, por US$ 232 milhões. Adquiriu todas as operações de engarrafamento de Coca-Cola da Pernod Ricard por US$ 285 milhões; os passivos assumidos foram de US$ 145 milhões. Adquiriu uma parcela de 59,5% da Coca-Cola Amatil Ltd. por US$ 491 milhões. Vendeu a Belmont Springs Water Company à Suntory Water Group. Vendeu a Columbia Pictures Entertainment à Sony por US$ 1,55 bilhão.

1990 Vendeu a Coca-Cola Bottling Company of Arkansas à CCE por US$ 250 milhões.

1991 A Coca e a Nestlé formaram a Coca-Cola Nestlé Refreshments Company, produtora de bebidas à base de café, chá e chocolate prontas para beber sob as marcas Nescafé, Nestea e Nestlé.

PEPSICO

A Pepsi-Cola Company era principalmente uma empresa de bebidas até 1965, quando a Pepsi adquiriu a Frito-Lay e se tornou a PepsiCo. Esta mais tarde comprou a Pizza Hut, a Taco Bell e a Kentucky Fried Chicken para tornar-se o maior grupo de restaurantes do mundo.

1959 Adquiriu a Dossin's Food Products em troca de 200.000 ações ordinárias.

1964 Adquiriu a Tip Corporation of America, produtora de Mountain Dew, por 60.000 ações.

1965 Adquiriu a Frito-Lay por 3.052.780 ações.

1966 Adquiriu a Lease Plan International Corporation, empresa de arrendamento de equipamentos de transporte, por 705.444 ações.

1968 Adquiriu a North American Van Lines por 638.818 ações ordinárias e a Chandler Leasing Corporation por 482.498 ações.

1972 Adquiriu a Wilson Sporting Goods Company. Em 1985, vendeu a Wilson por US$ 134 milhões em dinheiro mais 10% das ações preferenciais da mesma. Adquiriu 82% da Rheingold Corporation e, em 1973, adquiriu as ações restantes. Em 1974, vendeu as operações de produção de cerveja da Rheingold e mudou seu nome para United Beverages. Vendeu a Lease Plan à Gelco-IVM Leasing Company de Minneapolis por US$ 6,7 milhões.

1976 Adquiriu a Lee Way Motor Freight. Em 1984, vendeu-a à Commercial Lovelace Motor Freight.

1977 Adquiriu a Pizza Hut mediante a troca de 1,55 ação da Pepsi para cada ação da Pizza Hut.

1978 Adquiriu a Taco Bell numa troca de ações avaliadas em US$ 148 milhões.

1985 Adquiriu a subsidiária de engarrafamento da Allegheny Beverage Corporation por US$ 160 milhões em dinheiro. Vendeu a North American Van Lines por US$ 376 milhões.

1986 Adquiriu a MEI Bottling Corporation por US$ 591 milhões em dinheiro. Adquiriu a Seven-Up International por US$ 246 milhões em dinheiro. Adquiriu a Kentucky Fried Chicken por US$ 841 milhões em dinheiro.

1987 Vendeu La Petite Boulangerie por US$ 15 milhões.

1988 Adquiriu as operações de engarrafamento da Grand Metropolitan por US$ 705 milhões.

1989 Adquiriu as operações nacionais de engarrafamento da General Cinema por US$ 1,77 bilhão. Adquiriu as ações da Smiths Crisps Ltd. e da Walker Crisps Holding Ltd., duas empresas de lanches no Reino Unido, por US$ 1,34 bilhão.

1990 A PFI, através da Sabritas S.A., sua subsidiária mexicana, adquiriu mais de 70% das ações da Empresas Gamesa por US$ 300 milhões.

1991 A PFI comprou os 50% restantes da Hostess Frito-Lay Company da Kraft General Foods Canada Inc. Os termos não foram revelados.

1992 A PFI adquiriu a Evercrisp Snack Productos de Chile S.A. por US$ 12,6 milhões, uma das maiores produtoras de lanches daquele país.

apêndice 3b

Outros Produtores de Concentrados

DR PEPPER/SEVEN-UP

A Seven-Up, uma bebida de lima-limão, foi lançada em 1929. A maior parte dos seus engarrafadores também engarrafava Coca, Pepsi ou RC Cola. Nos anos 50, a Seven-Up alcançou distribuição nacional pela sua rede de franquia, sendo também proprietária de algumas operações de engarrafamento. A Dr Pepper, formulada em 1995 no Texas, tinha um sabor único baseado numa combinação de sucos e exigia menos açúcar que as marcas maiores. Ela começou como uma pequena produtora regional no Sudoeste. Em 1962, um tribunal decidiu que Dr Pepper não era uma cola; portanto, os engarrafadores de Coca e Pepsi podiam trabalhar com ela. A Dr Pepper expandiu sua base geográfica concedendo licenças a engarrafadores de Coca e Pepsi em todo o país. Em 1993, 80% da Dr Pepper eram distribuídos através dos sistemas de engarrafamento da Coca ou da Pepsi.

A Philip Morris adquiriu a Seven-Up em 1978 por um alto preço e teve grandes prejuízos no início da década de 80. Em 1985, a Philip Morris estava em busca de um comprador. A Comissão Federal de Comércio impediu que a Pepsi comprasse a Seven-Up, embora ela tivesse comprado as operações canadense e internacionais por US$ 246 milhões. A Philip Morris vendeu as operações nacionais da Seven-Up a uma firma de investimentos liderada pela Hicks & Haas por US$ 240 milhões. Em outubro de 1986, a Hicks & Haas havia concluído compras alavancadas da A&W Brands, uma produtora de concentrados especiais, por US$ 75 milhões e do negócio de concentrados da Dr Pepper por US$ 416 milhões. No final de 1986, a Hicks & Haas tinha 14% do mercado americano de refrigerantes. A Dr Pepper/Seven-Up Companies era uma empresa holding formada em 1988 para adquirir a Dr Pepper Company e a Seven-Up Company. Em 1993, ela era a maior franqueadora de refrigerantes não-cola dos Estados Unidos com uma participação de 11% do mercado. Mais de 70% do seu volume eram distribuídos por engarrafadores da Coca e da Pepsi. Em 1993, a Cadbury Schweppes detinha 26% das ações da empresa.

ROYAL CROWN COLA (RC COLA)

A Royal Crown lançou sua primeira cola em 1935 e foi a primeira a introduzir cola diet regular e descafeinada. Seus engarrafadores, em sua maioria localizados no Meio-Oeste, também vendiam Seven-Up, Dr Pepper e outras marcas pequenas. Em 1984, a Royal Crown foi comprada pela DWG Corporation, do financista Victor Posner. A RC Cola era uma subsidiária da Royal Crown Corporation, por sua vez subsidiária da CFC Holdings Corporation, subsidiária da CFC Corporation. Em 1993, Posner vendeu o controle acionário da DWG a Nelson Petz e Peter May, que mudaram o nome de DWG para Triarc. A RC Cola era a terceira maior marca nacional de cola em 1993, com suas operações no exterior respondendo por 7,5% do total de vendas. A RC Cola era a fornecedora exclusiva de concentrado de cola à Cott, fornecedora de refrigerantes com marcas privadas aos grandes varejistas.

OUTRAS MARCAS

Em 1984, a Canada Dry foi vendida à R.J. Reynolds, que também comprou a Sunkist da General Cinema, combinando-a com as aquisições anteriores da Del Monte Hawaiian Punch e da Cott Beverages. Em 1985, a R.J. Reynolds controlava 4,6% da indústria norte-americana de refrigerantes. Em junho de 1986, a R.J. Reynolds vendeu a Canada Dry e a Sunkist à Cadbury Schweppes. Em 1989, esta adquiriu a Crush International da Procter & Gamble, a qual incluía a marca Hires. No mesmo ano, a empresa também mudou sua sede de Londres para Stamford, Connecticut. Em 1990, a Cadbury Schweppes relicenciou seus produtos Canada Dry, Hires e Crush, com o objetivo de transformá-los em marcas nacionais.

CASO 4

A Crown Cork & Seal em 1989

John F. Connelly, o enfermo e octogenário presidente do conselho da Crown Cork & Seal, renunciou e nomeou William J. Avery, seu discípulo por muito tempo, como diretor-presidente dessa fabricante de latas de Filadélfia em maio de 1989. Avery havia sido presidente da Crown Cork & Seal desde 1981, mas tinha passado toda a sua carreira à sombra de Connelly. Como novo executivo principal da Crown, Avery planejava rever a estratégia havia muito seguida por Connelly à luz das mudanças no panorama do setor.

O setor industrial de recipientes de metal havia passado por uma considerável transformação desde que Connelly assumiu as rédeas da Crown em 1957. A American National acabara de ser adquirida pela estatal francesa Pechiney International, que assim tornou-se a maior produtora mundial de latas para bebidas. A Continental Can, outra antiga rival, era então propriedade da Peter Kiewit Sons, uma empresa de construção de capital fechado. Em 1989, todas as operações de produção de latas da Continental pareciam estar à venda. A Reynolds Metals, uma tradicional fornecedora de alumínio para os fabricantes de latas, também era então uma formidável concorrente em latas. Os lances feitos tanto por fornecedores quanto pelos clientes dos fabricantes de latas, a fim de obter sua própria integração na fabricação, haviam redefinido profundamente o setor industrial de latas de metal desde a chegada de John Connelly.

Refletindo sobre essas mudanças drásticas, Avery se perguntava se a Crown, com US$ 1,8 bilhão em vendas, deveria ou não pensar em fazer uma oferta por toda a Continental Can ou parte dela. Ele também se perguntava se a Crown deveria romper com a tradição e expandir sua linha de produtos além da fabricação de latas e fechos de metal. Ao longo de 30 anos a empresa se mantivera fechada em seu negócio principal, a fabricação de latas, mas analistas viam pouco potencial de crescimento para latas de metal nos anos 90. Observadores previam que os plásticos seriam o segmento em crescimento para recipientes. Meditando sobre suas opções, Avery se perguntava: teria enfim chegado a hora de mudar?

Sheila M. Cavanaugh preparou este caso sob a supervisão do professor Stephen P. Bradley como base para discussão em classe e não para ilustrar o manejo eficaz ou não de uma situação administrativa.

O SETOR INDUSTRIAL DE RECIPIENTES DE METAL

Essa indústria, representando 61% de todos os produtos embalados nos Estados Unidos em 1989, produzia latas de metal, tampinhas de garrafas e fechos para selar uma variedade quase infindável de bens industriais e de consumo. Os recipientes de vidro e plástico dividiam o equilíbrio do mercado, com participações respectivamente de 21% e 18%. As latas de metal atendiam as indústrias de bebidas, alimentos e embalagens em geral.

As latas metálicas eram feitas de alumínio, aço ou uma combinação de ambos os materiais. As latas de três partes eram formadas enrolando-se uma folha de metal, soldando-a, cortando-a no tamanho e anexando duas tampas, criando-se assim uma lata soldada de três partes. O aço era a principal matéria-prima das latas de três partes, as mais populares nas indústrias de alimentos e embalagens em geral. As latas de duas partes, desenvolvidas na década de 60, eram formadas empurrando-se um pedaço de metal plano para dentro de um copo profundo, eliminando o fundo separado em um processo de moldagem denominado "repuxamento". Embora fosse das empresas de alumínio o desenvolvimento da tecnologia original para a lata de duas partes, as siderúrgicas imitaram-na com uma versão de aço com paredes finas. Em 1983, as latas de duas partes dominavam a indústria de bebidas, onde eram as preferidas dos fabricantes de cervejas e refrigerantes. Dos 120 milhões de latas produzidas em 1989, 80% eram de duas partes.

Durante a década de 80, o número de latas metálicas produzidas cresceu em média 3,7% a.a. As latas de alumínio cresceram em média 8% anuais, enquanto as de aço caíram para uma média de 2,6% a.a. O número de latas de alumínio produzidas aumentou em quase 200% no período 1980-1989, atingindo um pico de 85 bilhões, ao passo que a produção de latas de aço caiu 22%, para 35 bilhões de unidades, no mesmo período (ver Quadro 4.1, p. 215).

Estrutura do Setor

Cinco empresas dominavam a indústria de latas metálicas de US$ 12,2 bilhões em 1989, com uma participação agregada de 61%. A maior fabricante do país — a American National Can — detinha uma parcela de 25% do mercado. As quatro empresas que se seguiam à American em vendas eram a Continental Can (18% do mercado), Reynolds Metals (7%), Crown Cork & Seal (7%) e Ball Corporation (4%). Cerca de cem empresas atendiam o mercado.

Preços   Os preços na indústria de latas eram muito competitivos. Para reduzir custos, os gerentes procuravam grandes lotes de itens padrão, que aumentavam a utilização da capacidade e reduziam a necessidade de onerosos acertos para mudança de formatos. Em conseqüência disso, quase todas as empresas ofereciam descontos de volume para incentivar pedidos grandes. Apesar da persistente demanda por latas de metal, as margens operacionais da indústria caíram cerca de 7%, chegando a 4%, entre 1986 e 1989. Analistas da indústria atribuíam a queda nas margens operacionais a: (1) um aumento de 15% nos preços das folhas de alumínio numa época em que quase todos os fabricantes de latas haviam garantido preços ligados a volumes, os quais não incorporavam aumentos substanciais em custos; (2) um aumento de 7% na capacidade de produção de latas para bebidas entre 1987 e 1989; (3) um número crescente das principais cervejarias do país produzindo internamente suas latas; (4) a consolidação dos engarrafadores de refrigerantes durante a década. Forçados a economizar depois de custosas batalhas por participação de mercado, os engarrafadores de refrigerantes usaram sua força para obter descontos nos preços das embalagens.[1] O excesso de capacidade e uma base decrescente de clientes contribuíram para um aperto sem precedentes nas

QUADRO 4.1
Embarques de Latas Metálicas por Mercado e Produto, 1981-1989 (milhões de latas)

	1981	%	1983	%	1985	%	1987	%	(Estab.) 1989	%
Total de Latas Metálicas Embarcadas	88.810		92.394		101.899		109.214		120.795	
Por Mercado										
Para venda:	59.433	67	61.907	67	69.810	69	81.204	74	91.305	76
Bebidas	42.192		45.167		52.017		62.002		69.218	
Alimentos	13.094		12.914		13.974		15.214		18.162	
Embalagens em geral	4.147		3.826		3.819		3.988		3.925	
Para uso próprio:	29.377	33	30.487	33	32.089	31	28.010	26	29.490	24
Bebidas	14.134		16.289		18.160		14.771		17.477	
Alimentos	15.054		14.579		13.870		13.167		11.944	
Embalagens em geral	189		171		59		72		69	
Por Produto										
Bebidas:	56.326	63	61.456	67	70.177	69	76.773	70	86.695	72
Cerveja	30.901		33.135		35.614		36.480		37.276	
Refrigerantes	25.425		28.321		34.563		40.293		49.419	
Alimentos:	28.148	32	26.941	29	27.844	27	28.381	26	30.106	25
Laticínios	854		927		1.246		1.188		1.304	
Sucos	13.494		11.954		11.385		11.565		12.557	
Carnes, aves, peixes	2.804		3.019		3.373		3.530		3.456	
Alimentos para animais	3.663		3.571		4.069		4.543		5.130	
Outros	7.333		7.470		7.771		7.555		7.659	
Embalagens em geral:	4.336	5	3.997	4	3.878	4	4.060	4	3.994	3
Aerossol	2.059		2.144		2.277		2.508		2.716	
Tintas e vernizes	813		817		830		842		710	
Produtos automotivos	601		229		168		128		65	
Outros não-alimentícios	863		807		603		582		503	
Por Materiais Usados										
Aço	45.386	52	40.116	45	34.316	37	34.559	34	35.318	29
Alumínio	42.561	48	48.694	55	58.078	63	67.340	66	85.477	71

Fonte: Can Manufacturers Institute, Can Shipment Report, 1981-1989.

margens dos fabricantes, que também contribuíram para essa deterioração por meio de descontos agressivos para proteger suas participações de mercado. Como confessou um fabricante, "quando se olha para a indústria de latas para bebidas, não é segredo que estamos vendendo hoje a um preço inferior ao de 10 anos atrás".

Clientes Entre os maiores usuários da indústria estavam a Coca-Cola Company, Anheuser-Busch Companies, Inc., Pepsico Inc. e Coca-Cola Enterprises Inc. (ver Quadro 4.2). A consolidação no segmento de refrigerantes da indústria de engarrafamento reduziu o número de engarrafadores de cerca de 8.000 em 1980 a cerca de 800 em 1989 e colocou um volume significativo de bebidas nas mãos de poucas grandes empresas.[2] Como a lata constituía cerca de 45% do custo total de uma bebida embalada, os engarrafadores e as cervejarias mantinham relações com mais de um fornecedor de latas. Mau atendimento e preços não-competitivos podiam ser punidos com cortes no tamanho dos pedidos.

Distribuição Devido ao volume ocupado pelas latas, os fabricantes localizaram suas fábricas perto dos clientes para minimizar custos. Os principais componentes do custo da lata metálica

QUADRO 4.2
Maiores Usuários de Recipientes nos Estados Unidos, 1989

Lugar	Empresa	Vendas de Refrigerantes/ Bebidas (US$ mil)	Principais Categorias de Produtos
1	The Coca-Cola Company[a] (Atlanta, GA)	8.965.800	Refrigerantes, sucos cítricos, bebidas à base de frutas
2	Anheuser-Busch Companies, Inc.[b] (St. Louis, MO)	7.550.000	Cerveja, cerveja importada
3	PepsiCo Inc. (Purchase, NY)	5.777.000	Refrigerantes, água engarrafada
4	The Seagram Company, Ltd. (Montreal, Quebec, Canadá)	5.581.779	Destilados, *coolers*, sucos
5	Coca-Cola Enterprises, Inc.[a] (Atlanta, GA)	3.881.947	Refrigerantes
6	Philip Morris Companies, Inc. (Nova York, NY)	3.435.000	Cerveja
7	The Molson Companies, Ltd. (Toronto, Ontário, Canadá)	1.871.394	Cerveja, *coolers*, cerveja importada
8	John Labatt, Ltd. (London, Ontário, Canadá)	1.818.100	Cerveja, vinho
9	The Stroh Brewery Company[c] (Detroit, MI)	1.500.000	Cerveja, *coolers*, refrigerantes
10	Adolph Coors Company[d] (Golden, CO)	1.366.108	Cerveja, água engarrafada

[a]A Coca-Cola Company e a Coca-Cola Enterprises compravam (e não fabricavam) todas as suas latas em 1989. A Coca-Cola possuía 49% da Coca-Cola Enterprises, maior engarrafadora de Coca-Cola nos Estados Unidos.
[b]Além da fabricação interna em sua subsidiária (Metal Container Corporation), a Anheuser-Busch comprava suas latas de quatro fabricantes. A percentagem de latas fabricadas pela Anheuser-Busch não era revelada ao público.
[c]Dos 4,5 bilhões de latas usadas pela Stroh Brewery em 1989, 39% foram comprados e 61% fabricados internamente.
[d]A Adolph Coors fabricava todas as suas latas, produzindo aproximadamente de 10 a 12 milhões de latas por dia, cinco dias por semana.
Fonte: Beverage World, 1990-1991.

incluíam: (1) matérias-primas, 65%; (2) mão-de-obra direta, 12%; (3) transporte, cerca de 7,5%. Várias estimativas colocavam o raio de distribuição econômica para uma fábrica entre 240 Km e 480 Km. Os produtores de latas preferiam o alumínio ao aço devido ao seu menor peso e menores custos de despacho. Em 1988, as latas de aço pesavam mais do que o dobro das de alumínio.[3] Os custos incorridos no transporte de latas para mercados externos tornavam antieconômico o comércio internacional. Os mercados externos eram atendidos por empreendimentos conjuntos, subsidiárias no exterior, filiais dos fabricantes norte-americanos de latas e empresas locais.

Fabricação As linhas de produção para latas de duas partes custavam aproximadamente US$ 16 milhões e o investimento em equipamento periférico elevava o custo por linha de US$ 20 a US$ 25 milhões. O tamanho eficiente mínimo por fábrica era uma linha e as instalações variavam de uma a cinco linhas. Embora as linhas para latas de duas partes tivessem alcançado popularidade rápida e persistente, elas não substituíram completamente suas antecessoras — as linhas para latas de três partes. Os segmentos de produtos alimentícios e embalagens em geral — representando 28% da indústria de recipientes de metal em 1989 — continuaram usando latas de três partes na década de 80. Porém, o segmento de bebidas havia mudado completamente para latas de duas partes em 1983.

Uma linha de produção típica de latas de três partes custava entre US$ 1,5 e US$ 2 milhões e exigia dispendiosos equipamentos de costura, produção de tampas e acabamento. Como cada linha de acabamento dava conta da produção de três ou quatro linhas de formação de latas, a fábrica no limite menor da eficiência exigia US$ 7 milhões em equipamento básico. Em sua maioria, as fábricas tinham de 12 a 15 linhas em nome da flexibilidade para produzir mais de um tipo de lata ao mesmo tempo. Entretanto, qualquer número acima de 15 linhas era problemático devido à necessidade de duplicação de equipes de acerto, manutenção e da supervisão. A passagem da indústria de bebidas de linhas de três para as de duas partes fez com que muitos fabricantes vendessem, "no estado", linhas de três partes completas e operacionais por US$ 175.000 a US$ 200.000. Algumas empresas enviaram suas linhas antigas para suas operações no exterior, onde o potencial para crescimento era grande, a concorrência, pouca, e a tecnologia de enlatamento não era bem conhecida.

Fornecedores Desde a invenção da lata de alumínio em 1958, o aço começara a perder terreno. Em 1970, o aço respondia por 88% das latas metálicas, mas em 1989 sua participação caíra para 29%. Além de ser mais leve e oferecer qualidade melhor e mais consistente, o alumínio era melhor para o sabor e tinha melhores qualidade para litografia. Em 1989, o alumínio respondia por 99% das embalagens metálicas de cerveja e 94% das de refrigerantes.

Os três maiores produtores de alumínio do país supriam a indústria de latas. A Alcoa, a maior produtora de alumínio do mundo, com vendas de US$ 9,8 bilhões em 1988, e a Alcan, a maior produtora de alumínio primário, com vendas de US$ 8,5 bilhões em 1988, supriam 65% das necessidades domésticas de folhas para latas. A Reynolds Metals, segunda maior produtora dos Estados Unidos, com vendas de US$ 5,6 bilhões em 1988, fornecia folhas de alumínio à indústria e também produzia 11 bilhões de latas.[4] A Reynolds era a única produtora de alumínio dos Estados Unidos que também fabricava latas (ver Quadro 4.3, p. 218).

A vantagem consistente do aço sobre o alumínio era o preço. De acordo com o American Iron and Steel Institute, o aço representava, em 1988, uma economia de US$ 5 a US$ 7 para cada mil latas produzidas, ou cerca de US$ 500 milhões anuais para os fabricantes de latas. Em 1988, os preços do alumínio subiram cerca de 15%, enquanto os preços do aço subiram apenas de 5 a 7%. De acordo com um representante da Alcoa, a decisão da empresa de limitar os aumentos no preço do alumínio foi atribuída à ameaça de possíveis incursões pelo aço.[5]

QUADRO 4.3
Desempenho comparativo dos Principais Fornecedores de Alumínio (em milhões de dólares)

	Vendas	Receita Líquida	Margem de Lucro Líquida %	Endividamento a Longo Prazo	Ativos Líquidos	Ganhos por Ação
Alcan Aluminum						
1988	$ 8.529,0	$ 931,0	10,9%	$ 1.199,0	$ 4.320,0	$ 3,85
1987	6.797,0	445,0	6,5	1.336,0	3.970,0	1,73
1986	5.956,0	177,0	3,0	1.366,0	3.116,0	0,79
1985	5.718,0	25,8	0,5	1.600,0	2.746,0	0,12
1984	5.467,0	221,0	4,0	1.350,0	2.916,0	1,00
Alcoa						
1988	9.795,3	861,4	8,8	1.524,7	4.635,5	9,74
1987	7.767,0	365,8	4,7	2.457,6	3.910,7	4,14
1986	4.667,2	125,0	2,7	1.325,6	3.721,6	1,45
1985	5.162,7	107,4	2,1	1.553,5	3.307,9	1,32
1984	5.750,8	278,7	4,8	1.586,5	3.343,6	3,41
Reynolds Metals[a]						
1988	5.567,1	482,0	8,7	1.280,0	2.040,1	9,01
1987	4.283,8	200,7	4,7	1.567,7	1.599,6	3,95
1986	3.638,9	50,3	1,4	1.190,8	1.342,0	0,86
1985	3.415,6	24,5	0,7	1.215,0	1.151,7	0,46
1984	3.728,3	133,3	3,6	1.146,1	1.341,1	3,09

[a]A Reynolds Metals é a segunda maior produtora de alumínio dos Estados Unidos. A empresa também é a terceira maior fabricante de latas metálicas, com 7% do mercado.
Fonte: Value Line.

Tendências da Indústria

As principais tendências que marcaram a indústria de embalagens de metal durante a década de 80 incluíam: (1) a permanente ameaça da fabricação própria pelos clientes; (2) a emergência dos plásticos como material de embalagem viável; (3) a concorrência firme do vidro como substituto para o alumínio no mercado de cervejas; (4) a emergência da indústria de refrigerantes como maior usuário final de embalagens, com o alumínio como principal beneficiário; (5) a diversificação e consolidação dos produtores de embalagens.

Fabricação Interna   A produção de latas em fábricas "cativas" — produzindo para uso da própria empresa — respondia por aproximadamente 25% da produção total de latas em 1989. Grande parte da expansão em fabricação própria, a qual persistiu durante toda a década de 80, ocorreu em fábricas de propriedade das maiores produtoras de alimentos e de cervejas do país. Muitas grandes cervejarias procuraram manter baixos os custos de latas desenvolvendo fabricação própria. As cervejarias consideravam vantajoso investir em fabricação própria devido ao alto volume de produção. A Adolph Coors levou esta tendência ao extremo, produzindo internamente todas as suas latas e suprindo quase todas as suas necessidades de alumínio da sua usina de laminação em San Antonio, Texas.[6] No final dos anos 80, a indústria cervejeira tinha capacidade para suprir cerca de 55% das suas necessidades de latas.[7]

A fabricação própria não estava disseminada na indústria de refrigerantes, onde os muitos pequenos engarrafadores e as operações franqueadas eram, em geral, geograficamente mais dispersos que as cervejarias. Os engarrafadores de refrigerantes também estavam preparados para uma produção de várias marcas com baixos volumes, a qual não era adequada para o processo de fabricação interna de latas.

Plásticos Durante os anos 80, os plásticos eram líderes em crescimento na indústria de embalagens, com sua participação crescendo de 9% em 1980 para 18% em 1989. Estimava-se que as vendas de garrafas plásticas nos Estados Unidos chegassem a $ 3,5 bilhões em 1989, com os segmentos de alimentos e bebidas, sustentados pelos refrigerantes, respondendo por 50% do total. As garrafas plásticas representavam 11% das vendas domésticas de refrigerantes, com a maior parte da sua penetração vindo em detrimento do vidro. O baixo peso do plástico e seu fácil manuseio contribuíram para a disseminação da preferência dos consumidores. Entretanto, o maior desafio enfrentado pelos plásticos era a necessidade de se produzir um material que, ao mesmo tempo, retivesse o gás carbônico e impedisse a infiltração de oxigênio. A garrafa plástica, com freqüência, deixava escapar o gás carbônico em menos de quatro meses, ao passo que as latas de alumínio mantinham-no por mais de 16 meses. A Anheuser-Busch alegava que as cervejarias americanas esperavam que as embalagens tivessem uma vida útil de, no mínimo, 90 dias, uma exigência não-atendida por nenhuma lata ou garrafa plástica.[8] Além disso, as linhas de produção padrão que enchiam 2.400 latas de cerveja por minuto exigiam recipientes com fundos perfeitamente planos, uma característica difícil de se obter usando plástico.[9] Desde 1987, o crescimento dos plásticos havia se desacelerado, aparentemente devido ao impacto das embalagens plásticas sobre o meio ambiente. Ao contrário do vidro e do alumínio, a reciclagem de plásticos não era um sistema de "circuito fechado".[10]

Havia muitas pequenas empresas produzindo embalagens plásticas em 1988, com freqüência se especializando por uso final ou região geográfica. Entretanto, somente sete empresas tinham vendas acima de US$ 100 milhões. A Owens-Illinois, a maior produtora de embalagens plásticas, era especializada em garrafas e tampas sob medida para alimentos, produtos de beleza e farmacêuticos. Ela era a maior fornecedora de embalagens para medicamentos, vendidas principalmente a atacadistas, grandes cadeias de drogarias e ao governo. A Constar, a segunda maior produtora doméstica de embalagens plásticas, adquiriu sua operação de garrafas plásticas da Owens-Illinois e cerca de dois terços das suas vendas eram de garrafas para refrigerantes. A Johnson Controls produzia garrafas para a indústria de refrigerantes em 17 fábricas nos Estados Unidos e seis no exterior e era a maior produtora de garrafas plásticas para água e destilados. A American National e a Continental Can produziam garrafas plásticas para alimentos, bebidas e outros produtos como bolas de tênis (ver no Quadro 4.4, p. 220, informações sobre os concorrentes).

Vidro As garrafas de vidro respondiam por apenas 14% das vendas de refrigerantes no mercado doméstico, dominado pelas latas, com uma participação de 75%. O custo vantajoso do vidro em relação ao plástico, nas populares garrafas de 16 onças, desapareceu em meados da década de 80, em razão da constante queda de preços da resina. Além disso, os fabricantes de refrigerantes preferiam as latas ao vidro por uma variedade de benefícios econômicos e logísticos, incluindo maior velocidade de enchimento, peso menor, facilidade de estocagem e eficiência no transporte. Em 1989, o custo de entrega (incluindo embalagem e colocação de rótulo) de uma lata de 12 onças (o tamanho mais popular) era 15% menor do que aquele de uma garrafa de plástico ou de vidro no tamanho 16 onças (o mais popular)[11]. O vidro continuou a bater o metal na categoria cerveja, em

QUADRO 4.4
Principais Produtoras de Garrafas Plásticas Sopradas, 1989 (em milhões de dólares)

Empresa	Vendas Totais	Receita Líquida	Vendas de Plástico	Código do Produto	Principal Mercado
Owens-Illinois	$ 3.280	$ (57)	$ 754	1,3,4,6	Alimentos, saúde e beleza, farmacêutico
American National	4.336	52	566	1,2,3,6	Bebidas, doméstico, cuidados pessoais, farmacêutico
Constar	544	12	544	1,2,3,4,6	Refrigerantes, leite, alimentos
Johnson Controls	3.100	104	465	2	Refrigerantes, bebidas
Continental Can	3.332	18	353	1,2,3,4,5,6	Alimentos, bebidas, doméstico, industrial
Silgan Plastics	415	96	100	1,2,3,4,6	Alimentos, bebidas, doméstico, cuidados pessoais, farmacêutico
Sonoco Products Company	1.600	96	ND	1,3,4,6	Óleo lubrificante, industrial

Código dos produtos: (1) HDPE; (2) PET; (3) PP; (4) PVC; (5) PC; (6) multicamadas.
ND = não-disponível.
Fontes: The Rauch Guide to the U.S. Plastics Industry, 1991; relatórios anuais das empresas.

que os consumidores continuam tendo verdadeira paixão pela garrafa long neck, o que trabalharia em favor desse tipo de embalagem nos anos que se seguiram[12].

Refrigerantes e Latas de Alumínio   Durante a década de 80, a indústria de refrigerantes emergiu como o maior usuário final de embalagens. Em 1989, os refrigerantes detinham mais de 50% do mercado total de bebidas. A indústria de refrigerantes consumiu 42% das latas metálicas expedidas, comparados com 29% em 1980. A principal beneficiária desta tendência foi a lata de alumínio. Além do compromisso permanente da indústria com tecnologia avançada e inovação, a penetração do alumínio podia ser atribuída a vários fatores: (1) a vantagem do peso do alumínio sobre o vidro e o aço; (2) a facilidade de manuseio do alumínio; (3) uma variedade mais ampla de opções gráficas oferecida pelas embalagens para múltiplas latas; (4) a preferência do consumidor.[13] O crescimento do alumínio também era apoiado pelo mercado de máquinas automáticas, construído em torno de latas e vendendo aproximadamente 20% de todos os refrigerantes em 1989. Cerca de 60% das bebidas da Coca-Cola e 50% das da Pepsi eram embaladas em latas metálicas. A Coca-Cola Enterprises e a Pepsi-Cola Bottling Group respondiam em conjunto por 22% de todas as latas de refrigerantes vendidas em 1989.[14] Em 1980, a indústria despachou 15,9 bilhões de latas de alumínio com refrigerantes. Em 1989, esse número havia crescido para 49,2 bilhões de latas. Este aumento, representando um crescimento anual de 12%, foi conseguido durante uma década que teve um aumento médio anual de 3,6% no total de galões de refrigerantes consumidos e um aumento médio anual de 3,4% no consumo per capita de refrigerantes.

Diversificação e Consolidação   Baixas margens de lucro, excesso de capacidade e custos crescentes de materiais e mão-de-obra levaram a várias diversificações e subseqüentes consolidações corporativas ao longo das décadas de 70 e 80. Enquanto muitos fabricantes de latas se diversificaram por todo o espectro de embalagens rígidas para suprir todos os grandes mercados de uso final (alimentos, bebidas e embalagens em geral), outros entraram em negócios não-ligados a embalagens, como energia (petróleo e gás) e serviços financeiros.

Por exemplo, ao longo de um período de 20 anos, a American Can reduziu sua dependência da fabricação doméstica de latas entrando em campos totalmente diversos, como o dos seguros. Entre 1981 e 1986, a empresa investiu US$ 940 milhões para adquirir, totalmente ou em parte, seis companhias de seguros. Finalmente os negócios de embalagem da American Can foram adquiridos pela Triangle Industries em 1986, enquanto os negócios de serviços financeiros ressurgiram sob o nome Primerica. De maneira semelhante, a Continental Can diversificou-se amplamente, mudando seu nome para Continental Group em 1976, quando as vendas de latas caíram para 38% das vendas totais. Na década de 80, o Continental Group investiu pesadamente na exploração, pesquisa e transporte de energia, mas os lucros foram fracos e essas operações acabaram assumidas pela Peter Kiewit Sons em 1984.

Embora a National Can tenha ficado com embalagens, ela se diversificou através de aquisições entrando em embalagens de vidro, enlatamento de alimentos, alimentos para animais, tampas de garrafas e embalagens plásticas. Entretanto, em vez de gerar oportunidades de crescimento futuro, a expansão para alimentos foi um ônus para os ganhos da empresa.

Sob a liderança de John W. Fisher, a Ball Corporation, grande fabricante de garrafas de vidro e latas, entrou no mercado de alta tecnologia e, em 1987, contava com US$ 180 milhões em contratos com o Departamento de Defesa. Fisher levou a Ball para áreas como equipamento para engenharia de petróleo, fotogravação e plásticos e estabeleceu a empresa como grande fabricante de componentes de computadores.

Principais Concorrentes em 1989

Por mais de 30 anos, três dos atuais cinco maiores concorrentes na fabricação de latas haviam dominado a indústria de latas metálicas. Desde o início da década de 50, a American Can, a Continental Can, a Crown Cork & Seal e a National Can mantinham os quatro primeiros lugares na fabricação de latas. Uma série de fusões e aquisições dramáticas entre vários dos maiores fabricantes do país durante a década de 80 serviu para mudar, bem como consolidar, o poder no topo. A administração da Crown Cork & Seal, a quarta colocada, via quatro empresas como sendo suas maiores concorrentes em 1989: American National Can, Continental Can, Reynolds Metals e Ball Corporation. Duas empresas menores — Van Dorn Company e Heekin Can — eram fortes concorrentes regionais (ver Quadro 4.5, p. 222-223) e tinham uma participação de mercado conjunta de 3%.

American National Can   Representando a fusão de duas antigas concorrentes, a American National Can (ANC) — subsidiária do Pechiney International Group — gerava vendas de US$ 4,4 bilhões em 1988. Em 1985, a Triangle Industries, uma fabricante de videogames, de máquinas e vitrolas automáticas com sede em New Jersey, comprou a National Can por US$ 421 milhões. Em 1986, a Triangle comprou os negócios de embalagem nos Estados Unidos da American Can por US$ 550 milhões. Em 1988, ela vendeu a ANC à Pechiney, S.A., uma estatal francesa, por US$ 3,5 bilhões. A Pechiney era a terceira maior produtora mundial de alumínio e, por intermédio do Cebal Group, uma grande fabricante européia de embalagens. Como membro do Pechiney International Group, a ANC era a maior fabricante mundial de latas para bebidas — produzindo mais de 30 bilhões de latas por ano. Com mais de 100 fábricas em 12 países, a linha de latas de alumínio e aço, embalagens de vidro, tampas e fechos da ANC atendia os mercados de bebidas, alimentos, farmacêutico e cosméticos.

QUADRO 4.5

Desempenho Comparativo das Principais Fabricantes de Latas Metálicas (em milhões de dólares)

Empresa[a]	Vendas Líquidas	DVG&A[x] como % de Vendas	Margem Bruta	Receita Operacional	Lucro Líquido	Retorno s/Vendas	Retorno sobre Ativos Médios	Retorno sobre Patrimônio Médio
Ball Corporation								
1988	$ 1.073,0	8,1%	$ 161,7	$ 113,0	$ 47,7	4,4%	5,7%	11,6%
1987	1.054,1	8,5	195,4	147,6	59,8	5,7	7,8	15,7
1986	1.060,1	8,2	168,0	150,5	52,8	5,0	7,6	15,2
1985	1.106,2	7,5	140,7	140,5	51,2	4,6	8,1	16,4
1984	1.050,7	7,9	174,1	123,9	46,3	4,4	7,8	16,6
1983	909,5	8,2	158,2	114,6	39,0	4,3	7,3	15,6
1982	889,1	8,4	147,4	100,5	34,5	3,9	6,9	15,8
Crown Cork & Seal								
1988	1.834,1	2,8	264,6	212,7	93,4	5,1	8,6	14,5
1987	1.717,9	2,9	261,3	223,3	88,3	5,1	8,7	14,5
1986	1.618,9	2,9	235,3	202,4	79,4	4,9	8,8	14,3
1985	1.487,1	2,9	216,4	184,4	71,7	4,8	8,6	13,9
1984	1,370,0	3,1	186,6	154,8	59,5	4,4	7,3	11,4
1983	1.298,0	3,3	182,0	138,9	51,5	4,0	6,2	9,3
1982	1.351,8	3,3	176,2	132,5	44,7	3,3	5,2	7,9
Heekin Can, Inc.								
1988	275,8	3,7	38,9	36,4	9,6	3,5	4,8	22,6
1987	230,4	4,0	33,6	30,2	8,8	3,8	5,8	26,3
1986	207.6	4,1	31,1	28,0	7,0	3,4	5,4	27,5
1985	221,8	3,2	31,8	29,0	6,8	3,1	5,2	42,5
1984	215,4	2,7	28,4	26,5	5,5	2,6	4,3	79,7
1983	181,6	3,2	24,4	22,8	3,8	2,1	3,3	102,7
1982[b]	—	—	—	—	—	—	—	—
Van Dorn Company								
1988	333,5	16,5	75,3	26,7	11,7	3,5	6,6	12,2
1987	330,0	15,7	73,6	28,4	12,3	3,7	7,7	12,7
1986	305,1	16,3	70,4	26,5	11,7	3,8	7,7	12,9
1985	314,3	15,1	75,6	33,6	15,4	4,9	10,6	19,0
1984	296,4	14,7	74,9	36,5	16,8	5,7	12,9	24,9
1983	225,9	14,8	48,5	20,1	7,4	3,3	6,8	12,8
1982	184,3	16,1	37,7	12,7	3,6	2,0	3,5	6,6
American Can Company[c]								
1985	2.854,9	22,6	813,4	1.670,0	149,1	5,2	5,2	10,9
1984	3.177,9	18,0	740,8	168,3	132,4	4,2	4,9	11,2
1983	3.346,4	15,0	625,4	123,6	94,9	2,8	3,5	9,7
1982	4.063,4	16,1	766,3	113,4	23,0	0,6	0,8	2,4
1981	4.836,4	15,0	949,6	223,0	76,7	1,2	2,7	7,2
1980	4.812,2	15,8	919,5	128,1	85,7	1,8	3,1	8,0

continua

QUADRO 4.5
Continuação

Empresa[a]	Vendas Líquidas	DVG&A[x] como % de Vendas	Margem Bruta	Receita Operacional	Lucro Líquido	Retorno s/Vendas	Retorno sobre Ativos Médios	Retorno sobre Patrimônio Médio
National Can Company[d]								
1983	1.647,5	5,1	215,3	93,5	22,1	1,3	2,7	6,3
1982	1.541,5	4,6	206,3	100,7	34,1	2,2	4,4	10,0
1981	1,533,9	4,6	191,7	86,3	24,7	1,6	3,1	7,5
1980	1.550,9	5,4	233,7	55,0	50,6	3,3	6,4	16,7
The Continental Group, Inc.[e]								
1983	4.942,0	6,3	568,0	157,0	173,5	3,5	4,4	9,4
1982	5.089,0	6,4	662,0	217,0	180,2	3,5	4,3	9,6
1981	5.291,0	7,2	747,0	261,0	242,2	4,6	5,9	13,6
1980	5.171,0	7,2	700,0	201,0	224,8	4,3	5,5	13,7
1979	4.544,0	6,5	573,0	171,0	189,2	4,2	5,3	13,1

[a]Ver Quadro 4.3 para Reynolds Metals Company.
[b]Cifras não-reveladas para 1982.
[c]Em 1985, a embalagem constituía 60% das vendas totais da American Can, sendo o restante de varejo. Em 1986, a Triangle Industries comprou o negócio de embalagem da American Can nos Estados Unidos. Em 1987, a American National Can foi formada pela fusão da American Can Packaging e da National Can Corporation. Em 1989, a Triangle vendeu a American National Can à Pechiney, S.A.
[d]Em 1985, a Triangle Industries comprou a National Can.
[e]Em 1984, a Peter Kiewit Sons comprou The Continental Group.
[x]DVG&A = Despesas de Vendas, Gerais e Administrativas.
Fontes: Value Line; relatórios anuais das empresas.

Continental Can   A Continental Can havia sido, por muito tempo, uma empresa financeiramente estável; suas receitas cresceram todos os anos, sem interrupção, de 1923 até meados da década de 80. Na década de 70, a Continental havia superado a American Can como maior empresa de embalagens dos Estados Unidos. Entretanto, o ano de 1984 representou um ponto de inflexão na história da Continental, quando a empresa tornou-se um atraente alvo para a tomada de controle. A Peter Kiewit Sons, uma construtora de Omaha, Nebraska, comprou o Continental Group por US$ 2,75 bilhões em 1984. Sob a direção do vice-presidente Donald Strum, a Kiewit desmantelou o Continental Group no esforço de tornar a operação mais lucrativa. Em menos de um ano, Strum havia vendido US$ 1,6 bilhões em seguros, gasodutos e reservas de petróleo e gás. Os níveis hierárquicos na sede da empresa em Connecticut foram reduzidos de 500 para 40.

A Continental Can gerou receitas de vendas de US$ 3,3 bilhões em 1988, colocando-se em segundo lugar, abaixo da American National. No final dos anos 80, a direção da Kiewit analisava a alienação — no todo ou em parte — das operações de embalagem da Continental Can, as quais incluíam a Continental Can USA, na Europa e no Canadá, bem como operações de embalagens metálicas na América Latina, Ásia e Oriente Médio.

Reynolds Metals   Com sede em Richmond, Virgínia, a Reynolds Metals era a única empresa doméstica integrada dos lingotes de alumínio até as latas. Com receitas de vendas de US$ 5,6

bilhões em 1988 e uma renda líquida de US$ 482 milhões, a Reynolds atendia os seguintes merca-
dos principais: embalagens e recipientes; distribuidores e fabricantes; construção civil; aeronáutico
e automotivo; e elétrico. As receitas de embalagens da Reynolds chegaram a US$ 2,4 bilhões em
1988. Como uma das maiores fabricantes de latas da indústria, a Reynolds foi importante no estabelecimento de novos usos para latas de alumínio e líder mundial em tecnologia de fabricação de
latas. Suas realizações incluíam maquinário de alta velocidade para formação de latas com capacidade acima de 400 latas por minuto, equipamento de inspeção mais rápida (operando a velocidades de até 2.000 latas por minuto), e tampas de alumínio que continham menos material. A próxima
geração de tecnologia de confecção de tampas da empresa tinha sua instalação programada para o
início da década de 90.

Ball Corporation   Fundada em 1880 em Muncie, Indiana, a Ball Corporation gerou uma
renda operacional de US$ 113 milhões sobre receitas de vendas de US$ 1 bilhão em 1988. Considerada uma das produtoras de baixo custo da indústria, a Ball era a quinta maior fabricante de embalagens de metal dos Estados Unidos, bem como a terceira maior fabricante de recipientes de vidro.
Seus negócios de embalagens respondiam, em 1988, por 82,5% do total de vendas e por 77,6% dos
ganhos operacionais consolidados. A tecnologia de produção de latas da Ball e sua flexibilidade de
fabricação permitiam-lhe fazer lotes menores na produção de produtos sob medida e com margens
maiores, projetados para atender as especificações e necessidades dos clientes. Em 1988, as vendas
de latas para bebidas respondiam por 62% do total de vendas da empresa. A Anheuser-Busch, maior
cliente da Ball, representou 14% das suas vendas naquele ano.
    Em 1989, dizia-se que a Ball estava planejando adquirir os outros 50% do seu empreendimen-
to conjunto, a Ball Packaging Products Canada, Inc. Essa aquisição tornaria a Ball a segunda produtora de embalagens metálicas para bebidas e alimentos do mercado canadense.

Van Dorn Company   Fundada em 1872 em Cleveland, Ohio, a Van Dorn Company tinha
duas linhas de produtos: recipientes e equipamento para moldagem de plásticos por injeção. A Van
Dorn era uma das maiores produtoras mundiais de recipientes de alumínio repuxado para alimentos processados e uma grande fabricante de embalagens metálicas, plásticas e compostas para as
indústrias de tintas, petrolífera, química, automotiva, de alimentos e farmacêutica. Também era
uma grande fabricante de equipamento de moldagem por injeção para a indústria de plásticos. A
Divisão Davies Can da empresa, fundada em 1922, era uma fabricante regional de embalagens
metálicas e plásticas. Em 1988, a Davies planejava construir duas novas fábricas de latas ao custo de
cerca de US$ 20 milhões cada. Cada uma dessas instalações iria produzir cerca de 40 milhões de
latas por ano. As vendas consolidadas de latas da Van Dorn, de US$ 334 milhões em 1988, coloca-
vam-na em sexto lugar entre as maiores fabricantes de latas do país.

Heekin Can   James Heekin, um comerciante de café de Cincinnati, fundou a Heekin Can, Inc.
em 1901 para embalar seus próprios produtos. A empresa teve um rápido crescimento e logo possuía uma das maiores instalações para litografia de metais do país. Três gerações da família Heekin
transformaram a empresa numa força regional na indústria de embalagens. A família vendeu a
empresa à Diamond International Corporation, uma grande empresa diversificada de capital aberto, em 1965. A Diamond operou a Heekin como uma subsidiária até 1982, quando ela foi vendida
aos seus gerentes de operações e a um grupo de investidores. A Heekin abriu seu capital em 1985.
Com receitas de vendas de US$ 275,8 milhões em 1988, que a colocavam em sétimo lugar no setor,
a Heekin fabricava principalmente latas de aço para processadores, embaladores e distribuidores de
alimentos e alimentos para animais. Ela era a maior fabricante regional de latas do país.

CROWN CORK & SEAL COMPANY

História da Empresa

Em agosto de 1891, um supervisor de uma oficina de Baltimore teve uma idéia para uma tampinha melhor para garrafas — uma peça de aço estanhado com a borda virada e um pedaço de cortiça natural. Logo sua tampa tornou-se o maior produto de um novo empreendimento, a Crown Cork & Seal Company. Porém, quando as patentes caducaram, a concorrência tornou-se séria e quase levou a empresa à falência nos anos 20. A empresa, com problemas, foi comprada em 1927 por um concorrente, Charles McManus.[15]

Sob a liderança paternalista de McManus, a Crown prosperou nos anos 30, vendendo mais da metade do suprimento americano e mundial de tampas de garrafas. Então ele corretamente previu o sucesso da lata de cerveja e partiu para a fabricação de latas, construindo uma das maiores fábricas do mundo em Filadélfia. Entretanto, com 90.000 metros quadrados de área e contendo 52 linhas, a fábrica era um pesadelo de ineficiência e teve grandes prejuízos. Embora McManus fosse um líder enérgico, ele praticava o nepotismo e nunca desenvolveu uma organização que pudesse prosseguir sem ele. Depois da sua morte, em 1946, a empresa funcionou por inércia, mantendo dividendos em detrimento dos investimentos em novas fábricas. Depois de uma tentativa desastrosa para entrar em plásticos e uma ridícula diversificação na fabricação de gaiolas metálicas para passarinhos, a Crown foi reorganizada segundo as linhas da Continental Can, muito maior, incorrendo em gastos com pessoal e despesas adicionais que, mais uma vez, quase levaram a empresa à falência.

Nessa época, John Connelly era apenas uma pessoa de fora, vendo a Crown como possível cliente sem chegar a nada. Filho de um ferreiro de Filadélfia, Connelly havia começado a trabalhar numa fábrica de caixas aos 15 anos e conseguiu chegar a gerente de vendas para a região leste da Container Corporation of America. Quando fundou sua própria empresa, a Connelly Containers, Inc., em 1946, a Crown prometeu-lhe alguns negócios. Essa promessa foi esquecida pelo regime pós-McManus, que se recusou a "arriscar" com um pequeno fornecedor como Connelly. Em 1955, quando o desastre da Crown tornou-se evidente, Connelly começou a comprar ações da mesma e, em novembro de 1956, foi convidado a assumir um lugar no conselho de administração — uma tentativa desesperada de uma empresa em fase terminal.

Em abril de 1957, a Crown Cork & Seal oscilou à beira da bancarrota. A Bankers Trust Company cortou sua linha de crédito. Parecia que faltava somente escrever o obituário da empresa. Então, John Connelly assumiu a presidência. Seu plano de salvamento era simples — como dizia ele, "apenas bom senso".

A primeira providência de Connelly foi enxugar a organização. O paternalismo terminou numa chuva de cartas de demissão. Connelly tratou rapidamente de cortar os quadros da sede central pela metade, chegando a uma força enxuta de 80 pessoas. A empresa voltou a ser uma organização funcional simples. Em 20 meses, a Crown havia eliminado 1.647 empregos, ou 24% da folha de pagamento. Como parte da reorganização, Connelly descartou os processos contábeis divisionais; ao mesmo tempo, eliminou o conceito de linha e assessoria. Com exceção de um contador mantido em cada fábrica, toda a contabilidade e todo controle de custos eram feitos no nível corporativo; a equipe corporativa de contabilidade ocupava a metade do espaço usado pelo grupo da sede central. Além disso, Connelly havia desfeito o setor central de pesquisa e desenvolvimento da Crown.

O segundo passo foi instituir o conceito de responsabilidade. Connelly queria instilar um profundo orgulho pelo trabalho em toda a empresa, colocando os gerentes da Crown como "proprietários-operadores" de seus negócios individuais. Connelly deu a cada gerente de fábrica responsabilidade pela lucratividade da mesma, inclusive pelos custos alocados (todos os custos indiretos da empresa, estimados em 5% das vendas, eram alocados às fábricas). Anteriormente os gerentes eram responsáveis somente pelas despesas controláveis no nível da fábrica. Embora a remuneração dos gerentes de fábricas não estivesse ligada ao lucro, um executivo salientava que os gerentes eram "certamente premiados com base nessa cifra". Connelly também passou a responsabilizar os gerentes de fábricas pela qualidade e pelo atendimento aos clientes.

O passo seguinte foi interromper a produção e liquidar US$ 7 milhões em estoques. Em meados de julho de 1957, a Crown havia pago os débitos com os bancos. Connelly introduziu a previsão de vendas associada a novos controles de produção e estoques. Esta providência pressionou os gerentes de fábricas, que não mais poderiam evitar demissões lançando o excesso de produtos como estoque.

No final de 1957, a Crown tinha, segundo um observador, "saído do caixão e estava correndo". Entre 1956 e 1961, as vendas passaram de US$ 115 milhões para US$ 176 milhões e os lucros cresceram. Durante a década de 60, a empresa teve aumentos anuais médios de 15,5% nas vendas e de 14% nos lucros. Connelly, não satisfeito com as reorganizações a curto prazo da empresa existente, desenvolveu uma estratégia que se tornaria sua marca registrada pelas três décadas seguintes.

A Estratégia de Connelly

De acordo com William Avery, "desde seu primeiro dia no cargo, Connelly estruturou a empresa para que fosse bem-sucedida. Ele assumiu o controle de custos e fez um ótimo trabalho levando-nos na direção de nos tornarmos proprietários-operadores". Mas o que de fato distinguia Connelly de outros presidentes, explicou Avery, era que, embora estivesse continuamente em busca de novas maneiras de controlar custos, ele também procurava melhorar a qualidade. Connelly, descrito pela *Forbes* como um indivíduo com "uma aversão como a de Scrooge por ostentação e custos indiretos", enfatizava eficiência em relação aos custos, qualidade e atendimento aos clientes como os ingredientes essenciais para a estratégia da Crown nas décadas vindouras.

Produtos e Mercados   Reconhecendo a posição da Crown como pequena produtora numa indústria dominada pela American Can e a Continental Can, Connelly procurou desenvolver uma linha de produtos construída em torno das forças tradicionais da empresa em moldagem de metal e fabricação. Ele optou por enfatizar as áreas que a Crown conhecia melhor — latas e tampas estanhadas — e concentrar-se em usos especializados e mercados internacionais.

Uma ilustração dramática do compromisso de Connelly com esta estratégia ocorreu no início dos anos 60. Em 1960, a Crown detinha mais de 50% do mercado de latas para óleo lubrificante. Em 1962, a R.C. Can e a Anaconda Aluminum desenvolveram em conjunto latas de fibra e chapa para óleo lubrificante, as quais eram aproximadamente 20% mais leves e 15% mais baratas que as latas metálicas então em uso. A despeito da perda de vendas, a direção decidiu que tinha outras oportunidades, mais lucrativas, e que novos materiais, como fibra-chapa, constituíam uma ameaça grande demais no negócio de latas para óleo. A direção da Crown decidiu abandonar o mercado de latas para óleo.

No início dos anos 60, Connelly identificou duas aplicações específicas no mercado doméstico: latas para bebidas e o crescente mercado de aerossóis. Essas aplicações eram chamadas de "difícil manutenção" porque as latas exigiam características especiais para conter produtos sob pressão ou para evitar afetar o sabor. Connelly levou a Crown diretamente de uma lata soldada para a fabricação de latas de aço de duas partes nos anos 60. Reconhecendo o enorme potencial do negócio de refrigerantes, a Crown começou a projetar seu equipamento especificamente para atender as necessidades dos produtores de refrigerantes, com inovações como duas impressoras em uma linha e impressoras que permitiam uma rápida mudança de desenho para acomodar a entrega no prazo combinado.[17] Depois de produzir exclusivamente latas de aço durante o final dos anos 70, Connelly liderou a passagem da Crown das latas de aço para as de alumínio no início da década de 80.

Além da linha especializada de produtos, a estratégia de Connelly baseava-se em dois impulsos geográficos: expansão da distribuição nacional nos Estados Unidos e pesados investimentos no exterior. Connelly ligou a expansão doméstica à reorganização da fabricação da Crown; as fábricas estavam espalhadas pelo país para reduzir os custos de transporte e estar mais próximas dos clientes. A Crown se diferenciava por não instalar fábricas para atender a um único cliente. Em vez disso, a empresa se concentrava em suprir produtos para vários clientes próximos de suas fábricas. Nos mercados internacionais, a Crown investiu muito em nações em desenvolvimento, inicialmente com as tampinhas e depois com latas, à medida que os alimentos embalados se tornaram mais aceitos. As embalagens metálicas geraram 65% das vendas de US$ 1,8 bilhão em 1988, ao passo que as tampas geraram 30% e o equipamento de embalagem 5%.

Fabricação Quando Connelly assumiu em 1957, a Crown tinha talvez as instalações de produção mais superadas e ineficientes do setor. Os dividendos haviam tido precedência sobre novos investimentos e o maquinário velho, associado à desajeitada fábrica de Filadélfia, havia gerado custos de produção e transportes muito elevados. Logo que assumiu o controle, Connelly tomou providências drásticas, fechando a fábrica de Filadélfia e investindo pesadamente em fábricas novas e geograficamente dispersas. De 1958 a 1963, a empresa gastou quase US$ 82 milhões em mudanças de locais e em novas fábricas. De 1976 a 1989, a Crown passou a ter 26 fábricas nos Estados Unidos, contra as nove de 1955. As fábricas eram pequenas (normalmente de duas a três linhas para latas de duas partes) e localizadas perto dos clientes e não da fonte de matéria-prima. A Crown operava suas fábricas 24 horas por dia, com turnos de 12 horas. Os funcionários trabalhavam dois dias, folgavam dois, depois trabalhavam três e folgavam outros três.

A Crown enfatizava qualidade, flexibilidade e resposta rápida às necessidades dos clientes. Um diretor da empresa disse que o segredo da indústria de latas era "o fato de ninguém estocar latas" e assim, quando os clientes precisavam de latas, "queriam-nas depressa e no prazo . . . Respostas rápidas conquistam clientes". Para atender pedidos urgentes, algumas das fábricas da Crown mantinham disponível estoque superior ao de um mês. A Crown também instituiu um processo de melhoria da qualidade total para ajustar seus processos de fabricação e conseguir maior controle. De acordo com um porta-voz da empresa, "o objetivo deste processo de melhoria da qualidade é fazer a melhor lata possível ao menor custo possível. Você reduz o custo de fazer negócios não pela eliminação de pessoas por atacado, mas reduzindo os erros para melhorar a eficiência. E você pode fazer isso tornando cada funcionário da empresa uma pessoa com quem se possa contar".

Reciclar Em 1970, a Crown formou a Nationwide Recyclers, Inc., uma subsidiária. Em 1989, ela acreditava que a Nationwide fosse uma das quatro ou cinco maiores recicladoras de alumínio do país. Embora esta fosse apenas marginalmente lucrativa, a Crown havia investido nela cerca de US$ 10 milhões.

Pesquisa e Desenvolvimento (P&D) A estratégia de tecnologia da Crown concentrava-se em melhorar a linha existente. Como observou um executivo, "na verdade, não somos pioneiros. Nossa filosofia não é gastar muito dinheiro com pesquisa básica. Entretanto, dispomos de tremendas qualificações em moldagem e fabricação com metal e podemos nos adaptar às necessidades dos clientes mais depressa do que qualquer outro do setor".[18] Por exemplo, a Crown trabalhou em conjunto com grandes cervejarias no desenvolvimento de latas repuxadas de duas partes para a indústria de bebidas. Ela também tomou a decisão explícita de se manter fora da pesquisa básica. De acordo com um executivo, a Crown não estava interessada em "todas as afetações de uma seção de P&D com cientistas de alta classe, encerrados em torres de marfim . . . Há uma grande vantagem em ser o segundo, especialmente diante do estado de alterações contínuas que domina esta indústria. É melhor procurar deixar que os outros assumam os riscos e cometam os erros...".

Esta filosofia não significava que a Crown nunca inovasse. Por exemplo, a empresa conseguiu bater as concorrentes na produção de latas de duas partes. Cerca de US$ 120 milhões em novos equipamentos foram instalados entre 1972 e 1975 e, em 1976, a Crown tinha 22 linhas para latas de duas partes em produção — mais que qualquer concorrente.[19] As equipes de pesquisa da Crown também trabalhavam em conjunto com clientes em solicitações específicas. Por exemplo, um estudo do arranjo físico mais eficiente para uma embaladora de alimentos ou um novo desenho para uma embalagem de aerossol não eram projetos incomuns.

Marketing e Serviço ao Cliente   Nas palavras de John Connelly, a base da estratégia de *marketing* da Crown era a filosofia de que "não se pode apenas aumentar a eficiência para ter sucesso; é preciso, ao mesmo tempo, melhorar a qualidade". Em conjunto com sua estratégia de P&D, a força de vendas da empresa mantinha fortes laços com seus clientes e enfatizava a capacidade da Crown para prover assistência técnica e soluções para problemas específicos na fábrica do cliente. A ênfase da fabricação em flexibilidade e resposta rápida às necessidades do cliente apoiava sua ênfase de *marketing* em colocar o cliente em primeiro lugar. Michael J. McKenna, presidente da Divisão Norte-americana da Crown, insistia: "Sempre fomos e sempre seremos extremamente voltados para o cliente".[20]

Na fabricação de latas, o serviço vende. As latas das concorrentes eram feitas dos mesmos materiais, segundo especificações idênticas em máquinas praticamente iguais e eram vendidas quase ao mesmo preço em um dado mercado. Na Crown, todos os problemas com clientes iam até John Connelly, que era o melhor vendedor da empresa. Um visitante se lembrou de estar em seu escritório quando chegou uma reclamação do gerente de uma embaladora de cítricos da Flórida. Connelly garantiu que o problema receberia atenção imediata e, a seguir, comentou em tom casual que estaria na Flórida no dia seguinte e convidou o gerente para jantar. É claro que ele aceitou. Quando o presidente da Crown desligou, seu visitante disse que não sabia que ele estava planejando ir à Flórida. "Nem eu", confessou Connelly, "até começar a falar".[21]

Finanças   Depois de assumir em 1957, Connelly aplicou as primeiras receitas da venda de estoques para saldar as obrigações bancárias de curto prazo da Crown. A seguir, aos poucos, ele reduziu a relação endividamento/capital de 42% em 1956 para 18,2% em 1976 e 5% em 1986. No final de 1988, a dívida da Crown representava menos de 2% do seu capital total. Connelly interrompeu o pagamento de dividendos em dinheiro em 1956 e, em 1970, recomprou a última ação preferencial, eliminando os dividendos obrigatórios como dreno do caixa. De 1970 em diante, a direção da empresa aplicou o excesso de caixa à recompra de ações. Connelly fixou metas ambiciosas de ganhos e, em quase todos os anos, atingiu-as. No relatório anual de 1976, ele escreveu: "Há muito tempo fizemos uma predição de que, um dia, nossas vendas iriam exceder US$ 1 bilhão e nossos lucros seriam de US$ 60,00 por ação. Desde então, as ações se multiplicaram na proporção de 20 para 1; assim, isto significa US$ 3,00 por ação". As receitas da Crown atingiram US$ 1 bilhão em

1977 e os ganhos por ação chegaram a US$ 3,46. Os ganhos por ação chegaram a US$ 10,11 em 1988, depois de ajustados para um aumento de três vezes no número de ações em setembro de 1988.

Internacional Uma dimensão significativa da estratégia de Connelly focalizava o crescimento internacional, particularmente nos países em desenvolvimento. Entre 1955 e 1960, a Crown recebeu "direitos de pioneira" de muitos governos estrangeiros que pretendiam construir os setores industriais de seus países. Esses "direitos" davam à Crown prioridade para qualquer novo negócio de latas ou tampas introduzido nesses países em desenvolvimento. Mark W. Hartman, presidente da Divisão Internacional da Crown, descreveu Connelly "como uma espécie de Johnny Appleseed (personagem do folclore americano, pioneiro e pomicultor) com respeito ao mercado internacional. Por exemplo, quando os novos países da África estavam surgindo, John estava lá oferecendo fábricas de tampinhas para ajudá-los na industrialização, obtendo ao mesmo tempo uma posição segura para a Crown. O verdadeiro amor de John eram os negócios internacionais".[22] Em 1988, as 62 fábricas da Crown no exterior geravam 44% das vendas e 54% dos lucros operacionais. John Connelly visitava com freqüência cada uma das fábricas da Crown no exterior. (Ver no Quadro 4.6 o mapa com as localizações das fábricas.)

QUADRO 4.6
Instalações da Crown Cork & Seal, 1989.

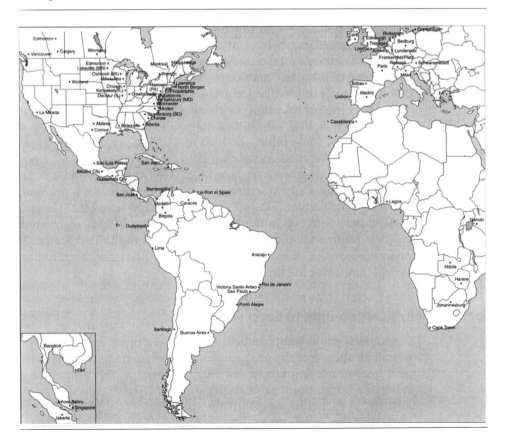

A Crown dava preferência, sempre que possível, a administradores nacionais. As pessoas do país, achava a empresa, compreendiam o mercado local: fornecedores, clientes e as condições especiais que moviam oferta e procura. O investimento externo da Crown também oferecia oportunidades para reciclar equipamentos que eram, pelos padrões norte-americanos, menos sofisticados. Como a fabricação de latas era nova para muitas regiões do mundo, os equipamentos mais antigos da Crown satisfaziam as necessidades daquela que ainda era uma indústria em desenvolvimento no exterior.

Desempenho   A estratégia de Connelly teve muito sucesso durante todo o seu mandato na Crown. Com as emissões de novas ações e a valorização, US$ 100 investidos em ações da Crown em 1957 valeriam aproximadamente US$ 30.000 em 1989. Depois da reestruturação da empresa nos três primeiros anos da gestão de Connelly, as receitas cresceram à taxa de 12,2% a.a., ao passo que a renda cresceu a 14% ao longo das duas décadas seguintes (ver Quadro 4.7, p. 231). O retorno sobre o capital foi em média de 15,8% durante grande parte dos anos 70, ao passo que a Continental Can e a American Can ficaram para trás, respectivamente com 10,3% e 7,1%. Durante o período de 1968 a 1978, o retorno total da Crown aos acionistas foi o 114° entre as 500 da revista *Fortune*, bem à frente da IBM (183°) e da Xerox (374°).

No início dos anos 80 a estagnação das vendas, combinada com o dólar cada vez mais forte no exterior, a penetração inexorável dos plásticos e o excesso de capacidade na fabricação de latas no mercado doméstico, levou as receitas de vendas da Crown ao declínio. As vendas caíram de US$ 1,6 bilhão em 1980 para US$ 1,37 bilhão em 1984. Porém, em 1985 a Crown havia se recuperado e o crescimento médio das vendas chegou a 7,6% entre 1984 e 1988, com o lucro médio subindo 12%. (ver Quadros 4.8 e 4.9, p. 232 e 233). No período de 1978 a 1988 o retorno total da Crown aos acionistas atingiu 18,6% a.a., colocando-a em 146° lugar entre as 500 da *Fortune*. A *Business Week* observou que Connelly — que recebeu somente US$ 663.000 nos três anos terminados em 1987 — deu aos acionistas os melhores retornos pela menor remuneração executiva dos Estados Unidos. Como observou um analista da indústria, "a estratégia da Crown é sensata, de volta ao básico — só que ela nunca abandonou o básico".[23]

Contribuição de John Connelly para o Sucesso

Clientes, funcionários, concorrentes e analistas de Wall Street atribuíam o sucesso continuado da Crown à liderança especial de John Connelly. Tendo chegado à empresa quando ela estava à beira da bancarrota em 1957, obteve um aumento de 1.646% nos lucros sobre um aumento relativamente insignificante de vendas em 1961 e passou a superar o desempenho das gigantes do setor durante as três décadas seguintes. Um jovem funcionário resumiu a lealdade criada por Connelly: "Se John me dissesse para pular da janela, eu pularia — com a certeza de que ele iria me aparar lá embaixo com uma opção de compra de ações na mão".

Contudo, Connelly não era um homem fácil de se agradar. Os funcionários da Crown precisavam se acostumar ao seu estilo gerencial duro e direto. A *Fortune* creditou o sucesso da Crown a Connelly, "cujo amável sorriso irlandês esconde um executivo e vendedor sensato que acredita numa semana de trabalho de 80 horas e em viajar enquanto os concorrentes dormem". Ele ia a reuniões sem ser convidado e esperava dos seus funcionários a mesma devoção à Crown que ele exigia de si mesmo. Como lembrou um observador:

QUADRO 4.7

Declaração Consolidada de Rendimentos da Crown Cork & Seal (em milhões de dólares, fim do ano fiscal em 31 de dezembro)

	1956	1961	1966	1971	1973	1975	1977	1979
Vendas Líquidas ($)	115,1	177,0	279,8	448,4	571,8	825,0	1.049,1	1.402,4
Custos, Despesas e Outras Receitas								
Custo dos produtos vendidos	95,8	139,1	217,2	350,9	459,2	683,2	874,1	1.179,3
Vendas e administração	13,5	15,8	18,4	21,1	23,4	30,1	34,8	43,9
Depreciação	2,6	4,6	9,4	17,0	20,9	25,4	5,6	16,4
Despesa líquida com juros	1,2	1,3	4,6	5,1	4,4	7,4	31,7	40,1
Provisão para imposto sobre renda	0,1	7,6	12,7	24,6	26,7	34,9	48,7	51,8
Renda líquida	0,3	6,7	16,7	28,5	34,3	41,6	53,8	70,2
Lucro por ação ordinária (real)	(6,01)	0,28	0,80	1,41	1,81	2,24	3,46	4,65
Estatísticas Financeiras Selecionadas								
Retorno sobre capital médio (%)	0,55	9,66	16,44	14,05	14,46	15,20	15,88	15,57
Retorno sobre vendas	0,24	3,76	5,99	6,35	6,00	5,04	5,13	5,00
Retorno sobre ativos médios	0,32	6,00	6,76	7,25	8,00	7,69	9,13	8,93
Margem bruta	16,76	21,43	22,37	21,76	19,69	17,13	16,68	15,90
Custo dos bens vendidos/vendas	83,24	78,57	77,63	78,24	80,31	82,87	83,32	84,29
DVGA/vendas	11,73	8,65	6,56	4,70	4,09	3,65	3,32	3,13

Declaração Consolidada de Posição Financeira da Crown Cork & Seal (em milhões de dólares, fim do ano fiscal em 31 de dezembro)

	1956	1961	1966	1971	1973	1975	1977	1979
Ativos correntes totais ($)	50,2	66,3	109,4	172,3	223,4	265,0	340,7	463,3
Ativos totais	86,5	129,2	269,5	398,1	457,5	539,0	631,1	828,2
Passivos correntes totais	15,8	24,8	75,3	110,2	139,6	170,0	210,8	287,1
Endividamento a longo prazo total	20,2	17,7	57,9	41,7	37,9	29,7	12,8	12,2
Patrimônio líquido	50,3	77,5	110,8	211,8	243,9	292,7	361,8	481,0
Estatísticas Financeiras Selecionadas								
Endividamento/capital	0,40	0,23	0,52	0,20	0,16	0,10	0,04	0,03
Gastos de capital	1,9	11,8	32,7	33,1	40,4	49,0	58,9	55,9
Valor contábil por ação ordinária	1,57	2,74	5,19	10,62	13,13	16,64	23,54	31,84

Fonte: Adaptado de relatórios anuais.

QUADRO 4.8

Declaração Consolidada de Rendimentos da Crown Cork & Seal Company (em milhões de dólares, exceto para os ganhos por ação, fim do ano fiscal em 31 de dezembro)

	1981	1982	1983	1984	1985	1986	1987	1988
Vendas Líquidas ($)	1.373,9	1.351,9	1.298,0	1.369,6	1.487,1	1.618,9	1.717,9	1.834,1
Custos, Despesas e Outras Rendas								
Custo dos produtos vendidos	1.170,4	1.175,6	1.116,0	1.172,5	1.260,3	1.370,2	1.456,6	1.569,5
Vendas e despesas administrativas	45,3	44,2	42,9	42,1	43,0	46,7	49,6	50,9
Depreciação	38,0	39,9	38,4	40,2	43,7	47,2	56,9	57,2
Despesa com juros	12,3	9,0	9,0	8,9	12,2	6,2	8,9	10,0
Receita de juros	—	—	—	—	—	—	(15,2)	(14,8)
Despesas totais	1.266,1	1.268,6	1.206,2	1.263,6	1.359,2	1.470,3	1.556,8	1.672,9
Receita antes do imposto	107,8	83,2	91,8	105,9	127,9	148,6	161,1	161,2
Provisão para imposto sobre renda	43,0	38,5	40,2	46,4	56,2	69,2	72,7	67,8
Renda líquida	64,8	44,7	51,5	59,5	71,7	79,4	88,3	93,4
Ganhos por ação ordinária	1,48	1,05	1,27	1,59	2,17	2,48	2,86	3,37

Nota: Os ganhos por ação ordinária foram redeclarados para refletir o aumento de 3 para 1 nas ações em 12 de setembro de 1988

Estatísticas Financeiras Selecionadas

	1981	1982	1983	1984	1985	1986	1987	1988
Retorno sobre Capital Médio (%)	11,72	7,94	9,34	11,42	13,94	14,34	14,46	14,45
Retorno sobre vendas	4,72	3,31	3,97	4,35	4,82	4,91	5,14	5,09
Retorno sobre ativos médios	7,38	5,19	6,20	7,31	8,58	8,80	8,67	8,61
Margem bruta	14,81	13,04	14,03	14,39	15,25	15,36	15,21	14,42
Custo dos bens vendidos/ vendas	85,19	86,96	85,97	85,61	84,75	84,64	84,79	85,58
DVGA/vendas	3,30	3,27	3,30	3,07	2,89	2,88	2,89	2,78
Vendas Líquidas ($)								
Estados Unidos	775,0	781,0	749,9	844,5	945,3	1.010,3	985,5	1.062,5
Europa	324,0	304,4	298,7	283,0	282,8	365,6	415,6	444,2
Todos os outros	283,6	273,1	259,1	261,3	269,3	269,0	342,5	368,6
Lucro Operacional ($)								
Estados Unidos	62,8	58,9	55,0	67,1	88,9	92,8	95,4	70,6
Europa	20,6	19,0	24,0	17,2	17,0	21,9	22,4	33,4
Todos os outros	40,0	37,3	33,1	38,3	40,6	39,6	64,9	66,1
Rateio Operacional (%)								
Estados Unidos	8,1	7,5	7,3	7,9	9,4	9,7	9,6	6,6
Europa	6,3	6,2	8,0	6,0	6,0	5,9	5,4	7,5
Todos os outros	14,1	13,6	12,7	14,6	15,0	14,7	18,9	17,9

Nota: As cifras de vendas acima são antes da dedução das vendas intra-empresa.
Fonte: Adaptado de relatórios anuais.

QUADRO 4.9

Declaração Consolidada de Posição Financeira da Crown Cork & Seal (em milhões de dólares, fim do ano fiscal em 31 de dezembro)

	1981	1982	1983	1984	1985	1986	1987	1988
Ativos Correntes ($)								
Caixa	21,5	15,8	21,0	7,0	14,8	16,5	27,6	18,0
Contas a receber	262,8	257,1	240,6	237,6	279,0	270,4	280,7	248,1
Estoques	206,2	184,4	170,2	174,6	171,9	190,1	228,1	237,6
Ativos Correntes totais	490,6	457,3	431,7	419,2	465,6	477,0	536,4	503,8
Investimentos	12,4	14,6	26,7	28,8	41,5	43,7	NA	NA
Boa vontade	11,2	10,8	9,6	10,3	11,8	14,1	16,7	16,5
Imóveis, fábrica e equipamento	368,4	357,8	353,7	348,0	346,0	404,0	465,7	495,9
Outros ativos não-correntes	NA	NA	NA	NA	NA	NA	79,1	57,0
Ativos Totais	882,6	840,6	821,7	806,4	865,8	938,8	1.097,9	1.073,2
Passivo Corrente								
Endividamento a curto prazo	22,7	21,6	24,4	42,0	16,3	17,2	44,0	20,2
Contas a pagar	193,0	165,6	163,1	177,9	197,1	220,1	265,9	277,6
Impostos nos E.U.A. e no exterior	17,3	4,7	11,4	6,0	11,4	11,3	28,4	23,3
Passivo corrente total	233,0	191,9	198,8	225,8	224,8	248,5	338,2	321,2
Endividamento a longo prazo	5,8	5,6	2,8	2,7	2,2	1,4	19,7	9,4
Outros	14,5	18,5	12,8	15,8	31,2	29,3	0,0	0,0
Total Endividamento a Longo Prazo	20,3	24,1	15,6	18,5	33,5	30,7	19,7	9,4
Imposto de renda diferido	55,5	57,7	57,8	60,7	71,3	79,2	89,4	93,7
Capital de minorias em subsidiárias	7,2	7,2	5,2	3,7	4,7	3,8	5,0	0,9
Patrimônio líquido	566,7	559,8	544,3	497,8	531,5	576,6	645,6	648,0
Passivo e capital dos proprietários	882,6	840,6	821,7	806,4	865,8	938,8	1.097,9	1.073,2

NA = não-aplicável.

Estatísticas Financeiras Selecionadas

	1981	1982	1983	1984	1985	1986	1987	1988
Endividamento/capital (%)	1,02	0,99	0,51	0,54	0,42	0,24	3,06	1,45
Endividamento/(endividamento + capital) (%)	3,5	4,1	2,7	3,5	6,0	5,0	3,0	1,4
Ações em poder do público no final do ano (M)	14,5	14,0	13,2	11,5	10,5	10,0	9,5	27,0
Gastos de capital ($ M)	63,8	50,3	55,5	53,8	50,9	94,0	99,5	102,6
Ações recompradas ($ 000)	75,4	528,3	863,1	1.694,5	1.006,0	677,1	638,7	2.242,9
Preço da ação: Máximo[a] ($)	12,00	10,00	13,00	15,75	29,62	38,25	46,87	46,72
Preço da ação: Mínimo[a] ($)	8,00	7,00	10,00	11,75	15,12	25,25	28,00	30,00

[a]Ajustado para emissão de ações de 9/88.

Fonte: Adaptado de relatórios anuais.

A reunião das manhãs de sábado é procedimento operacional padrão. Os executivos da Crown viajam e trocam idéias somente à noite e em fins de semana. William D. Wallace, vice-presidente de operações, viaja 160.000 Km por ano, com freqüência no avião da empresa. Mas Connelly dita o ritmo. Um associado se recorda de ir buscá-lo em sua casa antes do dia clarear para levá-lo para um vôo até uma fábrica distante. A casa de Connelly estava às escuras, mas ele identificou uma pessoa sentada no meio-fio à luz de um poste, absorta na leitura de um fichário. A saudação de Connelly ao entrar no carro foi: "Quero falar com você a respeito das discrepâncias do mês passado".[24]

O Desafio de Avery em 1989

Avery pensou muito a respeito das opções à sua disposição em 1989. Ele considerou as crescentes oportunidades em tampas e embalagens plásticas, bem como embalagens de vidro. Com a desaceleração do crescimento em embalagens de metal, os plásticos constituíam o único segmento promissor. Porém, a possibilidade de diversificação fora da fabricação de embalagens era atraente, embora a oportunidade apropriada não houvesse aparecido. Enquanto as concorrentes da Crown haviam se expandido agressivamente em várias direções, Connelly tinha sido cauteloso e tinha prosperado. Avery perguntava-se se estava na hora para uma mudança na Crown.

Dentro do negócio tradicional de latas metálicas, Avery tinha que decidir se fazia ou não uma oferta pela Continental Can. A aquisição da Continental Can Canada (CCC) — com vendas de cerca de US$ 400 milhões — faria da Crown Canada a maior presença fora dos Estados Unidos. O negócio da Continental nos Estados Unidos — com receitas estimadas em US$ 1,3 bilhão em 1989 — dobraria o porte das operações domésticas da Crown. Dizia-se que o preço das operações da Continental na América Latina, Ásia e Oriente Médio estava na faixa de US$ 100 a US$ 150 milhões. As operações européias da Continental geravam vendas estimadas em US$ 1,5 bilhão em 1989 e incluíam uma força de trabalho de 10.000 pessoas em 30 locais. Entre as interessadas por todas as operações da Continental ou parte delas estavam muitas das rivais da Crown nos Estados Unidos, além da Europa: Pechiney International da França, Metal Box da Grã-Bretanha (que recentemente havia adquirido a Carnaud S.A.) e VIAG AG, da Alemanha, entre outras.

Avery sabia que a maior arte das fusões em sua indústria não havia dado certo. Ele também pensava a respeito do desafio de tomar suas empresas que vinham de culturas completamente diferentes e reuni-las. Haveria inevitáveis mudanças emocionais e de atitude, particularmente para os gerentes assalariados da Continental e os "proprietários-operadores" da Crown. Avery também sabia que a fusão da American Can com a National Can tivera suas dificuldades. Aquela consolidação estava levando mais tempo que o esperado e, de acordo com um observador, "no final, a American Can seria literalmente eliminada".

Avery via-se questionando as estratégias tradicionais da Crown e pensou seriamente em traçar um roteiro para o futuro.

NOTAS

1. Salomon Brothers, *Beverage Cans Industry Report,* 1 de março de 1990.
2. T. Davis, "Can Do: A Metal Container Update", *Beverage World,* junho de 1990: 34.
3. J.J. Sheehan, "Nothing Succeeds Like Success", *Beverage World,* novembro de 1988: 82.
4. Até 1985, as latas de alumínio estavam restritas às bebidas gaseificadas porque era o gás que impedia que a lata se deformasse. A Reynolds descobriu que, adicionando nitrogênio líquido ao conteúdo da lata, ela podia conter bebidas não-gaseificadas e manter sua forma. O nitrogênio líquido possibilitou à Reynolds produzir latas para chocolate, destilados e sucos de frutas.
5. L. Sly, "A 'Can-Do Crusade' By Steel Industry", *Chicago Tribune,* 3 de julho de 1988: 1.
6. Merrill Lynch Capital Markets, *Containers and Packaging Industry Report,* 21 de março de 1991.
7. Salomon Brothers Inc., *Containers/Packaging: Beverage Cans Industry Report,* 3 de abril de 1991.
8. A. Agoos, "Aluminum Girds for the Plastic Can Bid", *Chemical Week,* 16 de janeiro de 1985: 18.
9. B. Oman, "A Clear Choice?" *Beverage World,* junho de 1990: 78.
10. Em resposta à preocupação do público, o setor de embalagens desenvolveu sistemas de reciclagem altamente eficientes. As embalagens iam do fabricante, por intermédio do atacadista/distribuidor, ao varejista, ao consumidor e de volta ao fabricante ou ao fornecedor de materiais para reciclagem. O alto valor de reciclagem do alumínio permitia aos fabricantes de latas vendê-las a custos menores aos produtores de bebidas. A recuperação de latas de aço não teve o mesmo resultado porque sua coleta e reciclagem não resultava em vantagens significativas em custos de energia ou materiais.
11. N. Lang, "A Touch of Glass", *Beverage World,* junho de 1990: 36.
12. Lang, "A Touch of Glass". *Beverage World,* junho de 1990: 36.
13. U.S. Industrial Outlook, 1984-1990.
14. First Boston Corporation, *Packaging Industry Report,* 4 de abril de 1990.
15. R.J. Whalen, "The Unoriginal Ideas That Rebuilt Crown Cork", *Fortune,* outubro de 1962.
16. R.J Whalen, "The Unoriginal Ideas That Rebuilt Crown Cork", *Fortune,* outubro de 1962: 156.
17. Em meados dos anos 60, o crescimento da demanda por latas para refrigerantes e cervejas foi mais de três vezes superior ao da demanda por latas tradicionais para alimentos.
18. R.G. Hamermesh, M.J. Anderson, Jr., e J.E. Harris, "Strategies for Low Market Share Business", *Harvard Business Review,* maio-junho de 1978: 99.
19. Em 1976, havia nos Estados Unidos 47 linhas para latas estanhadas de duas partes e 130 para latas de alumínio de duas partes.
20. Crown Cork & Seal Company, Inc., *One Hundred Years.*
21. R.J. Whalen, "The Unoriginal Ideas That Rebuilt Crown Cork".
22. Crown Cork & Seal Company, Inc., *One Hundred Years.*
23. "These Penny-Pinchers Deliver a Big Bang for Their Bucks", *Business Week,* 4 de maio de 1987.
24. R.J. Whalen, "The Unoriginal Ideas That Rebuilt Crown Cork".

CASO 5

Wal*Mart Stores, Inc.

Na classificação anual da revista *Forbes* dos norte-americanos mais ricos, os herdeiros de Sam Walton, o fundador da Wal*Mart Stores, Inc., apareceram do quinto ao nono lugar em 1993, com US$ 4,5 bilhões cada. Sam Walton, que morreu em abril de 1992, havia transformado a Wal*Mart em sucesso fenomenal, com um retorno médio sobre o capital de 33% em 20 anos e um crescimento médio de vendas de 35%. No final de 1993, a Wal*Mart tinha valor de mercado de US$ 57,5 bilhões e suas vendas por metro quadrado eram de quase US$ 300, comparados com a média do setor de US$ 210. Acreditava-se que a Wal*Mart havia revolucionado muitos aspectos do varejo e ela era conhecida por seus pesados investimentos em tecnologia da informação.

David Glass e Don Soderquist enfrentavam o desafio de seguir os passos de Sam Walton. Glass e Soderquist, respectivamente diretor presidente e diretor de operações, dirigiam a empresa desde fevereiro de 1988, quando Walton, mantendo a presidência do conselho, entregou o cargo de executivo principal a Glass. O histórico dos dois falava por si mesmo — a empresa passou de vendas de US$ 16 bilhões em 1987 para US$ 67 bilhões em 1993, com seus ganhos quase quadruplicando de US$ 628 milhões para US$ 2,3 bilhões. No início de 1994, a empresa operava 1.953 lojas Wal*Mart (entre elas 68 supercentros), 419 clubes de depósitos (Sam's Clubs), 81 *outlets* (Bud's) e quatro hipermercados. Durante 1994, a Wal*Mart planejava abrir 110 novas lojas Wal*Mart, inclusive cinco supercentros e 20 Sam's Clubs, e expandir ou mudar aproximadamente 70 das lojas Wal*Mart mais antigas (65 das quais seriam transformadas em supercentros) e Sam's Clubs. Previa-se que as vendas chegariam a US$ 84 bilhões em 1994, e os gastos de capital a US$ 3,2 bilhões. O Quadro 5.1 (ver p. 238) resume o desempenho financeiro da Wal*Mart no período 1984-1993. O Quadro 5.2 (ver p. 239) mostra a rede de lojas Wal*Mart.

Este caso foi preparado por Sharon Foley e revisado por Takia Mahmood sob a supervisão dos professores Stephen P. Bradley e Pankaj Ghemawat como base para discussão em classe e não para ilustrar o manejo eficaz ou não de uma situação administrativa. Ele baseia-se em parte no caso "Wal-Mart Stores' Discount Operations" (HBS Nº 387-018) escrito pelo professor Ghemawat.

QUADRO 5.1
Wal*Mart Stores, Inc., Resumo Financeiro, 1983-1993 (milhões de dólares)

	1983	1984	1985	1986	1987	1988	1989	1990	1991	1992	1993
Resultados Operacionais											
Vendas líquidas	4.667	6.401	8.451	11.909	15.959	20.649	25.811	32.602	43.887	55.484	67.345
Sam's Club	37	221	776	1.678	2.711	3.829	4.841	6.579	9.430	12.339	14.749
McLane	—	—	—	—	—	—	—	337	2.513	2.911	3.977
Taxas de licenças e outras receitas	36	52	55	85	105	137	175	262	403	501	641
Custo dos bens vendidos	3.418	4.722	6.361	9.053	12.282	16.057	20.070	25.500	34.786	44.175	53.444
Despesas operacionais e VG&A	893	1.181	1.485	2.008	2.599	3.268	4.070	5.152	6.684	8.321	10.333
Despesas financeiras	35	48	57	87	114	136	138	169	266	323	517
Impostos	161	231	276	396	441	488	632	752	945	1.172	1.358
Receita líquida*	196	271	327	450	628	837	1.076	1.291	1.608	1.995	2.333
Posição Financeira											
Ativos correntes	1.006	1.303	1.784	2.353	2.905	3.631	4.713	6.415	8.575	10.198	12.115
Ativo imobilizado líquido	628	870	1.303	1.676	2.145	2.662	3.430	4.712	6.434	9.793	13.175
Passivos correntes	503	689	993	1.340	1.744	2.066	2.845	3.990	5.004	6.754	7.406
Endividamento a longo prazo	41	41	181	179	186	184	185	740	1.722	3.073	6.156
Despesas com leasing	340	450	595	764	867	1.009	1.087	1.159	1.556	1.772	1.804
Patrimônio líquido	738	985	1.278	1.690	2.257	3.008	3.966	5.366	6.990	8.759	10.752
Informações sobre Ações ($)											
Renda líquida por ação	0,09	0,12	0,15	0,20	0,28	0,37	0,48	0,57	0,70	0,87	1,02
Dividendos por ação	0,01	0,01	0,02	0,02	0,03	0,04	0,06	0,07	0,09	0,11	0,13
Valor contábil por ação	0,33	0,44	0,57	0,75	1,00	1,33	1,75	2,35	3,04	3,81	4,68
Preço da ação no final do ano	2,25	2,38	4,00	5,88	6,50	7,88	11,25	15,12	29,50	32,00	25,00
Índices Financeiros (%)**											
Retorno sobre ativos	16,5	16,4	14,8	14,5	15,5	16,3	16,9	15,7	14,1	12,9	11,3
Retorno sobre patrimônio líquido	40,2	36,7	33,3	35,2	37,1	37,1	35,8	32,6	30,0	28,5	26,6
Número de Lojas											
Lojas de descontos	642	745	859	980	1.114	1.259	1.399	1.568	1.714	1.850	1.953
Sam's Clubs	3	11	23	49	84	105	123	148	208	256	419
Supercentros	—	—	—	—	—	—	3	5	6	30	68
Número de Associados (em 1.000)	62	81	104	141	183	223	271	328	371	434	528

*As colunas podem não totalizar devido a arredondamentos.
**Balanços no início do ano.
Fontes: Relatórios anuais da Wal*Mart; Value Line; Bloomberg, Salomon Bros.

QUADRO 5.2
Localizações de Lojas e Centros de Distribuição, janeiro de 1994

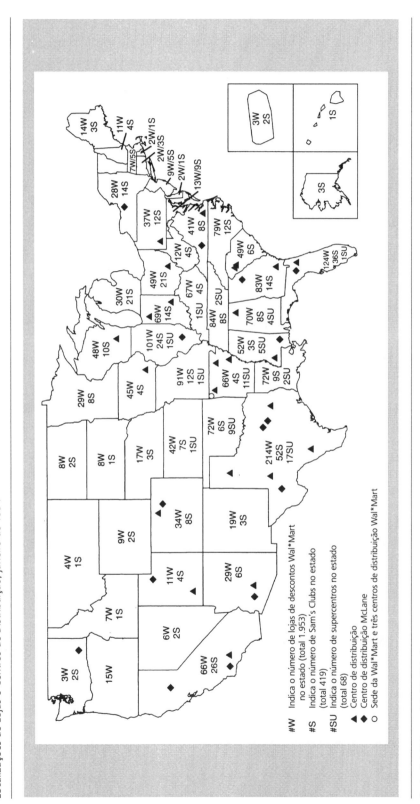

#W   Indica o número de lojas de descontos Wal*Mart
     no estado (total 1.953)

#S   Indica o número de Sam's Clubs no estado
     (total 419)

#SU Indica o número de supercentros no estado
     (total 68)

▲   Centro de distribuição

◆   Centro de distribuição McLane

O   Sede da Wal*Mart e três centros de distribuição Wal*Mart

Fonte: Relatório anual da Wal*Mart.

A principal questão enfrentada por Glass e Soderquist era como sustentar o desempenho fenomenal da empresa. Manchetes na imprensa haviam começado a manifestar alguma dúvida: "Rei do Crescimento Enfrentando Obstáculos", "Será que a Wal*Mart Poderá Manter-se Crescendo em Alta Velocidade?" e "O Inquietante Trono da Wal*Mart". Em abril de 1993, a empresa confirmou, numa reunião com analistas, que o crescimento das vendas naquele ano estaria na faixa de 7 a 8%, pela primeira vez abaixo de 10% desde 1985. Os vendedores apareceram tão depressa que a Bolsa de Valores de Nova York tirou temporariamente as ações da empresa do pregão. Do início de março até o final de abril de 1993, o preço das ações caiu entre 22 a 26%, destruindo quase US$ 17 bilhões de valor de mercado. Com os supercentros e a expansão internacional definidos como principais veículos para crescimento, Glass e Soderquist estavam cheios de serviço.

VAREJO DE DESCONTOS

As lojas de descontos surgiram nos Estados Unidos em meados dos anos 50 nos calcanhares dos supermercados, os quais vendiam alimentos com margens baixas sem precedentes. As lojas de descontos ampliaram essa abordagem de mercadorias em geral colocando margens brutas de 10% a 15% menores que aquelas das lojas de departamentos convencionais. Para compensar, as lojas de descontos cortavam os custos até o osso: as instalações eram nitidamente sem luxo, as vendas nas lojas limitadas e os serviços auxiliares, como entregas e crédito, escassos.

Essas lojas surgiram em ocasião oportuna, uma vez que os consumidores haviam passado a se informar cada vez melhor desde a II Guerra Mundial. Os supermercados os haviam educado a respeito de auto-serviço, muitas categorias de mercadorias haviam amadurecido e a TV havia intensificado a propaganda pelos fabricantes. Padrões do governo também tinham alimentado a auto-confiança dos consumidores e muitos estavam prontos para experimentar varejistas mais baratos e de auto-serviço, exceto para produtos dispendiosos, tecnologicamente complexos ou "psicologicamente significativos".

Em conseqüência disso, o varejo de descontos prosperou e muitos participantes entraram no setor em nível local, regional ou nacional. As vendas cresceram à taxa anual de 25%, indo de US$ 2 bilhões em 1960 para US$ 19 bilhões em 1970. Durante a década de 70, o setor continuou a crescer à taxa anual de 9%, com o número de novas lojas subindo 5% a.a.; nos anos 80, a indústria cresceu à taxa de 7%, mas o número de lojas subiu apenas 1%; e durante os anos 90, o setor cresceu 11,2%, com o número de lojas aumentando quase 2%. Esta tendência no sentido da redução do número de novas lojas era atribuída a uma abordagem mais cautelosa da expansão pelos lojistas, que davam cada vez maior destaque à renovação das lojas existentes. Em 1993, as vendas do setor de descontos foram de US$ 124 bilhões e os analistas previam que elas iriam crescer cerca de 5% anuais nos cinco anos seguintes.

Dos 10 maiores lojistas de descontos operando em 1962 — o ano em que foi aberta a Wal*Mart — não restava nenhum em 1993. Várias grandes redes de descontos, como a King's, Korvette's, Mammoth Mart, W.T. Grant, Two Guys, Woolco e Zayre, fecharam ao longo do período ou foram adquiridas por sobreviventes. Em conseqüência disso, a indústria tornou-se mais concentrada: enquanto em 1986 as cinco maiores redes representavam 62% das vendas da indústria, em 1993 elas respondiam por 71% e as cadeias com 50 ou mais lojas representavam 82%. O Quadro 5.3 (ver p. 241) mostra as maiores cadeias em 1993.

QUADRO 5.3

As 15 Maiores Lojas de Departamentos por Vendas em 1993 (milhões de dólares)

Cadeia		Vendas			Número de Lojas			Tamanho Médio das Loja (000 m²)
		1993	1992	% Mudança	1/94	1/93	1/92	
Wal*Mart*	AR	44.900	38.200	17,5	1.953	1.850	1.720	8
K-mart†	MI	26.449	25.013	5,7	2.323	2.281	2.249	10
Target	MN	11.743	10.393	13,0	554	506	463	10
Caldor	CT	2.414	2.128	13,5	150	136	128	9
Ames‡	CT	2.228	2.316	(3,8)	308	309	371	4,4
Bradlees	MA	1.880	1.831	2,7	126	127	127	6,5
Venture	MO	1.863	1.718	8,4	104	93	84	9
Hills§	MA	1.766	1.750	0,9	151	154	154	6
ShopKo	WI	1.739	1.683	3,3	117	111	109	7
Family Dollar	NC	1.297	1.159	12,0	2.105	1.920	1.759	0,6
Rose's**	NC	1.246	1.404	(11,3)	172	217	217	4
Dollar General	TN	1.133	921	23,0	1.800	1.617	1.522	0,5
Value City††	OH	842	798	5,5	75	73	53	6,5
Jamesway‡‡	NJ	722	856	(15,6)	94	108	122	5,3
Pamida	NE	659	625	5,4	173	178	178	2,4

*Vendas para lojas de descontos e Bud's, mas não supercentros.
†Vendas somente para lojas K-mart nos Estados Unidos.
‡Adquiriu a Zayre em 1989, pediu concordata em 1990, saiu da mesma em 1992.
§Saiu da concordata em 10/93.
**Em concordata.
††Ano fiscal terminado em 31/7/93.
‡‡Em concordata.
Fontes: Discount Store News, 4 de julho de 1994; *Value Line*.

LOJAS DE DESCONTOS WAL*MART

História de Crescimento

Prover valor fazia parte da cultura da Wal*Mart desde que Sam Walton abriu sua primeira loja franquiada Ben Franklin em 1945. Durante os anos 50, o número de franquias Ben Franklin de propriedade de Walton chegou a 15. Em 1962, depois que sua idéia de abrir lojas em cidades pequenas foi recusada pela organização Ben Franklin, Sam e seu irmão Bud abriram a primeira "Wal*Mart Discount City Store", com Sam investindo 95% do dinheiro necessário.[1] Durante anos, enquanto estava construindo Wal*Marts, Walton continuou a dirigir suas lojas Ben Franklin, fechando-as gradualmente até 1976. Quando a Wal*Mart foi incorporada em 31 de outubro de 1969, havia 18 lojas Wal*Mart e 15 Ben Franklin.

Em 1970, Walton havia ampliado firmemente sua cadeia para 30 lojas de descontos nos estados rurais de Arkansas, Missouri e Oklahoma. Entretanto, com o crescimento rápido e continuado das regiões rurais do Sul e Meio-Oeste, o custo dos bens vendidos — quase três quartos das receitas das lojas de descontos — aumentou. Como disse Walton, "lá estávamos nós no fim do mundo, sem dispor de distribuidores ansiosos por nos atender como nas cidades maiores. Nossa única alternativa foi construir nosso próprio depósito para que pudéssemos comprar em grandes volumes a preços atraentes e estocar as mercadorias".[2] Como depósitos custavam US$ 5 milhões ou mais cada um, Walton abriu o capital da empresa em 1972 e levantou US$ 3,3 milhões.

Havia dois aspectos-chave no plano de Walton para fazer crescer a Wal*Mart. O primeiro era localizar as lojas em áreas rurais isoladas e pequenas cidades, normalmente com populações de 5.000 a 25.000 pessoas. Ele disse: "Nossa estratégia-chave era instalar lojas de bom tamanho em pequenas cidades que todos os outros estavam ignorando".[3] Walton estava convencido de que as lojas de descontos podiam dar certo em cidades pequenas: "Se oferecêssemos preços iguais ou melhores que as lojas em cidades maiores, que ficavam a quatro horas de carro", disse ele, "as pessoas comprariam em suas próprias cidades".[4] O segundo elemento do plano de Walton era o padrão de expansão. Como explicou David Glass, "estamos sempre empurrando de dentro para fora. Nunca pulamos para depois tapar o buraco".[5]

Em meados da década de 80, cerca de um terço das lojas Wal*Mart estava localizado em áreas não-atendidas por qualquer das suas concorrentes. Entretanto, o crescimento geográfico da empresa resultou no aumento da concorrência com outros grandes varejistas. Em 1993, 55% das lojas Wal*Mart enfrentavam concorrência direta de lojas K-mart e 23% das lojas Target, ao passo que 82% das lojas K-mart e 85% da Target enfrentavam concorrência da Wal*Mart.[6] A Wal*Mart penetrou nos estados da Costa Oeste e do Noroeste e, no início de 1994, operava em 47 estados, com lojas planejadas para Vermont, Havaí e Alasca. O Quadro 5.4 compara o desempenho da Wal*Mart com o dos concorrentes.

QUADRO 5.4
Desempenho Corporativo Geral de Lojas de Descontos, Classificadas pelo Retorno sobre Patrimônio Líquido (%)

Cadeia	Média de 5 Anos*			1993 ou Últimos 12 Meses		
	Retorno sobre Patrimônio[†]	Crescimento das Vendas[‡]	Crescimento de Ganhos/ Ação	Retorno sobre Vendas	Retorno sobre Capital[§]	Endividamento/ Rateio Capital**
Wal*Mart	31,2	28,2	25,0	3,5	17,3	40,3
Venture	28,7	6,8	15,4	2,5	16,7	31,1
Family Dollar	21,5	14,4	23,6	4,9	22,5	0,0
ShopKo	18,7	9,7	12,1	2,5	9,5	45,2
Dollar General	16,1	8,7	37,3	4,1	21,9	2,6
Dayton Hudson[††]	15,8	10,5	12,1	1,8	8,1	56,9
K-mart	13,8	8,1	NS	1,9	8,5	39,5

NS: Não-significativo — isto é, a empresa perdeu dinheiro em mais de um ano.
*As taxas de crescimento de cinco anos se baseiam nos resultados do último ano fiscal.
[†]Retorno sobre patrimônio líquido
[‡]Vendas e índices de crescimento de ganhos são calculados usando o método dos quadrados mínimos, o qual ajusta para flutuações agudas e reflete de perto a taxa média de crescimento.
[§]A Forbes define a capitalização total de uma empresa como endividamento a longo prazo, ações ordinárias e preferenciais, impostos diferidos, créditos fiscais e interesses dos acionistas minoritários em subsidiárias consolidadas.
**Endividamento em relação ao capital total é calculado dividindo o endividamento a longo prazo, inclusive arrendamentos capitalizados, pela capitalização total.
[††]Matriz das lojas Target.
Fonte: "Annual Report on American Industry", Forbes, 3 de janeiro de 1994.

O Legado de Sam

Quando Sam Walton morreu em abril de 1992 aos 74 anos, depois de uma prolongada luta com o câncer, seus funerais foram transmitidos a todas as lojas pelo sistema de satélite da empresa. Walton tinha uma filosofia que movia tudo na empresa: ele acreditava no valor do dólar e era obcecado com a manutenção de preços mais baixos que os de todos os concorrentes. Nas viagens que realizava para fazer compras, sua regra prática era que as despesas não deveriam exceder 1% das compras, o que significava dividir quartos de hotel e caminhar em vez de tomar táxis.

Walton instilou em seus funcionários (que chamava de sócios) a idéia de que a Wal*Mart tinha sua maneira própria de fazer as coisas e procurava tornar a vida na empresa imprevisível, interessante e divertida. Ele até dançou hula em Wall Street com uma saia de palha depois de perder uma aposta para David Glass, que havia previsto que o lucro da empresa antes do imposto seria superior a 8% em 1983. Walton disse que "a maioria das pessoas provavelmente pensou que se tratava apenas de um presidente maluco em busca de publicidade. O que elas não sabiam é que este tipo de coisa acontece o tempo todo na Wal*Mart".[7]

Walton passava o máximo de tempo possível em suas lojas e verificando a concorrência. Era conhecido por contar o número de carros nos estacionamentos da K-mart e da Target, medir o espaço de prateleiras e anotar preços da Ames. Walton conhecia intimamente seus concorrentes e copiava as melhores idéias deles. Conheceu Sol Price, que criou o Price Club, e então recriou o conceito como Sam's Club.

Para Walton, o ingrediente mais importante do sucesso da Wal*Mart era a maneira pela qual tratava seus associados. Acreditava que, se você quisesse que os funcionários das lojas cuidassem bem dos clientes, precisava certificar-se de estar cuidando bem dos funcionários. Havia um aspecto da cultura da Wal*Mart que incomodava Walton desde o momento em que a empresa passou verdadeiramente a ser um sucesso. "Tínhamos muitos milionários em nossas fileiras", disse ele, "e fico louco quando eles se exibem. De vez em quando alguém faz alguma coisa particularmente pomposa e eu não hesito em me irritar a esse respeito na reunião de sábado pela manhã. Não creio que grandes mansões e carros cintilantes façam parte da cultura da Wal*Mart, que é servir o cliente".[8]

Walton descrevia seu estilo administrativo como "gerenciar andando e voando por aí". Outros na Wal*Mart descreviam o estilo como "gerenciar acabando com você" e "gerenciar olhando por cima do seu ombro". A respeito de gerenciar pessoas, Walton dizia: É preciso dar responsabilidade às pessoas, é preciso confiar nelas e é preciso fiscalizá-las". A parceria da Wal*Mart com seus associados significava divulgar os números — Walton dirigia a empresa como um livro aberto e mantinha uma política de portas abertas. A Wal*Mart visava a excelência dando poderes aos associados, mantendo a superioridade tecnológica e construindo lealdade entre os associados, clientes e fornecedores.

Comercialização

As mercadorias da Wal*Mart eram específicas para cada mercado e, em muitos casos, para cada loja. Sistemas de informação tornavam isso possível através de um processo que indexava as movimentações de produtos nas lojas. O gerente de uma loja, usando dados de estoques e vendas, escolhia os produtos a serem expostos com base nas preferências dos clientes e alocava espaço nas prateleiras para cada categoria de produtos de acordo com a demanda em sua loja. A estratégia promocional da Wal*Mart de "preços baixos todos os dias" significava oferecer aos clientes mercadorias de boas marcas por preços menores que os das lojas de departamentos e de especialidades. A

Wal*Mart fazia poucas promoções. Enquanto outras grandes concorrentes normalmente anunciavam de 50 a 100 promoções anuais para gerar tráfego, a Wal*Mart oferecia 13. Em 1993, o gasto da Wal*Mart com propaganda foi de 1,5% das vendas das lojas de descontos, comparado com 2,1% das concorrentes diretas.[9] Além disso, a Wal*Mart oferecia uma política de "satisfação garantida": as mercadorias poderiam ser devolvidas em qualquer das suas lojas sem perguntas.

A Wal*Mart era muito competitiva em termos de preços e dava aos seus gerentes de lojas mais liberdade para fixar preços do que as cadeias com "preço centralizado", como Caldor e Venture. Os gerentes das lojas precificavam os produtos de forma a satisfazer as condições de mercado locais, para maximizar o volume de vendas e o giro dos estoques, minimizando ao mesmo tempo as despesas. Um estudo feito em meados dos anos 80 constatou que quando havia uma loja Wal*Mart perto de uma K-mart, os preços da primeira eram cerca de 1% mais baixos e, quando Wal*Mart, K-mart e Target estavam separadas por 5 a 10 Km, os preços médios da Wal*Mart eram, respectivamente, 10,4% e 7,6% mais baixos. Em locais remotos, onde a Wal*Mart não enfrentava concorrência direta de outras grandes lojas de descontos, seus preços eram 6% mais altos do que em locais em que havia uma loja K-mart por perto.

Mudanças nas políticas de varejo das concorrentes refletiram-se na decisão da Wal*Mart de mudar seu slogan de *marketing*, de "Sempre o preço baixo — Sempre" (que a empresa havia usado quando construía sua cadeia oferecendo preços melhores que aqueles dos comerciantes de pequenas cidades) para "Sempre preços baixos — Sempre". (Ver no Quadro 5.5, p. 245, uma comparação de preços entre Wal*Mart, K-mart e Bradlees na área suburbana de New Jersey.) No início da década de 90, havia normalmente um diferencial de preços de 2% a 4% entre a Wal*Mart e suas melhores concorrentes na maior parte dos mercados: em sete pesquisas de preços efetuadas durante 1992 e 1993, os preços da Wal*Mart eram em média 2,2% inferiores aos da K-mart e 3% inferiores em itens presentes em todas as lojas. Comparados com os da Target em seis pesquisas, os preços da Wal*Mart eram em média 3,7% mais baixos e 4,1% mais baixos em itens presentes em todas as lojas. E comparados com os da Venture, a operadora regional de custo mais baixo, os preços da Wal*Mart eram respectivamente 3,9% e 4,7% mais baixos. Em relação a outras concorrentes regionais, a vantagem de preço da Wal*Mart era ainda maior: 21,4% em média abaixo da Caldor e 28,8% abaixo da Bradlees.[10]

A Wal*Mart era conhecida por sua estratégia nacional de marcas e a maioria das vendas consistia de produtos de marcas anunciadas em âmbito nacional. Entretanto, os itens de vestuário de marca própria representavam cerca de 25% das vendas de vestuário da Wal*Mart. A empresa introduziu gradualmente várias outras linhas com marca própria em suas lojas de descontos, como Equate em produtos de saúde e beleza, Ol'Roy em alimentos para cães e "Sam's American Choice" em produtos alimentícios. Um ano depois, em 1992, havia cerca de 40 itens na linha, inclusive produtos como cola, chips de tortilha, biscoitos e molho. A linha Sam's Choice, considerada a de melhor qualidade da empresa, oferecia uma vantagem média de 26% em preços sobre produtos comparáveis de outras marcas, com a gama da vantagem variando de 9 a 60%.[11] A linha também era vendida nos Sam's Clubs e nos supercentros.

No esforço para substituir os produtos estrangeiros vendidos nas lojas Wal*Mart por produtos norte-americanos, a empresa desenvolveu seu programa "Compre Produto Norte-Americano" e, em 1985, convidou por carta fabricantes nacionais a participar do mesmo. Em 1989, a empresa calculava ter convertido ou retido mais de US$ 1,7 bilhão em compras que teriam sido feitas no exterior e criado ou mantido mais de 41.000 empregos para a força de trabalho norte-americana.

QUADRO 5.5
Lojas de Descontos Wal*Mart – Estudo Comparativo de Preços, New Jersey, janeiro de 1993

Itens	Tamanho	Preços			Preço Médio	Variação em Relação ao Preço Médio (%)		
		Wal*Mart	K-mart	Bradlees		Wal*Mart	K-mart	Bradlees
Saúde e Beleza								
Creme Dental Crest	6,4 oz.	1,24	1,24	2,29	1,59	-0,22	-0,22	0,44
Creme para a pele Noxema	10 oz.	2,68	2,79	3,59	3,02	-0,11	-0,08	0,19
Tampax	24 ct.	3,46	3,59	4,49	3,85	-0,10	-0,07	0,17
Preparation H	1 oz.	3,59	3,68	3,99	3,75	-0,04	-0,02	0,06
Tylenol Extra Forte	60 tabletes	4,64	5,20	4,99	4,94	-0,06	0,05	0,01
Após Barba Old Spice	4,75 oz.	4,42	4,42	5,19	4,68	-0,05	-0,05	0,11
Limpador Facial Oil of Olay	2,5 oz.	5,52	5,58	8,49	6,53	-0,15	-0,15	0,30
Pepto-Bismol	8 oz.	3,58	2,64	3,99	3,40	0,05	-0,22	0,17
Vaselina	3,5 oz.	1,54	1,54	1,79	1,62	-0,05	-0,05	0,10
Talco Johnson para Crianças	24 oz.	2,93	2,97	3,99	3,30	-0,11	-0,10	0,21
Produtos Químicos Domésticos								
Desinfetante Lysol	38 oz.	2,45	2,43	3,99	2,96	-0,17	-0,18	0,35
Woolite	18 oz.	3,59	3,39	3,87	3,62	-0,01	-0,06	0,07
Limpador de Forno Easy-Off	16 oz.	2,73	2,69	3,29	2,90	-0,06	-0,07	0,13
Pó p/ Lavar Louça Cascade	50 oz.	2,27	2,29	3,29	2,62	-0,13	-0,12	0,26
Limpador Fantastik em Spray	22 oz.	1,97	1,87	2,29	2,04	-0,04	-0,08	0,12
Papel Alumínio Reynolds	75 sq. ft.	3,79	3,89	4,59	4,09	-0,07	-0,05	0,12
Sacos de Lixo Glad	50 ct.	5,38	5,58	6,99	5,98	-0,10	-0,07	0,17
Outros								
Lâmpadas GE	60 watt/4 pk.	1,34	1,67	2,29	1,77	-0,24	-0,05	0,30
Baterias Duracell	AA 2 pk.	1,44	1,45	2,71	1,87	-0,23	-0,22	0,45
Filme Kodak Gold 200	24 exp.	2,88	3,27	4,29	3,48	-0,17	-0,06	0,23
Presto Salad Shooter		22,59	22,94	34,99	26,84	-0,16	-0,15	0,30
Artigos Esportivos								
Bolas de Tênis Wilson	3 pk.	2,96	2,38	2,49	2,61	0,13	-0,09	-0,05
Lanterna Coleman		17,94	19,97	29,99	22,63	-0,21	-0,12	0,33

continua

QUADRO 5.5
Continuação

Itens	Tamanho	Preços			Preço Médio	Variação em Relação ao Preço Médio (%)		
		Wal*Mart	K-mart	Bradlees		Wal*Mart	K-mart	Bradlees
Automotivos								
Valvoline Motor Oil 10W30	1 qt.	0,84	0,91	1,49	1,08	-0,22	-0,16	0,38
Velas de Ignição Champion	4 regular	3,92	5,12	5,99	5,01	-0,22	0,02	0,20
Pintura e Ferragem								
WD-40	12 oz.	1,74	1,97	2,99	2,23	-0,22	-0,12	0,34
Rustoleum	12 oz.	2,94	2,94	3,09	2,99	-0,02	-0,02	0,03
Thompson's Water Seal	1 gal.	9,47	9,98	9,99	9,81	-0,03	0,02	0,02
Stanley Power Lock 16'x 3/4"		11,97	9,94	9,99	10,63	0,13	-0,07	-0,06
Furadeira Black & Decker	0,5" drive	43,97	44,96	44,99	44,64	-0,02	0,01	0,01
Alimentos								
Amendoins Planters	16 oz.	2,38	2,37	3,69	2,81	-0,15	-0,16	0,31
Biscoitos Oreo	16 oz.	1,84	1,79	1,99	1,87	-0,02	-0,04	0,06
Papelaria								
Crayola 64		1,96	2,05	2,15	2,05	-0,05	0,00	0,05
Fita Adesiva Scotch	22,2 yd.	0,94	0,95	1,19	1,03	-0,08	-0,07	0,16
Variação Média						-9,46%	-8,31%	17,77%
Percentagem de Itens com Preços Abaixo da Média						91,0%	85,0%	6,0%

Fonte: Salomon Brothers, Inc., janeiro de 1993.

Operações das Lojas

A empresa arrendava cerca de 70% das lojas Wal*Mart e era proprietária das restantes. Em 1993, a despesa da Wal*Mart com aluguéis equivalia a 3% das vendas das lojas de descontos, comparados com 3,3% para as concorrentes diretas.[12] Uma loja média da Wal*Mart, que tinha pouco mais de 7.000 metros quadrados, com as unidades mais novas chegando a 9.000 metros, levava aproximadamente 120 dias para ser aberta. Os custos de construção eram de cerca de US$ 220 por metro quadrado. A partir dos anos 80, a Wal*Mart não construía lojas em locais que não permitissem expansões posteriores. No início de 1990, 45% das lojas Wal*Mart tinham três anos ou menos e somente 15% tinham mais de oito anos, comparados respectivamente com 10% e 85% para a K-mart. As vendas por metro quadrado eram de US$ 3.333, comparadas com as da Target (US$ 2.322) e da K-mart (US1.633). Uma loja Wal*Mart dedicava 10% da sua área aos estoques, comparado com a média da indústria de 25%. Suas despesas operacionais eram de 18,1% das vendas das lojas de descontos em 1993, bem abaixo da média de 24,6% do setor. Ver no Quadro 5.6 (p. 248) a economia média da indústria de lojas de descontos.

Em sua maioria, as lojas Wal*Mart abriam das 9 às 21 horas, seis dias por semana e das 12h30min às 17h30min aos domingos. Algumas, inclusive quase todos os supercentros, ficavam abertas 24 horas. Os clientes que entravam numa loja Wal*Mart eram recebidos por uma associada que os cumprimentava e entregava os carrinhos de compras. As vendas eram feitas principalmente por auto-serviço. Os clientes podiam usar cartões de crédito ou um plano de pagamento disponível em cada loja.

As lojas Wal*Mart eram geralmente organizadas com 36 departamentos oferecendo ampla variedade de mercadorias, inclusive vestuário, calçados, utilidades domésticas, acessórios automotivos, equipamento para jardinagem, artigos esportivos, brinquedos, câmeras, artigos de saúde e beleza, produtos farmacêuticos e joalheria. O Quadro 5.7 (ver p. 249) relaciona as vendas da empresa por categoria de produtos em 1993.

A leitura eletrônica dos Códigos Uniformes de Produtos (UPC) no ponto de venda, que começou nas lojas Wal*Mart em 1983, estava instalada em quase todas em 1988, dois anos antes da K-mart. Os associados usavam *scanners* portáteis para marcar os preços nas mercadorias. Esses *scanners*, que utilizavam tecnologia de rádio-freqüência, comunicavam-se com o sistema computadorizado de estoques da loja para assegurar o preço exato e melhorar a eficiência. Muitas lojas usavam etiquetas nas prateleiras em vez de nos produtos. Um sistema para localizar reembolsos e autorizações de cheques ajudava a reduzir os furtos — identificando os itens que eram furtados de uma loja Wal*Mart e apresentados para devolução e reembolso em outra.

A leitura eletrônica e a necessidade de melhores comunicações entre lojas, centros de distribuição e a sede central em Bentonville, Arkansas, levaram à instalação de um sistema de satélite em 1983. O satélite permitia que os dados de vendas fossem coletados e analisados diariamente e possibilitava aos gerentes saber imediatamente quais mercadorias estavam girando devagar, evitando assim excessos de estoques e descontos maiores. Ele também era usado para transmissões em vídeo, autorizações de cartões de crédito e controle de estoques. Em qualquer loja Wal*Mart informações diárias, como as vendas por departamento, horas trabalhadas e perdas de estoques, podiam ser comparadas com os resultados para qualquer período de tempo, para qualquer região ou para a nação. De 1987 até 1993, a Wal*Mart investiu mais de US$ 700 milhões em sua rede de comunicações por satélite, em computadores e equipamentos correlatos.

QUADRO 5.6
Economia do Setor de Descontos, 1993 (percentagem das vendas)

	Wal*Mart*	Média Ponderada das Concorrentes Diretas	K-mart*	Target*	F. Meyer	Caldor	Bradlees	Venture	ShopKo
Vendas ($ mm)	48.620	18.730†	28.039	11.743	2.979	2.414	1.881	1.863	1.737
	100,0	100,0	100,0	100,0	100,0	100,0	100,0	100,0	100,0
Custo dos Bens Vendidos	75,1	72,8	72,4	75,3	68,7	71,7	67,6	74,7	71,9
Lucro bruto	24,9	27,2	27,6	24,7	31,3	28,3	32,4	25,3	28,1
Despesas operacionais	18,1	24,6	25,2	20,7	27,2	24,5	30,1	21,1	24,2
Outras rendas‡	0,7	1,3	1,4	0,7	0,4	0,2	0,7	0,2	0,7
Renda operacional	7,5	3,9	3,8	4,8	4,6	4,1	3,0	4,3	4,6

*Somente lojas de descontos e supercentros.
†Ponderada pelas vendas estimadas para 1993.
‡Inclui taxas de licenciamento.
Fontes: Goldman Sachs; estimativas do autor do caso.

QUADRO 5.7
Vendas por Categoria de Produtos, 1993 (percentagem das vendas)

Categoria	Wal*Mart	Média da Indústria*
Linha mole (vestuário, cama, mesa e banho, tecidos)	27	35
Linha dura (ferramentas, utilidades domésticas, suprimentos automotivos)	26	24
Papelaria e doces	11	9
Artigos esportivos e brinquedos	9	9
Saúde e beleza	8	7
Presentes, discos e eletrônicos	8	9
Produtos farmacêuticos	7	2
Calçados	2	2
Joalheria	2	2
Vários (suprimentos para animais domésticos)	0	2

*A coluna não totaliza 100 devido a arredondamentos.
Fonte: Wal*Mart 10K, *Discount Merchandiser*, junho de 1994.

Distribuição

A rede de distribuição radial em duas etapas da Wal*Mart começava com um caminhão da empresa levando mercadorias até um centro de distribuição onde elas eram separadas para envio a uma loja Wal*Mart — normalmente até 48 horas depois da emissão do pedido. O processo de reposição de mercadorias se originava no ponto de venda, com informações transmitidas via satélite à sede da Wal*Mart ou a centros de distribuição de fornecedores. Cerca de 80% das compras para as lojas Wal*Mart eram despachadas dos seus 27 centros de distribuição próprios — comparados com 50% para a K-mart. O restante era entregue diretamente pelos fornecedores, que estocavam mercadorias para as lojas Wal*Mart e faturavam a empresa quando as mesmas deixavam seus depósitos. Uma técnica conhecida como "plataforma cruzada" estava sendo introduzida para transferir produtos diretamente dos veículos que entravam para os veículos destinados às lojas, permitindo que os bens fossem entregues continuamente aos depósitos, reembalados e despachados às lojas muitas vezes sem parar nos estoques. No início de 1994, cerca de 10% das mercadorias da Wal*Mart eram encaminhadas mediante essa técnica em quatro centros de distribuição com ela equipados. Em 1993, analistas estimaram que o custo logístico interno da empresa, que fazia parte do custo dos bens vendidos, equivalia a 3,7% das vendas das lojas de descontos, comparados com 4,8% das suas concorrentes diretas.[13]

Cada loja recebia em média cinco cargas totais ou parciais de caminhão por semana e, como as lojas Wal*Mart eram agrupadas, os caminhões podiam reabastecer várias delas em uma única viagem. As mercadorias devolvidas eram levadas de volta ao centro de distribuição para consolidação e, como muitos fornecedores operavam depósitos ou fábricas dentro do território da Wal*Mart, os caminhões também recebiam novos embarques na viagem de retorno. Cerca de 2.500 pessoas dirigiam a frota da empresa de mais de 2.000 caminhões, os quais rodavam com 60% de carga nas viagens de volta. Uma loja podia selecionar uma de quatro opções com relação à freqüência dos embarques e mais da metade optava por entregas noturnas. Para as lojas localizadas até uma determinada distância de um centro de distribuição também havia um plano de entregas rápidas, permitindo entregas dentro de 24 horas.

Um centro de distribuição típico tinha 90.000 metros quadrados e era operado 24 horas por dia por uma equipe de 700 associados. Era altamente automatizado e projetado para atender às necessidades de distribuição de aproximadamente 150 lojas dentro de um raio médio de 320 Km. Quando os pedidos eram tirados do estoque, um sistema computadorizado orientava os associados até os locais corretos. Em 1993, a Wal*Mart expandiu sua rede de distribuição para atender ao número crescente de lojas abrindo centros de distribuição de 90.000 metros quadrados em Wisconsin, Pennsylvania, Arizona e Utah.

Relações com Fornecedores

A Wal*Mart era conhecida como negociadora sensata. Quando fornecedores visitavam a sede da empresa em Bentonville, não eram encaminhados aos escritórios dos compradores, mas sim para uma das cerca de 40 salas de entrevistas, equipadas com apenas uma mesa e quatro cadeiras. A Wal*Mart eliminou os representantes dos fabricantes das negociações com fornecedores no início de 1992, com uma economia estimada em 3 a 4% (um assunto que os representantes tentaram, sem sucesso, levar até a Comissão Federal de Comércio). A empresa adotava a prática de ligar para seus fornecedores a cobrar e centralizava suas compras na sede central; em 1993, nenhum fornecedor isolado representava mais que 2,4% das suas compras. Ela também restringia suas compras a fornecedores que limitavam suas semanas de trabalho a 60 horas, proporcionassem condições de trabalho seguras e não utilizassem mão-de-obra infantil.

Nos primeiros tempos da Wal*Mart, um fornecedor poderoso como a Procter & Gamble (P&G) ditava quanto iria vender e a que preço. Com o tempo, à medida que a Wal*Mart cresceu, suas relações com alguns fornecedores evoluíram para parcerias, das quais um elemento-chave era a troca eletrônica de informações para melhorar o desempenho. A P&G foi uma das primeiras fabricantes a se ligar à Wal*Mart por computador, dedicando uma equipe de 70 pessoas, baseada em Bentonville, para gerenciar seus produtos para a Wal*Mart. Em 1993, a Wal*Mart havia se tornado a maior cliente da P&G, fazendo cerca de US$ 3 bilhões em compras anualmente, ou perto de 10% da receita total da P&G.

A instalação do intercâmbio eletrônico de dados (EDI) possibilitou que cerca de 3.600 fornecedores, representando aproximadamente 90% do volume da Wal*Mart, recebessem pedidos e interagissem com ela eletronicamente. Mais tarde, o programa foi expandido para incluir aplicações de previsão, planejamento, reposição e despacho. A Wal*Mart usava faturamento eletrônico com mais de 65% de seus fornecedores e transferência eletrônica de fundos com muitos deles. No final dos anos 80, alguns fornecedores-chave selecionados, como Wrangler e GE, estavam usando sistemas de estoques gerenciados pelo fornecedor para repor estoques nas lojas e depósitos da Wal*Mart. Esta transmitia dados diariamente à Wrangler, a qual os usava para gerar pedidos para várias quantidades, tamanhos e cores de jeans e planejar entregas de depósitos específicos para lojas específicas. Da mesma forma, a Wal*Mart enviava relatórios diários da posição dos estoques nos depósitos à GE Lighting, a qual os usava para planejar os níveis de estoques, gerar pedidos de compras e despachar exatamente o que era necessário quando era necessário. Em conseqüência disso, a Wal*Mart e seus fornecedores lucravam com custos reduzidos de estoques e aumento de vendas. A partir de 1990, o "elo do varejo" da Wal*Mart também deu a mais de 2.000 fornecedores acesso a dados dos pontos de vendas, por eles usados para analisar as tendências de vendas e posições de estoques dos seus produtos loja por loja. Em 1993, as despesas com os sistemas de informação da Wal*Mart equivaliam a 1,5% das vendas das lojas de descontos, comparado com 1,3% para as concorrentes diretas.[14]

Cada departamento da Wal*Mart também desenvolveu pacotes computadorizados de planejamento estratégico anual de negócios para seus fornecedores, dividindo com eles as vendas do departamento, sua lucratividade e as metas de estoques, as tendências macroeconômicas e de mercado e o foco geral de negócios da Wal*Mart. Os pacotes também especificavam as expectativas da Wal*Mart em relação a eles e solicitava suas recomendações para melhorar o desempenho da Wal*Mart, assim como deles mesmos. O pacote de planejamento para um departamento chegava a ter 60 páginas.

Entretanto, nem todas as relações da Wal*Mart com fornecedores eram bem-sucedidas. Um desses casos foi a Gitano. Em 1991, a Wal*Mart respondia por 26% das vendas da Gitano de US$ 780 milhões e forçou a empresa a melhorar seu recorde de mais de 80% de entregas no prazo e sem defeitos. Não atingindo o objetivo, apesar de um grande esforço, essa empresa sofreu um prejuízo de US$ 90 milhões com reestruturação e desvalorizações de estoques em 1992, vendo ainda suas ações despencar, em menos de um ano, de US$ 18 para US$ 3.[15]

Gerenciamento de Recursos Humanos

A Wal*Mart era reconhecida como uma das 100 melhores empresas para se trabalhar na América. Ela empregava 528.000 pessoas em tempo integral e parcial e era a maior empregadora depois do governo federal e da General Motors. A empresa não era sindicalizada e 30% do pessoal trabalhavam em tempo parcial. A cultura da Wal*Mart enfatizava o papel vital dos associados, que eram mais motivados por responsabilidade e reconhecimento do que seus colegas de outras cadeias de varejo. As informações e idéias eram compartilhadas: em cada loja os associados conheciam as vendas, os lucros, giros de estoques e as remarcações de preços. De acordo com Glass, "não há superastros na Wal*Mart. Somos uma empresa de pessoas comuns que realizam muito".[16] Os fornecedores reconheciam que os associados estavam totalmente comprometidos com a empresa: "A Wal*Mart é uma operação enxuta gerenciada por pessoas extremamente dedicadas", disse um executivo de um grande fabricante. "É muito estimulante estar perto dessas pessoas. Elas vivem para trabalhar para a glória da Wal*Mart. Isto pode parecer bobagem, mas é incrível. Nosso pessoal de produção, distribuição e *marketing* que visita a Wal*Mart não consegue acreditar".[17]

O treinamento na Wal*Mart era descentralizado. Os seminários gerenciais eram oferecidos nos centros de distribuição e não na sede central, expondo os gerentes das lojas à rede de distribuição. E, antes da inauguração de uma loja, os novos associados eram treinados por 10 a 12 gerentes assistentes trazidos de outras lojas. Além disso, a Wal*Mart instituiu muitos programas para envolver os associados na empresa. No programa de sugestões "Sim, Nós Podemos Sam", os associados sugeriam maneiras para simplificar, melhorar ou eliminar trabalho. Mais de 650 sugestões foram implementadas em 1993, resultando em economias estimadas em mais de US$ 85 milhões. A Wal*Mart também começou a enfatizar, em 1986, o conceito de "loja dentro da loja" para apoiar, reconhecer e recompensar associados no gerenciamento de suas áreas de responsabilidade. Pelo programa, os gerentes de departamentos tornaram-se gerentes de suas próprias "lojas dentro da loja" e, em muitos casos, as vendas das áreas excediam US$ 1 milhão. Finalmente, o "plano de incentivo contra furtos" dava aos associados bônus anuais se sua loja mantivesse os furtos abaixo da meta da empresa. O custo derivado de furtos era estimado em 1,7% das vendas das lojas em 1993, abaixo da média de 2% para nas concorrentes diretas.[18]

Gerentes e supervisores eram remunerados com salários, com um incentivo variável baseado nos lucros da loja. Os administradores de lojas podiam ganhar mais de US$ 100.000 por ano. Os gerentes assistentes, que ganhavam de US$ 20.000 a US$ 30.000 anuais, eram transferidos em média a cada 24 meses para atender às exigências de crescimento da empresa. Por exemplo, uma pessoa de Oklahoma que gerenciasse uma loja na Califórnia era transferida oito vezes em dez anos de empresa.[19] Outros membros das equipes das lojas eram horistas, com bônus de incentivo concedidos de acordo com a produtividade e lucratividade da empresa. Os associados em tempo parcial que trabalhavam pelo menos 28 horas semanais recebiam benefícios de assistência médica.

A participação nos lucros tornava-se disponível para os associados depois de um ano de casa. Com base no crescimento dos ganhos, a Wal*Mart contribuía com uma percentagem do salário de cada associado com direito para sua conta de participação, cujo saldo o associado poderia receber, caso deixasse a empresa, em dinheiro ou em ações. A empresa acrescentou, desde 1978, US$ 727 milhões aos planos de participação dos funcionários nos lucros, ou 8% da renda líquida, 80% dos quais eram investidos em ações da Wal*Mart por um comitê de associados. Pela participação nos lucros, alguns funcionários haviam conseguidos ganhos consideráveis. Os US$ 8.000 de um associado do escritório geral cresceram para US$ 228.000 entre 1981 e 1991. Um associado horista, que ganhava o salário mínimo de US$ 1,65 por hora quando começou em 1968, recebeu US$ 200.000 de participação quando se aposentou em 1989 ganhando US$ 8,25 por hora. Um motorista de Bentonville, que entrou na empresa em 1972, tinha US$ 707.000 de participação nos lucros em 1992.[20] A Wal*Mart também oferecia aos associados um plano de compra de ações ordinárias, pagando 15% das compras de ações até US$ 1.800 anuais. Cerca de 60% dos associados da empresa participavam do plano.

A recente queda no valor das ações da Wal*Mart era o problema mais visível que Glass e Soderquist precisavam enfrentar. "Há muita pressão por desempenho sobre os gerentes", explicou Soderquist. "Temos muita responsabilidade perante nossos associados. Neste momento, achamos que as ações representam uma grande oportunidade para compra. Tudo que temos de fazer é trabalhar duro e as ações cuidarão de si mesmas".[21] Durante uma transmissão via satélite a toda a empresa para explicar aos associados por que as ações da Wal*Mart estavam em baixa, Soderquist destacou que a maioria das pessoas não estava planejando vender suas ações no dia seguinte e garantiu que o preço das ações iria, com o tempo, refletir o desempenho da empresa.

Administração

Com poucas exceções, a equipe gerencial da Wal*Mart era composta por executivos com idades variando entre pouco mais de 40 e pouco mais de 50 anos, que haviam começado a trabalhar para a empresa depois do segundo grau ou da universidade. David Glass, o presidente, era um dos poucos que haviam começado a trabalhar fora da empresa, para a Consumers Markets em Missouri. Ele entrou na Wal*Mart em 1976 como vice-presidente executivo de finanças e tornou-se o diretor financeiro. Em 1984, Walton tinha engendrado uma troca de cargos entre Glass, então diretor financeiro, e Jack Shewmaker, o presidente. Glass era conhecido por sua orientação operacional e havia contribuído muito para o sofisticado sistema de distribuição da empresa. Don Soderquist, diretor de operações da Wal*Mart desde 1987, entrou na empresa em 1980, depois de deixar seu cargo de presidente da Ben Franklin Variety Stores em Chicago.

O estilo administrativo de Glass, como o de Walton, enfatizava a frugalidade. "Ele é um dos homens mais sovinas sobre a face da terra", disse um vice-presidente executivo da Wal*Mart.[22] Glass alugava carros subcompactos e dividia quartos de hotel com outros executivos da empresa quando viajava. Na sede da empresa, ele pagava por seu copo de café como todos os outros. Isso não significava que não fosse um homem muito rico — seu 1,5 milhão de ações da Wal*Mart valia US$ 82 milhões em 1992. Entretanto, desde que sofrera um ataque cardíaco em 1983, Glass procurava limitar o excesso de horas no trabalho.

Glass viajava dois ou três dias por semana, visitando lojas. Como visitar cada uma delas uma vez por ano era impossível, usava o satélite da empresa para conversar com funcionários em todo o país. Quinze vice-presidentes regionais, operando a partir de Bentonville, passavam cerca de 200 dias por ano também visitando lojas. Eles chefiavam um grupo de 11 a 15 gerentes distritais, que por sua vez se encarregavam de 8 a 12 lojas. As visitas às lojas começavam cedo na manhã de segunda feira, quando vice-presidentes regionais, compradores e de 50 a 60 executivos corporativos embarcavam na frota de 15 aviões da empresa. Eles procuravam retornar a Bentonville na quarta ou quinta feira "com pelo menos uma idéia que pagasse a viagem". Acreditava-se que o fato de a Wal*Mart não operar escritórios regionais poupava à empresa cerca de 2% das vendas por ano.

A reunião semanal sobre mercadorias ocorria na manhã de sexta-feira. Glass disse que nas reuniões ele "forçava o grupo a falar a respeito de como itens individuais estão vendendo em lojas individuais".[23] De acordo com ele, "todos nós vamos lá e gritamos uns com os outros e discutimos, mas a regra é que devemos resolver as questões antes de sair".[24] Com freqüência, pessoas de fora eram convidadas para a reunião, inclusive Jack Welch, diretor-presidente da GE, que observou: "Todos lá têm paixão por idéias e as idéias de todos têm valor. A hierarquia não importa. Eles põem 80 pessoas numa sala e aprendem a lidar uns com os outros sem estrutura. Já estive lá três vezes. Toda vez que você vai àquele lugar em Arkansas, pode voar de volta a Nova York sem avião".[25]

Na manhã seguinte, às 7 horas toda a equipe gerencial da Wal*Mart e os associados do escritório central, juntamente com amigos e parentes, reuniam-se no auditório para o encontro dos sábados, que combinava entretenimento informal com negócios sérios com o objetivo de trocar informações e reanimar as tropas. Don Soderquist, com freqüência vestindo calças jeans e uma vistosa camisa de flanela, falava sobre resultados regionais, dados de participação de mercado e números semanais e trimestrais para as divisões, e os vice-presidentes regionais falavam sobre o desempenho de novas lojas. Um grande quadro mostrava as economias que os clientes diziam ter obtido por comprar na Wal*Mart desde 1962: cerca de US$ 12 bilhões em junho de 1993. Entretanto, nenhuma realização era pequena demais e as saudações surgiam por várias razões: as compras de ações por associados estavam em alta, três associados haviam completado 10 anos de casa ou o item especial da semana estava vendendo bem em determinadas lojas Wal*Mart. Os convidados incluíam astros do futebol, cantores e comediantes. Na manhã da segunda-feira, as decisões eram implementadas nas lojas e o processo recomeçava.

DIVERSIFICAÇÃO

No início dos anos 80, a Wal*Mart começou a testar vários novos formatos além da loja original. Ela abriu os três primeiros Sam's Clubs em 1983 e, pouco depois, a primeira Deep Discount Drugstore (Drogaria de Grandes Descontos) em Iowa e uma loja Helen's Arts and Crafts (Artes e Ofícios da Helen) em Missouri, que recebeu o nome da mulher de Sam Walton. A Wal*Mart vendeu suas três lojas Helen's em 1988 e as 14 drogarias em 1990.

Em 1987, a Wal*Mart abriu seu primeiro supercentro e duas lojas Hypermart USA, tomando emprestado o conceito de hipermercado da França, onde ele surgiu nos anos 60. Um hipermercado era uma loja que combinava mercearia com mercadorias em geral de mais de 20.000 metros quadrados, que trabalhava com 20.000-30.000 itens e tinha margens brutas de 13 a 14%. Baseada naquilo que aprendeu com seu experimento com hipermercados, a Wal*mart abandonou o formato em favor dos supercentros menores.

Em 1991, a Wal*Mart adquiriu a Western Merchandisers — uma distribuidora atacadista de discos, vídeos e livros — e a Phillips Companies, a qual operava 20 mercearias em Arkansas. A empresa também desenvolveu uma cadeia de *outlets* denominada Bud's, o nome do irmão mais velho de Sam Walton. Uma loja Bud's, que gerava de US$ 6 a US$ 7 milhões de vendas anuais, era montada no local de uma antiga loja de descontos Wal*Mart quando esta precisava mudar para ser ampliada. Cerca de 20% das mercadorias da Bud's eram excedentes da Wal*Mart e as restantes estavam danificadas ou fora de linha e eram enviadas diretamente dos fornecedores.

Sam's Clubs

Os clubes de depósitos, dos quais a Price Club foi a pioneira nos anos 70, usavam mercadorias de alto volume e baixo custo, minimizavam os custos de manuseio, alavancavam seu poder de compra e repassavam as economias aos membros, com margens brutas de 9 a 10%. Um número limitado de unidades em estoque (SKUs) resultava em alta taxa de giro de estoque. O estoque era financiado essencialmente através de créditos com fornecedores (até 80 ou 90% em alguns casos), resultando em necessidades mínimas de capital de giro. As taxas pagas pelos membros constituíam cerca de dois terços dos lucros operacionais. O primeiro Sam's Club abriu no início dos anos 80 e, em menos de quatro anos, as vendas da Sam's Club haviam superado as da Price Club, fazendo dela o maior clube de depósitos do país. Em 1993, a Sam's Club era quase duas vezes maior que a Price Club.

A filosofia operacional da Sam's Club era de oferecer um número limitado de SKUs (cerca de 3.500, contra quase 30.000 para uma loja de descontos) em grandes quantidades em um prédio tipo depósito, totalmente despojado. Mercadorias de boas marcas eram oferecidas a preços de atacado aos membros (70% dos quais eram empresas) para uso próprio ou revenda aos clientes deles. A Sam's era dirigida por uma equipe separada de gerentes e muitas vezes tinha lojas perto de lojas Wal*Mart. Em conjunto as lojas geravam vendas de US$ 80 a US$ 140 milhões anuais. Embora o cartão Discover fosse aceito, a Sam's era, na maior parte dos casos, uma operação de pagamento à vista. Os membros, pessoas físicas ou jurídicas, pagavam uma anuidade de US$ 25. Das pessoas jurídicas, era exigida a licença estadual ou municipal de funcionamento. Os membros individuais vinham de grupos como governo federal, escolas e universidades, empresas de serviços públicos, hospitais e acionistas da Wal*Mart. As lojas operavam sete dias por semana e, ao contrário das lojas Wal*Mart, recebiam cerca de 70% das suas mercadorias diretamente dos fornecedores, vindo as restantes dos centros de distribuição da empresa.

As vendas da Sam's Club cresceram 19,5% em 1993 (comparadas com 31% em 1992), o maior crescimento das cadeias de clubes de depósitos (ver no Quadro 5.8, p. 255, os maiores clubes por volume). Analistas da indústria estimavam para 1993 que a margem bruta da Sam's Club seria de 9,4%, suas despesas de 8,4% e sua margem operacional de 3%, contra 3,2% em 1992.[26] As vendas da Sam's representavam 39% do volume da indústria em 1993 — contra 36% em 1992. Entretanto, pela primeira vez, as vendas das lojas caíram 3% em relação a 1992. Projetava-se que as vendas do setor de clubes de depósitos cresceriam até US$ 40,5 bilhões em 1994 — contra $ 37,5 bilhões em 1993, quando a maior parte do crescimento veio dos clubes "preenchendo" seus mercados existentes, em vez de entrar em novos mercados. A Sam's optou por canibalizar suas próprias vendas abrindo clubes próximos uns dos outros em muitos mercados para não dar espaço aos concorrentes.

QUADRO 5.8
Maiores Clubes de Depósitos por Vendas em 1993 (milhões de dólares)

Cadeia		Vendas			Número de Lojas			Tamanho Médio das Lojas (000 m²)
		1993	**1992**	**1991**	**1993**	**1992**	**1991**	
Sam's Club	AR	14.749	12.339	9.430	319	256	208	12
Price Club*	CA	7.648	7.320	6.598	96	81	69	11
Costco	WA	7.506	6.500	5.215	122	100	82	11
PACE†	CO	4.000	4.358	3.646	100	114	87	10
BJ's Wholesale Club	MA	2.003	1.787	1.432	52	39	29	11
Smart & Final	CA	837	765	663	135	129	116	1,5
Mega Warehouse Foods	AZ	409	293	248	46	22	15	1,0
Warehouse Club	IL	215	233	250	10	10	10	9
Wholesale Depot	MA	150	200	100	11	8	4	6
Source Club‡	MI	—	10	NA	7	3	0	9
Total do setor		37.517	33.805	27.582	898	762	620	—

NA = não-aplicável.
*Price Club e Costco fundiram-se em outubro de 1993. Ano fiscal terminou em 29/8/93.
†K-mart vendeu 14 PACE Clubs à Wal*Mart em junho de 1993, mais 91 em janeiro de 1994 e fechou os restantes.
‡Meijer anunciou em dezembro de 1993 que planejava fechar seus 7 Source Clubs para liberar recursos para seus supercentros.
Fontes: Discount Store News, 4 de julho de 1994 e 5 de julho de 1993; relatórios anuais das empresas.

O excesso de capacidade havia gerado intensa concorrência no setor e esperava-se que sua consolidação continuasse. Em 1991, a Wal*Mart adquiriu The Wholesale Club, que operava 28 *outlets* de vendas no Meio Oeste, e começou a remodelar as unidades e incorporá-las à rede Sam's Club. Em outubro de 1993, a Price Company e a Costco Wholesale Corporation se fundiram para formar a cadeia PriceCostco Inc., com 206 lojas. No final de 1993, a Sam's Club adquiriu 99 dos 113 PACE Clubs da K-mart, entrando, com isso, no Alasca, Arizona, Rhode Island, Utah e Washington e expandindo sua presença no enorme mercado varejista da Califórnia. Para a K-mart, a venda marcou um grande passo em seu plano para abandonar as lojas de especialidades e concentrar-se nas lojas de descontos.

Supercentros

Um supercentro era uma combinação de supermercado e loja de descontos com 10.000 a 12.000 metros quadrados (o Quadro 5.9, p. 256, mostra o leiaute de um supercentro). Ao contrário dos supermercados, que trabalhavam com um grande sortimento de produtos, os supercentros ofereciam tamanhos e marcas limitados para manter os custos baixos. Além disso, com freqüência eles têm padarias, delicatessen e lojas de conveniência como estúdios e laboratórios fotográficos, lavanderias, óticas e cabeleireiros. Um supercentro Wal*Mart tinha um quadro de cerca de 450 associados, 70% dos quais trabalhando em tempo integral. Havia perto de 30 caixas registradoras e as lojas abriam 24 horas, sete dias por semana. No início de 1993, a Wal*Mart tinha 30 supercentros em operação, com vendas de US$ 1 bilhão, e, no final do ano, tinha 68 supercentros, com vendas de US$ 3,5 bilhões.

QUADRO 5.9
Supercentro Wal*Mart — Leiaute de Loja

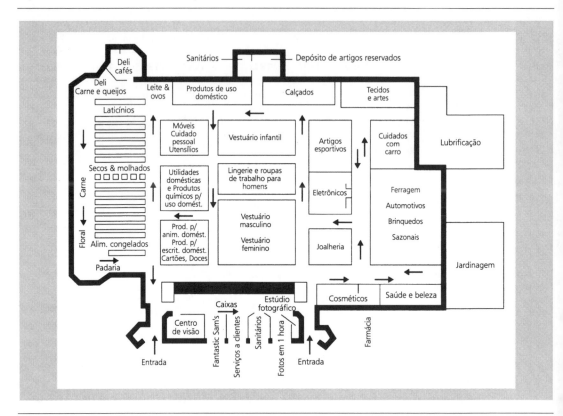

Fonte: Salomon Brothers, janeiro de 1993.

A seção de mercearia de um supercentro concorria pela venda de alimentos com supermerca-dos, lojas de alimentos independentes, varejistas de descontos e clubes de depósitos. O varejo de alimentos era um setor de US$ 380 bilhões em 1993, composto por operadores locais e regionais e não por cadeias nacionais (ver no Quadro 5.10, p. 257, a posição financeira das 10 maiores cadeias de supermercados). Duas décadas antes, as lojas independentes respondiam por 42% das vendas de supermercados e em 1992 somente por 29%. As margens operacionais na indústria eram extrema-mente baixas — um supermercado típico tinha sorte quando conseguia uma margem de lucro de 2% (ver no Quadro 5.11, p. 257, a lucratividade de supermercados *versus* supercentros). Os depar-tamentos especializados, como padarias, lojas de frutos do mar, floriculturas e delicatessen, aumen-tavam o tráfego de clientes e ofereciam margens altas de 35 a 40%. Em 1993, os varejistas de descontos e clubes de depósitos venderam quase US$ 20 bilhões em alimentos, contra US$ 16,3 bilhões em 1992, e cerca de 15% dos supermercados vendiam mercadorias em geral, além de ali-mentos. Esses supermercados combinados, ou "superlojas", tinham de 4.000 a 6.000 metros qua-drados, com cerca de 25% do espaço dedicado a mercadorias não-alimentos. As empresas de supermercados estavam abrindo mais lojas combinadas do que unidades convencionais. As vendas de mercadorias em geral (inclusive saúde e beleza) nas lojas combinadas quase dobraram entre 1985 e 1993, quando chegaram a US$ 12,2 bilhões, e o número de lojas cresceu 42%, indo de 2.667

QUADRO 5.10
Dez Maiores Supermercados por Vendas em 1993 (milhões de dólares)

Cadeia		Vendas			Média 5 Anos*		1993	
		1993	**1992**	**% Mudança**	**RSP**	**CV**	**RSV**	**Margem Bruta**
Kroger	OH	22.384	22.145	1,1	NE	4,5	0,7	23,6
Safeway Stores	CA	15.214	15.152	0,4	NE	NS	0,6	27,2
American Stores	UT	14.400	14.500	(0,7)	14,2	5,3	1,3	26,4
Albertson's	ID	11.284	10.174	10,9	24,0	10,8	2,9	24,7
Winn-Dixie	FL	10.832	10.337	4,8	23,2	3,8	2,2	22,6
A&P	NJ	10.384	10.499	(1,1)	4,7	2,7	def	30,8
Food Lion	NC	7.610	7.196	5,8	28,5	19,3	1,4	19,6
Publix†	FL	6.800	6.600	3,0	ND	ND	ND	ND
Ahold USA	NJ	6.615	6.323	4,6	22,1	6,8	ND	ND
Vons	CA	5.075	5.596	(9,3)	14,4	10,9	0,8	27,2

NE: Negativo.
NS: Não-significativo — isto é, a empresa perdeu dinheiro em mais de um ano.
ND: Não-disponível.
RSP: Retorno sobre Patrimônio.
RSV: Retorno sobre Vendas.
CV: Crescimento das Vendas.
def: déficit.
*1993 ou últimos 5 anos.
†Empresa de capital fechado.
Fontes: *Stores*, julho de 1994; *Forbes*, 3 de janeiro de 1994; *Value Line;* relatórios anuais das empresas.

QUADRO 5.11
Lucratividade de Supercentros

	Supermercado Médio (4.000 m²)	Supercentro Wal*Mart (14.000 m²)
Investimento		
Instalações	$ 1.400.000	$ 2.100.000
Capital de giro	500.000	2.000.000
Despesas pré-operacionais	200.000	600.000
Investimento total	$ 2.100.000	$ 4.700.000
Estatísticas Operacionais Projetadas		
Vendas	$ 20.000.000	$ 50.000.000
Lucro operacional	700.000	3.100.000
Margem de Lucro operacional	3,5%	6,2%
Lucro operacional/investimento	33,3%	66,0%

Fonte: *Supermarket News*, 4 de maio de 1992.

para 3.786. Previa-se que as vendas de alimentos fora dos supermercados, que representaram 5% do total das vendas de alimentos em 1993, dobrassem até 1996.[27]

O formato do supercentro havia produzido um crescimento impressionante, com as vendas saltando de US$ 11,8 bilhões em 1992 para US$ 14,6 bilhões em 1993. A Meijer e a Fred Meyer continuavam a liderar o campo respectivamente em vendas e número de lojas, embora os analistas esperassem que elas permanecessem regionais (ver no Quadro 5.12 uma lista das maiores cadeias de supercentros). Os alimentos, que tipicamente representavam 40% das vendas, eram o ingrediente-chave para o sucesso de uma operação de descontos/mercearia, devido ao grande tráfego que geravam. Em geral, os lucros provinham de mercadorias em geral com margens mais altas. No final de 1993, a K-mart tinha 19 lojas combinadas, conhecidas como Super K-marts. Ela planejava abrir mais 55 Super K-marts em 1994 e via potencial para várias centenas a mais ao longo dos anos seguintes. A empresa estava desviando grande parte dos seus investimentos da remodelação de lojas K-mart antigas para a construção de novas Super K-marts, cada uma das quais substituía uma ou mais lojas de descontos tradicionais em um mercado. A K-mart supria seus supercentros através de dois atacadistas de alimentos, Fleming e Super Valu, e não tinha planos para construir uma rede de distribuição de alimentos. Pouco antes, a Target também havia anunciado que iria abrir supercentros em 1995.

A Wal*Mart estava testando vários tamanhos de supercentros, cobrindo 10.000, 12.000, 15.000 metros quadrados e a maior, que combinava uma seção de mercearia de 5.400 metros quadrados com uma seção de descontos de 11.700 metros quadrados. A seção de mercearia oferecia cerca de 17.000 SKUs de alimentos (inclusive uma linha própria recém-lançada, "Great Value", de aproximadamente 500 itens), e a seção de descontos cerca de 60.000 SKUs de itens não-alimentícios. De acordo com analistas do setor, os supercentros Wal*Mart estavam "em busca de um lucro igual ou superior a US$ 555 por metro quadrado, o qual não está perto de ser atingido por qualquer outra grande varejista, com exceção da Toys 'R' Us".[28] Os primeiros supercentros da Wal*Mart estavam localizados em cidades pequenas no Arkansas, Missouri e Oklahoma, onde substituíram as lojas de

QUADRO 5.12
Dez Maiores Cadeias de Supercentros por Vendas em 1993 (milhões de dólares)

Cadeia		Vendas			Número de Lojas			Tamanho Médio das Lojas (m²)
		1993	1992	1991	1/93	1/93	1/92	
Meijer	MI	5.480	5.043	4.400	75	69	65	20.000
Wal*Mart*	AR	3.500	1.500	600	68	34	10	16.000
Fred Meyer	OR	2.932	2.809	2.702	97	94	94	12.000
Smitty's†	AZ	678	650	580	28	26	24	10.000
Bigg's	OH	500	449	350	7	7	6	20.000
Super K-mart Centers	MI	500	313	255	17	4	6	15.000
Big Bear Plus	OH	290	280	190	12	12	9	11.000
Twin Valu	MN	115	110	110	3	2	2	7.000
Laneco	PA	115	110	100	16	15	14	7.000
Holiday Mart	HI	100	100	100	3	3	3	9.000

*Inclui quatro Hypermart USA.
†Inclui as cadeias de supermercados Smitty's e Xtra.
Fontes: Discount Store News, 4 de julho de 1994; relatórios anuais das empresas.

descontos Wal*Mart mais antigas, atraindo clientes de até 90 quilômetros em torno e aproveitando a familiaridade da Wal*Mart e sua imagem de baixos preços.

Em 1990, a Wal*Mart comprou a McLane Company, uma fornecedora de mercearias do Texas, para atender aos seus supercentros e Sam's Clubs. Em 1993, a McLane tinha 16 centros de distribuição, os quais supriam lojas de conveniência e mercearias em todo o país. Seus depósitos no Arkansas e no Texas, abertos em 1993, tinham cada um 6.800 metros quadrados e podiam suprir de 80 a 90 supercentros. Em 1993, as vendas da McLane cresceram 37%, chegando perto de US$ 4 bilhões. Analistas do setor estimavam que a margem bruta da distribuidora fosse de 9% em 1993, suas despesas equivalentes a 7,5% e a margem operacional 1,5%.[29]

Uma incerteza persistente era se a Wal*Mart poderia conquistar participação de mercado no setor de supermercados com a mesma facilidade que entrou no setor de varejo de descontos. A capacidade dos supercentros para cobrar mais barato que os supermercados de cidades pequenas era reduzida pelas margens de 1 a 2% com as quais o setor já operava. Várias cadeias haviam começado a oferecer embalagens maiores no esforço de combater os clubes de depósitos e a maioria tinha linhas de marcas próprias, as quais geravam margens maiores, tinham embalagens atraentes e preços menores que as grandes marcas. Também as cadeias existentes de mercearias estavam defendendo sua participação de mercado: a Supermarkets General planejava expandir os supercentros da sua cadeia Pathmark, com 147 lojas, na região nordeste. E a Kroger, com sede em Cincinnati, que tinha mais de 1.270 lojas e competia de frente com a Wal*Mart em meia dúzia de áreas, pretendia investir US$ 130 milhões em tecnologia da informação para reduzir, entre outros, os custos de distribuição.[30]

Expansão Internacional

A perspectiva da Wal*Mart sobre crescimento futuro era decididamente global. Glass acreditava que a empresa não poderia ignorar a emergente economia mundial e disse aos executivos, em recente reunião regional, que, se eles não pensassem em termos internacionais, estavam trabalhando na empresa errada.[31] Entretanto, a direção da empresa não sabia se os formatos da Wal*Mart teriam sucesso fora dos Estados Unidos. Em 1992, a Wal*Mart formou um empreendimento conjunto com a Cifra S.A., a maior varejista do México, para testar vários formatos de varejo no México, seu primeiro mercado internacional e, no final de 1994, esperava estar operando 63 lojas em áreas metropolitanas como Cidade do México, Monterrey e Guadalajara — as quais incluíam 22 Sam's Clubs e 11 supercentros —, com planos para ter mais de 100 lojas até o final de 1995. A PriceCostco e a K-mart também operavam no México com parceiros varejistas locais — no final de 1994, a PriceCostco planejava ter 11 clubes de depósitos, com outros esperados em 1995, e a K-mart planejava abrir cinco lojas.

Em março de 1994, a Wal*Mart entrou no Canadá, comprando 122 lojas Woolco da Woolworth, Corporation (com vendas por metro quadrado de US$ 800) e imediatamente começou a convertê-las para seu próprio formato — renovando-as e retreinando quase 16.000 funcionários da Woolco. A Wal*Mart também deu às empresas canadenses a oportunidade para suprir as lojas locais por meio de um programa "Compre o Canadá", desde que elas respeitassem seus padrões para atendimento, entregas no prazo e preços. Em conjunto com os recém-adquiridos PACE Clubs nos Estados Unidos, as lojas Woolco acrescentaram US$ 900 milhões às vendas no primeiro trimestre de 1994, mas não deram lucros.

A Wal*Mart planejava entrar na América do Sul em 1995, com suas primeiras lojas no Brasil e Argentina, os maiores mercados consumidores do continente, onde seus concorrentes seriam varejistas baseados na Europa — Carrefour e Makro. E na Ásia, com a K-mart planejando abrir duas lojas em Cingapura em 1994, os analistas acreditavam que a Wal*Mart estava analisando empreendimentos em Hong Kong antes de entrar nos vastos e regulamentados mercados da China. Naquele país, ela iria concorrer com as cerca de 280.000 estatais que controlavam 40% das vendas no varejo, estimadas em US$ 188 bilhões em 1994. Os analistas acreditavam que o potencial internacional de vendas da Wal*Mart estava em US$ 100 bilhões.[32]

PANORAMA PARA O FUTURO

Glass e Soderquist reconheciam que aquela Wal*Mart era diferente da empresa que Sam Walton havia deixado. Seu enorme tamanho e a economia estagnada do início dos anos 90 representavam desafios que Walton não havia enfrentado. Havia pressão adicional sobre Glass porque ele era o sucessor do fundador de uma empresa popular. "Não se pode substituir Sam Walton", disse Glass, "mas ele preparou a empresa para funcionar bem, quer ele esteja ou não presente".[33] A maior prioridade de Glass era manter o máximo possível de comunicação com os associados da Wal*Mart.

Vários desafios públicos também preocupavam a Wal*Mart no início de 1994: grupos crescentes de oposição em pequenas cidades acusavam a Wal*Mart de forçar os comerciantes locais a fechar seus negócios. Em Vermont, os planos para a construção da primeira loja do estado haviam ficado retidos nos tribunais por mais de dois anos. E em 1993, três farmácias independentes processaram com sucesso a Wal*Mart por precificar itens farmacêuticos abaixo do custo em seu supercentro em Conway, Arkansas. Ordenou-se que a empresa parasse de vender abaixo do custo; esta planejava apelar contra o que considerava ser uma decisão "contra os consumidores". Um processo semelhante estava pendente em outra parte do Arkansas (a Wal*Mart havia perdido um caso relativo a preços em 1986 em Oklahoma e fez um acordo extrajudicial durante o prazo para recurso, concordando em elevar os preços no estado). Além disso, a Target estava combatendo as comparações de preços da Wal*Mart em anúncios que afirmavam que os preços desta com freqüência estavam errados, notando que "isso nunca teria acontecido se Sam Walton estivesse vivo". A Wal*Mart retorquiu que ainda mantinha e seguia as políticas de Sam Walton e que a Target simplesmente estava errada.

Glass resumiu os novos desafios enfrentados pela Wal*Mart: "Por muitos anos, evitamos erros estudando as empresas maiores que nós — Sears, Penney, K-mart. Hoje, não temos a quem estudar . . . Quando éramos menores, éramos o azarão, o desafiante. Quando você é o número um, você é o alvo. Você não é mais o herói".[34]

NOTAS

1. Duas outras grandes cadeias de descontos também começaram em 1962: K-mart e Target.
2. *Forbes*, 16 de agosto de 1982, p. 43.
3. Sam Walton com John Huey, *Sam Walton, Made in America* (Nova York: Bantam Books, 1992).
4. *Business Week*, 5 de novembro de 1979, p. 145.
5. Idem, p. 146.
6. George C. Strachan, "The State of the Discount Store Industry", Goldman Sachs, 6 de abril de 1994.
7. Walton, *Made in America*.
8. Idem.
9. Management Ventures, Inc.
10. Strachan, "Discount Industry".
11. Emily DeNitto, "In Dry Grocery, Wal*Mart Sees Selective Success", *Supermarket News*, 4 de maio de 1992.
12. Management Ventures, Inc. Inclui arrendamento, aluguel e depreciação.
13. Management Ventures, Inc.
14. Management Ventures, Inc.
15. *Business Week*, 21 de dezembro de 1992.
16. Wendy Zellner, "OK, So He's Not Sam Walton", *Business Week*, 16 de março de 1992.
17. *Supermarket News*, 4 de maio de 1992.
18. Management Ventures, Inc.
19. Bill Saporito, "A Week Aboard the Wal*Mart Express", *Fortune*, 24 de agosto de 1992.
20. Walton, *Made in America*.
21. Jay L. Johnson, "We're All Associates", *Discount Merchandiser*, agosto de 1993.
22. Zellner, *Business Week*, 16 de março de 1992.
23. Idem.
24. *Fortune*, 24 de agosto de 1992.
25. Bill Saporito, "What Sam Walton Taught America", *Fortune*, 4 de maio de 1992.
26. Strachan, "Discount Industry".
27. *Discount Merchandiser*, abril de 1994.
28. Wendy Zellner, "When Wal*Mart Starts a Food Fight, It's a Doozy", *Business Week*, 14 de junho de 1993.
29. Strachan, "Discount Industry".
30. Zellner, *Business Week*, 14 de junho de 1993.
31. *Discount Store News*, 20 de junho de 1994.
32. Idem, 5 de setembro de 1994.
33. Zellner, *Business Week*, 16 de março de 1992.
34. Ellen Neuborne, "Growth King Running into Roadblocks", *USA Today*, 27 de abril de 1993.

CASO 6

De Beers Consolidated Mines Ltd. (A)

A De Beers Consolidated Mines Ltd. havia controlado o suprimento da maior parte dos diamantes brutos do mundo desde sua constituição em 1888. Mas, em janeiro de 1983, ela enfrentava demanda estagnada, suprimento excessivo e desafios de fornecedores vitais. Entre 1980 e 1982, as receitas da De Beers com a distribuição de diamantes caíram em mais de 50%, seus lucros relativos a diamantes sofreram uma redução de 75% e a pilha de diamantes mantidos por seu braço de distribuição, a Central Selling Organization (CSO), havia quase dobrado (ver no Quadro 6.1, p. 264, dados financeiros mais completos). Em 1983, inúmeros relatos davam conta de que a estrutura da De Beers estava à beira do colapso. O presidente do conselho, Harry Oppenheimer, cuja família controlava a empresa havia mais de meio século, deveria se aposentar, mas decidiu não fazê-lo até que a empresa pisasse terreno sólido. Este caso descreve a evolução do suprimento e demanda para diamantes brutos do ponto de vista da De Beers, bem como os desafios enfrentados pela empresa no início dos anos 80.

OFERTA

Os diamantes são formados de carbono que foi sujeito a altas pressões e temperaturas. Até a segunda metade do século XIX, eles eram cavados em leitos de rios: primeiro na Índia, depois no Brasil. Mais tarde descobriu-se que esses depósitos de aluvião resultavam da erosão de *tubos de kimberlite*, formações de rochas com forma de copinhos de sorvete que a atividade vulcânica havia empurrado para a superfície da terra de profundidades que podiam exceder 160 Km. A mineração dos tubos de kimberlite tendia a exigir muito mais capital que a dos depósitos rasos de aluvião. Portanto, eles precisavam conter maiores concentrações de diamantes para justificar sua exploração. Dos vários milhares de ocorrências de kimberlite conhecidas em 1982, somente de 40 a 50 eram consideradas

Toby Lenk preparou este caso sob a supervisão do professor Pankaj Ghemawat como base para discussão em classe e não para ilustrar a abordagem eficaz ou não, de uma situação administrativa.

QUADRO 6.1
Vendas, Lucros e Estoques da De Beers

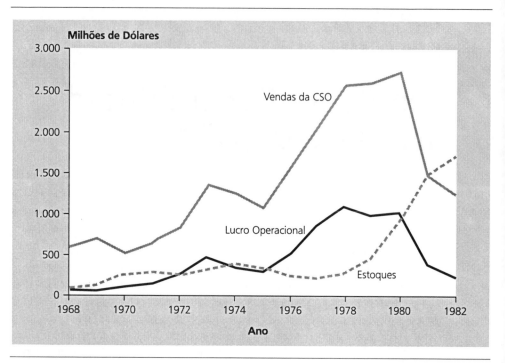

Fonte: Relatórios anuais.

comercialmente viáveis ou quase; destas, dois terços já estavam em produção. As minas de kimberlite normalmente duravam de 10 a 30 anos, embora sua vida pudesse ser estendida, dependendo dos índices de extração e do tamanho, em até 10 anos. Esperava-se que sua participação no suprimento mundial de diamantes crescesse de 60% em 1982 para 70% até 1990.

Os primeiros tubos de kimberlite haviam sido descobertos em 1867 na África do Sul. A descoberta provocou a grande corrida sul-africana aos diamantes da década de 1870, no decorrer da qual milhares de garimpeiros demarcaram terras para minerar. Eles precisavam de bombas para expelir a água dos poços que cavavam. Cecil Rhodes garantiu o monopólio do fornecimento de bombas, passou a aumentar seus preços e começou a receber terras em pagamento. Em 1880, ele havia consolidado uma grande quantidade de lotes em torno daquela que tinha sido a fazenda da família De Beers, e registrou a De Beers Mining Company.

O valor das propriedades de Rhodes foi reduzido pela rápida expansão da oferta sul-africana e o conseqüente excesso de oferta, que fez com que os preços dos diamantes caíssem mais de 75% em relação ao pico anterior a 1875. Rhodes concluiu que, para restaurar a disciplina dos preços, ele precisava controlar a mais rica mina sul-africana, em Kimberley (origem do nome dos tubos de kimberlite). Barry Barnatto, que também havia começado atendendo mineiros no início da década de 1870 e se tornara o maior proprietário de Kimberley, estava em seu caminho. Rhodes ofereceu 1,4 milhão de libras esterlinas a um grupo de investidores franceses por um lote estrategicamente localizado em Kimberley que impediria Barnatto de consolidar a mina com eficiência. Barnatto reagiu com uma oferta de 1,8 milhão de libras. Rhodes então procurou Barnatto e propôs que os dois cessassem aquela guerra de ofertas; se Barnatto retirasse sua oferta, Rhodes compraria as terras dos franceses e as revenderia a Barnatto por 300 mil libras mais uma participação de 20% na sua empresa, a Kimberley Central Mine. Barnatto aceitou a oferta, embora ela reduzisse sua participação a menos de 50%. Ele confiava em que alianças com outros proprietários minoritários lhe permitiriam manter o controle efetivo.

Então, em 1887, Rhodes inundou o mercado com os estoques de diamantes formados pela De Beers ao longo da década anterior. Esta ação derrubou os preços, que haviam começado a se aproximar dos preços anteriores a 1875, em 40 a 50%. O preço das ações da Kimberley mergulhou e, com o auxílio de um grupo bancário liderado pelos Rothschild, Rhodes comprou todas as ações da Kimberley Central Mine que os proprietários em pânico venderam. Em menos de três meses, ele detinha o controle majoritário. Barnatto, derrotado, concordou com a fusão das duas minas. A nova empresa, De Beers Consolidated Mines Ltd., foi formada em 1888 e, tendo comprado duas outras minas menores, passou a controlar 95% da produção mundial.

Uma das primeiras providências de Rhodes foi projetar a demanda mundial por diamantes calculando o número anual de casamentos em nações que compravam diamantes, particularmente os Estados Unidos. Em 1890, com base nesses cálculos, ele reduziu a produção da De Beers de 3,1 milhão para 2,2 milhões de quilates por ano.[1] E em 1893, ele assinou um contrato para vender toda a sua produção anual por meio de um único canal, uma associação de dez famílias de comerciantes de diamantes com sede em Londres. Rhodes morreu em 1902 sem ter se casado. No mesmo ano, Ernest Oppenheimer, que depois assumiria a liderança da De Beers, foi enviado à África do Sul para dirigir o escritório de compras em Kimberley da família Dunkelsbuhler, membro da associação de Londres.

O primeiro grande negócio de Oppenheimer foi com ouro, não diamantes. Ele ajudou investidores alemães, que eram clientes da família Dunkelsbuhler, a adquirir minas de ouro sul-africanas antes da I Guerra Mundial, recebendo uma percentagem delas como comissão. Durante a guerra, com o aumento dos pedidos de expropriação das propriedades de alemães, ele rearranjou sua parte e as partes dos alemães numa nova empresa sul-africana, chamada Anglo-American Corporation. A Anglo-American iria se tornar, juntamente com a De Beers, uma das mais importantes das centenas de entidades interligadas no império da família Oppenheimer.

O primeiro negócio importante de Oppenheimer em diamantes ocorreu em 1919, quando a Anglo-American comprou uma enorme mina na costa da África do Sudoeste (mais tarde Namíbia), a qual havia sido descoberta em 1908 pelos alemães que então dominavam aquele território. Oppenheimer deu à sua nova propriedade o nome de Consolidated Diamond Mines (CDM). Seus ricos depósitos deram a ele a alavancagem de que necessitava para ir atrás da própria De Beers. Esta, reconhecendo a ameaça, concordou em comprar a CDM da Anglo-American em troca de um grande bloco de suas ações e deu a Oppenheimer um lugar em seu conselho de administração. Ele comprava ações da De Beers sempre que surgia a oportunidade. Em 1929, estava firmemente no controle e auto-nomeou-se presidente do conselho.

Oppenheimer foi saudado em sua nova posição pela Grande Depressão. A demanda caiu, os preços de diamantes lapidados e polidos caíram cerca de 50% entre 1929 e 1933 e a associação de Londres, que havia comprado e comercializado quase 90% do suprimento mundial de diamantes, chegou à beira da bancarrota. Oppenheimer comprou a associação, que passou a ser a Organização Central de Vendas (CSO) da De Beers. Ele também reduziu a produção da De Beers, que havia totalizado 1,1 milhão de quilates em 1928, culminando com o fechamento de todas as atividades de mineração de 1933 a 1934. Entretanto, novas e grandes minas de diamantes em Angola e no Congo Belga (hoje Zaire), que não pertenciam à De Beers, mantiveram sua produção. A CSO continuou a comprar seus diamantes para evitar que eles inundassem o mercado. Em conseqüência disso, seu estoque de diamantes chegou a 20 milhões de quilates, avaliados em aproximadamente US$ 100 milhões. A De Beers precisou renegociar suas dívidas com os credores.

Ao longo do período de 1933 e 1937 as condições do mercado melhoraram um pouco. Mas a segunda recessão nos Estados Unidos, em 1938, reduziu em dois terços o valor dos diamantes vendidos pela De Beers e as vendas da CSO pela metade. A plena recuperação só ocorreu nos anos 40, quando o esforço de guerra elevou a demanda de diamantes para máquinas operatrizes e o crescimento das rendas no pós-guerra restaurou a demanda por jóias de diamantes em todo o mundo. Em 1946, as vendas da De Beers haviam atingido um recorde de 8 milhões de libras. O Zaire, que vendia por meio da CSO, produziu mais quilates do que qualquer outro país nos anos imediatamente posteriores à guerra, mas sua produção era, em grande parte, de categorias de diamantes de menor valor. A África do Sul permaneceu como a maior fornecedora em termos de valor e a De Beers continuou a responder por praticamente toda a produção sul-africana.

Ernest Oppenheimer morreu em 1957, deixando o império ao seu filho Harry. Mais ou menos na mesma ocasião, o domínio da África do Sul na produção de diamantes foi ameaçada pela descoberta de grandes tubos de kimberlite de alta qualidade na tundra gelada da Sibéria. Em 1960, a União Soviética assinou um contrato para comercializar esses diamantes por meio da CSO. Esse contrato foi cancelado oficialmente em 1963 devido a objeções dos soviéticos para fazer negócios com empresas sul-africanas, embora Harry Oppenheimer e vários dos seus executivos tivessem fundado o Partido Progressista para fazer oposição à política de *apartheid* do Partido Nacionalista e de o histórico racial da De Beers ser considerado relativamente bom. Acordos extra-oficiais garantiram que o grosso da produção soviética (que havia superado o Zaire em termos de quilates e a África do Sul em termos de valor) continuasse a ser comercializada por meio da CSO.

A grande descoberta seguinte foi o tubo de kimberlite Orapa em Botsuana, descoberto por geólogos da De Beers em 1967. O governo de Botsuana assinou um acordo de empreendimento conjunto com a De Beers, criando a De Beers Botswana Mining Company, também conhecida como "Debswana". Por esse acordo, a De Beers iniciou a mina Orapa em 1971 e continuou a operá-la pelo governo.[2] Uma segunda grande mina em Jwaneng, Botsuana, foi descoberta no final dos anos 70 e começou a produzir em 1982. Mais uma grande mina foi descoberta mais ou menos na mesma época em Argyle, Austrália, mas ainda não havia iniciado sua produção. Apesar dessas descobertas, o suprimento mundial de diamantes brutos havia estagnado depois de 1970 em cerca de 40 milhões de quilates por ano: os aumentos na produção soviética e de Botsuana foram compensados, em grande parte, por reduções no Zaire, assolado pela guerra civil. O Quadro 6.2 (ver p. 267) resume a evolução do suprimento total de diamantes por país no período 1950-1982.

As minas de diamantes de propriedade da De Beers na África do Sul e na Namíbia e as minas em Botsuana que ela controlava por meio da Debswana estavam entre as mais ricas e produtivas do mundo (ver no Quadro 6.3, p. 267, detalhes sobre produção e custos de mineração). Não obstante, elas respondiam por somente 44% do suprimento total de diamantes brutos em 1982. A CSO, distribuidora da De Beers, comprava o restante do seu suprimento de outras nações produtoras, na maioria dos casos sob contratos formais de compra. Embora os detalhes desses contratos tivessem sido mantidos em segredo, suas características gerais eram de conhecimento comum.

O contrato típico durava cinco anos. Por ele, a CSO tinha o direito de comprar 100% da produção de diamantes brutos do país.[3] Este direito em geral era exercido plenamente, embora dissessem que os contratos permitiam à CSO reduzir as compras sempre que as condições de mercado justificassem: a De Beers reconhecia que, em sua maioria, os países fornecedores dependiam muito das exportações de diamantes para gerar moedas fortes. A CSO pagava seus fornecedores à vista, em dólares. Os pagamentos eram fixados na lista de preços da CSO menos uma percentagem de comissão; portanto, subiam automaticamente se ela aumentasse os seus preços. Países diferentes

QUADRO 6.2
Suprimento de Diamantes Naturais, 1950-1982

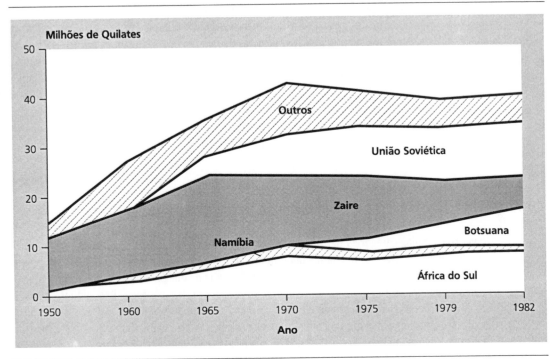

Fonte: *Gem Stone Minerals Yearbook*, U.S. Bureau of Mines.

QUADRO 6.3
Custos de Mineração da De Beers por Localização de Minas, 1982

	Toneladas de Minério Tratado (000)	Quilates Recuperados (000)	Toneladas de Minério por Quilate	Custos de Mineração por Tonelada ($)	Custos Totais de Mineração ($ milhões)	Custos de Mineração por Quilate
África do Sul	22.095	8.617	2,6	7,6	168	20
Namíbia (CDM)	10.018	1.014	9,9	9,9	99	98
Botsuana	13.330	7.769	1,7	6,1	81	10
Total	45.443	17.400	2,6	7,7	349	20

Nota: A De Beers deixou de relatar as cifras de custo específicas por mina em 1977. As cifras acima são estimativas da autora do caso usando como base as cifras relatadas naquele ano.
Fonte: Relatórios anuais.

pagavam comissões diferentes: os produtores soviéticos pagavam 10% de comissão (i. e., recebiam o preço de lista menos 10%); o Zaire, em contraste havia pago uma comissão de 20% até cessar de operar com a CSO em 1981. Essas transações levavam a CSO a assumir a completa propriedade dos diamantes. Ela tinha plena liberdade quanto a quais diamantes vender, a quem e quando. O Quadro 6.4 (ver p. 269) mostra os países produtores que tinham esses arranjos com a CSO em 1982 e estima os valores das transações. O valor por quilate variava significativamente de país para país, dependendo da qualidade da sua produção (ver Quadro 6.4).

Além desses arranjos formais, a De Beers comprava diamantes brutos no mercado aberto através de escritórios de compras na África, América do Sul e Europa. Por exemplo, seu escritório em Serra Leoa comprava quantidades significativas de diamantes contrabandeados. Estes incluíam diamantes roubados, alguns dos quais vinham das próprias minas da De Beers, e diamantes tirados de pequenas jazidas de aluvião cujos proprietários, para evitar os impostos, não haviam declarado às autoridades. Na década de 50, houve um período em que o contrabando de diamantes se tornou, aos olhos da De Beers, um problema importante. Ela reagiu contratando o ex-chefe do MI-5 britânico, que organizou a "interdição" na forma de emboscadas na selva (com o consentimento dos governos envolvidos). Essas e outras medidas de segurança conseguiram reduzir o contrabando a níveis aceitáveis.

DEMANDA

Havia três amplas categorias de diamantes: gemas que eram usadas em joalheria e tidas como investimentos, semi-gemas que também eram usadas em joalheria e diamantes industriais. A categoria à qual um determinado diamante pertencia dependia de quatro fatores: quilate, cor, clareza e facilidade de lapidação (ou forma). Um diamante precisava satisfazer requisitos mínimos em cada um desses critérios para ser cortado e polido para uso em joalheria. O último deles, a facilidade de lapidação, determinava o rendimento. Em média, as gemas brutas perdiam 52% do seu peso na lapidação e no polimento, contra 80 a 85% para as semi-gemas. Os diamantes brutos que não satisfizessem os requisitos mínimos nos quatro critérios serviam somente para aplicações industriais onde competiam, em parte, com diamantes sintéticos.[4] Os diamantes com qualidade de gemas valiam, em média, cerca de 10 vezes mais por quilate que as semi-gemas, as quais por sua vez valiam cerca de 10 vezes mais que os industriais. Na categoria de gema, o valor de uma pedra subia mais que proporcionalmente com seu peso; um diamante polido de um quilate tinha um valor três vezes maior que o de um diamante equivalente de meio quilate, que por sua vez valia três vezes mais que um de um quarto de quilate. A mistura das três categorias variava tremendamente de uma mina para outra (ver no Quadro 6.5, p. 270, uma comparação entre países). O restante deste caso focaliza diamantes das categorias gema e semi-gema.

Essas categorias escondiam variações consideráveis. A CSO separava os diamantes brutos em mais de 3.000 graduações com base nos quatro critérios. Os diamantes brutos da África do Sul, Namíbia e Botsuana eram selecionados na África antes de serem enviados a Londres; as pedras brutas de outros produtores externos eram enviadas a Londres e lá selecionadas. Eram necessários centenas de selecionadores para classificar os milhões de pedras manuseadas anualmente. A despeito de anos de aprendizado e treinamento, era possível um selecionador qualificado classificar a mesma pedra de maneira diferente se esta fosse colocada diante dele uma segunda vez. Depois da seleção, os diamantes eram colocados sobre grandes mesas marcadas em quadrados, com cada quadrado correspondendo a uma determinada graduação, onde eles podiam ser inspecionados ao acaso por executivos da De Beers como verificação final do processo. A seguir, os diamantes de cada categoria eram pesados eletronicamente, um a cada três segundos, e lançados em um computador. Finalmente cada pedra era avaliada, com base em seu peso e sua graduação, pela lista de preços da CSO. Esta etapa finalizava o valor do lote e a quantia paga à mina de origem (caso se tratasse de uma fonte externa). Os diamantes selecionados eram armazenados em um cofre de quatro andares na sede da CSO em Londres. Embora a De Beers não revelasse o custo dessa operação nem o

QUADRO 6.4
Arranjos e Compras da CSO, 1982

País	Produção em 1982 (000 quilates)	Contrato Oficial da CSO	Quantidade Comprada pela CSO (%)	Quilates Comprados (000)	Valor de Lista da CSO ($/quilate)	Margem CSO (%)	Compras da CSO ($ milhões)
União Soviética:	10.600	Sim	57	6.000	–	–	–
Exportação polidos	1.200	Vendido a Antuérpia	0	0	–	–	–
Exportação brutos	6.300	Vendido à CSO	95	6.000	125	10	675
Industriais	3.100	Consumidos na URSS	0	0	–	–	–
África do Sul	9.154	Sim	100	9.154	58	ND	ND
Botsuana	7.769	Sim	100	7.769	53	10	371
Zaire	6.164	Terminado	5	308	25	15	3
Angola	1.225	Sim	85	1.041	100	15	89
Namíbia	1.014	Sim	95	963	200	ND	ND
Tanzânia	220	Sim	95	209	60	15	11
Outros da África	1.772	Não	50	886	44	15	33
América do Sul	1.023	Não	25	256	59	15	13
Outros do Mundo	1.490	Não	40	596	40	15	20
Total	**40.431**		**67**	**27.183**			**1.215**
Excluindo o uso doméstico da URSS	37.331		73	27.183			

ND = Não-disponível.

Nota: Os números de Botsuana supõem que 100% da produção foram comprados pela CSO.

Fontes: As quantidades compradas pela CSO são estimativas da autora do caso, tiradas de fontes públicas. O valor da produção deriva de duas fontes: Martyn Marriot, que publicou estimativas em *The Jeweler's Circular-Keystone*, janeiro de 1987; e *The Outlook for Diamonds*, L. Messel & Co., Londres, 1987.

QUADRO 6.5
Características da Produção de Diamantes por País, 1982

País	Produção em 1982 (1.000 quilates)	Gemas (%)	Produção de Gemas (1.000 quilates)	Semi-Gemas (%)	Produção de Semi-gemas (1.000 quilates)	Industriais (%)	Produção de Industriais (1.000 quilates)	Produção de Pedras "Grandes" (1.000 quilates)
União Soviética	10.600	26	2.756	44	4.664	30	3.180	530
África do Sul	9.154	25	2.289	37	3.387	38	3.479	732
Botsuana	7.769	19	1.476	51	3.962	30	2.331	622
Zaire	6.164	5	308	30	1.849	65	4.007	62
Angola	1.225	70	858	20	245	10	123	123
Namíbia	1.014	95	963	1	10	4	41	254
Tanzânia	220	50	110	40	88	10	22	NA
Outros da África	1.772	30	527	32	568	38	677	NA
América do Sul	1.023	42	434	35	368	22	226	NA
Outros do Mundo	1.490	41	615	39	576	20	299	NA
Total	**40.431**	**25**	**10.336**	**39**	**15.713**	**36**	**14.383**	**2.500**

NA = Não-aplicável.

Nota: Pedras grandes são diamantes brutos das categorias gema ou semi-gema que têm dois quilates ou mais. As discrepâncias nos totais refletem arredondamentos.

Fontes: Números de produção do *Gem Stone Minerals Yearbook*, U.S. Bureau of Mines. As distribuições de diamantes por categoria são estimativas de Charles J. Johnson, Martyn Marriot e Michael von Saldern, "World Diamond Industry 1970-2000", *Natural Resources Forum*, maio de 1989.

número de funcionários, estimava-se que os custos indiretos da CSO chegassem a US$ 100 milhões em 1982, além dos custos de aquisição dos diamantes brutos.

Para vender seus diamantes brutos, a CSO engajava-se numa rotina de vendas altamente controlada, denominada "exame". Cerca de 150 "examinadores" eram convidados para os exames realizados na sede da CSO dez vezes por ano. Eles enviavam antecipadamente solicitações por escrito para as quantidades e graduações de diamantes brutos que desejavam. No exame propriamente dito, eles entravam em salas de exame individuais para inspecionar os lotes que a CSO havia preparado, os quais consistiam de caixas de sapatos cheias de envelopes contendo determinadas graduações de diamantes. O preço total de cada lote podia variar entre US$ 100.000 e US$ 10.000.000, sendo em média de US$ 1.000.000 em 1982. Em geral, o preço total não era especificado. A CSO não havia reduzido seus preços de lista, a partir dos quais o preço do lote era calculado, desde a Grande Depressão, e se comprometera a nunca fazê-lo no futuro. O Quadro 6.6 resume a evolução do preço médio de lista da CSO a partir de 1949.

Os examinadores tinham de obedecer a um conjunto de regras severas para participar dessas vendas. Não podiam questionar as quantidades ou as graduações de diamantes em seus lotes, mesmo que os conteúdos fossem muito diferentes daquilo que haviam solicitado. Também não podiam negociar o preço, embora um ajuste pudesse ser feito ocasionalmente se a CSO pudesse ser convencida de que as pedras em um determinado envelope haviam sido mal classificadas. Cada examinador tinha de aceitar todo o lote a ele oferecido, ou nada; poucos recusavam por medo de não serem

QUADRO 6.6
Índice da Lista de preços da CSO, 1949 – Janeiro de 1983

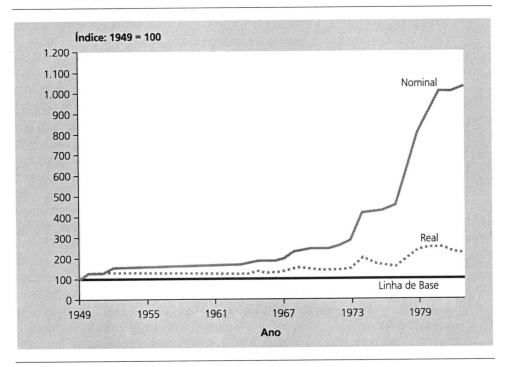

Nota: Redutores do índice de preços do consumidor industrial do FMI.

convidados para futuros exames. A CSO exigia o pagamento total antes de remeter os lotes por correio segurado aos examinadores que os haviam aceito. Além disso, os examinadores deviam apresentar à CSO quaisquer informações que esta exigisse a respeito de suas empresas (como os estoques de diamantes que mantinham), estavam sujeitos a inspeções de surpresa e esperava-se que mantivessem a estabilidade dos preços cadeia abaixo. A penalidade para a violação de qualquer dessas regras podia variar entre o banimento de todos os futuros exames e uma punição relativamente modesta, como ser solicitado a pagar US$ 1.000.000 por um lote que valia somente US$ 900.000.

Em 1982, cerca de quatro quintos dos examinadores estavam engajados no negócio de lapidação e polimento de diamantes brutos antes de vendê-los. Os restantes, que com freqüência recebiam os lotes maiores e mais valiosos, eram comerciantes que vendiam a lapidadores independentes. A indústria de lapidação de diamantes estava concentrada em quatro locais: Antuérpia, Tel Aviv, Nova York e Bombaim. Os diamantes relativamente pequenos eram normalmente lapidados em Bombaim e os maiores e mais caros em Nova York. Tel Aviv especializava-se em pedras de tamanho médio ao passo que Antuérpia, o maior centro de lapidação em termos de volume total, cobria toda a gama e servia como mercado "à vista" para diamantes polidos.

A competitividade da indústria de lapidação limitava a margem sobre diamantes polidos a cerca de 20% dos preços cobrados pela CSO. Os diamantes polidos passavam, via revendedores, a fabricantes de jóias e aos varejistas. As margens sobre os diamantes nesses três estágios eram da ordem de 10, 50 e 100%. Em média, os lapidadores mantinham de cinco a seis meses de estoques de diamantes, os revendedores três meses, os joalheiros quatro meses e os varejistas 14 meses. Em conseqüência disso, necessitava-se de mais de dois anos de estoque para satisfazer a demanda de um ano para jóias de diamantes. O Quadro 6.7 (ver p. 273) caracteriza a demanda do varejo nos Estados Unidos e no mundo ao longo do período de 1971 a 1982 e fornece uma previsão para 1983. Com o crescimento lento das economias ocidentais, a demanda praticamente estacionara de 1980 a 1982.

A CSO mantinha um grupo interno de informações sobre o mercado que era responsável por conhecer o fluxo dos diamantes cadeia abaixo. Este grupo realizava uma extensa pesquisa de consumidores a cada três anos em cada país que representasse mais de 1% da demanda mundial por jóias com diamantes, e todos os anos em grandes mercados como os Estados Unidos. Ela também monitorava os estoques de diamantes em cada estágio da distribuição. Estas informações ajudavam a CSO a ajustar a quantidade e a composição dos diamantes que liberava. Devido a esses ajustes, o valor total de um exame da CSO podia dobrar ou cair pela metade no período de seis meses.

Para ajudar a estimular a demanda, a De Beers também anunciava pesadamente para os consumidores. Alguns dos anúncios eram francamente românticos: mostravam o diamante como o único símbolo verdadeiro de amor eterno. Outros eram mais práticos, como aqueles que diziam aos homens que o salário de dois meses era a quantia adequada a ser gasta com um anel de noivado. Outros eram veiculados de tempos em tempos para ajudar a eliminar excessos de suprimento de determinados tamanhos e tipos de pedras. A N.W. Ayer, agência que trabalhava com a De Beers desde 1939 e havia criado o slogan "Um diamante é para sempre", era responsável por toda a propaganda nos Estados Unidos. Fora daquele país, a De Beers empregava a J.Walter Thompson. Sua campanha a longo prazo para elevar a demanda por jóias de diamantes no Japão associando-as com romance e um estilo de vida ocidental tinha tido muito sucesso: em 1982, 65% das noivas japonesas usavam anéis de diamantes, contra apenas 6% em 1967. Os investimentos mundiais da De Beers em propaganda eram de aproximadamente US$ 80 milhões em 1982.

QUADRO 6.7
Demanda Mundial e Norte-Americana por Diamantes, 1971-1983

Ano	Mundo				Estados Unidos			Índice de Preços FMI
	Quilates Polidos (milhões)	Valor Total no Varejo (US$ bilhões)	Volume de Diamantes no Varejo (US$ bilhões)	Valor dos Diamantes no Atacado (US$ bilhões)	Valor Total no Varejo (US$ bilhões)	Volume de Diamantes no Varejo (US$ bilhões)	Valor dos Diamantes no Atacado (US$ bilhões)	
1983*	8,5	19,8	9,9	5,0	6,9	3,5	1,7	265
1982	7,9	18,6	9,3	4,7	6,1	3,1	1,5	247
1981	7,8	19,3	9,7	4,8	6,0	3,0	1,5	225
1980	7,5	18,6	9,3	4,7	5,2	2,6	1,3	201
1979	7,9	16,1	8,1	4,0	4,7	2,4	1,2	184
1976	—	8,0	4,0	2,0	—	—	—	148
1971	—	4,7	2,4	1,2	—	—	—	100

*Previsão.
Fontes: The Outlook for Diamonds, L. Messel & Co., Londres, 1987; American Diamond Industry Association; relatórios anuais; estimativas da autora do caso.

OS RECENTES SUCESSO E FRACASSO

As perturbações econômicas dos anos 70 e a alta inflação delas resultantes haviam alimentado uma demanda especulativa por minerais como ouro e diamantes. A indústria israelense de lapidação em particular começou, em 1977, a usar dinheiro emprestado a taxas subsidiadas para estocar diamantes como defesa contra a inflação. A demanda especulativa espalhou-se para outras regiões enquanto participantes tradicionais da indústria usavam créditos bancários para comprar diamantes e mantê-los em estoque. Este segmento chegou a representar 20% da demanda total por diamantes com qualidade de gema em termos de valor (mas muito menos em termos de quilates, uma vez que os investidores preferiam pedras maiores e de melhor qualidade). O resultado, ilustrado pelo Quadro 6.8 (ver p. 275), foi um tremendo aumento nos preços de diamantes polidos. Alguns examinadores conseguiram vender seus lotes da CSO com margens de 50 a 100% sem nem mesmo abri-los.

Na tentativa de deter a especulação, a De Beers impôs, em abril de 1978, uma sobretaxa de 40% sobre o preço de diamantes brutos que ela poderia remover quando quisesse. Ao mesmo tempo os bancos israelenses, depois de consultas com executivos da De Beers, elevaram as taxas de juros para o comércio de diamantes de 6% para 25 a 30%. Essas providências esfriaram o mercado de diamantes brutos e a De Beers gradualmente removeu a sobretaxa ao longo dos meses seguintes, substituindo-a por um aumento permanente de 30% em agosto de 1978. Entretanto, o mercado para diamantes polidos permaneceu volátil e os preços continuaram a subir. Harry Oppenheimer expressou a visão da De Beers desses acontecimentos no relatório anual da empresa para 1978:

> Em minha declaração para 1977 chamei a atenção para um nível excessivo de especulação no mercado para diamantes brutos, o qual havia resultado no pagamento de preços acima dos da CSO em mercados secundários. Esses preços estavam relacionados a temores a respeito da instabilidade de moedas e ao uso crescente de diamantes como estoque de valor. Embora este uso dos diamantes deva continuar em nível mais alto do que no passado, o comércio de diamantes a preços não-relacionados àqueles que podem ser sustentados no mercado joalheiro é uma ameaça à estabilidade do comércio, a qual é o principal objetivo que a CSO deve manter.

Apesar dessas dúvidas a De Beers, sob pressão das nações produtoras de diamantes, continuou a elevar os preços de lista da CSO em 1980. Então, as taxas de juros mundiais em ascensão e a queda da demanda por diamantes no varejo fizeram explodir a bolha da especulação, derrubando os preços dos diamantes polidos. A cadeia estava repleta; agora, muitos dos seus membros estavam falidos e eram forçados a liquidar seus estoques. A De Beers reagiu reduzindo o número de examinadores de mais de 250 para cerca de 150 (muitos dos compradores eliminados eram aqueles que haviam estado mais empenhados em especulação) e limitando severamente a quantidade de diamantes disponíveis nos exames. Alguns destes foram cancelados em 1981, quando muitos examinadores disseram à CSO que estavam sem dinheiro. Entretanto, a De Beers não reduziu os preços de lista para seus diamantes brutos.

No lado da oferta, a De Beers enfrentava negociações críticas com o Zaire, Austrália e Botsuana. O Zaire, insatisfeito com os preços que estava recebendo, não havia renovado seu contrato com a CSO em 1981, na esperança de poder sair-se melhor sozinho no mercado aberto. Em 1982, o país enfrentou um excesso de oferta dos diamantes de baixa graduação que representavam o grosso da sua produção e estava conseguindo 60% do preço que antes recebia da CSO. Depois de passar por uma guerra civil que havia quase paralisado sua produção, esperava-se que esta triplicasse até 1985.

Na Austrália, a mina Argyle deveria iniciar sua produção em 1983 e poderia chegar à capacidade plena (estimada em 25 a 30 milhões de quilates anuais) em 1986. Esperava-se que seu mix de produção fosse semelhante ao do Zaire, com 5% de gemas, 45% de semi-gemas e 50% de diamantes industriais. Os proprietários da Argyle estavam insistindo no direito de comercializar eles mesmos 25% dos diamantes semi-gemas e industriais, algo que a CSO nunca havia permitido oficialmente antes.

Esperava-se que o nível de produção de Botsuana dobrasse em 1985, quando a mina de Jwaneng atingisse a capacidade plena. Em resposta à queda do mercado a CSO já tinha recusado, em janeiro de 1983, a compra de US$ 100 milhões em diamantes brutos de Botsuana. Entretanto, as compras de outros países em grande parte não haviam sofrido reduções. Em conseqüência disso, os estoques da CSO haviam subido de US$ 300 milhões em 1978 para US$ 1,7 bilhão no final de 1982 e a liquidez da De Beers havia se deteriorado, com o caixa menos os empréstimos a curto prazo caindo de US$ 1,5 bilhão em 1979 para –US$ 400 milhões em 1982 (ver Quadro 6.9, p. 276).

Em janeiro de 1983, a De Beers não sabia quando as condições do mercado iriam melhorar. A demanda no varejo, medida em quilates, havia voltado aos níveis de 1979 e a previsão para 1983 mostrava sinais de melhoria. Entretanto, os Estados Unidos e outros países ocidentais continuavam a sofrer. Será que a política do lado da oferta, de comprar todos os diamantes dos países produtores, e a política do lado da demanda, de elevar seus preços, ainda faziam sentido? A abordagem tradicional da De Beers para o negócio de diamantes não havia sofrido um teste desses desde o início dos anos 30.

QUADRO 6.8
Preços de Pedras Polidas *Versus* o Preço de Lista de Brutos da CSO

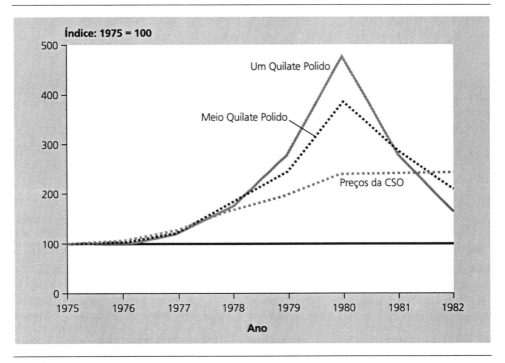

Fonte: Índice do Diamond High Council, Antuérpia.

QUADRO 6.9
Posição Financeira da De Beers, 1978-1982

Balanço (S milhões)					
	1978	**1979**	**1980**	**1981**	**1982**
Ativos					
Caixa	1.489	1.179	1.040	235	119
Outros ativos correntes	259	422	567	608	606
Ativos fixos	259	341	450	493	484
Estoque de diamantes	294	495	935	1.473	1.704
Investimentos	648	948	1.776	1.779	1.710
Outros	150	216	269	219	172
Total	3.099	3.603	5.037	4.807	4.795
Passivos					
Passivos correntes	829	735	1.161	786	360
Empréstimos a curto prazo	0	0	0	211	525
Endividamento a longo prazo	81	69	82	67	49
Patrimônio	2.189	2.799	3.794	3.743	3.861
Total	3.099	3.603	5.037	4.807	4.795

Declaração de Rendimentos ($ milhões)					
	1978	**1979**	**1980**	**1981**	**1982**
Vendas da CSO	2.552	2.598	2.723	1.471	1.257
Lucro operacional dos diamantes	1.100	989	1.035	414	265
Renda de investimentos	131	230	190	207	137
Juros e outras rendas	171	188	128	76	56
Lucro Total antes do Imposto	1.402	1.407	1.353	697	300
Lucro total Depois do Imposto	863	894	884	446	218

Notas: Declaração de rendimentos da De Beers convertida de Rands sul-africanos para dólares usando-se as taxas médias do FMI para o período. Dados do balanço convertidos usando as taxas FMI no fim do período. As discrepâncias nos totais podem refletir arredondamentos.
Fontes: Relatórios anuais; Fundo Monetário Internacional.

NOTAS

1. Um quilate é igual a 200 miligramas; 142 quilates fazem uma onça.
2. Pelos termos do empreendimento conjunto, a receita de Debswana era alocada da seguinte maneira: custos operacionais (20%), De Beers (25%) e governo de Botsuana (55%).
3. A União Soviética era a única exceção a esta regra, além de extra-oficial. Os soviéticos haviam estabelecido uma indústria doméstica de lapidação e polimento que transformava diamantes brutos em formas adequadas para uso em joalheria. Eles podiam exportar seus diamantes polidos diretamente para Antuérpia, que funcionava como mercado à vista para diamantes. O comércio de pedras polidas representava cerca de 16% das exportações soviéticas de quilates em 1982. O restante ia para a CSO. Os soviéticos haviam concluído um acordo em 1980, o qual expirava em 1985.
4. O primeiro processo de síntese de diamantes havia sido patenteado pela General Electric em 1956. A De Beers havia desenvolvido e comercializado um processo rival em 1959. Ambos os processos produziam diamantes de qualidade muito baixa, vendidos a apenas US$ 1-US$ 2 por quilate. As vantagens de desempenho dos diamantes naturais em determinadas aplicações industriais em expansão haviam impedido que os sintéticos prejudicassem suas vendas de forma significativa.

CASO 7

Microsoft, 1995

Parecia nunca haver um momento maçante para Bill Gates e a Microsoft. No início de agosto de 1995, os preparativos para o lançamento do Windows 95 haviam chegado a um nível frenético à medida que a indústria se preparava para o que era exaustivamente descrito como um dos mais importantes lançamentos de *software* na história. O último ano havia sido extremamente agitado. Em paralelo com receitas e lucros sem precedentes, Gates havia assinado um acordo com o Departamento de Justiça dos Estados Unidos (DOJ). Embora a aquisição da Intuit pela Microsoft por US$ 1,5 bilhão tivesse sido desfeita por uma investigação subseqüente do DOJ, o desapontamento devido àquele caso já havia sido suplantado pela excitação com o Windows 95.

Em janeiro de 1995, a revista *Fortune* publicou uma matéria de capa sobre Gates, comparando-o a Alfred Sloan, o homem que transformou a General Motors em líder global. Descrevendo Gates como "ultracompetitivo e hiperfocalizado", a *Fortune* disse que a pergunta prática não seria "o que quer Bill Gates?" mas, sim, "existe alguma coisa que Bill Gates não queira?" Ele respondeu em parte a esta pergunta para os autores deste caso em setembro de 1994, quando disse:

> Buscamos oportunidades com externalidades de rede — caso haja vantagens, para a grande maioria dos consumidores, em dividir um padrão comum. Procuramos empresas em que possamos obter grandes participações de mercado, não apenas 30 ou 35%. Mas, ao mesmo tempo, não somos um conglomerado de *software*. Há muitas empresas pelas quais não temos nenhum interesse; por exemplo, não nos vejo entrando em serviços ou categorias de produtos de baixos volumes. A chave para nosso negócio é construir rendas anuais explorando as amplas correntes de receitas que irão se basear em nosso conhecimento de *software*. Embora haja muitas coisas que podem nos tornar mais lentos, minha visão é que quando se reúne um grupo de pessoas boas em *software,* elas acabarão acertando . . . Nossos fatores mais imprevistos são o Departamento de Justiça, a saturação em nosso negócio central e o desenvolvimento da infra-estrutura para a superestrada da informação.

Gates era um homem com missão e visão claras. Em meados de 1995, ele havia transformado a Microsoft numa das mais valiosas empresas da indústria de computadores (valor de mercado de

Os professores Tarun Khanna e David Yoffie prepararam este caso, com a assistência de Isrel Ganot, como base para discussão em classe e não para ilustrar o manejo eficaz ou não de uma situação administrativa. Phyllis Dininio assessorou-os com a revisão do caso.

US$ 55 bilhões), tornando Gates, o dono de mais de 30% da empresa, a pessoa mais rica do mundo. Contudo, enquanto ele tentava levar a Microsoft além do PC, sua alta gerência se perguntava quanto tempo ela iria durar.

A MICROSOFT NO INÍCIO

A história da Microsoft podia ser dividida em três estágios: o início, 1975-1980; a era do DOS (Disk Operating System), 1980-1990; e a era Windows, 1990-1994 (ver Quadro 7.1 p. 279). Gates e Paul Allen, seu colega de colégio, fundaram a Microsoft em Redmond, Washington, em 1975, "para fazer *software* que irá permitir a existência de um computador em cada escrivaninha e em cada casa". O primeiro produto da empresa foi uma versão condensada da linguagem de programação BASIC para o primeiro PC, o MITS Altair. Nos anos subseqüentes, a Microsoft desenvolveu versões de outras linguagens de programação, tornando a empresa a maior distribuidora de ferramentas para o desenvolvimento de *software*. Mas a grande emergência da Microsoft veio em 1980, quando a IBM pediu que Gates projetasse o sistema operacional (OS) para seu novo PC. Ao invés de desenvolver um OS da estaca zero, Gates comprou um sistema operacional já existente de um programador local e preparou o DOS para trabalhar exclusivamente com o microprocessador Intel, que se tornou o apoio principal do IBM PC. Em 1984, o MS-DOS havia atingido uma participação de mercado de 85%, levando as vendas da Microsoft para mais de US$ 100 milhões. Com base na força do MS-DOS, Gates abriu o capital da empresa em 1986. As ações subiram de US$ 25,75 para US$ 84,75 em menos de um ano, fazendo de Gates um milionário aos 31 anos.

Durante os anos 80, a Microsoft procurou se expandir além do DOS. Ela tentava produzir uma interface gráfica com o usuário (GUI), chamada Windows, já em 1984, e trabalhou em conjunto com a IBM para desenvolver um sistema operacional totalmente novo denominado OS/2. Além disso, a Microsoft lançou produtos para redes e uma variedade de aplicações para o DOS. Entretanto, em sua grande maioria, esses esforços iniciais da Microsoft não conseguiram gerar negócios lucrativos. Em produtos para redes, a Novell venceu a primeira batalha pelo mercado de servidores. E no mercado de computadores de mesa, milhares de fornecedores independentes de *software* (ISVs) surgiram para vender aplicações. As primeiras *"killer apps"* na indústria de *software* — aplicações que todos queriam — vieram da Lotus e da WordPerfect. A Microsoft desenvolveu uma reputação de imitadora, cujos produtos eram complicados demais para se aprender e não muito rápidos, em especial em suas versões iniciais. Os gurus da indústria brincavam a respeito de nunca se dever comprar um produto Microsoft se este tivesse o nome "1.0".

Ironicamente, o maior sucesso da Microsoft fora de sistemas operacionais nos anos 80 veio de produtos que não utilizavam o DOS. Reconhecendo o potencial do Macintosh, Gates tomou, em 1984, a decisão estratégica de escrever aplicações para o Apple. Enquanto WordPerfect, Lotus e outras grandes fornecedoras ignoraram o Mac nos primeiros anos, a Microsoft tornou-se a fornecedora dominante de *software* de processamento de textos e de planilhas para o Macintosh. O conhecimento da Microsoft no desenvolvimento de aplicações para o Macintosh tornou-se fundamental quando o Windows tomou de assalto o mercado em 1990.

QUADRO 7.1
Microsoft Corporation: Informações Selecionadas

	1986	1987	1988	1989	1990	1991	1992	1993	1994	1995
Declaração de Rendimentos										
Receitas líquidas	$ 198	$ 346	$ 591	$ 804	$ 1.183	$ 1.843	$ 2.759	$ 3.753	$ 4.649	$ 5.937
Custo das receitas	41	74	148	204	253	362	467	633	763	877
Pesquisa e desenvolvimento	21	38	70	110	181	235	352	470	610	860
Vendas e *marketing*	58	85	162	219	318	534	854	1.205	1.384	1.895
Despesas gerais e administrativas	18	22	24	28	39	62	90	119	166	267
Renda operacional	61	127	187	242	393	650	996	1.326	1.726	2.038
Renda Líquida	$ 39	$ 72	$ 124	$ 171	$ 279	$ 463	$ 708	$ 953	$ 1.146	$ 1.453
Balanço										
Caixa e investimentos a curto prazo	$ 103	$ 132	$ 183	$ 301	$ 449	$ 686	$ 1.345	$ 2.290	$ 3.614	$ 4.750
Ativos correntes	148	213	345	469	720	1.029	1.770	2.850	4.312	5.620
Ativos totais	171	288	493	721	1.105	1.644	2.640	3.805	5.363	7.210
Passivos correntes	30	47	118	159	187	293	447	563	913	1.347
Patrimônio líquido	139	239	376	562	919	1.351	2.193	3.242	4.450	5.333
Número de Funcionários	1.153	1.816	2.793	4.037	5.635	8.226	11.542	14.430	15.017	17.801
Receita por Grupo de Produtos										
Sistemas/linguagens	53%	49%	47%	44%	39%	36%	49%	34%	33%	35%
Aplicações	37	38	40	42	48	51	49	58	63	61
Hardware, livros e outros	10	13	13	14	13	13	11	8	4	4
Receita por Canal e Região										
Varejo doméstico	32%	35%	32%	29%	39%	31%	34%	31%	34%	32%
Varejo internacional	19	28	34	37	42	49	47	47	41	41
OEM domésticos	25	21	17	14	13	ND	ND	ND	ND	ND
OEM internacionais	21	14	14	18	13	ND	ND	ND	ND	ND
OEM mundiais	46	35	31	32	26	18	17	19	25	28
Outros	3	2	3	2	2	2	2	3	ND	ND
Preço da ação	1,71	5,67	7,44	5,89	16,89	22,71	35,00	44,00	51,63	90,38
Índice S&P	205,84	304,00	273,50	317,98	358,02	371,16	408,14	450,53	444,27	544,75

ND = não-disponível.

OEM = fabricante de equipamento original.

Nota: As informações financeiras estão em milhões de dólares para o ano fiscal terminado em 30 de junho. O preço da ação é o preço de fechamento em 30 de junho. O índice S&P 500 (Standard & Poors) é de 30 de junho.

Fontes: Relatórios anuais da empresa.

A ERA WINDOWS: 1990-1994

O Negócio de Sistemas Operacionais

Os sistemas operacionais continuaram sendo a peça central da estratégia da Microsoft nos anos 90, embora as receitas por eles geradas declinassem como percentagem das vendas. O núcleo da estratégia da Microsoft para OS era o Windows. Depois de repetidos fracassos em gerações anteriores, o Windows 3.0 de repente emergiu como a interface preferida para computadores compatíveis com IBM em junho de 1990. O Windows 3.0 e seu sucessor, o 3.1, tiveram sucesso onde as gerações anteriores haviam falhado porque a nova interface permitia, aos usuários do DOS, uma compatibilidade quase impecável com suas bases instaladas de programas DOS. Ao mesmo tempo, o Windows oferecia aos usuários grande parte das características de facilidade de uso do Macintosh. Como um computador ainda precisava do DOS para rodar o Windows, estes eram produtos complementares: a Microsoft havia efetivamente dobrado sua receita de OS por PC.

O Windows era inicialmente vendido no varejo como um produto para melhorar o DOS, a um preço sugerido de aproximadamente US$ 100. À medida que as vendas aumentaram, os fabricantes de equipamentos originais para computadores (OEMs) começaram a equipar suas máquinas com DOS e Windows antes de despachá-las. O fabricante carregava o programa no disco rígido do computador e reproduzia a documentação relevante. O pacote OS-equipamento propiciava margens muito mais altas, pois permitia que Microsoft aproveitasse a infra-estrutura de vendas e *marketing* do OEM. Também praticamente eliminava os custos de distribuição e fabricação, uma vez que a Microsoft precisava enviar somente um exemplar master do *software* para o OEM reproduzir. Com custos estimados de US$ 8 sobre direitos autorais de US$ 32, a margem da Microsoft era portanto de US$ 24 por programa e por máquina via o canal de distribuição do OEM. Em contraste, a Microsoft tinha custos estimados de US$ 20 sobre receitas de US$ 28 no canal de varejo, deixando uma margem de apenas US$ 8 por programa. Além disso, o canal dos OEMs gerava vendas mais estáveis em comparação com outros canais.

Anteriormente a um decreto do DOJ que estabeleceu diretrizes mais restritivas para o negócio da Microsoft, a empresa usava uma fórmula controvertida para ganhar direitos autorais sobre os OSs. Com o pretexto de reduzir problemas contábeis, a Microsoft dava descontos maiores aos fabricantes de computadores se eles pagassem direitos autorais para cada PC que tivesse um microprocessador Intel, independentemente dele conter ou não *software* Microsoft. Era mais fácil, para a Microsoft e para o fornecedor de PCs, acompanhar os embarques de unidades do que descobrir quantas cópias do DOS ou do DOS mais Windows eram instaladas. Em agosto de 1995, analistas estimavam que mais de 90 milhões de cópias do Windows estavam instaladas em todo o mundo. Em sua grande maioria, os computadores novos estavam sendo expedidos com Windows e este representava quase 50% das receitas da Microsoft com sistemas.

A Microsoft tinha três concorrentes importantes para OSs em 1995: a Apple, com 8,5% do mercado; o OS/2 da IBM, com 5%; e várias versões do UNIX, com entre 3 a 5% do mercado de estações de trabalho e PCs. Originalmente a Microsoft e a IBM haviam desenvolvido em conjunto o OS/2, mas, depois do lançamento do Windows, as duas empresas decidiram seguir estratégias independentes. Um clone do MS-DOS, de propriedade da Novel e denominado DR-DOS, tinha cerca de 10% do mercado de DOS antes de ter sua fabricação encerrada em 1994.

Em meados dos anos 90, a Microsoft necessitava de cerca de US$ 500 milhões para desenvolver um novo sistema operacional. Os custos de desenvolvimento haviam subido de forma aguda desde que os fornecedores de OSs acharam necessário incorporar funções adicionais para incentivar os clientes a passar de um sistema existente para um novo. Além disso, a Microsoft gastava mais de US$ 60 milhões por ano e dedicava 500 engenheiros ao apoio dos 100.000 fornecedores independentes de *software* (ISVs) que escreviam aplicações para seus OSs. Esse apoio era crítico porque cada sistema operacional continha um código especial de *software,* o qual fornecia as especificações que as aplicações deveriam satisfazer para produzir características como compatibilidade para trás e para frente. Isto também significava que OSs de diferentes fornecedores eram normalmente incompatíveis e não podiam usar o mesmo *software.* Embora alguns fornecedores de OSs tentassem tornar seus sistemas operacionais compatíveis com a Microsoft, esses programas permaneciam pouco confiáveis e lentos.[2] Somente o OS/2 da IBM era realmente compatível com o Windows, mas a licença da IBM para o código deste expirou em 1994. Assim, as futuras versões do OS/s não seriam necessariamente compatíveis com as futuras versões do Windows.

Quanto a um novo OS, os custos de desenvolvimento associados ao *upgrade* de um OS eram consideravelmente menores. Contudo, os *upgrades* também tinham uma forte demanda. Entre 1989 e 1994, 32% dos clientes da Microsoft optaram pelo *upgrade* com lançamentos provisórios (p. ex., de 2.0 para 2.1), enquanto quase 75% optaram por grandes lançamentos (p. ex., de 2.0 para 3.0).[3] Os clientes compravam um *upgrade* para usar as versões mais atuais de aplicações desenvolvidas para o OS ou para continuar recebendo o suporte técnico do fornecedor do OS.

Ironicamente, a posição forte da Microsoft no negócio de OSs foi conseguida a despeito de um produto tecnicamente inferior.[4] De modo geral os analistas concordavam que o Sistema 7.5 da Apple e o OS/2 da IBM eram superiores em várias dimensões. Embora estes carecessem da amplitude e da profundidade de aplicações disponíveis em Windows, eram considerados mais estáveis e ofereciam mais qualidades. Reconhecendo a necessidade de melhorar suas ofertas de OSs, a Microsoft introduziu novos sistemas operacionais nos anos 90. O primeiro deles foi o Windows NT. Lançado em maio de 1993, o Windows NT era um sistema caro destinado a concorrer com a Novell para operar redes de computadores.[5] O NT também era "portátil", isto é, podia ser adaptado para trabalhar com computadores que não usassem microprocessadores Intel. Finalmente, o NT podia ser instalado em PCs muito poderosos, com grande capacidade de memória e espaço no disco. Em teoria, o NT era compatível para trás com todas as aplicações existentes de Windows e podia prover novas ampliações técnicas não oferecidas pela IBM, pela Apple e pela Novell. Na prática, o NT havia tido uma aceitação lenta. Como muitos sistemas novos, ele tinha problemas, carecia de algumas das qualidades prometidas e tinha algumas incompatibilidades com programas escritos para DOS e Windows 3.1. Porém, Gates achava que o NT "ficaria mais forte a cada dia".

A Microsoft havia anunciado dois novos sistemas operacionais que seriam decisivos para seu sucesso continuado nesse campo na segunda metade dos anos 90. O primeiro sucessor do NT teria melhores características para redes. O aperfeiçoamento importante seguinte era o "Cairo", um OS de alto poder que tornaria muito fácil, para os ISVs, escrever novos programas. O Cairo deveria ser lançado no final de 1996 ou em 1997 e iria concorrer diretamente com um produto esperado do empreendimento conjunto entre Apple e IBM.[6] O novo sistema mais importante da Microsoft foi o Windows 95. Ao contrário do NT, projetado inicialmente para redes, o Windows 95 trabalharia somente com microprocessadores de base Intel e foi projetado como substituto para o DOS e o Windows 3.1 para PCs. Programado originalmente para ser lançado em 1994, o Windows 95 foi lançado em 24 de agosto de 1995 (discutido abaixo).

Aplicações

Os *softwares* de aplicação tinham economias e dinâmicas fundamentalmente diferentes do negócio de sistemas operacionais. Por exemplo, os OSs eram vendidos quase exclusivamente através de

OEMs de *hardware* e as aplicações eram vendidas através de uma miríade de canais, inclusive OEMs de *hardware*, licenças a corporações e vários canais de varejo. Além disso, a chave para o sucesso de um fornecedor de OSs era construir relações íntimas de trabalho com ISVs para produzir o máximo possível de aplicações para os sistemas deles. Em comparação, os ISVs competiam em características, atendimento, preço e espaço nas prateleiras.

Até a emergência do Windows, o *software* de aplicação era um negócio altamente lucrativo, com os principais fornecedores lucrando de 15% a 20% sobre vendas. Uma vez que um cliente escolhesse uma determinada aplicação, ele tendia a se ater à mesma por muito tempo. No final da década de 80, uma corporação teria de gastar até cinco vezes o custo de um programa para retreinar seus funcionários para mudar para uma nova planilha ou um novo processador de texto. Mas mudanças na economia, bem como a revolução causada pelo Windows, alteraram o mercado de maneira fundamental. Em primeiro lugar, o custo de produção de um programa de *software* havia subido de algumas centenas de dólares para US$ 10 a US$ 15 milhões. Em segundo lugar, o Windows reduziu os custos de mudança provendo uma interface padrão com o usuário. O custo médio da mudança para uma nova aplicação caiu para cerca de duas vezes o custo da mesma. Em terceiro lugar, embora a Microsoft mantivesse uma posição dominante como maior fornecedora de aplicações para Macintosh durante os anos 90, ela havia claramente ficado para trás no mercado de aplicações para PC antes do lançamento do Windows. Na esteira do sucesso do Windows, ela emergiu rapidamente como a maior fornecedora de aplicações do mundo. Parte do sucesso da Microsoft resultava de falhas de concorrentes: muitos ISVs inicialmente estavam relutantes para escrever para o Windows; vários preferiam reinvestir no DOS, ao passo que outros apoiavam o esforço da IBM para promover o OS/2. Nos primeiros anos, o único fornecedor importante a oferecer aplicações que tiravam pleno proveito do Windows era a Microsoft. À medida que os usuários abandonavam o DOS, eles também abandonavam seus programas favoritos: em meados dos anos 90, o Excel para Windows da Microsoft estava vendendo duas vezes mais que o Lotus 1-2-3; em processamento de textos, o Word estava diminuindo a diferença para o WordPerfect.[7] A ascensão da Microsoft fez com que todos se apressassem: em 1995, os ISVs estavam dedicando pelo menos 75% de seus investimentos em P&D à plataforma Windows. Muitas aplicações avançadas, anteriormente disponíveis só no Macintosh, estavam agora disponíveis para Windows.

Parte do sucesso da Microsoft em aplicações para Windows se baseava em sua decisão de se expandir além dos seus produtos originais adquirindo e desenvolvendo novas aplicações. A empresa comprou o PowerPoint, um programa gráfico feito por uma empresa de bancos de dados do mesmo nome. Ela também lançou várias novas aplicações, como o Microsoft Mail. Em 1995, a Microsoft tinha a linha de produtos mais ampla da indústria. Com a expansão da linha de produtos, a empresa mudou as regras de vendas de aplicações: para induzir os clientes a abandonar suas aplicações favoritas, a Microsoft foi a primeira a oferecer um pacote de aplicações, chamado conjunto, a um preço com desconto. Em meados dos anos 90, a Microsoft estava vendendo o "Microsoft Office" como um conjunto integrado de aplicações que permitiam aos usuários partilhar dados entre programas Microsoft. Além disso, a Microsoft começou a oferecer "*upgrades* competitivos", um programa pelo qual um cliente de Lotus 1-2-3 ou de WordPerfect podia mudar para Microsoft por um preço com grande desconto.[8] A combinação de uma interface Windows padrão, baixa diferenciação aos olhos dos compradores e grandes descontos fizeram com que os preços médios de aplicações caíssem nos anos 90.[9] As empresas rivais, como Lotus e WordPerfect, não tinham opção a não ser ampliar suas linhas de produtos mediante aquisições, e também oferecer descontos. Com o aumento da concorrência por espaço nas prateleiras nos anos 90, os ISVs tinham de gastar até 20% das receitas em atividades de vendas e outros 20 a 25% em *marketing* e assistência técnica.

A combinação da força da Microsoft com a pressão por conjuntos e *upgrades* competitivos levou à consolidação entre as maiores fornecedoras de aplicações. Inicialmente a Novell, uma empresa que havia seguido uma estratégia de foco no negócio de redes durante a maior parte dos anos 80, anunciou que iria se fundir com a Lotus no início de 1990. A fusão fracassou quando a Lotus e a Novell foram incapazes de chegar a um acordo quanto à composição do conselho de administração. Depois desse fracassado, a Novell partiu para aquisições: comprou a DR-DOS (que depois fechou), comprou a UNIX da AT&T e, em 1994, adquiriu o negócio de planilhas da Borland e, a seguir, a WordPerfect.

Enquanto isso, a Lotus também desenvolvia ou adquiria programas em todas as categorias de aplicações. Embora sua participação na receita de aplicações para PC houvesse caído para 15% em 1990, ela voltou a subir para 25%. Mas a erosão dos preços e a queda da participação da Lotus em conjunto levaram a empresa, nos anos 90, a concentrar a maior parte dos seus recursos e sua atenção em produtos para comunicações. Sua maior aposta era o Notes, um produto que ela afirmava ser equivalente ao Windows para redes. Com o Notes, um grupo de usuários poderia criar uma área de discussão dentro da qual eles poderiam trabalhar juntos em um elenco de documentos e dividir e transferir informações facilmente, de uma forma sem precedentes em PCs. Os ISVs também estavam começando a escrever aplicações para o Notes. No final de 1994, mais de um milhão de cópias do Notes estavam instaladas em PCs, com as vendas mais do que dobrando anualmente. Em julho de 1995, a IBM concluiu a compra da Lotus por US$ 3,5 bilhões, na maior transação já feita envolvendo uma produtora de *software*. A IBM pagou US$ 64 por ação por uma empresa cujas ações estavam estagnadas em pouco mais de US$ 30 cerca de um mês antes.

A sabedoria da indústria dizia que 80% dos usuários não utilizavam mais que 20% das funções de uma aplicação típica, colocando assim em questão a viabilidade da contínua ampliação das aplicações básicas. Assim, as aplicações com funções radicalmente novas eram as mais importantes. A Microsoft reconhecia que sua maior fraqueza em 1995 era a falta de um produto para competir com o Lotus Notes. A Microsoft planejava oferecer um programa que oferecesse algumas das características do Notes, mas era tarde demais. Como comentou Bill Gates no segundo semestre de 1994, "de modo geral, nossa posição em *software* parece muito forte. A única exceção é o Lotus Notes. A cada dia que atrasamos nosso produto nessa categoria, nossa posição se enfraquece". Essa deficiência era particularmente surpreendente diante da articulação de Bill Gates, em 1990, de uma visão para o setor, denominada "Informação nas Pontas dos Seus Dedos (IAYF)". Embora Gates tenha previsto que os usuários de PC iriam se comunicar e ter acesso a dados de qualquer lugar, a Microsoft estava atrasada em termos de aplicações relacionadas a comunicações. Os Quadros 7.2 a 7.4 (ver p. 284-286) fornecem informações sobre alguns dos muitos concorrentes da Microsoft, suas participações de mercado e um mapa do setor.

A MICROSOFT EM 1995

No início de 1995, a Microsoft dispunha de um portfólio único de negócios que incluía OSs, aplicações, produtos de consumo, publicações, teclados e acessórios para PC, bem como de uma maneira única de fazer negócios. De acordo com um analista, "a força da empresa está na qualidade do seu pessoal e no estilo da sua gerência . . . O conflito está no centro de cada decisão importante da Microsoft . . . A dissensão é prevista e incentivada".[10] Esta abordagem começava no topo com Gates e seu grande amigo Steve Ballmer, chefe de *marketing* e vendas, e ia fundo na organização. Gates, freqüentemente chamado de "billg" (devido ao seu endereço de e-mail), era venerado por toda a

QUADRO 7.2
Informações sobre os Concorrentes

	1988	1989	1990	1991	1992	1993	1994	1995
Lotus Development Corporation								
Receita líquida	467	556	685	829	900	981	971	
Custo das receitas	91	105	142	174	200	202	173	
Pesquisa e desenvolvimento	84	94	157	117	118	127	159	
Vendas e *marketing*	171	222	276	371	424	463	497	
Despesas gerais e administrativas	54	61	62	70	69	70	69	
Renda operacional	69	74	49	74	12	102	6	
Renda líquida	59	68	23	43	80	55	(21)	
Capital de giro	225	300	226	207	296	417	392	
Ativos totais	422	604	657	706	763	905	904	
Patrimônio líquido	232	278	309	333	399	528	554	
Funcionários	2.500	2.800	3.500	4.300	4.400	4.738	ND	
Novell, Inc.*								
Receita líquida	347	422	498	640	933	1.123	1.988	2.041
Custo das receitas	152	152	132	123	184	225	467	489
Pesquisa e desenvolvimento	27	41	59	78	121	485[†]	347	368
Vendas e *marketing*	93	132	143	178	219	259	562	579
Despesas gerais e administrativas	21	25	29	35	52	80	162	153
Renda operacional	54	72	134	226	357	74	270	452
Renda líquida	36	49	94	162	249	(35)	207	338
Capital de giro	184	216	308	435	717	1.113	990	1.464
Ativos totais	280	347	494	726	1.097	1.344	1.963	2.416
Patrimônio líquido	175	236	398	599	938	996	1.487	1.938
Funcionários	1.584	2.120	2.419	2.843	3.637	4.429	8.457	7.762
WordPerfect Corporation‡								
Receita líquida		168	276	452	520	533	559	
Custo das receitas					94	99	109	
Pesquisa e desenvolvimento					104	107	112	
Vendas e *marketing*					112	195	243	
Despesas gerais e administrativas					31	37	39	
Renda operacional			32	160	140	179	96	56
Renda líquida			23	114	100	127	68	40

ND = não-disponível.
Nota: Cifras em milhões de dólares, exceto o número de funcionários.
*O ano fiscal da Novell termina na última sexta feira de outubro; as cifras de 1994 e 1995 refletem a fusão com a WordPerfect.
†Inclui US$ 165 milhões em desenvolvimento de produtos e US$ 320 milhões em despesas irrecorríveis associadas a P&D de empresas adquiridas.
‡A WordPerfect usa contabilidade de caixa em vez de contabilidade por acréscimo; as cifras para 1993 são estimadas.
Fontes: Relatórios anuais; estimativas do autor do caso.

organização. Particularmente temidas e respeitadas eram sua capacidade para chegar à essência das revisões e apresentações internas das quais com freqüência participava e sua capacidade para superar os concorrentes. Ballmer, graduado por Harvard, tinha uma voz alta e estrondosa, uma personalidade viva, talento para motivar a força de vendas e propensão para engajar Gates em discussões.

Simbólica do estilo intenso de Gates foi sua decisão de pedir a Eckhardt Pfeiffer, diretor presidente da Compaq, que falasse à sua alta gerência a respeito das lições aprendidas pela Compaq com

QUADRO 7.3

Participações de Mercado em 1993 — Classificações das Empresas de PCs por Categoria de *Software*

Categoria	Microsoft	Lotus	Borland
Software de Sistemas*			
Sistemas operacionais	86%		
Linguagens	30%		26%
Software de rede	9%		
Groupware/e-mail	29%	56%	
Aplicações			
Mercado de DOS			
Processadores de textos	27%		
Planilhas		66%	25%
Base de dados	28%		61%
Apresentação		37%	
Mercado de Windows			
Processadores de textos	43%	10%	
Planilhas	65%	19%	14%
Base de dados†	68%		28%
Apresentação‡	63%	29%	
Conjuntos	75%	22%	
Mercado de MAC			
Processadores de textos	53%		
Planilhas	92%	3%	
Base de dados	52%		
Apresentação	91%		
Participação Anual de Mercado#	57%	37%	31%
Participação de Mercado em 1987	28%	32%	13%
Ganho (Perda) Desde 1987****	29%	5%	18%

Nota: As vendas são medidas no atacado e incluem somente unidades novas. As cifras incluem a alocação de vendas de conjuntos, bem como *upgrades* competitivos, mas não regulares. As cifras da Microsoft para planilhas não incluem a Multiplan.

*Cifras de 1992.

†A Microsoft Access tinha participação maior no início de 1993, mas depois foi superada pela Paradox.

‡A Harvard Graphics está em primeiro lugar em vendas isoladas, mas em terceiro quando são incluídos os conjuntos.

#Cálculo médio baseado no mercado em que a respectiva empresa tem um produto competitivo.

**O ganho médio para a Microsoft é computado usando somente produtos de aplicação.

Fontes: Estimativas IDC, SPA e PainWebber, "Lotus Development Corporation in 1994", HBS case Nº 794-114.

sua crise no início dos anos 90.[11] Depois da palestra de Pfeiffer, Gates começou a examinar a organização da Microsoft. A Compaq estava no topo do mundo quando surgiu sua crise e Gates não queria que uma crise semelhante atingisse a Microsoft. Ele comentou depois da palestra:

> Cada sintoma descrito por Eckhardt na Compaq se aplica à Microsoft. Uma visão não-realista dos preços futuros, a incapacidade para pensar a respeito de vantagens em negócios criadas pelos projetos, a falta de criatividade de baixo para cima, a falta de *benchmarking* competitivo, o desejo de contratar pessoas e tornar as coisas complexas ... como podemos criar uma sensação de "crise" que mude nossa atual abordagem?

QUADRO 7.4
Mercado Mundial de *Software* para PC

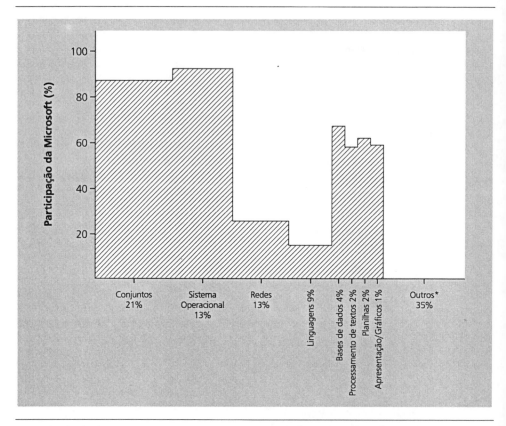

*Categorias significativas neste segmento são CAD/CAE, utilidades, *software* educativo e programas gráficos. As percentagens no eixo horizontal são estimativas da participação do mercado global de PC ocupado pelo segmento. *Fontes*: Microsoft Corporation; estimativas do autor do caso.

Gates pensava numa nova organização que buscaria maior inovação e não temeria assumir riscos. Ele explicou que, a longo prazo "a Microsoft precisará obter a maior parte da sua receita de clientes regulares do que de novos clientes. Esta é uma mudança fundamental em nosso modelo de negócios . . . Não creio que a indústria de *software* como um todo já tenha realmente percebido isto".[12] Esta mudança no modelo de negócios era freqüentemente citada como uma passagem de empresa de "bens empacotados" para empresa de "serviços públicos" que recebia um fluxo estável de receitas por seus serviços. Os Quadros 7.5 a 7.7 (ver p. 287-288) contêm informações sobre os mercados de *hardware* e *software* de PCs.

Um memorando interno, enviado por Bill Gates depois da palestra de Pfeiffer, enfatizava as novas maneiras pelas quais a organização de vendas seria estruturada e especificava as maneiras pelas quais as tecnologias seriam divididas entre as diferentes unidades de desenvolvimento de produtos. De agora em diante, os esforços de vendas e *marketing* estariam associados a uma de três unidades clientes: usuário final, organização ou OEM.[13] Cada uma das sete divisões de produtos era responsável pelo desenvolvimento dos seus produtos e tecnologias. Aspectos do desenvolvimento de produtos, voltados para a instituição de um processo mais reproduzível para a produção em

QUADRO 7.5
Indicadores de Saturação do Mercado de PC, 1994

	1991	1992	1993	1994	1995*	1996*
Remessas de reposição/total de remessas†	44,5%	38,2%	43,1%	48,9%	54,8%	59,1%
Remessas de reposição/base instalada‡	8,3%	7,7%	9,8%	11,1%	12,3%	13,0%

Volume de Reposição e Porcentagens de Remessas de PCs por Área Geográfica,1994

	Remessa de Substituição (milhões de PCs)	Percentagem do Total de Remessas
Estados Unidos/Canadá	9,4	52%
Europa Ocidental	5,4	46%
Japão	1,5	46%
Ásia/Pacífico	1,1	23%
América Latina	0,5	10%
Mundo	17,9	43%

*Estimativas.
†Remessas de reposição/total de remessas = número de PCs de reposição comprados em determinado ano em relação ao número total de PCs comprados naquele ano.
‡Remessas de reposição/base instalada = número de PCs comprados em determinado ano em relação à base instalada acumulada.
Fonte: Microsoft Corporation.

QUADRO 7.6
Informações sobre o Mercado de *Software*

	1993	1994	1995*	1996*	1997*	1998*
Mercado Total/Todas as Aplicações†						
Base instalada (000 unidades)	115.994	133.774	151.640	169.173	186.472	203.097
Novas remessas:						
Total de unidades remetidas	23.731	25.186	28.116	30.270	32.744	34.964
Compras legais de unidades‡	14.284	15.186	16.304	17.463	18.800	20.031
Upgrades:						
Total de unidades remetidas	7.871	10.379	13.312	16.748	20.699	25.244
Upgrades legais	4.729	6.239	7.966	9.961	12.243	14.854

*Estimativas.
†Inclui quatro categorias de produtos: processadores de textos, planilhas, gerenciadores de apresentações e gerenciadores de bases de dados.
‡Compras legais são aquelas para as quais a receita é realizada.
Fonte: Microsoft Corporation.

QUADRO 7.7
Remessas e Base Instalada (milhões de unidades)

	Remessas Totais de Tecnologias Intel*						
	1990	1991	1992	1993	1994	1995†	1996†
Unidades remetidas	18,3	20,2	30,6	41,4	47,8	60	70
Base instalada	71,4	91,6	122,2	163,6	211,4	271,5‡	

	Remessas Totais de Tecnologias Motorola e Power PC					
	1990	1991	1992	1993	1994	1995‡
Unidades remetidas	2,9	3,3	3,9	4,5	4,7	5,0
Base instalada	9,3	12,6	16,5	21,0	25,9	30,9

*X86 (8086, 8088, 80286, 80386, 80486) e Pentium.
†Estimativas.
‡Cerca de 30% da base instalada de máquinas com base Intel e Macintosh eram tecnologias mais antigas (primeira geração de X86 e primeiras séries de 68000) que provavelmente não estavam mais em uso.
Fontes: Dataquest, Info Corporation e estimativas do autor do caso.

massa de *software*, permaneciam em todas as divisões de produtos. A crescente complexidade dos programas tornava necessário esse processo.[14] Também estavam sendo tomadas providências para atacar o desperdício identificado na falta de códigos comuns entre os diferentes programas e para alavancar tecnologias vitais entre as divisões de produtos. Embora esse processo exigisse reescrever partes de códigos que estavam funcionando bem sozinhos, esperavam-se economias substanciais a longo prazo.[15]

A Microsoft sempre havia conseguido atrair os maiores talentos em *software*, em parte por lhes proporcionar generosas opções de ações (ver Quadro 7.8, p. 289). Mike Murray, chefe de recursos humanos, notou que uma recente calmaria de seis meses na ascensão das ações havia feito com que vários dos melhores candidatos recusassem empregos na Microsoft, provocando insatisfação entre funcionários.[16] Um deles enviou um e-mail acusando a alta administração de conspirar para manter baixo o preço das ações, de uma maneira que sugeria que pelo menos alguns deles haviam começado a pensar em suas opções de ações como um direito adquirido.

Uma questão semelhante era que, como a empresa havia crescido, o mesmo se dera com as amplitudes de controle. De acordo com um funcionário, "todos sabem que Bill e, em menor extensão, Ballmer, são quem manda na empresa, e as comunicações estão falhando".[17] Esta situação criou a necessidade de contratação de pessoal subalterno, bem como mais experimentado, para o qual a concorrência era consideravelmente mais dura. Contudo, a dificuldade para contratar pessoal graduado elevou a já considerável dependência da empresa em relação a Gates. Como comentou um administrador, "Como em grande parte contratamos pessoas muito inteligentes e independentes que só aceitam ordens de Bill Gates, é muito difícil fazer com que elas confiem umas nas outras e deixem de recorrer a ele para a resolução de problemas". Consistente com aquela que sempre tinha sido a cultura da Microsoft, Murray continuava a procurar pessoas inteligentes cuja maior ambição fosse "mudar o mundo". Não obstante, conhecimentos especializados também eram neces-

QUADRO 7.8
Remuneração na Microsoft, 1992

	Média de 15 Empresas	Microsoft
Remuneração Básica Anual*	$ 56.586	$ 38.500
Total Anual em Dinheiro†	57.401	41.700
Remuneração Total Anual‡	65.557	89.500

*Remuneração média de todos os funcionários, exceto aqueles que respondiam diretamente ao presidente e a força de vendas comissionada.
†Pagamento básico anual mais incentivos em dinheiro a curto prazo e participação nos lucros em dinheiro.
‡Total em dinheiro anual mais ganhos das ações e contribuições da empresa para aposentadoria.
Fonte: Resultados da Pesquisa Intel de Remuneração em 1992.

sários, muito mais do que alguns anos antes. Em 1994, Murray recebeu pedidos dos chefes de divisões para recrutar mais de 3.000 pessoas. Ele achava que conseguiria satisfazer cerca de 70% daqueles pedidos. Além disso, no final de 1994, mais de 30% das requisições de pessoal tinham ficado abertas por mais de 90 dias, uma percentagem muito acima daquela de alguns anos antes.

NOVAS OPORTUNIDADES DE CRESCIMENTO

A sabedoria convencional dizia que o crescimento do PC estava se desacelerando.[18] O medo de saturação levou a Microsoft a buscar crescimento em várias frentes. Externamente, a empresa estivera procurando e/ou adquirindo novos negócios de *software,* inclusive a SoftImage (uma empresa com sede em Quebec que produzia o *software* para animação em filmes como Jurassic Park). Internamente, a Microsoft tinha pelo menos quatro importantes iniciativas para fazer crescer a empresa: Windows 95, novo *software* em computação para empresas, produtos do Grupo de Tecnologia Avançada e os esforços da Divisão de Produtos de Consumo na área de computação doméstica. Como comentou um executivo, "*software* é como um gás; ele se expande para encher o recipiente. À medida que os PCs crescem em desempenho, há novas oportunidades para vender aplicações ampliadas".

Windows 95

O futuro crescimento da Microsoft dependia muito do sucesso do Windows 95. Esperava-se que o sistema melhorasse a interface com o usuário, permitindo que vários programas rodassem simultaneamente e fosse mais compatível com *softwares* de outras empresas. O Windows 95 deveria criar um padrão para "ligue e use" no PC, permitindo que diversos componentes interagissem ao mesmo tempo sem choques. A Microsoft também pretendia reunir vários programas que até então haviam sido mantidos separados (como *software* de redes e Microsoft Mail), bem como várias novas tecnologias (como serviços *online*). Assim como nos lançamentos anteriores de novos sistemas operacionais, a Microsoft esperava gerar uma onda de vendas da nova aplicação. A Microsoft também havia decidido que, se os ISVs que escreviam aplicações para Windows 95 quisessem usar o logo "Projetado para Windows 95", eles teriam de garantir que seus programas também rodavam em Windows NT.

O esforço dedicado à produção do Windows 95 tinha sido tremendo. Quatrocentas mil cópias beta haviam sido distribuídas para testar o produto e aferir as reações dos usuários; este volume era muitas vezes maior que o usual. Gates estimou que a Microsoft gastou US$ 400 milhões no Windows 95. Analistas calculavam que só a propaganda e o *marketing* no primeiro ano representariam US$ 200 milhões. Além disso, a Microsoft esperava beneficiar-se de uma exposição valendo dez vezes mais, devido à cobertura gratuita da imprensa e à propaganda associada de outras empresas.[19]

Para encorajar os OEMs a incluir o Windows 95 em seus equipamentos quando ele fosse liberado, a Microsoft anunciou grandes descontos de volume sobre os pagamentos de *royalties*. De acordo com a revista *PC Week*, os OEMs pagavam cerca de US$ 35 por PC para licenciar o DOS e o Windows 3.1, mas os *royalties* para o Windows 95 começariam em US$ 55, com espaço para economias de até US$ 30 se várias condições concebidas para encorajar uma rápida adoção fossem preenchidas.[20] Alguns OEMs manifestaram preocupação com respeito a essa notícia. O presidente da Vobis, a maior fabricante de PCs da Alemanha, afirmou: "É difícil para eles entender que esta década de monopólio terminou".[21] Analistas estimavam que a Microsoft iria obter uma média de US$ 40 por cópia do Windows 95.

Embora 40% da base instalada de PCs em 1995 fossem considerados poderosos o suficiente para rodar o Windows 95, não estava claro quantos receberiam um *upgrade*. Particularmente nas empresas, havia preocupação a respeito dos custos ocultos do treinamento de funcionários no uso do Windows 95.[22] Muitas empresas proclamaram que iriam pular o Windows 95 e esperar por uma versão favorável ao usuário do Windows NT. Muitos gerentes corporativos de TI acreditavam que o Windows NT, apesar dos seus preços médios de venda (ASP) mais altos, era um produto mais estável e esperar por ele evitaria que eles tivessem que fazer dois *upgrades*.

Computação em Empresas

Havia várias questões que a Microsoft precisava enfrentar no mundo da computação em empresas. Primeira, o movimento de abandono das máquinas de grande porte em favor dos PCs havia criado um vácuo de liderança.[23] Os mercados especulavam se a Microsoft iria ocupar esse lugar. Para isso, ela teria de mudar sua maneira de operar no mercado. Por exemplo, o processo de venda teria de ser muito diferente. Geralmente a Microsoft vendia aplicações embaladas com plástico a corporações e revendedores ou licenciava produtos para OEMs de computadores. Em contraste, a IBM historicamente segurava as mãos dos seus clientes corporativos. De acordo com um alto executivo da Microsoft, "nossa sombra é muito maior que nossos corpos. Gostaríamos de evitar atendimento e assistência técnica e esperar que terceiros integradores de sistemas possam substituir a IBM". Entretanto, até então os esforços da Microsoft nessa área haviam recebido críticas variadas, em particular dos grandes clientes corporativos. Estes achavam que ou a Microsoft não estava disposta a desempenhar o papel de liderança da IBM na era dos PCs em rede, ou não era capaz de fazê-lo.

Também havia oportunidades para muitos outros produtos. Historicamente, a indústria de PCs havia sido ótima para automatizar o processo de caneta e papel. Uma das próximas grandes oportunidades surgia na automação de processos de negócios. Entretanto, as tentativas iniciais da Microsoft para alavancar seu *software* Windows em dispositivos comumente encontrados em escritórios (p. ex., copiadoras e telefones), denominadas Microsoft at Work, haviam sido malsucedidas. Enquanto isso, a Novell tinha anunciado planos ambiciosos para usar seu *software* de rede para permitir a comunicação entre equipamentos no escritório, em casa e na fábrica.

Em 1993, a Microsoft lançou o MS Select, projetado para tornar mais fácil, para grandes clientes, comprar, administrar e distribuir *software* Microsoft. Em meados de 1995, a Microsoft já tinha mais de 2.000 clientes comprando *software* por meio do MS Select. Além de prover preços mais baixos por volume e distribuição simplificada, o Select também introduziu um conceito chamado "manutenção", desenvolvido para simplificar os *upgrades* de *software* para os clientes. A manutenção dava a eles o direito a todos os *upgrades* que fossem lançados durante a vigência do acordo (para produtos mantidos) em troca de uma módica taxa trimestral. Com os produtos inscritos na manutenção, os clientes evitavam os problemas orçamentários que normalmente enfrentavam quando faziam *upgrade* para novas versões de *software*. Ela também reduzia a necessidade de identificar cada licença, reduzindo os custos administrativos.

Grupo de Tecnologia Avançada

Nathan Myhrvold, ex-físico de pesquisa e cozinheiro amador, tinha uma gama de responsabilidades. Entre elas, a chefia da equipe de 600 membros dedicados à busca de "idéias malucas" que pudessem ser transformadas em produtos em menos de dez anos. Myhrvold notou que a Microsoft tinha se metamorfoseado com sucesso, deixando de ser uma empresa que fornecia ferramentas de programação para ser, em seqüência, uma provedora de programas especializados, uma empresa de sistemas operacionais e, mais recentemente, uma empresa de *software* de aplicações. As receitas de cada encarnação sustentavam a entrada em futuras gerações, e estas haviam conseguido não canibalizar as correntes anteriores de receita. Ele acreditava que a tarefa fundamental do seu grupo era a de melhorar as probabilidades de a Microsoft ser capaz de passar pela transformação seguinte no momento oportuno. Embora o grupo "Ad-Tech" gerasse pouco em termos de receitas, ele havia iniciado os projetos Windows NT e Microsoft at Work e era responsável por projetos de longo prazo como reconhecimento de voz e de escrita à mão de aplicações para televisão interativa. Devido à natureza "jornada nas estrelas" do seu trabalho, ele atraía muitos talentos técnicos de dentro e de fora da empresa.

O grupo de Myhrvold estava particularmente concentrado em projetos ligados à muito falada "super-estrada da informação". O projeto mais próximo da consecução era o programa Microsoft Network (MSN) que seria lançado juntamente com o Windows 95. Seus usuários poderiam clicar um ícone que lhes daria acesso a uma série de serviços *online,* como grupos de discussão, serviços noticiosos e informativos, sistemas de reservas, jogos, *software* e suporte técnico, bem como acesso à Internet. Tornando tão simples o acesso ao MSN, a Microsoft esperava atrair muitos não-assinantes da Internet para serviços *online* e aumentar de forma substancial o mercado de 7,8 milhões de usuários.[24] Os provedores já estabelecidos de serviços *online* reclamaram que a ampla distribuição do Windows 95, comparada com o número existente de serviços *online,* iria significar que a Microsoft teria uma vantagem injusta no acesso a novos clientes. Levando o assunto aos tribunais, as três maiores provedoras de serviços *online* — America Online (AOL), Prodigy e CompuServe — solicitaram ao Departamento de Justiça que impedisse o plano da Microsoft de dar ao MSN uma posição exclusiva na tela do Windows 95.

Embora o Departamento de Justiça tenha finalmente decidido não intervir no início de agosto, estava ficando cada vez mais evidente, para a direção da Microsoft, que a emergência da Internet era uma questão muito maior que os serviços exclusivos *online*. A função da Internet era de permitir que os usuários recuperassem informações, bem como enviassem arquivos e mensagens. Iniciada pelo Departamento de Defesa dos Estados Unidos no final dos anos 60, a Internet havia se tornado, em meados de 1995, um fenômeno de consumo e de negócios que poderia mudar as regras do jogo para a indústria de computadores. Ao contrário da maior parte das redes de domínio exclusivo, a Internet era um sistema realmente global com padrões abertos. O *software* na Internet também era aberto: os programas e arquivos usados na Internet funcionavam em qualquer sistema — inclusive Windows, UNIX e Macintosh. Analistas acreditavam que, quando o Windows 95 estivesse pronto para ser lançado, o crescimento já teria explodido, com 20 a 30 milhões de pessoas tendo acesso à Internet.

A parte mais popular da Internet era a Worldwide Web (WWW), a qual propiciava uma interface gráfica e a possibilidade de ir a qualquer parte da rede apontando e clicando um mouse. Novas empresas, como a Netscape, começaram a oferecer "Web Browsers" para se navegar na Internet. A Netscape havia arrancado uma página da história inicial da Microsoft dando gratuitamente seu Web browser para conseguir participação de mercado. Em agosto de 1995, a Netscape tinha mais de 75% do mercado de Web browser. Finalmente, estavam surgindo novas linguagens de programação, como o Java da Sun Microsystems, que iriam permitir aos ISVs escrever *software* para a Internet. Hipoteticamente, um ISV poderia escrever um programa de *software* para trabalhar somente na Internet ou somente com um determinado Web browser, em vez de trabalhar com um sistema operacional como o Windows.

Computação Doméstica

Os recursos dedicados a Tecnologias Avançadas eram pequenos em comparação com aqueles planejados para a divisão de computação doméstica (ver Quadro 7.9, p. 293). As vendas de PCs para uso doméstico cresceram consideravelmente mais depressa do que aquelas para uso em empresas em 1994 e 1995. Os PCs multimídia com CD-ROM[25] estavam se tornando especialmente populares. Entre 1993 e 1994, as vendas dos CD-ROM explodiram, crescendo de 16 milhões para 54 milhões de discos. Mais de 66% desses produtos estavam incluídos em PCs ou em kits para *upgrade* multimídia. A linha Presario de computadores da Compaq, muito popular e a primeira dirigida pela empresa explicitamente para o mercado doméstico, ajudou a garantir que a empresa vendesse mais PCs do que qualquer outra em 1994. Para tornar seus produtos mais atraentes para o usuário doméstico, alguns OEMs, como a Compaq, também haviam começado a experimentar com suas próprias interfaces gráficas com o usuário (GUIs).

Gates insistia que o consumidor sempre fizera parte da visão original da Microsoft. De fato, o programa Flight Simulator (Simulador de Vôo) era um dos primeiros sucessos no mercado de computação doméstica. Sinalizando a crescente importância da divisão, Gates colocou Patty Stonesifer para gerenciar a operação em agosto de 1993. Stonesifer havia trabalhado como editora-chefe da *Que*, uma editora de livros sobre computadores, antes de entrar na Microsoft Press como gerente senior em 1988. Numa reunião gerencial em 1990, ela impressionou Gates com seu raciocínio incisivo e sua forte liderança e ele convidou-a para dirigir a Microsoft do Canadá. Um ano depois, Gates colocou-a para organizar o Centro de Suporte a Produtos e Serviços, onde os clientes ficavam esperando em filas por até 20 minutos. Quando Gates convidou-a para dirigir a Divisão de Produtos de Consumo, ela havia reduzido a espera no centro a menos de 60 segundos. Como indicação adicional da importância atribuída à computação doméstica, a Microsoft também havia nomeado Robert Herbold diretor de operações. Herbold trabalhara 26 anos na Procter & Gamble, uma empresa com muita experiência em marcas e conhecimento em matéria de satisfação das necessidades dos consumidores.

QUADRO 7.9

O Mercado Doméstico de PCs dos Estados Unidos

	1992	1993	1994*	1995*	1996*	1997*	1998*
Número de domicílios (milhões)	95,4	96,3	97,2	98,2	99,1	99,9	100,7
Hardware							
Total de PCs expedidos (000)	4.875	5.850	6.552	7.011	7.326	7.556	7.934
Penetração do PC nos domicílios	29,6%	33,1%	36,4%	39,6%	42,8%	46,1%	49,6%
Hardware Multimídia							
Novas unidades de PC multimídia (%)	4,0	15,0	30,0	50,0	75,0	90,0	92,0
PCs multimídia como % da base							
instalada de PCs	1,6	5,4	11,4	19,3	29,2	39,3	48,1
Software Multimídia†							
Unidades multimídia baseadas em	18.999	36.552	49.784	70.060	106.512	14.051	ND
PC expedidas (000)							
Receita de multimídia baseada	$ 2.580	$ 8.729	$ 11.578	$ 15.151	$ 19.594	$ 27.571	ND
em PC ($ milhões)							

ND = não-disponível.
*Estimativas.
†Inclui compras de *software* para uso doméstico e em empresas.
Fonte: LNK; Dataquest.

Em agosto de 1995, a divisão já havia desenvolvido mais de 70 títulos de CD-ROM de informação (como uma enciclopédia, um atlas rodoviário e um guia de culinária), administração doméstica (como preenchimento de cheques, calendário e livro de endereços), finanças pessoais, jogos e produtos infantis. A divisão também vendia *hardware,* como o teclado ergonômico Natural Keyboard, e *software* Works, o qual reunia ferramentas para a computação do dia-a-dia, inclusive um processador de textos, um gerente de banco de dados, uma planilha e ferramentas de desenho. De suas ofertas em CD-ROM, os títulos mais conhecidos incluíam a enciclopédia multimídia Encarta '95 e o Magic Schoolbus (o primeiro de uma série educativa que apresentava crianças percorrendo o interior do corpo humano em um ônibus escolar). De fato, no mercado de referência, a Microsoft era a líder indiscutível.[26] Um novo produto multimídia era o Complete Baseball, cujas características *online* possibilitavam, aos fãs do esporte, chamar e descarregar estatísticas diárias (pagando uma taxa). Em conjunto, esses produtos geraram US$ 400 milhões de receita em 1994, colocando a divisão em terceiro lugar no setor de *software* multimídia. Entretanto, a Microsoft não tinha essa posição de liderança em alguns dos outros subsegmentos, onde a economia era muito diferente. Em particular, os produtos de consumo tinham um custo fixo muito inferior aos sistemas operacionais e aplicações de desktop. O custo estimado de desenvolvimento de *software* para um CD-ROM era inferior a US$ 1 milhão e podia baixar a até US$ 10.000.

Em conseqüência tanto da demanda crescente por esses produtos como dos baixos custos de entrada, concorrentes de todos os tipos haviam começado a fazer sentir sua presença. A divisão enfrentava concorrência de grandes empresas que entravam na produção de CD-ROM, bem como de pequenas empresas concentradas no mercado de produtos de consumo. Na categoria de grandes empresas, editoras como Random House e Addison-Wesley e produtoras de filmes estavam desenvolvendo *software* para entrar no mercado. Na verdade, a Disney estava desenvolvendo *software* desde 1988 e acabara de renovar seu compromisso com sua unidade Disney Interactive. Na categoria de pequenas empresas, a Broderbund e a Electronic Arts tinham começado a adquirir reputação por seu *software* muito criativo e bem produzido. A Broderbund tinha a seu crédito alguns dos títulos de consumo mais vendidos, inclusive a família de produtos Print Shop que permitiam aos usuários fazer itens de papelaria personalizados, a família Carmen Sandiego de jogos concebidos para estimular o interesse por geografia, história e culturas do mundo, e o mais recente jogo de aventuras multimídia, o Myst. Ao mesmo tempo a Intuit, com o programa Quicken, que permitia aos usuários automatizar transações financeiras pessoais, dominava a categoria de finanças pessoais. Reconhecendo que as empresas menores e focalizadas conseguiam, de modo geral, reagir mais depressa às oportunidades individuais de varejo do que a Microsoft, Stonesifer disse: "Meu medo não é uma única grande empresa; é de uma porção de Intuits". Em geral as empresas menores eram consideradas menos lucrativas que as operações da Microsoft (ver Quadro 7.10, p. 295-296).

De fato, não havia escassez de desafios para Patty Stonesifer. Além do ambiente competitivo diferente, o *marketing* era muito diverso daquele dos produtos básicos, assim como o processo de desenvolvimento de conteúdo para CD-ROMs. Ao contrário dos sistemas operacionais e do *software*, nos produtos de consumo o foco estava no produto, não na empresa. Como observou Stonesifer, "estamos acostumados com um negócio em que você compra a editora; aqui, em contraste, você compra o título". Na verdade, o foco nos títulos havia levado a Microsoft a comercializar independentemente seus produtos. Porém, essa abordagem fez com que somente dois produtos ultrapassassem o limiar de vendas de 250.000 unidades. Abaixo dessa marca, os produtos raramente atingiam margens de lucro aceitáveis para a Microsoft. Stonesifer pensou em redirecionar a divisão, afastando-a de produtos individuais no sentido do desenvolvimento de produtos pertencentes a pequenas marcas.[27] Ela vislumbrava séries com marcas oferecidas por cada um dos grupos de produtos. Além disso, a divisão iria comercializar todos os produtos sob a marca Microsoft Home. Stonesifer comentou que a marca iria encorajar "os consumidores e pensar em nós em todos os Natais e aniversários". Para aproveitar esse esforço de *marketing*, ela também pretendia desenvolver melhores canais de distribuição. Em contraste com concorrentes relativamente focalizados, como Broderbund e Intuit, Stonesifer achava que os múltiplos grupos de produtos da Microsoft muitas vezes colocavam demandas conflitantes sobre sua força de vendas.

A busca de conteúdo para CD-ROMs de consumo também representava uma nova atividade para a Microsoft. Enquanto o *software* convencional exigia que os programadores executassem 60% das tarefas necessárias ao desenvolvimento de um produto, o *software* para CD-ROM necessitava deles para somente 10 a 20% das tarefas e dependia de provedores de conteúdo. Embora a divisão desenvolvesse algum conteúdo, cerca de 80% deste vinha de fornecedores independentes contratados.[28] A concorrência por conteúdo era intensa. Depois de identificar áreas para as quais queria conteúdo, a divisão procurava fornecedores adequados, negociava contratos com eles e, quando o conteúdo era entregue, aplicava-lhe controles de qualidade. Nessas tarefas, a divisão tratava com centenas de pessoas, inclusive funcionários contratados, programadores, artistas e músicos. Os funcionários contratados recebiam um adiantamento sobre futuros direitos autorais durante o processo de desenvolvimento. A Microsoft limitava o pagamento de direitos autorais a 10% das vendas para conteúdo sem marca, alegando que seus 10% equivaliam a 20% de outras empresas, devido à sua força de distribuição. Para um produto como Cinemania, a Microsoft negociava 50 contratos separados; para um produto como Dangerous Creatures, eram necessários apenas 1 ou 2 contratos.

Na verdade, havia muitas outras diferenças entre os produtos. Alguns, como Encarta e Cinemania (um guia multimídia de filmes), eram produtos que já geravam níveis aceitáveis de lucratividade. Outros, como os jogos, exigiam pequenos investimentos, muita terceirização de conteúdo e

QUADRO 7.10
Informações sobre Concorrentes em *Software* Doméstico

Broderbund *Software*, Inc.

	Agosto 1991	Agosto 1992	Agosto 1993	Agosto 1994
Receita líquida	55,78	75,08	95,58	111,77
Custo das receitas	23,75	31,75	36,36	37,56
Pesquisa e desenvolvimento	7,06	10,90		16,02
Despesas de vendas, gerais e administrativas	20,36	28,10	35,83	42,14
Renda operacional	11,06	14,15	20,63	29,05
Renda líquida	7,06	9,66	13,63	11,06
Capital de giro	29,25	37,46	54,77	73,01
Ativos totais	42,75	56,23	77,23	97,65
Patrimônio líquido	32,43	44,17	61,00	80,18
Funcionários	271	338	402	438

Intuit

	Setembro 1992	Setembro 1993	Julho 1994	Julho 1995
Receita líquida	83,79	121,37	194,13	395,73
Custo das receitas	27,63	36,01	65,15	104,51
Pesquisa e desenvolvimento	8,34	12,98		
Despesas de vendas, gerais e administrativas	46,85	68,98	109,38	250,74
Renda operacional	7,85	13,23	-4,74	-12,16
Renda líquida	5,28	8,41	-176,31	-45,36
Capital de giro	10,39	41,47	69,13	161,30
Ativos totais	29,63	73,79	244,58	384,20
Patrimônio líquido	17,24	49,24	185,82	281,19
Funcionários		597	1.228	2.732

Sierra *Online*

	Março 1991	Março 1992	Março 1993	Março 1994	Março 1995
Receita líquida	34,72	43,19	49,72	62,74	83,44
Custo das receitas	13,52	20,20	28,11	26,22	32,72
Pesquisa e desenvolvimento	3,30	7,78	19,26	21,44	26,54
Despesas de vendas, gerais e administrativas	12,45	15,83	31,32	38,11	45,77
Renda operacional	7,64	5,02	-12,81	-5,29	1,82
Renda líquida	5,39	3,69	-8,40	-8,68	11,94
Capital de giro	16,05	44,32	37,50	33,49	100,59
Ativos totais	32,43	67,30	61,65	63,89	137,53
Patrimônio líquido	26,42	58,34	50,83	49,84	80,07
Funcionários	412	527	549	540	629

Nota: Os finais dos anos fiscais variam. As informações são sempre para 12 meses, terminando na data declarada. As cifras são em milhões de dólares, exceto para funcionários.

continua

QUADRO 7.10
Continuação

Soft Key International

	Junho 1991	Junho 1992	Junho 1993	Dezembro 1994
Receita líquida	35,61	41,82	29,97	121,29
Custo das receitas	8,99	13,36	14,78	33,87
Pesquisa e desenvolvimento	5,89	4,95	6,78	6,70
Despesas de vendas, gerais e administrativas	30,27	30,43	27,69	56,41
Renda operacional	−4,84	−2,82	−13,18	25,79
Renda líquida	−7,51	−4,91	−27,48	21,14
Capital de giro	10,36	7,47	0,79	15,52
Ativos totais	22,67	21,69	19,42	90,81
Patrimônio líquido	15,74	12,18	0,05	37,48
Funcionários	280	198	118	450

Nota: Os finais dos anos fiscais variam. As informações são sempre para 12 meses, terminando na data declarada. As cifras são em milhões de dólares, exceto para funcionários.
Fontes: Relatórios anuais, 10Ks.

davam retorno por um ou dois anos, desde que tivessem sucesso. Normalmente os jogos precisavam ser reescritos para cada lançamento; o *software* não era reutilizável. Um grande número de produtos (como aqueles de viagens) exigia investimentos sustentados por vários anos e um componente substancial de desenvolvimento interno de conteúdo, com o sucesso dependendo do interesse sustentado dos consumidores. Além disso, as linhas de produtos atraíam personalidades diferentes. Como explicou Patty, "meu grupo de jogos que explodem coisas é muito diferente do grupo para crianças, que procura criar coisas". Devido a essas diferenças, ela dirigia esses grupos como entidades separadas. Ela comentou: "Não posso ser um Scott Cook dirigindo uma Intuit. Tenho um conglomerado e preciso de uma série de Scott Cooks dirigindo cada uma das divisões que comando". Ao mesmo tempo, a Microsoft criou uma unidade separada para trabalhar no programa de finanças domésticas. Depois que uma investigação antitruste levou a Microsoft a retirar sua oferta de compra da Intuit, produtora do best-seller Quicken, um programa de finanças domésticas, a empresa deu alta prioridade ao aperfeiçoamento do seu próprio programa, o Microsoft Money.

A despeito da dependência de funcionários contratados, a divisão de Produtos de Consumo era a de mais rápido crescimento na Microsoft, empregando 800 trabalhadores em 1995. Sessenta por cento deles vinham de fora da empresa e constituíam a maior parte do pessoal editorial e criativo, ao passo que 40% eram transferências internas e compunham os programadores da divisão. Enquanto os provedores de conteúdo tendiam a vir de um ambiente que não se prestava facilmente à mentalidade de produção de *software* na Microsoft, os funcionários transferidos experimentavam uma "perda de controle" em relação àqueles que desenvolviam aplicações convencionais, onde havia uma definição mais rígida das especificações. Além disso, os tipos de personalidade que caracterizavam os dois grupos com freqüência se chocavam. Em muitos casos, editores e desenhistas deixavam a empresa porque não queriam lidar com gerentes de programas arrogantes. Stonesifer planejava fazer ainda mais contratações externas em 1995, mas notou que os funcionários transferidos internamente eram úteis para facilitar o uso de técnicas desenvolvidas em outras partes da Microsoft.[29]

À medida que a divisão ganhava destaque dentro da Microsoft, seu foco de negócios se torna-va uma fonte de debate. Várias pessoas na empresa questionavam a sensatez do desenvolvimento interno de conteúdo, argumentando que a Microsoft não deveria entrar em áreas nas quais histori-camente não tinha experiência. Outras diziam que o conteúdo seria o único ativo que continuaria tendo valor, porque a Internet iria prover um campo barato para distribuição direta aos clientes. Várias pessoas questionavam o foco da divisão em CD-ROMs em detrimento da computação *online*. Stonesifer, defendendo-se, acreditava que os seus críticos subestimavam o tempo que seria necessá-rio para o desenvolvimento da computação *online*. Nesse ínterim, ela achava que a Microsoft deve-ria alavancar sua vantagem com os CD-ROMs, mas desenvolver conteúdo com um olho na utilização em duas plataformas (i. e., para CD-ROMs e para computação *online*). Além disso, enfatizava Sto-nesifer, não era suficientemente claro até onde os consumidores gostavam de possuir algo, caso em que eles prefeririam um CD-ROM a serviços *online*. Ela observou: "Somente uma pequena fração de pessoas compram livros, mas elas compram!"

Enquanto isso, a America Online (AOL), uma provedora de serviços *online* em rápido cresci-mento, havia começado a abrir uma liderança substancial sobre as outras em vários dos seus produ-tos, desenvolvendo uma imagem de dinamismo e crescimento. Seu programa Digital City, lançado no início de 1995, proporcionava acesso fácil a conteúdo relevante para uma determinada cidade (como programações de entretenimento, tempo local e política local) e parecia ser um grande sucesso. A superação de produtos como esse poderia exigir investimentos ao longo dos próximos anos de centenas de milhões de dólares, possivelmente tanto quanto investir em um sistema opera-cional completamente novo. Várias pessoas na empresa questionavam se esses gastos na criação de conteúdo (para CD-ROMs e depois para uso *online*) iriam produzir retornos proporcionais.

Entretanto, Gates depositou plena confiança na visão do consumidor e, em particular, em sua crença de que o desenvolvimento de conteúdo era a chave para o sucesso futuro. O rápido cresci-mento das vendas em 1995 sustentava a promessa de atingir os volumes de vendas. As receitas de produtos de consumo eram o dobro das do ano anterior e a divisão parecia pronta para superar suas rivais. Ela continuava a patrocinar pesquisas sobre padrões de uso doméstico e de psicografia do uso doméstico,[30] além de realizar pesquisas "seguir-você-em-casa" (nas quais o objetivo era sim-plesmente observar e inferir padrões comuns da vida diária em domicílios médios). O objetivo era entender melhor os padrões de demanda do consumidor de uma forma difícil de ser equiparada pelos concorrentes.[31] Para acomodar o aumento de atividade, a divisão mudou-se para um novo local em Redmond, próximo ao antigo, com 30% a mais de espaço, e dotado de espaço para estúdi-os e escritórios. De fato, a divisão continuava sendo o local mais estimulante para se trabalhar na Microsoft.

GATES SOBRE O FUTURO

Vários executivos da Microsoft podiam construir cenários plausíveis para o fim do domínio da em-presa. Por exemplo, poderia haver disponibilidade de *software* gratuito na Internet, limitando a capacidade da Microsoft para obter receitas sobre alguns dos seus mais importantes geradores de dinheiro. Por outro lado, a concorrência poderia descobrir como automatizar os processos de negó-cios e alavancar essa vantagem em outros mercados. Mas um executivo, não convencido por esses argumentos, comentou que o "desafio é continuar forçando tecnologia de forma a provocar a próxi-ma mudança".[32] Gates tinha uma visão semelhante: "Crescemos tão depressa nos quatro últimos anos que será difícil crescer à mesma taxa no futuro. Além disso, não sabemos como será o modelo de negócios no futuro — será que os provedores de conteúdo poderão nos deter? Com a superestrada da informação, pode ser que ninguém vá ganhar dinheiro porque tudo irá virar commodity. Também me preocupo com a possibilidade de, se nos dividirmos, acabarmos fora de nosso círculo de competência". Não obstante, Gates continuava a confiar em que a Microsoft poderia dobrar suas receitas dentro de quatro anos. Ele observou modestamente: "Somos, de fato, excessivamente arrogantes".

NOTAS

1. O Apêndice 7a contém uma cronologia dos processos antitruste contra a Microsoft.

2. Tecnicamente era possível copiar o código de outro OS e rodar seu *software*. Contudo, a cópia tendia a tornar muito lentas as aplicações e os programas com freqüência apresentavam incompatibilidades.

3. Thomas Kurian e Robert Burgelman, "Note on the Operating System Industry in 1994", Stanford University Graduate School of Business, S-BP-268, 1994, p. 6.

4. Havia várias fraquezas no DOS e no Windows — a mais importante, que ambos eram OSs de 16 bits que tinham limitações na utilização de memória, em multitarefas (usar vários programas ao mesmo tempo) e em comunicações. O OS/2 e o System 7 eram de 32 bits e tecnicamente superiores nessas características.

5. Um sistema operacional de redes executava, para uma rede de PCs, tarefas semelhantes àquelas que um sistema operacional executava para um PC isolado. Entretanto, enquanto o Windows NT era um "OS para fins gerais que também podia rodar aplicações gerais", o produto da Novell era otimizado para facilitar a armazenagem de arquivos e impressão numa rede.

6. O Cairo e o OS da IBM-Apple, chamado Taligent, estavam sendo projetados como "OSs orientados para objetos". Um OS orientado para objetos permitia a reutilização do código do *software* quando fossem desenvolvidos novos *upgrades*. Em teoria, um OS desses reduziria enormemente os custos do desenvolvimento de aplicações e *upgrades* especiais.

7. Como o WordPerfect e o Lotus 1-2-3 haviam sido programas muito populares, eles tinham a mais alta base instalada de usuários em grandes empresas em 1994, com o Word e o Excel da Microsoft respectivamente em terceiro e quarto lugares. *Computer Intelligence InfoCorp's Consumer Technology Index*, 1994.

8. Em média, os preços de *upgrades* equivaliam a cerca de 40% dos preços dos sistemas novos.

9. A Microsoft tirara proveito de preços de venda muito acima da média para aplicações fora dos Estados Unidos. A diferença variava entre 25% a 60% para as versões de programas não em inglês. Alguns executivos temiam que os mercados externos passassem em breve a enfrentar pressões sobre os preços comparáveis às dos Estados Unidos. Um executivo comentou: "Nossos sucessos podem ocultar nossos excessos".

10. *Upside*, abril de 1995, p. 29.

11. A Compaq, depois de ser atacada pela Dell Computer, estava com uma linha de produtos com altos preços e excesso de custos indiretos numa ocasião em que os clientes exigiam produtos com baixos preços. Depois de demitir seu diretor presidente, a Compaq realizou uma reengenharia completa e tornou-se uma das produtoras de mais baixos custos e mais lucrativas do setor.

12. *Fortune*, 16 de janeiro de 1995.

13. A unidade de usuários finais focalizava indivíduos, distribuidores e revendedores. A unidade que atendia organizações focalizava organizações grandes, médias e pequenas e a infra-estrutura de suporte precisava vender a elas. A unidade que atendia clientes OEM visava empresas que incluíam o *software* da Microsoft como parte de suas máquinas. Destas, a divisão que atendia OEMs era a mais lucrativa. Isto apesar de um programa de *software* com preço de lista de US$ 99 ser vendido normalmente no varejo a US$ 49 e estar disponível para grandes OEMs, como a Compaq, por US$ 30.

14. Enquanto aplicações como Word e Excel tinham originalmente um milhão de linhas de código cada e eram desenvolvidos por equipes de 35 a 50 pessoas, o Windows NT tinha quatro vezes mais código e uma equipe 10 vezes maior.

15. Assim o Word e o Excel, que normalmente tinham em comum cerca de 15% do seu código, esperavam ter cerca de 40% quando fosse implementada a partilha de códigos.

16. Cerca de 10.000 funcionários da Microsoft tinham direito a opções de ações.

17. *Upside*, abril de 1995, p. 64.

18. Acreditava-se que, em média, os usuários substituíam seus PCs a cada quatro anos.

19. Muitas outras categorias de empresas esperavam se beneficiar com o Windows 95. Varejistas como a CompUSA esperavam grandes aumentos de tráfego, os fabricantes de chips de memória esperavam lucrar com o aumento das vendas de PCs à medida que os usuários passassem para máquinas que pudessem usar o Windows 95 e os fabricantes de modens e produtos para comunicações esparavam maior demanda por seus produtos.

20. Essas condições incluíam a inclusão do Windows 95 em pelo menos 50% das remessas dentro de um mês depois que a Microsoft começou a expedir o produto, adotando campanhas promocionais conjuntas sem compensação da Microsoft e apresentando o logo Windows 95 com destaque. "Win 95 OEMs Grin and Bear It", *PC Week*, 29 de novembro de 1994.

21. *Wall Street Journal*, 12 de dezembro de 1994.

22. O Windows 95 também era criticado por ser incompatível com uma parte dos *softwares* DOS/Windows, por exigir de 8 a 16 megabytes de memória (ao invés dos 8 megabytes originalmente prometidos) e por imitar a interface do Macintosh.

23. A ausência dessa liderança significava, por exemplo, que era difícil resolver problemas em grandes empresas servidas por vários fornecedores, pois não ficava claro de quem era o *software* que causava um determinado problema.

24. *Business Week*, 16 de outubro de 1995, p. 75.

25. Compact disc read-only memory.

26. A Microsoft Encarta tinha uma participação de 54%, seguida pela Compton Interactive Encyclopedia com 17% e pela Grolier's Encyclopedia com 16%.

27. Este foco em marcas era novo para a Microsoft, a qual nem possuía suas maiores marcas, como Magic Schoolbus e Flight Simulator (embora Stonesifer estivesse negociando a compra do Flight Simulator). A entrada em mercados domésticos também levou a Microsoft a deixar de lado certos métodos convencionais de *marketing*. Ela havia mantido a mesma agência de propaganda que criara a campanha "Just Do It!" da Nike e planejava gastar mais de US$ 100 milhões em propaganda em 1995. Seus estudos internos "Atitude, Consciência e Uso" mostraram que o traço principal ao qual os usuários davam importância era que os produtos não apresentassem problemas desde o início e tivessem muita facilidade de uso. Entre as características menos valorizadas estava o fato de o produto ser tecnicamente superior, visionário, fazer parte de uma ampla gama de *software* ou ser feito por uma grande empresa de *software*.

28. O exemplo mais dramático desta abordagem foi um empreendimento conjunto em março de 1995 entre a Microsoft e a DreamWorks — o novo estúdio de cinema de Spielberg, Katzenberg e Geffen. As duas empresas investiram US$ 30 milhões para produzir entretenimento interativo, principalmente em CD-ROMs, para o natal de 1996. Stonesifer assumiu o controle do empreendimento.

29. Alguns grupos que haviam tido uma saída líquida de pessoal justificaram a perda dos membros das equipes dizendo que, de qualquer forma, poderiam ter perdido talentos para o mundo exterior. Em 1994, o grosso das transferências para a Divisão de Produtos de Consumo viera do grupo de aplicações para desktop.

30. As perguntas que esta pesquisa tentava responder incluíam: o que provoca medos e desejos de *software* e o que induz à compra de *software* e *hardware*?

31. Esta pesquisa já havia levado, em janeiro de 1995, ao anúncio de "Bob", um conjunto de oito programas para automação de tarefas domésticas que rodava em Windows. Embora a tentativa de criar uma interface fundamentalmente nova entre o computador e o usuário doméstico tivesse tido um lançamento desapontador, Stonesifer lembrava a todos que vários outros produtos Microsoft de grande sucesso tinham começado devagar.

32. *Upside*, abril de 1995, p. 87.

apêndice 7a

Cronologia de Ações Antitruste Contra a Microsoft

20/08/93   O Departamento de Justiça diz que irá investigar possíveis práticas anticompetiti-vas de negócios na Microsoft, em particular: (a) A Microsoft estaria usando táticas desleais para conquistar o domínio em seu setor de sistemas operacionais para PCs? e (b) Esse domínio estaria sendo usado de forma desleal no mercado de *software* de aplicação para PCs?

15/07/94   A Microsoft faz pequenas concessões a respeito de como licencia *software* para fa-bricantes de PCs, acalmando a investigação antitruste da Justiça.

13/10/94   A Microsoft anuncia um acordo para comprar a Intuit, a maior provedora de *software* para finanças pessoais. O acordo, sujeito à aprovação do Departamento de Justiça, seria a maior aquisição de *software* jamais feita, avaliada em US$ 1,5 bilhão.

20/01/95   O juiz Stanley Sporkin, juiz da Justiça Federal, recusa-se inesperadamente a apro-var o acordo entre a Microsoft e o Departamento de Justiça, dizendo que "a Micro-soft pode não ter amadurecido até o ponto de compreender como deve agir com respeito ao interesse público e à ética do mercado".

    O juiz Sporkin também chama a atenção dos advogados do governo por não acompanharem adequadamente o abuso de "vaporware", um termo usado com re-ferência a produtos de computação que são anunciados antes de estarem prontos para o mercado. (Nota: Esta é uma prática que a Apple, a IBM e outras na indústria seguem rotineiramente.)

13/02/95   A Apple Corporation alega, em carta ao juiz Sporkin, que a Microsoft tentou (a) intimidar a Apple para que esta desistisse das suas ações contra a Microsoft pelo fato desta retardar o acesso a versões de desenvolvimento do seu novo sistema operacional, o Windows 95; (b) pressionar a Apple para abandonar o desenvolvi-mento de um *software* concorrente; (c) ameaçar deixar de escrever *software* de apli-cação para o sistema operacional Macintosh.

14/02/95   O juiz federal Sporkin rejeita o acordo de julho por não considerá-lo do interesse público.

07/03/95   Jim Manzi, diretor presidente da Lotus Corporation, em editorial no *Wall Street Journal*: "Você pode gostar da tranqüilidade e previsibilidade resultantes, mas não peça por diversidade ou inovação. Durante a maior parte deste século, o foco do esforço antitruste esteve em comportamentos como fixação de preços, contratos amarrados e divisão de mercado. Para muitas indústrias este foco tradicional parece hoje quase esquisito".

24/04/95   A Microsoft e o Departamento de Justiça apelam contra a decisão de Sporkin no Tribunal Federal de Recursos.

27/04/95   O Departamento de Justiça bloqueia a compra da Intuit pela Microsoft, alegando que ela daria à Microsoft uma posição dominante em um mercado altamente concentrado.

22/05/95   A Microsoft desiste unilateralmente de seu plano para adquirir a Intuit em troca de ações avaliadas correntemente em US$ 2,3 bilhões. Ao mesmo tempo, há relatórios de que o Departamento de Justiça sempre foi simpático às críticas à Microsoft Network, mas não achou que teria recursos para mover duas ações contra a Microsoft.

19/06/95   O Tribunal de Recursos em Washington restabelece o acordo antitruste de 1994 entre a Microsoft e o Departamento de Justiça e concorda com a solicitação da empresa para afastar o juiz Sporkin do caso.

27/06/95   A Microsoft recebe uma intimação referente ao Microsoft Network. Ela alega que a intimação é "a última salva daquela que cada vez mais parece uma campanha de molestamento dirigida contra a Microsoft" (*The Wall Street Journal*). Também há relatos de que a Microsoft está tentando descobrir como separar o código MSN do código do Windows 95 no esforço para evitar atrasos no lançamento deste.

07/95   O Departamento de Justiça decide não intervir no lançamento do Windows 95.

CASO 8

British Satellite Broadcasting *vs.* Sky Television

Em outubro de 1990, a British Satellite Broadcasting (BSB) e sua maior concorrente, a Sky Television, haviam combinado investir um total de 1,25 bilhão de libras numa batalha para dominar a televisão via satélite britânica. A BSB e a Sky continuavam acumulando prejuízos combinados de quase 10 milhões de libras por semana e esperavam ansiosamente pela época do Natal.

A TELEVISÃO BRITÂNICA[1]

A televisão britânica evoluiu, no início dos anos 40, a partir da rede de rádio da British Broadcasting Corporation (BBC), estabelecida pelo governo britânico em 1927. Como a rede de rádio, a televisão da BBC priorizava uma programação educacional e de serviço público de alta qualidade. Em 1946, cada domicílio com um televisor tinha de pagar uma taxa anual de licença para sustentar a BBC.

O monopólio da BBC na transmissão de televisão foi rompido em 1955 pelo estabelecimento de um segundo canal, a Independent Television (ITV). Esta era de propriedade privada e não-pública, financiada por propaganda comercial em vez de taxas de licença e consistia de um sistema de várias empresas, cada uma atendendo a uma região específica, em contraste com a rede nacional da BBC. Entretanto, como a BBC, a ITV estava sujeita a regulamentação severa: sua programação tinha que respeitar as diretrizes de serviço público estabelecidas pelo Parlamento; eram exigidos programas educativos e informativos; a percentagem de programas importados era limitada; e o conteúdo e a extensão da propaganda eram controlados.

Desde então, dois outros canais de televisão convencionais haviam sido acrescentados na Grã-Bretanha. Em 1964, a BBC lançou um segundo canal nacional, o BBC2, para prover programação complementar à do seu primeiro canal, agora chamado de BBC1. Um segundo canal independente,

Este caso foi escrito pelo professor Pankaj Ghemawat como base para discussão em classe e não para ilustrar o manejo eficaz ou não de uma situação administrativa. Ele se baseia, em grande parte, em um caso anterior preparado sob sua supervisão por Scott B. Garell.

o Canal 4, era de propriedade da Independent Broadcasting Authority (IBA), a qual regulamentava o rádio e a televisão comerciais sob os auspícios do Ministério do Interior, e era financiado por "assinaturas" cobradas das empresas da ITV. Em 1985, o BBC1 respondia por 36% da audiência da televisão britânica, o BBC2 por 11%, a ITV por 46% e o Canal 4 por 7%. A arrecadação das taxas de licença dos canais da BBC totalizou 683 milhões de libras naquele ano e as receitas publicitárias dos canais independentes chegaram a 1,065 bilhão de libras, ou cerca de 30% de todas as receitas publicitárias britânicas. As receitas publicitárias estavam divididas na proporção de mais ou menos 9 para 1 entre as empresas da ITV e o Canal 4; as assinaturas cobradas daquelas para o sustento desta chegavam a cerca de 200 milhões de libras anuais.

As tabelas de propaganda da ITV haviam subido 54% em relação ao período de 1975 a 1985: em 1985, ela cobrava quase dois terços a mais dos anunciantes por telespectador, durante o horário nobre, do que a média nos Estados Unidos, no Japão, na Itália, na França e na Alemanha. A ITV também tinha custos de produção quase 70% superiores aos da BBC; a pressão para reduzi-los era limitada por sua situação reguladora, a qual restringia as tomadas de controle. Como as receitas publicitárias da ITV cresciam mais depressa que as taxas de licença da BBC e sua capacidade de produção florescia, as autoridades britânicas tinham cada vez mais dificuldades para garantir a paridade de recursos entre as duas rivais. Em 1986, foi formado um comitê presidido por Sir Alan Peacock para investigar o financiamento da BBC.

O Comitê Peacock rejeitou a opção de permitir a veiculação de propaganda na BBC, mas considerou a substituição eventual das suas taxas de licença por assinaturas, talvez depois de expirar sua carta patente em 1996. O comitê foi além de seus termos de referência para fazer três recomendações adicionais: (1) que as franquias da ITV fossem leiloadas para encorajar um melhor gerenciamento de custos; (2) que produtores independentes contribuíssem com até 40% de toda a programação; e (3) que o setor passasse para o livre mercado de transmissão, que ofereceria mais opções aos consumidores. Essas recomendações foram em grande parte adotadas nos anos subseqüentes. As franquias da ITV deveriam pagar impostos sobre receitas (não sobre lucros) e seriam revendidas pela melhor oferta em 1992. Em 1993, a BBC e a ITV teriam de usar produtores independentes para 25% das suas programações. E, em 1994, deveria haver um quinto canal terrestre, o Canal 5.

O conceito do Canal 5 foi analisado pela empresa de consultoria Booz Allen & Hamilton, mas continuou a ser polêmico. Devido às limitações do espectro eletromagnético, o Canal 5 atingiria somente 70% dos domicílios britânicos e exigiria a alteração ou substituição das antenas existentes, a um custo de 50 libras por antena, além da regulagem profissional de muitos gravadores de videocassete (VCRs). Também havia preocupação a respeito da possibilidade de aumento de concorrência contra a BBC e a ITV, reforçada pelo fato de os níveis de audiência britânicos se encontrarem estagnados nos anos 80, apesar do lançamento do Canal 4 e da ampliação dos horários de transmissão pelos canais existentes. A estagnação era atribuída aos altos níveis de audiência já atingidos (cerca de 3,5 horas por dia) e à rápida penetração do VCR (cerca de 40% no final de 1985): a Grã-Bretanha liderava os outros países europeus nas duas contagens.

Analistas do setor consideravam que a televisão paga teria um papel importante na expansão de opções para os telespectadores britânicos. A televisão paga dependia de dois novos meios de transmissão, cabo e satélites. No final de 1985, menos de 5% dos domicílios britânicos já estavam "equipados" com cabo, cerca de 0,5% havia optado por serviços via cabo e uma pequena parcela das conexões envolvia sistemas de "banda larga" capaz de transmitir um grande número de canais. A televisão a cabo britânica havia sido retardada em relação aos Estados Unidos e mesmo a alguns países europeus pela insistência oficial numa tecnologia complexa e, até 1984, pela restrição do cabo a áreas nas quais a recepção aérea era difícil, bem como pela escassez de programação. A instalação de cabos e os níveis de conexão deveriam crescer a taxas relativamente modestas durante a segunda metade dos anos 80, talvez dobrando até o final da década. Esperava-se que eles explodissem nos anos 90, quando o grosso das franquias de cabo iniciariam suas operações. Esperava-se, entretanto, que a penetração do cabo a longo prazo dependesse dos destinos da televisão via satélite na Grã-Bretanha.

TELEVISÃO VIA SATÉLITE

A televisão via satélite envolvia ligações de transmissores terrestres para satélites em órbitas geoestacionárias a pouco mais de 35.000 Km acima da terra e destes para uma gama de possíveis receptores (ver Quadro 8.1). A World Administrative Radio Conference em 1977 destinou a cada país cinco canais de alta potência para transmissão direta por satélite (DBS) para uso doméstico. Enquanto governos na Grã-Bretanha e outros países europeus lutavam com a alocação desses canais, uma empresa privada, a Satellite Television PLC (SATV), foi a pioneira da televisão via satélite européia.

Em 1981, a SATV começou a alugar tempo de um satélite europeu de telecomunicações subutilizado para transmitir uma hora de entretenimento leve em inglês todas as noites. Embora a ilha

QUADRO 8.1
Televisão Via Satélite

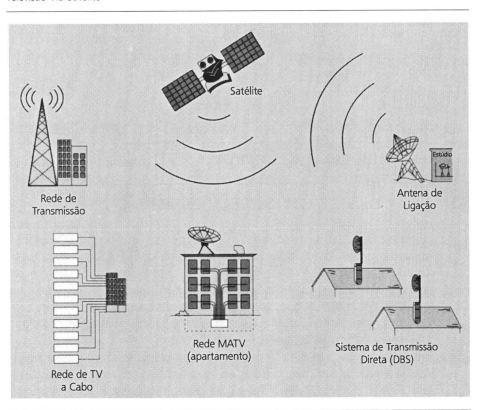

de Malta fosse seu alvo oficial, ele tinha uma ampla cobertura pan-européia. Porém, o satélite de baixa potência forçava-a a transmitir para sistemas a cabo em vez de diretamente para os usuários, o que era uma desvantagem. Em junho de 1983, a News Corporation de Rupert Murdoch comprou uma participação de 69% na SATV por aproximadamente 10 milhões de libras, rebatizou-a de Sky Channel e expandiu suas horas de transmissão e distribuição de forma que, em 1988, ela atingisse mais de 10 milhões de lares europeus. O Sky Channel continuou a perder dinheiro, assim como o SuperChannel, um segundo canal europeu de televisão via satélite lançado em 1986 pelas empresas da ITV e outras. A escassez de propaganda pan-européia e a crescente penetração de transmissões em idiomas diferentes do inglês eram problemas para ambas as operações.

Enquanto isso, o governo britânico procurava conceder canais DBS de alta potência à BBC e, posteriormente, a um empreendimento conjunto entre esta e empresas ITV. Ambas as tentativas fracassaram, em grande parte porque os custos de construção e lançamento de satélites exclusivos foram considerados proibitivos. A Independent Broadcasting Authority (IBA) passou então o projeto para o setor privado convidando, em abril de 1986, candidatos ao suprimento de um serviço comercial em três dos cinco canais DBS.

Uma das condições impostas às candidatas pela IBA era que usassem o D-MAC, um padrão de transmissão ainda não testado. Este padrão fazia parte da tentativa da Comunidade Européia para promover o padrão de televisão de alta definição (HDTV) que estava sendo desenvolvido pela Philips e outras empresas européias, o HD-MAC. Este ainda estava no estágio de laboratório e era incompatível com os padrões anteriores: as transmissões em HD-MAC não poderiam ser recebidas pelos televisores existentes, os quais na Europa eram baseados nos padrões PAL ou SECAM. Duas variantes do padrão MAC básico surgiram como "intermediárias" compatíveis com os dois padrões existentes e, possivelmente, com a televisão de alta definição baseada no HD-MAC: a França e a Alemanha optaram pelo D2-MAC e a Grã-Bretanha pela variante D-MAC, algo mais avançada.

Tanto o D-MAC como o D2-MAC prometiam melhorar o desempenho de imagem e som dos novos televisores equipados para utilizá-los. Entretanto, o giro da base instalada de televisores era lento. Os céticos também sugeriram que as soluções intermediárias não eram muito melhores, em termos absolutos, do que os padrões existentes, que os televisores exigidos eram caros demais e que o HD-MAC estaria superado antes de ser introduzido, uma vez que envolvia um sistema analógico ao invés de digital. Não obstante, a IBA recebeu cinco ofertas sérias para os canais de alta potência. Em 11 de dezembro de 1986, ela concedeu uma franquia de 15 anos à British Satellite Broadcasting, um consórcio que na ocasião abrangia cinco empresas.

A ENTRADA DA BRITISH SATELLITE BROADCASTING[2]

A Pearson, uma empresa diversificada com interesses em informação e entretenimento, iniciou o consórcio que veio a ser chamado British Satellite Broadcasting (BSB). A ela juntaram-se a Granada, uma empresa da ITV, e a Virgin, uma empresa de música. Depois que as tentativas para envolver uma segunda grande empresa da ITV fracassaram, uma empresa menor do mesmo grupo entrou no consórcio. Finalmente foi recrutada a Amstrad, uma distribuidora de produtos eletrônicos, para ajudar a garantir a disponibilidade dos receptores de satélites e outros equipamentos.

Em sua proposta à IBA, a BSB deu especial ênfase à programação de alta qualidade que, como seu nome, evocaria a da BBC. Os padrões tradicionais deveriam ser mantidos sem o benefício da taxa de licença da BBC, oferecendo-se aos telespectadores um canal de filmes em troca de uma assinatura de cerca de 10 libras mensais. As assinaturas e, em escala menor, as receitas do cabo iriam reduzir a dependência das receitas publicitárias, que provavelmente seriam limitadas nos primeiros anos do empreendimento. Esperava-se que os custos fixos, que incluíam produção e aquisição de programas, *marketing,* depreciação do satélite e custos indiretos, representassem pelo menos 75 a 80% da estrutura geral de custos. As antenas de recepção deveriam ter 30 centímetros de diâmetro e custariam cerca de 250 libras. A BSB calculava poder instalar 400.000 antenas receptoras até o fim do primeiro ano de transmissão (segundo semestre de 1990), 2 milhões até 1992, 6 milhões até 1995 e 10 milhões até o ano 2001. Esses números se baseavam em padrões de adoção e previsões para produtos eletrônicos de consumo britânicos como os VCRs (ver Quadro 8.2). Os custos iniciais totais estavam estimados em 500 milhões de libras e se previa que o ponto de equilíbrio seria atingido em 1993.

Depois de obter a franquia, a BSB tratou de garantir o financiamento. Ajudada por uma alta geral nas ações de empresas de televisão, ela concluiu a primeira rodada de financiamento — que levantou 222,5 milhões de libras — em julho de 1987. Quatro das cinco fundadoras comprometeram-se com o financiamento: a Granada com 16%, a Pearson com 14%, a Virgin 11% e a Anglia com 5%. A exceção foi a Amstrad, que saiu porque seu fundador, Alan Sugar, não estava mais convencido de que o equipamento de recepção poderia ser vendido por 250 libras. De acordo com o relatório anual da Amstrad para 1987, "tão logo os burocratas tenham resolvido as questões de padrões, datas e licenças, vocês acharão a Amstrad equilibrada com equipamento de recepção de baixo custo e alta qualidade".

A saída da Amstrad foi compensada pelas sete novas empresas que se juntaram ao consórcio da BSB. As três que investiram mais de 5% cada na primeira rodada de financiamento foram a diversificada australiana Bond Corporation (23%); uma empresa francesa, a Chargeurs, envolvida principalmente com têxteis e transportes (11%); e a Reed, maior editora da Grã-Bretanha (9%).

QUADRO 8.2
Penetração do VCR no Reino Unido

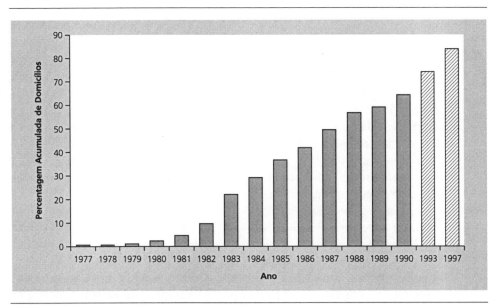

Fontes: Kleinwort Benson Securities; George Lukyen, *Columbia Journal of World Business* (outono de 1987): 65-70; Predicast Europe.

A BSB destinou o grosso da primeira rodada de financiamento à compra e lançamento de dois satélites e planejou uma segunda rodada para perto do início das operações de transmissão. Ela encomendou dois satélites de alta potência à Hughes Aircraft e os foguetes de lançamento à McDonnel Douglas. Ambas as fornecedoras eram norte-americanas e tinham reputação de confiabilidade. Além disso, a Hughes oferecia uma garantia de "dinheiro de volta".

A BSB começou a recrutar pessoal no início de 1987. Graham Grist, o primeiro administrador contratado, era formado na London Business School. Grist havia trabalhado sete anos em engenharia e vendas de sistemas na IBM, onde tinha sido eleito "Vendedor do Ano", antes de ir ser diretor financeiro da Balfour Beatty, uma empresa envolvida em grandes projetos de construção como o Túnel sob o Canal da Mancha. Na BSB, suas múltiplas responsabilidades incluíam providenciar a tecnologia de vanguarda que seria necessária para decifrar os sinais D-MAC do satélite. Grist devia escolher entre a Philips holandesa, que já havia desenvolvido o chip D2-MAC, menos avançado, e a americana ITT, que também já tinha trabalhado naquele projeto. Ele concluiu que a Philips seria mais lenta e mais dispendiosa e optou por um contrato exclusivo de desenvolvimento com a ITT.

Outros dos primeiros a serem recrutados incluíam dois chefes de canais, um para dirigir o Screen, o canal de assinaturas da BSB que iria exibir filmes, e outro inicialmente encarregado dos dois outros canais. Estes canais evoluíram para três serviços separados: o canal Now iria transmitir noticiários, esportes e programação de estilo de vida 24 horas por dia; Zig-Zag e Galaxy iriam dividir o segundo canal, com o Zig-Zag transmitindo programas infantis das 7 às 19 horas e o Galaxy transmitindo entretenimento geral no restante do tempo.

As posições de presidente do conselho e diretor presidente foram preenchidas depois da primeira rodada de financiamento, em meados de 1987. Sir Trevor Holdsworth, presidente da Confederação da Indústria Britânica, foi recrutado como presidente do conselho. A posição de diretor presidente foi preenchida ainda no mesmo ano por Anthony Simmonds-Gooding, 50 anos, com seis anos na Marinha Real, 13 anos em *marketing* na Unilever, 13 anos na cervejaria britânica Whitbread, chegando a executivo principal de grupo, e dois anos como presidente do conselho e da Saatchi & Saatchi Communications. A BSB conquistou-o com um salário de 248.000 libras anuais, uma quantia de 310.000 libras para compensá-lo pela perda de opções de ações da Saatchi e uma série de outros benefícios, inclusive opções sobre ações da BSB, verbas de representação e carros da empresa.

Simmonds-Gooding começou a trabalhar na BSB em 19 de outubro de 1987, a "Segunda Feira Negra" em que os preços das ações despencaram no mundo inteiro. Uma das suas primeiras providências foi contratar Peter Bell, que havia trabalhado para ele na Whitbread, como diretor de *marketing*. Entretanto, ele continuou deixando que Grist supervisionasse o desenvolvimento de tecnologia e dando considerável autonomia aos chefes de canais, embora estes se reportassem diretamente a ele. Simmonds-Gooding acreditava em espírito de equipe e em delegação de poderes e via como uma de suas principais tarefas ajudar a forjar o tipo certo de cultura na BSB. Ele delegava a maior parte das decisões a serem tomadas, intervindo somente para resolver disputas demoradas como aquelas entre os chefes de canais a respeito de programação.

Em meados de 1988, a BSB tinha várias dezenas de funcionários e havia se mudado para um escritório maior no nº 70 da Brompton Road, um edifício em frente à Harrods onde também ficava a IBA. Ela estava próxima de assinar os direitos de exibição de filmes em território britânico com cinco dos principais estúdios de Hollywood, mas estava querendo acesso aos filmes seis meses depois do seu lançamento em vídeo, em vez dos costumeiros 12 meses. Como parte da sua política de manter o público interessado até a data de lançamento, no outono de 1989, a BSB também programou uma comparação pública entre a sua tecnologia, a D-MAC, e o padrão existente, o PAL, para início de agosto de 1988. Mas esses planos foram mudados pelo anúncio da News Corporation, da entrada da Sky Television.

A ENTRADA DA SKY TELEVISION

Em 8 de junho de 1988, Rupert Murdoch anunciou numa entrevista coletiva que a News Corporation iria lançar, por intermédio da sua subsidiária britânica News International, seu próprio empreendimento de televisão via satélite, a Sky Television. O Apêndice 8a mostra o perfil da News Corporation e de Murdoch, seu criador e controlador, até 1988. O restante desta seção descreve os planos da News Corporation para a Sky Television naquele estágio inicial do seu desenvolvimento.

As transmissões da Sky Television seriam feitas pelo satélite de comunicações Astra, de média potência. O Astra havia sido desenvolvido pela RCA e seu lançamento em órbita geoestacionária por um foguete Ariane 4 estava programado para novembro de 1988 para a Societé Europeéne des Satellites (SES), um consórcio privado baseado em Luxemburgo no qual o governo local tinha uma participação de 20%. Planejava-se que o Astra transmitisse 16 canais de televisão, com cobertura sobre a maior parte da Europa.

A BSB sabia do lançamento iminente do Astra quando apresentou sua proposta à IBA em 1986, mas não o havia levado em conta. A Lazard Brothers, subsidiárias da Pearson responsável pelo primeiro memorando para levantamento de fundos da BSB, considerava o Astra mais voltado para tecnologia do que para programação e, portanto, uma ameaça pouco provável. Sabia-se que a IBA havia calculado que uma antena capaz de receber sinais pan-europeus de média potência na Grã-Bretanha teria que ter mais de 1 metro de diâmetro, exigindo permissão para cada instalação. Além disso, o foguete europeu Ariane não era considerado tão confiável quanto o veículo da McDonnell Douglas: a programação para o primeiro lançamento do Ariane 4, que deveria colocar o Astra em órbita, já estava com atraso de quase um ano. Se o primeiro lançamento fracassasse, uma segunda tentativa não ocorreria antes de 1991.

A News Corporation reconhecia as limitações do Astra, mas chegou a conclusões diferentes a respeito da sua utilidade. O arrendamento de quatro dos canais do Astra por 10 anos custaria à News Corporation somente 10 milhões de libras anuais, em parte porque ela era a primeira arrendatária da SES. O fato de a SES ter base em Luxemburgo permitia à News Corporation ignorar as leis britânicas que limitavam, aos proprietários de jornais, a participação em estações de televisão a 20%. O atraso na programação de lançamento do Ariane tinha permitido à RCA aumentar a potência do Astra e tirar proveito de aperfeiçoamentos na tecnologia de antenas, significando que antenas com diâmetro de 60 centímetros poderiam receber sinais do Astra na maior parte da Grã-Bretanha (embora no norte fossem necessárias antenas de 90 centímetros). Embora essas antenas ainda fossem maiores que aquelas exigidas para a recepção das transmissões de alta potência do satélite da BSB, a potência média do Astra era atraente porque não estava coberta pela diretriz da Comunidade Européia que exigia que satélites de alta potência usassem alguma variante do padrão MAC.

A News Corporation optou por usar o padrão PAL existente para as transmissões da Sky Television. Esta decisão tinha o apoio de Alan Gugar, da Amstrad, que apareceu ao lado de Murdoch no anúncio do lançamento em 8 de junho de 1988, e descartou o D-MAC como "um monte de falta de juízo que requer um monte de componentes redundantes". A Amstrad iria fornecer 100.000 antenas para recepção do satélite por mês à Sky Television, embora não fosse a fornecedora exclusiva. Ela pretendia comercializar o equipamento receptor por 199 libras, com a instalação custando outras 40. As antenas PAL seriam incompatíveis com as D-MAC: nenhuma das duas poderia receber sinais transmitidos para a outra.

O lançamento da Sky Television foi apresentado ao público como um reposicionamento do Sky Channel da News Corporation, pan-europeu e de baixa potência, que já havia começado a ser desativado. Murdoch salientou que os quatro canais da Sky Television iriam duplicar o número existente na Grã-Bretanha e que o mercado britânico estava pronto para essa expansão: "Minha opinião é que a transmissão neste país ficou tempo demais como uma reserva do antigo sistema e é profundamente elitista em seu modo de pensar e em sua abordagem da programação. Acho que o mercado está finalmente se afirmando. O público quer mais opções. Os anunciantes querem mais opções".

Os quatro canais da Sky Television iriam compreender o Sky Channel, de entretenimento em geral e artes; o Sky News, o primeiro canal de notícias 24 horas dirigido à Grã-Bretanha; o Sky Movies, um canal de filmes; e o Eurosport, um empreendimento conjunto entre a News International e 15 estações européias. Outros canais provavelmente poderiam ser arrendados posteriormente do Astra. Como o padrão PAL era difícil de codificar, o canal de filmes seria gratuito, forçando a Sky a depender de receitas de anunciantes e sistemas de cabos, não de assinaturas individuais. A falta de codificação também poderia vir a ser um problema na compra de filmes recentes, em especial porque a programação da Sky iria atingir países da Europa continental.

A data marcada para o lançamento da Sky Television era fevereiro de 1989. Era uma programação difícil: em geral era preciso mais de um ano apenas para se planejar e equipar os estúdios de televisão. A manutenção do cronograma também iria depender do lançamento do Astra no prazo. A News Corporation previa que, se o cronograma pudesse ser mantido, ela iria instalar 1 milhão de antenas até o final do seu primeiro ano de transmissão e de 5 a 6 milhões até o final de 1994. Os custos iniciais totais estavam estimados em cerca de 100 milhões de libras e se previa que o ponto de equilíbrio pudesse ser atingido no final de 1991 ou início de 1992.

Murdoch nomeou Jim Styles, que havia trabalhado no primeiro canal da News Corporation na Austrália no final dos anos 50, diretor gerente da Sky. Também foram trazidos australianos para dirigir três dos quatro canais. Os programas de televisão para o pequeno mercado australiano eram feitos muito mais rapidamente e com custos menores do que aqueles feitos na Grã-Bretanha.

A RESPOSTA DA BRITISH SATELLITE BROADCASTING

A BSB foi surpreendida pelo anúncio da entrada da Sky. De acordo com seu tesoureiro, Richard Brooke, "não estávamos preocupados com ameaças competitivas até que apareceu a Sky. O anúncio de Murdoch pegou a todos de surpresa".

A resposta da BSB foi aumentar, ao invés de reduzir, seu compromisso com a televisão britânica via satélite. As preocupações a respeito de uma data de lançamento seis a sete meses depois da Sky, no outono de 1989, foram amenizadas pela concentração das vendas de produtos eletrônicos nos três últimos meses de cada ano. A BSB reviu suas metas de vendas para 5 milhões de antenas até 1993 a 10 milhões até 1998, uma penetração mais rápida que a normal para produtos eletrônicos de consumo britânicos. Ela planejava acelerar as vendas elevando os níveis de propaganda e promoções.

A maior parte do esforço de *marketing* estava programada para perto da data de lançamento, mas algumas iniciativas foram tomadas imediatamente. Em agosto de 1988, a BSB criou agitação ao apresentar uma antena de satélite quadrada de 25 centímetros, que ela chamou de "Squarial".

Tinha como slogan "É inteligente ser quadrado" e tornou-se a peça central da estratégia de marca da BSB. A BSB também empenhou-se em propaganda negativa a respeito da Sky, em parte para neutralizar aquela que ela considerava uma cobertura tendenciosa nos jornais britânicos da News Corporation. A queixa da BSB ao Office of Fair Trading, em outubro de 1988, a respeito de cobertura tendenciosa, pareceu moderar aquela prática. Mas seus esforços para conseguir uma legislação para tirar a Sky do ar não foram a parte alguma.

A programação mostrou ser um importante fator competitivo. Depois do anúncio da Sky em outubro, de que ela poderia codificar os sinais PAL, começou uma guerra feroz entre BSB e Sky pelos direitos de exibição dos filmes de Hollywood. No final do ano, a BSB havia empenhado cerca de 400 milhões de libras para prender a Paramount, Universal, Columbia e MGM/United Artists, com um total de pagamentos antecipados de 85 milhões de libras. Esses gastos e compromissos prejudicavam o orçamento, porque a BSB tinha menos dinheiro restante para seus dois outros canais do que a BBC e a ITV tinham para um.

O progresso com a tecnologia era lento. A antena Squarial apresentada em agosto era, na verdade, um modelo de madeira: a tecnologia que iria fazê-la funcionar ainda precisava ser desenvolvida. No final do ano, a alta direção da BSB estava começando a sentir que o projeto de desenvolvimento do chip na ITT estava atrasado.

Em dezembro de 1988, a Virgin deixou o consórcio BSB, ostensivamente porque iria fechar novamente seu capital. A Virgin também estava cada vez mais preocupada a respeito dos custos crescentes da BSB. O anúncio da Sky Television levou Richard Branson, presidente do conselho da Virgin, a iniciar conversações sobre fusão com seu equivalente na News Corporation, Rupert Murdoch, mas eles não foram muito longe. A batalha pelos direitos dos filmes mostrou ser a gota d'água para a Virgin, uma vez que ela iria necessitar de uma "primeira rodada suplementar" de financiamento de 131 milhões de libras em janeiro de 1989, além dos 222,5 milhões iniciais. Depois de oferecer, sem sucesso, suas ações da BSB aos fundadores restantes, a Virgin vendeu-as à Bond Corporation, já então a maior acionista da BSB, por um valor nominal.

LANÇAMENTO DA SKY TELEVISION

A Sky apressou-se durante a segunda metade de 1988 para cumprir sua data de lançamento em fevereiro. Arrendou um conjunto de prédios perto do Aeroporto de Heathrow e começou a prepará-los para 600 ocupantes. Em setembro, cancelou o contrato sindical do antigo Sky Channel europeu, provocando um boicote oficial do Partido Trabalhista. A Sky tirou pessoal da BBC, da ITV e de outras empresas de televisão, bem como de outras subsidiárias da News Corporation, para preencher seus quadros, e começou a executar seus esforços de *marketing* e programação.

Os planos originais da Sky, de oferecer um canal gratuito de filmes, foram revistos no outono de 1988. Em outubro, a empresa anunciou que conseguiria codificar os sinais PAL do Astra utilizando tecnologia israelense. A seguir, estourou a guerra pela programação de Hollywood. A Sky já tinha acesso exclusivo à Fox através da propriedade em comum. No final do ano, ela havia comprometido cerca de 270 milhões de libras para prender Orion, Warner, Touchstone, Disney (por pouco tempo) e outros estúdios independentes, com pagamentos antecipados totais de 60 milhões de libras.

De acordo com alguns analistas, os preços que BSB e Sky acabaram pagando pelos filmes de Hollywood foram duas a três vezes mais altos que aqueles pagos pelas empresas de televisão a cabo americanas. Murdoch declarou publicamente que os preços estavam 300% mais altos do que ele havia esperado e culpou a BSB pela alta. Entretanto, também foi observado que a Sky havia alimentado as chamas oferecendo aos estúdios norte-americanos pagamentos antecipados maiores que o normal.

O foguete Ariane 4, com o satélite Astra, foi lançado com sucesso no início de dezembro. Entretanto, pairavam incertezas a respeito da data de lançamento da Sky, em 5 de fevereiro de 1989, porque outros elementos da operação estavam atrasados. Murdoch continuava a insistir naquela data e ordenou que todo o pessoal se mudasse para os novos escritórios em 29 de dezembro, embora o aquecimento e outros sistemas ainda estivessem sendo instalados.

A Sky foi ao ar conforme o planejado, em fevereiro de 1989. Esta realização permitiu uma propaganda em louvor próprio, "Sky no ar, BSB sem sentido". Entretanto, praticamente nenhuma antena havia sido vendida até a noite do lançamento e a maior parte do pequeno público da televisão a cabo recebia apenas um canal. Somente 88.000 antenas Sky foram instaladas durante os primeiros seis meses no ar, muito abaixo das expectativas. Em conseqüência disso, os anunciantes também apareceram lentamente: diziam que, naqueles primeiros meses, a Sky teria vendido tempo comercial a 10 libras por anúncio.

Várias razões foram citadas para as desapontadoras vendas de antenas. O equipamento não estava amplamente disponível desde o começo, pois os receptores estavam sendo alterados para permitir a codificação. A BSB lançou uma campanha publicitária de 20 milhões de libras que destacava as diferenças entre o PAL e o D-MAC, aumentando a confusão dos clientes e suas preocupações a respeito de ficarem encalhados com a tecnologia errada. Outros fatores negativos incluíram as taxas de juros em ascensão, o bom tempo e a programação remendada da Sky.

A resposta de Rupert Murdoch, anunciada por ele aos administradores da Sky em julho de 1989, foi vender as antenas de porta em porta. O esforço de vendas diretas recebeu o nome código de Projeto X e focalizou inicialmente aluguéis de antenas a 4,49 libras semanais (inclusive a instalação), mais um depósito de 35 libras. Mais tarde, as condições foram facilitadas para uma experiência gratuita de duas semanas sem depósito. Para acelerar a execução, a Sky recorreu às empresas existentes de vendas e instalação e emprestou-lhes dinheiro para investir em pessoal, equipamento e capital de giro. O Projeto X chegou às ruas em setembro e, ajudado pela sazonalidade e pelo atraso do lançamento da BSB, aumentou as instalações de antenas da Sky, no período de seis meses até fevereiro de 1990, à média de 80.000 mensais. No final do seu primeiro ano no ar, a Sky atingia 1,1 milhão de domicílios britânicos, quase 600.000 via satélite e os restantes via cabo.

Embora a campanha porta em porta da Sky tenha conquistado audiências maiores, ela também criou alguns problemas novos. Algumas das organizações de vendas diretas empregadas pela Sky foram acusadas de usar táticas questionáveis de vendas, como contratos forjados. Os atrasos na remoção das antenas dos não-assinantes deram, a muitas pessoas, serviços gratuitos por três a quatro meses, prejudicando as vendas no período de pico de Natal. Havia problemas com a recuperação das antenas de muitos domicílios. Por exemplo, foi observado que a incidência de cães da raça Rottweiler era alta. Cada remoção custava 50 libras à Sky, o mesmo que uma instalação. Finalmente, a campanha enfureceu os varejistas, permitindo que a BSB conquistasse sua preferência quando ela se preparava para lançar seu próprio serviço. A Sky cessou praticamente as vendas diretas e começou a abordar novamente os varejistas no início de 1990, depois de ter gasto cerca de 70 milhões de libras no Projeto X. Mais ou menos na mesma ocasião, Murdoch assumiu o controle direto da Sky Television.

O LANÇAMENTO DA BRITISH SATELLITE BROADCASTING

A BSB atrasou-se em relação à data prevista de setembro de 1989, sendo lançada oficialmente em abril de 1990. O atraso foi anunciado em maio de 1989 e deveu-se em grande parte às dificuldades sofridas pela ITT no desenvolvimento de um chip vital para os receptores D-MAC da BSB. Alguns engenheiros achavam que o microchip estaria sujeito a um desenvolvimento contínuo mesmo quando estivesse disponível e sugeriram que a BSB abandonasse sua experiência com o D-MAC e optasse pela tecnologia PAL. Simmonds-Gooding rejeitou a idéia: "A partir de 1990, a nova televisão aperfeiçoada (capaz de tirar proveito da tecnologia D-MAC) será o grande impulso para fabricantes em toda a Europa, para os varejistas que irão vender nosso equipamento e para os telespectadores em suas casas".

Apesar do atraso, a BSB continuou a investir fortemente em *marketing* em 1989 para minimizar os efeitos da vantagem temporária da Sky. Também havia algumas boas notícias. Em junho de 1989, a BSB ganhou as licenças para os dois canais britânicos DBS de alta potência restantes, batendo seis outras pretendentes. A BSB reviu sua formação para incluir canais separados para filmes, esportes, música pop, entretenimento geral e assuntos de atualidade. Por razões técnicas, esta decisão aumentou o tamanho das antenas que os consumidores teriam de comprar de 25 para 35 a 40 centímetros; porém, subsídios da BSB ajudaram a manter os preços no varejo em 250 libras. Em agosto, a BSB comemorou o sucesso do lançamento de seu primeiro satélite, o Marco Polo 1, e concluiu sua mudança para o Marco Polo House, metade de um edifício descrito pelo *Sunday Times* como "o mais espetacular ensaio em pós-modernismo já construído na Grã-Bretanha". No final de 1989, ela também estava perto de concluir uma grande segunda rodada de financiamento.

Naquele mesmo ano, anteriormente houvera duas "primeiras rodadas" suplementares que levantaram um total de 201 milhões de libras dos acionistas da BSB. Mas à medida que 1989 passava, tornou-se óbvio que os requisitos da segunda rodada de financiamento seriam significativamente maiores que o previsto e também seriam complicados pelo colapso da Bond Corporation, maior acionista da BSB. A BSB negociou um pacote de dívida e capital que compreendia 450 milhões de libras de bancos, condicionado à consecução no prazo de alvos operacionais, e outros 450 milhões dos acionistas. Granada, Pearson, Reed e Chargeurs forneceram a maior parte do capital adicional, elevando suas participações para mais de 20% cada, caucionando os ativos de suas próprias empresas como garantia. O tamanho do compromisso e as leis britânicas referentes a papéis financeiros exigiram que as três primeiras empresas realizassem assembléias gerais extraordinárias no início de 1990 em busca da aprovação dos acionistas. A segunda rodada de financiamento foi concluída em fevereiro de 1990, elevando a capitalização total da BSB para 1,3 bilhão de libras e tornando-a a segunda nova empresa mais cara da história britânica, atrás somente do Channel Tunnel.

A segunda rodada de financiamento foi usada para financiar um novo plano de negócios denominado "Operation Fastburn" (Operação Queima Rápida), com um alerta de Simmonds-Gooding à Sky de que ela estava "olhando para o cano de uma arma totalmente carregada". De acordo com Peter Bell, diretor de *marketing* da BSB, o dinheiro iria ajudar a financiar 80 milhões de libras de despesas anuais de *marketing* e promoção até 1992, o dobro do planejado pela Sky, para acelerar as vendas de antenas: "Se conseguirmos chegar a 3 milhões de domicílios nos três primeiros anos, atingiremos a massa crítica e a economia começará a funcionar". A BSB e a Sky eram as duas maiores anunciantes da ITV em abril de 1990, o mês em que a BSB foi finalmente ao ar.

Apesar da pesada propaganda, o lançamento da BSB fracassou por razões que incluíram escassez inicial de equipamento de recepção, a resposta agressiva da Sky, confusão dos clientes e o aprofundamento da recessão. No final de outubro de 1990, a BSB havia instalado somente 175.000 antenas, comparadas com 946.000 da Sky, embora tenha vendido quase o dobro desta nos três meses anteriores (ver Quadro 8.3, p. 315). Ela já havia perdido 800 milhões de libras, continuava perdendo de 6 a 7 milhões por semana e quase não atingiu as metas de penetração fixadas pelos bancos para setembro. Ela precisava vender outras 100.000 antenas até o fim do ano. Não obstante, Simmonds-Gooding mostrou-se otimista a respeito do próximo Natal. De acordo com ele, "o negócio é jogo alto ou nada . . . É como perfurar petróleo no Mar do Norte. O dinheiro vai. A bomba irá sobrar para Murdoch".

Este otimismo se baseava em parte na sensação de que a BSB tinha mais recursos por trás do que a Sky, cuja holding, a News Corporation, enfrentava dificuldades para rolar seu considerável endividamento a curto prazo. O Quadro 8.4 (p. 315) resume as demonstrações financeiras das quatro maiores acionistas da BSB em outubro de 1990 (Granada, Pearson, Reed e Chargeurs) e o Quadro 8.5 (p. 316) reproduz as demonstrações financeiras de 1989 e 1990 da News Corporation. Os recursos financeiros desta haviam sido forçados desde meados de 1988 pelas aquisições do *TV Guide* e do restante da Triangle Publications por $ 3 bilhões, pela decisão de investir várias centenas de milhões de libras na Grã-Bretanha e Austrália para instalar impressão em cores para seus jornais e pelos 450 milhões de libras que ela já havia investido para iniciar a Sky, a qual continuava a perder 2,2 milhões de libras por semana. Os Quadros 8.6 e 8.7 (p. 317-320) estimam, dos pontos de vista da Sky e da BSB, suas economias caso continuassem concorrendo uma com a outra.

NOTAS

1. Esta seção baseia-se, em parte, em Raymond Kuhn, "Television in Great Britain", *Columbia Journal of World Business*, outono de 1989: 11-17.

2. Esta seção baseia-se em Peter Chippindale e Suzanne Frank *Dished!* (London: Simon and Schuster, 1991).

QUADRO 8.3
Instalações de Antenas para Satélite no Reino Unido (milhares)

Ano/Mês		Sky Television	British Satellite	Total Acumulado
1989	fevereiro-maio	63	—	63
	junho	16	—	79
	julho	9	—	88
	agosto	17	—	105
	setembro	50	—	155
	outubro	104	—	259
	novembro	79	—	338
	dezembro	119	—	457
1990	janeiro	61	—	518
	fevereiro	71	—	589
	março	10	—	599
	abril	49	5	653
	maio	98	10	761
	junho	106	16	883
	julho	36	19	938
	agosto	11	49	998
	setembro	15	46	1.059
	outubro	32	30	1.121
Total Acumulado		946	175	

Fontes: Continental Research; entrevistas; estimativas do autor do caso.

QUADRO 8.4
Principais Acionistas da BSB, 1990 (em milhões de libras, exceto quando assinalado em contrário)

	Granada	Pearson	Reed International	Chargeurs
Item Financeiro				
Receitas	1.392,4	1.535,1	1.578,0	1.134,0
Receita Líquida	81,4	157,7	240,6	(29,6)
Margem de Lucro	5,8%	10,3%	15,2%	(2,6%)
Ativos	1.589,3	1.749,4	2.660,0	1.664,8
Endividamento a Longo Prazo	441,4	434,2	567,4	132,0
Patrimônio	511,0	711,5	1.374,4	636,7
Participação Estimada na BSB (7/90)	22,0%	21,8%	20,9%	21,4%
Principais Negócios (classificados por % da receita total)				
	Aluguéis de TV e eletrônicos (34%) Lazer (30%) Televisão(21%) Serviços (15%)	Informação/ entretenimento (68%) Serviços de petróleo (19%) Porcelana (13%)	Publicações de negócios (50%) Publicações de consumo (27%) Livros (23%)	Têxteis (80%) Transporte/ lazer (18%) Comunicações (2%)

Fontes: Relatórios anuais; Kleinwort Benson Securities.

QUADRO 8.5
Demonstrações Financeiras da News Corporation (milhares de libras)*

Balanço	1990	1989
Ativos Correntes		
Caixa e investimentos a curto prazo	72.436	78.070
Contas a receber	830.287	820.166
Estoques	584.439	312.709
Outros	67.936	57.559
Total ativos correntes	1.555.098	1.268.504
Imóveis, fábrica e equipamento	1.565.995	933.884
Outros Ativos		
Direitos de publicação, títulos e licenças de televisão	6.036.444	4.296.449
Outros ativos	2.671.261	2.758.756
Total outros ativos	8.707.705	7.055.205
Total ativos	11.828.798	9.257.593
Passivos Correntes		
Parcela corrente do endividamento a longo prazo	1.336.306	246.919
Contas a pagar	1.261.937	935.720
Outros passivos correntes	137.839	124.459
Total passivos correntes	2.736.082	1.307.098
Total passivos a longo prazo	533.088	475.408
Endividamento a longo prazo	3.429.857	3.574.181
Patrimônio líquido	5.129.771	3.900.906
Total passivos e patrimônio líquido	11.828.798	9.257.593
Declaração de Rendimentos		
Receitas Operacionais líquidas		
Estados Unidos	2.321.060	1.769.037
Reino Unido	818.545	800.274
Austrália e Pacífico	986.149	1.127.120
Receitas operacionais totais	4.125.754	3.696.431
Renda Operacional		
Estados Unidos	376.304	276.744
Reino Unido	62.091	183.691
Austrália e Pacífico	200.299	195.161
Renda operacional total	638.694	655.596
Despesas Financeiras	**(483.019)**	**(443.128)**
Outras rendas (despesas) não operacionais	(17.225)	63.133
Renda antes do imposto	138.450	275.601
Provisão para imposto	(5.552)	(40.709)
Itens extraordinários	28.730	315.619
Lucro líquido	161.628	550.511

*Os dados de balanços foram convertidos para libras a uma taxa de 2,21 dólares australianos por libra, em 1990, e 2,06, em 1989; os resultados comerciais foram convertidos, respectivamente, às taxas de 2,12 e 2,11.
Fontes: Relatórios anuais; Donaldson, Lufkin & Jenrette.

QUADRO 8.6
Previsão Financeira da Sky Television

Hipóteses do Modelo
- Vendas mensais de antenas: 80.000 (número real de 450.000 usado para 1989).
- Taxas de assinatura do canal de filmes: 120 libras por ano para 65% de todos os domicílios com antenas.
- Sem cobrança de filmes em 1989 devido à promoção de lançamento.
- Receitas de cabo: 42 libras por ano por domicílio.
- Receitas publicitárias: 20 libras por ano por domicílio (inclui os canais de filmes, cabo e a Satellite Master Antenna Television).
- Todos os dados em libras de 1989 (sem ajuste para inflação).

Item	1989	1990	1991	1992	1993	1994	1995	1996	1997	1998	1999
Mercado											
Todos os domicílios com antena (milhões ao final do ano)	0,45	1,41	2,37	3,33	4,29	5,25	6,21	7,17	8,13	9,09	10,05
Média de domicílios/ano com antenas (milhões)	0,23	0,93	1,89	2,85	3,81	4,77	5,73	6,69	7,65	8,61	9,57
Média de assinantes de cabo/ano (milhões)	0,55	0,70	0,80	1,00	1,30	1,80	2,30	2,70	3,10	3,50	3,90
Participação de mercado da Sky	100%	85%	77%	70%	60%	60%	60%	50%	50%	50%	50%
Domicílios com antena Sky (milhões)	0,23	0,79	1,46	2,00	2,29	2,86	3,44	3,35	3,83	4,31	4,79
Domicílios com cabo Sky (milhões)	0,55	0,60	0,62	0,70	0,78	1,08	1,38	1,35	1,55	1,75	1,95
Receitas (milhões de libras)											
Canal de filmes	0,00	61,66	113,51	155,61	178,31	223,24	268,16	260,91	298,35	335,79	373,23
Cabo	23,10	24,99	25,87	29,40	32,76	45,36	57,96	56,70	65,10	73,50	81,90
Propaganda*	25,50	37,71	51,43	63,90	71,32	88,84	106,36	103,90	117,50	131,10	144,70
Total receitas	48,60	124,36	190,81	248,91	282,39	357,44	432,48	421,51	480,95	540,39	599,83
Custos (milhões de libras)											
Início	75										
Filmes†	190	90	90	90	90	90	90	90	90	90	90
Outras programações	65	65	65	65	65	65	65	65	65	65	65
Propaganda/promoção	30	30	30	30	30	30	30	30	30	30	30
Gerenciamento de assinantes‡	0	15,41	28,38	38,90	44,58	55,81	67,04	65,23	74,59	83,95	93,31
Outros	25	25	25	25	25	25	25	25	25	25	25
Satélite	10	10	10	10	10	10	10	10	10	10	10
Total custos	395,00	235,41	248,38	258,90	264,58	275,81	287,04	285,23	294,59	303,95	313,31

continua

QUADRO 8.6
Continuação

Item	1989	1990	1991	1992	1993	1994	1995	1996	1997	1998	1999
Renda antes do imposto (milhões de libras)	(346,40)	(111,06)	(57,57)	(9,99)	17,81	81,63	145,44	136,28	186,36	236,44	286,52
Imposto a 30%	(103,92)	(33,32)	(17,27)	(3,00)	5,34	24,49	43,63	40,88	55,91	70,93	85,96
Lucro depois do imposto	(242,48)	(77,74)	(40,30)	(6,99)	12,47	57,14	101,81	95,40	130,45	165,51	200,57
Fluxo de caixa (milhões de libras)											
Lucro depois do imposto	(242,48)	(77,74)	(40,30)	(6,99)	12,47	57,14	101,81	95,40	130,45	165,51	200,57
Mais: depreciação	5,00	5,00	5,00	5,00	5,00	5,00	5,00	5,00	5,00	5,00	5,00
Menos: capital de giro (10% da receita)	4,86	12,44	19,08	24,89	28,24	35,74	43,25	42,15	48,10	54,04	59,98
Menos: despesas de capital§	10,00	127,50	7,50	7,50	7,50	7,50	7,50	7,50	7,50	7,50	7,50
Fluxo de caixa	(252,34)	(212,67)	(61,88)	(34,39)	(18,27)	18,90	56,06	50,75	79,86	108,97	138,08

*Inclui 500.000 telespectadores por ano da Satellite Master Antenna Television (SMATV), os quais não geram receitas de assinaturas.

†Inclui cobranças de direitos de filmes.

‡Admitindo como sendo 25% das receitas do canal de filmes.

§Inclui 120 milhões de libras em 1990 para antenas compradas da Amstrad para distribuição porta-a-porta.

Fontes: Kleinwort Benson Securities; estimativas do autor do caso.

QUADRO 8.7
Previsão Financeira da British Satellite Broadcasting

Hipóteses do Mercado

- Vendas mensais de antenas: 80.000 (número real de 450.000 usado para 1989).
- Assinantes do canal de filmes: 120 libras por ano para 65% de todos os domicílios com antenas.
- Receitas de cabo: 42 libras por ano por domicílio.
- Receitas publicitárias: 20 libras por ano por domicílio (inclui o canal de filmes, cabo e a Satellite Master Antenna Television).
- As assinaturas de cabo crescem como mostrado, de acordo com previsões da Kleinwort Benson Securities e estimativas do autor do caso.
- Todos os números em libras de 1989 (sem ajuste para inflação).

Item	1989	1990	1991	1992	1993	1994	1995	1996	1997	1998	1999
Mercado											
Todos os domicílios com antenas (milhões ao final do ano)	0,45	1,41	2,37	3,33	4,29	5,25	6,21	7,17	8,13	9,09	10,05
Média de domicílios/ano com antena (milhões)	0,23	0,93	1,89	2,85	3,81	4,77	5,73	6,69	7,65	8,61	9,57
Média de assinantes de cabo/ano (milhões)	0,55	0,70	0,80	1,00	1,30	1,80	2,30	2,70	3,10	3,50	3,50
Participação de mercado da BSB	0%	15%	30%	45%	65%	65%	65%	50%	50%	50%	50%
Domicílios com antena BSB (milhões)	0,00	0,14	0,57	1,28	2,48	3,10	3,72	3,35	3,83	4,31	4,79
Domicílios com cabo BSB (milhões)	0,00	0,11	0,24	0,45	0,85	1,17	1,50	1,35	1,55	1,75	1,95
Receitas (milhões de libras)											
Canal de filmes	0,00	10,88	44,23	100,04	193,17	241,84	290,51	260,91	298,35	335,79	373,23
Cabo	0,00	4,41	10,08	18,90	35,49	49,14	62,79	56,70	65,10	73,50	81,90
Propaganda*	0,00	14,89	26,14	44,65	76,43	95,41	114,39	103,90	117,50	131,10	144,70
Total receitas	0,00	30,18	80,45	163,59	305,09	386,39	467,69	421,51	480,95	540,39	599,83
Custos (milhões de libras)											
Início†	100	20									
Filmes‡	0	300	125	125	125	125	125	125	125	125	125
Outras programações	0	85	85	85	85	85	85	85	85	85	85
Propaganda/promoção	0	80	80	80	80	80	80	80	80	80	80
Gerenciamento de assinantes§	0	2,72	11,06	25,01	48,29	60,46	72,63	65,23	74,59	83,95	93,31
Outros	0	25	25	25	25	25	25	25	25	25	25
Depreciação do satélite	0	50	50	50	50	50	50	50	50	50	50
Total custos	100,00	562,72	376,06	390,01	413,29	425,46	437,63	430,23	439,59	448,95	458,31

continua

QUADRO 8.7
Continuação

Item	1989	1990	1991	1992	1993	1994	1995	1996	1997	1998	1999
Renda antes do imposto (milhões de libras)	(100,00)	(532,54)	(295,61)	(226,42)	(108,20)	(39,07)	30,06	(8,72)	41,36	91,44	141,52
Imposto a 30%	(30,00)	(159,76)	(88,68)	(67,93)	(32,46)	(11,72)	9,02	(2,62)	12,41	27,43	42,46
Lucro depois do imposto	(70,00)	(372,78)	(206,93)	(158,50)	(75,74)	(27,35)	21,04	(6,10)	28,95	64,01	99,07
Fluxo de caixa (milhões de libras)											
Lucro depois do imposto	(70,00)	(372,78)	(206,93)	(158,50)	(75,74)	(27,35)	21,04	(6,10)	28,95	64,01	99,07
Mais: depreciação	0,00	50,00	50,00	50,00	50,00	50,00	50,00	50,00	50,00	50,00	50,00
Menos: capital de giro (10% da receita)	0,00	3,02	8,04	16,36	30,51	38,64	46,77	42,15	48,10	54,04	59,98
Menos: despesas de capital**	350,00	65,00	15,00	15,00	15,00	15,00	15,00	15,00	200,00	15,00	15,00
Fluxo de caixa	(420,00)	(390,80)	(179,97)	(139,86)	(71,25)	(30,99)	9,28	(13,25)	(169,14)	44,97	74,08

*Inclui 500.000 telespectadores por ano da Satellite Master Antenna Television (SMATV), os quais não geram receitas de assinaturas.

†A parcela de 1989 foi gasta durante 1987-1989.

‡Cobranças de direitos de filmes incluídas em 1990.

§Admitindo como sendo 25% das receitas do canal de filmes.

**Inclui 400 milhões de libras para despesas iniciais de satélite e capital em 1989 e 1990; também supõe que um novo satélite é construído em 1997 por 200 milhões de libras.

Fontes: Kleinwort Benson Securities; estimativas do autor do caso.

apêndice 8a

A News Corporation Limited em 1988[1]

A News Corporation Limited declarou receitas de A$ 6.018 milhões* e renda líquida de A$ 472 milhões no ano fiscal terminado em 30 de junho de 1988 *versus* A$ 1.503 milhões e A$ 44 milhões em 1983 (significando taxas anuais de crescimento de 32% e 60% respectivamente). Seus ativos totalizavam A$ 13.851 milhões e seu patrimônio líquido A$ 5.063 milhões. Seus negócios incluíam jornais (43% das vendas e 47% da renda), entretenimento filmado (20% e 12%, respectivamente), revistas (10% e 10%), televisão (9% e 8%, respectivamente) e serviços gráficos (4% e 2%, respectivamente). Os Estados Unidos representavam 42% das vendas da News Corporation e 40% da sua renda, o Reino Unido respectivamente 28% e 37% e a Austrália e a Bacia do Pacífico outros 30% das vendas e 23% da renda. Esses números estavam consolidados numa lista de empresas que ocupava nove páginas do relatório anual da News Corporation para 1988 e não incluíam afiliadas nas quais a News tinha participações minoritárias.

A News Corporation tinha sido criada e era controlada por Rupert Murdoch. Ele se baseava fortemente em endividamento para financiar o crescimento da corporação porque não queria diluir sua participação de quase 50% e porque as liberais leis contábeis australianas permitiam à empresa reavaliar seus ativos a cada três anos e tratar títulos conversíveis como capital. Ajudado por uma pequena equipe, mantinha rígido controle sobre as operações da News Corporation. Toda semana ele recebia e revisava pessoalmente relatórios sobre as estatísticas vitais — circulação, páginas de propaganda, receitas, lucros — de todas as suas empresas em todo o mundo. Estava também pessoalmente envolvido na maior parte das aquisições da News e na contratação e demissão de gerentes chave.

JORNAIS

Rupert Murdoch era um estudante de 21 anos em Oxford quando herdou do pai o controle do *Adelaide News* em 1952. Começou a comprar outros jornais australianos na segunda metade dos anos 50. Murdoch agregava valor às suas compras com eficiência operacional, pessoal enxuto, ge-

---

N. de R. A$ é o símbolo para dólar australiano.

renciamento prático e, em alguns casos, sensacionalismo. Em 1988, a News Corporation possuía mais de 100 jornais na Austrália, os quais representavam cerca de 60% da circulação nacional total.

A participação da News Corporation em jornais britânicos teve início em 1969, quando ela adquiriu o *News of the World*, que já era considerado o mais obsceno jornal dominical do país, e o *Sun*, um jornal sério que foi transformado em um tablóide sensacionalista. O *Sun* mostrou ser um enorme sucesso: sua circulação dobrou no primeiro ano, chegando a quase 2 milhões, e atingiu a marca de 4 milhões nos anos 80, tornando-se o jornal diário em língua inglesa mais vendido do mundo. Nos anos 80, a News Corporation adquiriu o histórico diário *The Times*, o semanário *The Sunday Times* e o jornal *Today*. Essas aquisições foram oficialmente isentas de verificação pela British Monopolies and Mergers Commission devido à precária situação financeira da empresa vendida, embora a isenção também tivesse sido atribuída ao apoio dado pelo *Sun* a Margaret Thatcher e ao Partido Conservador na eleição geral de 1979. Os cinco jornais de circulação nacional da News Corporation representavam um terço da circulação britânica total.

TELEVISÃO E FILMES

Os investimentos da News Corporation em televisão datavam do final dos anos 50. Quando o governo australiano concedeu a ela uma ou duas licenças de transmissão comercial para Adelaide, em vez do monopólio pelo qual Murdoch havia feito campanha, ele conseguiu bater seu rival no ar. Em 1962, quando lhe foi negada uma participação na nova licença para Sydney, Murdoch ameaçou transmitir de qualquer maneira para a cidade comprando uma estação deficitária numa cidade a 90 Km e obtendo acesso a alguma programação norte-americana. O concorrente que havia conseguido a licença para Sydney concedeu à News Corporation uma participação de 25%. Entretanto, o crescimento adicional doméstico foi bloqueado pelo limite australiano de duas estações de televisão.

Além da compra de uma participação de 7,5% da licença da ITV para Londres em meados dos anos 70, a News Corporation não empreendeu aventuras adicionais em televisão até os anos 80. Àquela altura ela já havia formado um New Media Group para planejar um redirecionamento, afastando-se da mídia impressa no sentido da eletrônica. Murdoch, que tipicamente via novas tecnologias com cautela, havia começado a reconhecer que a transmissão tradicional de TV estava sendo transformada por dois novos meios de transmissão, o cabo e o satélite. Ele estimava que a transmissão via satélite era mais adequada à News Corporation, em parte devido à sua visão global para a empresa.

A News Corporation começou a planejar um empreendimento de televisão via satélite denominado Skyband nos Estados Unidos no início dos anos 80 e, para esse fim, reservou US$ 75 milhões para um satélite privado de comunicações, mas deixou o empreendimento em 1983 quando tornou-se claro que as antenas necessárias eram grandes demais, que a tecnologia de satélites estava progredindo rapidamente e que a programação seria um problema. Em 1985, ela comprou a Twentieth Century-Fox, um estúdio de filmes e televisão de Hollywood, por US$ 575 milhões, e seis estações de televisão norte-americanas da Metromedia por US$ 1,65 bilhão. Dizem que Murdoch levou apenas poucos minutos para decidir quando lhe ofereceram as estações: achou que valia a pena pagar um extra de várias centenas de milhões de dólares para adquirir um grupo de estações de alta qualidade em áreas metropolitanas importantes. Para consumar a compra das estações, Murdoch precisou naturalizar-se norte-americano e vender a maior parte dos jornais que a News Corporation possuía no país desde 1973.

As capacidades de programação e transmissão que a News Corporation havia adquirido nos Estados Unidos ancoraram seu anúncio, em 1986, de que ela iria lançar a quarta rede de televisão do país, a Fox, para transmitir via satélite para estações independentes, inclusive as seis recém-adquiridas. Os planos de Murdoch para a Fox tinham uma reserva de US$ 150 milhões para prejuízos na instalação. Em meados de 1988, a Fox parecia ser um sucesso, com base em sua programação, que tinha sido descrita como comercial, orientada para jovens, contracultural, de produção barata.

Na Europa, a News Corporation adquiriu em 1983 o controle do Sky Channel, que possuía sistemas de cabo por toda a Europa, pela quantia relativamente modesta de 10 milhões de libras, mas gastou, sem sucesso, outros 50 milhões tentando fazer com que ela desse lucro mediante a expansão das horas de programação e da penetração. Em 1986, a News Corporation participou de um dos consórcios perdedores na concorrência pela licença da British DBS. Sua participação desempenhou um papel na rejeição: membros dos consórcios rivais insinuaram que o resultado seria uma versão aérea da compra do *Sun* com seus problemas sindicais. Esta declaração referia-se ao fato de a News Corporation, naquele mesmo ano, ter mudado o *Sun* e seus outros jornais para fora de Londres, cancelando contratos com sindicatos e demitindo os trabalhadores grevistas. A mudança duplicou as margens de lucro dos jornais e, apesar de controvertida, teria sido vista com aprovação pela primeira ministra Margaret Thatcher.

NOTAS

1. Este apêndice baseia-se em William Shawcross, *Murdoch* (Nova York: Simon & Schuster, 1992).

CASO 9

Liderança *Online:* Barnes & Noble *vs.* Amazon.com (A)

A Próxima Grande Coisa: Uma Livraria? A Amazon.com está liderando uma onda de lojas digitais para invadir indústrias estabelecidas. Elas não precisam de tijolos e argamassa e falam diretamente aos seus clientes — elas têm futuro.

Manchete do Fortune,
9 de dezembro de 1996

Por Que a Barnes & Noble Pode Esmagar a Amazon
O modelo da Amazon é enganosamente atraente . . . Parece que tudo o que é preciso é um *website* para apresentar o rosto que cumprimenta os clientes e pega seus pedidos . . . Entretanto, pode ser que barreiras baixas à entrada sejam uma bênção duvidosa.

Manchete e texto da Fortune,
29 de setembro de 1997

Em meados de 1997, a batalha competitiva no varejo eletrônico de livros entre a Amazon.com e a Barnes & Noble era intensa no ciberespaço. A Amazon havia desempenhado um papel notável ao impulsionar e dominar o varejo eletrônico na categoria que visava, livros. Mas durante a primeira metade de 1997, a Barnes & Noble, a maior varejista tradicional de livros, decidiu usar seus recursos para atacar a liderança *online* da Amazon. A batalha entre as duas era observada com grande interesse.

O Professor Pankaj Ghemawat e Bret Baird, Associado de Pesquisa, prepararam este caso a partir de fontes públicas como base para discussão em classe e não para ilustrar o manejo eficaz ou não de uma situação administrativa. Os autores querem agradecer a Thomas Kramer e Brian Lenhardt, MBAs 1998, pelas idéias apresentadas em seus relatórios de classe e por seu trabalho em um rascunho inicial.

As duas primeiras seções deste caso revêem a organização tradicional da venda de livros nos Estados Unidos e os modelos de negócios da Barnes & Noble para concorrer nele. As duas seções seguintes descrevem o modelo de negócios da Amazon para o varejo de livros *online* e a ofensiva *online* da Barnes & Noble. Visitas aos *sites* da Amazon.com e da BarnesandNoble.com na World Wide Web (WWW) são suplementos úteis. A seção final do caso discute algumas das maneiras pelas quais o ambiente *online* parecia estar mudando em 1997.

VENDA DE LIVROS TRADICIONAL

Em 1996, os gastos dos consumidores norte-americanos com livros chegaram a US$ 26 bilhões. O Quadro 9.1 divide-os por tipo de livro. Os gastos dos consumidores com livros haviam crescido à taxa anual de 5,4% desde 1991 e previa-se que cresceriam 4,8% a.a. até 2001, chegando à cifra de US$ 33 bilhões. As taxas modestas de crescimento refletiam, entre outras coisas, os efeitos de uma ampla gama de "substitutos" para livros: TV a cabo, videocassete, videogames e assim por diante.

Em média, cerca de 10 livros eram vendidos, em 1996, por cidadão americano. A maior intensidade de compra era exibida por adultos entre 35 e 75 anos com renda familiar de US$ 45.000 a.a.,

QUADRO 9.1
Divisão dos Gastos dos Consumidores no Mercado de Livros dos Estados Unidos, 1996

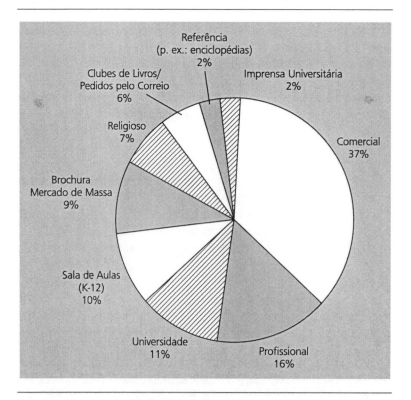

Fonte: John P. Dessauer, *Book Industry Trends* (Nova York: Preparado para o Book Industry Study Group, Inc., pelo Centro de Serviços Estatísticos, 1997).

ou mais. Com freqüência as compras de livros eram feitas enquanto outros livros ainda estavam sendo lidos ou deixados de lado; muitos eram comprados por impulso. As compras estavam sujeitas a picos em fins de semana e no quarto trimestre do ano. No agregado, os compradores também exigiam um grande número de unidades mantenedoras de estoques (SKUs). Mais de 50.000 novos títulos eram publicados todos os anos só nos Estados Unidos (embora o número estivesse em queda desde o início dos anos 90), o número de livros impressos em língua inglesa era estimado em mais de 1 milhão de títulos e estimava-se que o número de títulos esgotados fosse ainda maior.

Quase todos os livros começavam com os autores, que vendiam os direitos de suas obras a editoras em troca de direitos autorais que variavam entre 10 e 15%. Os outros participantes na cadeia de vendas de livros entre autores e compradores são discutidos no restante desta seção.

Editoras

As estimativas do número de editoras nos Estados Unidos chegavam até 40.000.[1] Mas o setor era muito mais concentrado do que esse número poderia sugerir: 20 editoras respondiam por aproximadamente 88% de todas as vendas no país.[2] A maior editora dos Estados Unidos, a Simon & Schuster, subsidiária da Viacom, detinha 11% do mercado. A concentração parecia ter aumentado recentemente, em parte como conseqüência da aquisição de várias grandes editoras por conglomerados de mídia, uma tendência que também aumentava a propriedade de editoras no exterior.

As recentes aquisições, muitas vezes financiadas com endividamento, também estavam impondo maior disciplina financeira ao setor editorial, em detrimento da sua tradicional ênfase em construir relacionamentos com autores e transformar manuscritos em livros. As mudanças induzidas incluíam reduções em títulos e em pessoal, consolidação de marcas menores e sacudidas nas gerências de algumas das maiores editoras.

Como mostra o Quadro 9.2 (ver p. 328), uma parcela substancial de livros fluía das editoras para os compradores por meio de atacadistas, varejistas ou ambos, em vez de diretamente.[3] As editoras ofereciam normalmente aos varejistas descontos por volume que variavam de 44 a 55% dos preços de lista sugeridos; os atacadistas recebiam descontos geralmente um ou dois pontos percentuais maiores. As editoras também forneciam fundos cooperativos de *marketing*, estimados em 2 a 3% das vendas de livros no varejo, para promoções, recomendações das lojas e outros eventos. Embora os termos das editoras fossem publicados no Buyer Guide da American Booksellers Association, havia suspeitas de favorecimento para as lojas de grandes cadeias. Muitas grandes editoras haviam assinado recentemente um documento comprometendo-se a não oferecer concessões em preços maiores que aquelas especificadas por escrito.

Tradicionalmente, as editoras vendiam livros aos atacadistas e varejistas em consignação: ao contrário dos CDs ou vídeos, os livros podiam ser devolvidos às editoras com crédito integral (não incluindo custos de remessa). Esta prática se havia originado durante a Depressão como uma maneira para os editores manterem seus livros em estoque. Mas, em meados dos anos 90, ela havia conduzido a taxas de retorno extremamente elevadas. De acordo com as editoras, as devoluções de livros capa dura novos superavam 30% em 1996, comparados com 15 a 25% uma década antes. Os livros devolvidos tinham de ser destruídos ou vendidos com grandes descontos por meio de outros canais.

Para resolver o problema das devoluções, algumas editoras haviam começado a oferecer descontos adicionais de 3 a 5% em troca do direito à devolução. Outras estavam estudando descontos de fim de ano que seriam inversamente relacionados aos níveis de devolução. Novas tecnologias, apesar de sua difusão lenta, também estavam começando a ajudar. A tiragem média das primeiras

QUADRO 9.2
Fluxo de Livros no Mercado dos Estados Unidos

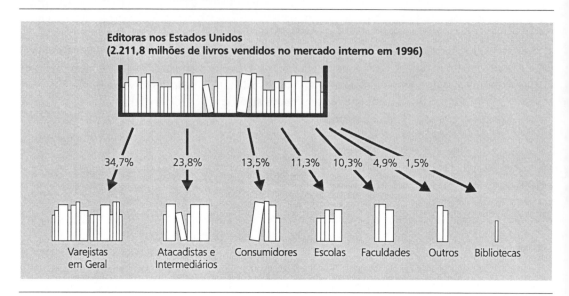

Fonte: John P. Dessauer, Book Industry Trends (Nova York: Preparado para o Book Industry Study Group, Inc., pelo Centro de Serviços Estatísticos, 1997).

edições havia se reduzido, de 7.000 a 10.000 no final dos anos 80, para um volume de 2.000 a 5.000 exemplares. A técnica de resposta mais rápida ou sua versão extrema, a publicação por encomenda, prometiam reduzir os erros de previsão de demanda. E melhores tecnologias no ponto de venda tornavam mais fácil, para as editoras, chegar a um acordo com os varejistas quanto aos estoques para evitar devoluções. Contudo, era pouco provável que as devoluções desaparecessem em futuro próximo.

Atacadistas

Poucos atacadistas tinham alcance nacional; muitos competiam focalizando com base em geografia, assunto, tipo de editora e assim por diante. A Ingram, a maior atacadista nacional, era várias vezes maior que a segunda colocada, a Baker & Taylor, e respondia por mais da metade das vendas totais por atacado nos Estados Unidos. A Ingram Books representava 9% das vendas de um grupo familiar, a Ingram Industries. Os outros negócios da Ingram também eram líderes em distribuição e incluíam a Ingram Micro, maior distribuidora de produtos de *hardware* e *software* dos Estados Unidos, com uma participação de 28% do mercado (82% das vendas do grupo) e a Ingram Entertainment, que vendia um terço de todas as fitas de vídeo para uso doméstico (7% das vendas do grupo).

A Ingram Books tinha em estoque quase 500.000 títulos. Ela despachava praticamente todos os pedidos no dia em que eles eram recebidos; 85% chegavam às plataformas de recebimento dos varejistas dentro de 24 horas e 95% dentro de 48 horas. Ela recebia a maior parte dos pedidos eletronicamente e operava depósitos em sete locais. A Ingram Books havia sido formada, desde o final dos anos 70, por aquisições de pequenos atacadistas e investimentos em novos sistemas informatizados, particularmente em processamento de pedidos. A Baker & Taylor, maior rival da Ingram, havia ficado para trás nesses sistemas nos anos 80, mas tinha concluído recentemente uma longa e custosa atualização.

Os atacadistas normalmente ofereciam aos varejistas descontos por volume que variavam entre 44 e 52% dos preços de lista sugeridos. Ao contrário das editoras, eles também ofereciam entrega gratuita e, em muitos casos, muito mais rápida. A Ingram havia instituído um programa pelo qual os vendedores de livros eram incentivados a concordar em comprar todos os títulos de uma editora por intermédio da Ingram para reduzir custos; a Baker & Taylor estava fazendo o mesmo.

Em meados dos anos 90, o atacadista médio estava sob pressão. Um estudo de 1995 para a Associação dos Atacadistas de Livros Americanos indicou que a margem de lucro líquida para os atacadistas em 1994 foi inferior a 1,5%, em vez dos níveis tradicionais de cerca de 2%.[4] Foi sugerido que os atacadistas haviam sido prejudicados pelo fato de as editoras oferecerem descontos e condições melhores aos varejistas que pediam diretamente a elas e pela queda de participação dos livreiros independentes, tradicionais sustentáculos dos atacadistas.

Varejistas

O varejo de livros havia sido tradicionalmente dominado por livrarias locais independentes, mas as grandes cadeias tinham aumentado substancialmente sua participação de mercado desde os anos 70. Em sua maioria, as cadeias cresceram nos anos 80 acrescentando livrarias em *shopping centers,* mas nos anos 90 elas mudaram seu foco para "superlojas", grandes e com mais títulos e espaço.

A B. Dalton e a Waldenbooks emergiram logo como as duas maiores cadeias baseadas em *shopping centers.* Lançadas nos anos 60, as duas eram operadas por varejistas de mercadorias em geral durante os anos 70. Essas cadeias e suas imitadoras revolucionaram a venda de livros importando técnicas de outras catedrais de varejo: sua ênfase em empilhar livros sobre mesas levou alguns a compará-las às lojas de departamentos; outros viam uma mentalidade de supermercado em sua tendência para pedir um pouco de tudo e reestocar depressa os títulos de giro rápido. As livrarias em *shopping centers* também provocaram uma mudança nos padrões de compra de livros, chamada de democratização por alguns e de vulgarização por outros. De acordo com um artigo no início de 1982 na *Forbes,* "livros não são mais comprados apenas para serem lidos mas, como qualquer outro item de consumo, para serem possuídos, olhados e dados de presente".[5]

No início de 1982, a B. Dalton e a Waldenbooks operavam, respectivamente, 575 e 750 lojas. Elas continuavam a se expandir ao longo dos anos seguintes, mas ambas mudaram de donos: a B. Dalton foi comprada em 1986 pela Barnes & Noble, anteriormente a terceira maior varejista de livros dos Estados Unidos; a K-mart, a segunda maior varejista do país na época, comprou a Waldenbooks em 1984. Ambas as compradoras voltaram-se para superlojas como melhor veículo de crescimento para os anos 90. A Barnes & Noble, ajudada pelo sucesso da abertura de seu capital em 1993, foi particularmente agressiva na ampliação de suas superlojas em âmbito nacional. E a K-mart comprou a Borders, maior concorrente da Barnes & Noble em superlojas, em 1992. Em 1995, entretanto, os ganhos desapontadores levaram a K-mart a separar suas operações de varejo de livros (inclusive a Waldenbooks) como uma entidade também denominada Borders.

As superlojas se baseavam no destino compras em vez da conveniência para gerar tráfego, embora ficassem abertas por muitas horas (em geral das 9 às 23 horas, sete dias por semana). Em sua maioria, as superlojas tinham acesso convenientes a ruas importantes e estacionamento. No seu interior, procuravam recriar a sensação de uma biblioteca do velho mundo com o mobiliário e tipicamente um café como amplo espaço público e sanitários. Elas incentivavam o exame dos livros, promoviam eventos como noites de autógrafos e procuravam criar uma sensação de comunidade, como algumas das livrarias independentes nos anos 70. Embora não houvesse pressão para comprar, estudos demonstravam um relacionamento positivo entre as pessoas que passavam tempo numa livraria e o dinheiro que elas lá gastavam. O valor de uma transação média nas superlojas era de cerca de US$ 20, quase o dobro do valor nas lojas em *shopping centers.*

Entre 1991 e 1996, o número de superlojas operadas nos Estados Unidos pelas quatro maiores cadeias — Barnes & Noble, Borders, Crown e Books-A-Million — passou de 97 para 788 e as vendas das suas superlojas cresceram de US$ 280 milhões para US$ 3,3 bilhões, ou de 16 para 66% das receitas totais das cadeias. Parte desse crescimento foi obtido com a canibalização das vendas ou opções de crescimento das lojas baseadas em *shopping centers.* Não obstante, em termos líquidos, as quatro maiores cadeias mais que duplicaram sua participação nas vendas de livros no varejo nos Estados Unidos nos anos 90, chegando a 25% em 1996, com a Barnes & Noble e a Borders respondendo por 14% do total.[6] De acordo com uma previsão, o crescimento continuado das superlojas iria elevar essas cifras respectivamente para 37% e 26% até o ano 2000.[7] O Quadro 9.3 compara as duas maiores cadeias, Barnes & Noble e Borders, em dimensões selecionadas. As duas cadeias declararam vendas significativamente maiores por superloja do que suas rivais menores e tinham, pelo menos em público, planos para duplicar o número de suas superlojas nos cinco anos seguintes.

Ainda havia cerca de 12.000 livrarias independentes nos Estados Unidos. Estas em geral careciam de influência junto às editoras e de outras economias de escala presentes nas lojas de cadeias, operavam em locais apertados e tinham uma abordagem algo "menos comercial" da comercialização de livros, refletindo o fato de seus proprietários serem bibliófilos. Em sua maioria, elas ofereciam muito menos títulos que as superlojas. Os fatores que tendiam a mantê-las em funcionamento incluíam reputação local e conhecimento, um modelo de negócio que gerava um nível mais baixo

QUADRO 9.3
Barnes & Noble vs. Borders, 1996*

	Barnes & Noble	Borders Group
Superlojas		
Vendas das superlojas/vendas totais	76%	50%
Número de superlojas	431	157
Vendas por superloja (em milhões de dólares)	4,3	6,2
Tamanho da superloja protótipo (m²)	2.500	2.700
Vendas médias por m² (estimadas)	2.533	3.155
Crescimento de vendas da mesma loja	5,2%	9,9%
Desempenho Financeiro		
Vendas totais (em milhões de dólares)	2.448	1.749
Crescimento de vendas em cinco anos	24%	12%
Margem operacional	4,9%	5,3%
Índice de cobertura de juros	3,1X	14,7X
Margem antes do imposto	3,3%	4,9%
Giros de estoque	2,1X	2,1X

*Números para 1996, exceto quando especificado.
Fonte: Adaptado de D.G. Magee, *et al. Book Retail Industry — Industry Report.* The Robinson-Humphrey Company, Inc., 24 de setembro de 1997.

de retorno que o modelo da superloja (20% vs. 30%, de acordo com uma estimativa) e, em alguns casos, motivos não-econômicos para permanecer no negócio. Algumas das lojas independentes de maior sucesso conseguiam atingir vendas por metro quadrado significativamente mais altas que as maiores cadeias. Contudo, 200 lojas independentes haviam fechado desde 1994, e reduções de números ainda maiores eram esperadas se a economia desacelerasse ou se a participação de mercado das lojas independentes fosse mais reduzida pelas cadeias — ou por qualquer outro canal.

OS MODELOS DE NEGÓCIOS TRADICIONAIS DA BARNES & NOBLE

A Barnes & Noble era a maior cadeia de livrarias do mundo, com vendas de US$ 2,45 bilhões em 1996. Vendia livros somente nos Estados Unidos e possuía pelo menos uma loja em cada grande cidade norte-americana. No final de 1996, operava mais de um milhão de metros quadrados de espaço de vendas, 80% dos quais em superlojas, e empregava mais de 20.000 pessoas, a metade das quais em tempo integral. Seu lucro líquido para 1996 chegou a US$ 51,2 milhões sobre vendas de US$ 2,45 bilhões *versus* –US$ 53 milhões e US$ 1,98 bilhão em 1995.[8] O valor de mercado do seu capital no fim de 1996 era de US$ 883,23 milhões e aumentou para US$ 1,416 bilhão em junho de 1997. A Barnes & Noble abriu seu capital em 1993, mas 26% do seu capital ainda eram pessoalmente controlados pelo diretor presidente Leonard Riggio. O Quadro 9.4 (ver p. 332) proporciona alguns dados contábeis sobre a empresa depois da abertura de capital.

Leonard Riggio havia comprado a cadeia Barnes & Noble por US$ 1,2 milhão em 1971. Ela abriu sua primeira superloja em 1975 transformando sua principal loja de Nova York com a Sale Annex em uma loja com quase 9.000 metros quadrados de espaço de vendas. Lojas semelhantes foram abertas a seguir em Manhattan e Boston, mas a empresa continuou a obter a maior parte de suas vendas de uma cadeia de lojas de descontos de porte mais modesto na região Nordeste. Em 1985, a Barnes & Noble adquiriu a B. Dalton por US$ 300 milhões. Entretanto, suas ações subseqüentes focalizaram o crescimento das operações de superlojas de quatro unidades para mais de 400. Em 1987, a empresa começou a testar vários protótipos de superlojas em locais suburbanos. Em 1989, adquiriu 23 grandes lojas no Texas, na Flórida e no sul da Califórnia, da Bookstop. A abertura nacional das superlojas acelerou-se nos anos 90: mais de 70 lojas por ano em 1992, 1993 e 1994 e mais de 90 em 1995 e 1996. Àquela altura, as superlojas representavam 77% das vendas da Barnes & Noble e mais de 85% da sua renda operacional. A empresa planejava abrir mais 70 superlojas em 1997.

Com o passar dos anos, a Barnes & Noble também havia desenvolvido vários outros negócios relacionados a livros. Publicou cerca de 1.500 títulos com seu nome, muitos deles reedições de títulos antigos (p. ex., o *Yale Shakespeare* e o *Dicionário Webster's*) que podiam ser oferecidos com descontos significativos. Esses livros eram vendidos por meio de vários canais e respondiam por 3% do total das receitas em 1996. No lado do *marketing* direto, a Barnes & Noble havia adquirido a Marboro, uma empresa que vendia livros pelo correio, em 1979, dirigia um clube do livro chamado Book$aver que vendia títulos selecionados com grandes descontos e era o maior fornecedor de livros via catálogos nos Estados Unidos. Em 1996, a Barnes & Noble expandiu mais seu escopo adquirindo uma participação de 20% da Chapters, a maior varejista de livros do Canadá, e 50% do Calendar Club, que operava quiosques sazonais de agendas nos Estados Unidos.

Apesar dessa ampliação do escopo, e da sua intenção declarada de participar de todos os canais significativos para a distribuição de livros aos consumidores, as receitas e os lucros da Barnes & Noble continuavam a ser dominados por suas livrarias nos Estados Unidos. O restante desta seção

QUADRO 9.4

Finanças da Barnes & Noble (em milhares de dólares)

Ano Fiscal	1992	1993	1994	1995	1996
Itens da Declaração de Renda					
Receitas	$ 1.086.703	1.337.386	1.622.731	1.976.900	2.448.124
Custo de vendas, compras e do espaço*	711.845	874.038	1.050.011	1.269.001	1.569.448
Despesas de vendas, gerais e administrativas	221.266	262.861	311.344	376.773	456.181
Aluguéis	91.792	120.326	147.225	182.473	225.450
Depreciação & amortização	25.082	29.077	36.617	47.881	59.806
Despesas antes da abertura	6.004	8.940	9.021	12.160	17.571
Lucro Operacional	30.714	42.144	68.513	(35.156)†	119.668
Despesas financeiras e amortização de taxas diferidas de financiamento	26.858	25.807	22.955	28.142	38.286
Imposto de renda	3.646	8.584	20.085	(10.322)	30.157
Lucro Líquido	($ 8.505)	7.753	25.473	(52.976)	51.225
Itens do Balanço					
Caixa e equivalentes	40.494	138.316	55.422	9.276	$ 12.447
Estoques	319.597	366.393	503.969	740.351	732.203
Capital de giro	114.677	182.403	155.976	226.500	212.692
Ativos totais	712.055	895.863	1.026.418	1.315.342	1.446.647
Endividamento a longo prazo menos porções correntes	190.000	190.000	190.000	262.400	290.000
Patrimônio líquido	146.754	328.841	358.173	400.235	455.989

*Inclui custos do espaço (como manutenção de áreas comuns, mensalidades de associação comercial e propaganda obrigatória pelo contrato de locação, mas exclui aluguéis), certos custos indiretos dos departamentos de compras e ajuste para LIFO.
†Inclui um custo de reestruturação de US$ 123.768.000.
Fonte: Relatório anual de 1996.

descreve os modelos de negócios de lojas em *shopping centers* e superlojas, especialmente as últimas. Esses modelos estão delineados em termos de três conjuntos de processos de negócios que também são usados para organizar as seções que se seguem: compras e logística, operações nas lojas e *marketing*.

Compras e Logística

A Barnes & Noble centralizava as compras de livros para suas superlojas e lojas em *shopping centers*. Esta abordagem era, na verdade, um elemento relativamente antigo da sua estratégia: uma das primeiras providências da Barnes & Noble depois de assumir a B. Dalton foi livrar-se da maioria dos compradores desta em Minneapolis e mudar a função de compras para sua própria sede em Manhattan.

A centralização facilitava as tentativas para se conseguir economias de escala em compras. A Barnes & Noble, juntamente com a Borders, conseguia das editoras descontos maiores que outros varejistas. Também se supunha que ela tivesse melhor acesso a livros escassos e melhores condições de pagamento, o que reduzia os custos de estoques. Contudo, as relações com as editoras eram prejudicadas pelos retornos mais altos gerados pelas superlojas. Stephen Riggio, diretor de operações da Barnes & Noble, era particularmente favorável a resolver este problema aumentando os descontos nas lojas e reduzindo os preços pagos às editoras.

A Barnes & Noble tratava com mais de 1.200 editoras e aproximadamente 50 atacadistas. As compras dos cinco maiores fornecedores representavam 48% das compras da empresa em 1996, com o maior deles contribuindo com 19%. A compra direta das editoras, sempre alta pelos padrões do setor, estava aumentando ainda mais: cerca de 40% dos livros vendidos pela empresa eram supridos por um grande depósito em New Jersey, aberto em setembro de 1996. Os livros em estoque no depósito podiam ser expedidos às lojas em dois ou três dias, uma enorme vantagem em relação à demora comum de várias semanas para os livros vindos das editoras. A empresa planejava elevar a parcela de vendas de livros que passavam pelo depósito para 50% até o final de 1998, a fim de melhorar suas margens brutas, a disponibilidade e o giro do estoque. Mesmo assim, a Barnes & Noble continuaria atrás da Borders neste respeito.

Uma razão para a diferença era que a Borders havia sido a primeira a instalar um sofisticado sistema de acompanhamento de estoques desenvolvido para ela por Louis Borders, um dos dois irmãos que fundaram a empresa em 1971. A Barnes & Noble havia introduzido seu próprio sistema, o WINGS, no início dos anos 90. Outros aperfeiçoamentos eram esperados à medida que a empresa lançava uma nova geração de sistemas de lojas, o "Bookmaster", descrito na próxima seção. Assim, em 1997, esperava-se que os estoques agregados da Barnes & Noble caíssem em 1%, a despeito das margens brutas mais altas, das percentagens em estoque e das vendas.

Operações das Lojas

Todas menos uma das lojas da Barnes & Noble eram arrendadas, com freqüência com uma ou mais opções de renovação (especialmente para as superlojas). Como outras cadeias de livrarias, a Barnes & Noble mantinha seus compromissos sob arrendamentos a longo prazo fora do seu balanço. Mas caso estes fossem capitalizados, o capital médio investido da Barnes & Noble em 1996 teria sido de US$ 2,97 bilhões, em vez dos US$ 694 milhões declarados.[9]

As superlojas da Barnes & Noble variavam entre 900 e 5.400 metros quadrados de área. A empresa havia começado com superlojas de tamanhos em torno de 900 metros, mas elas foram julgadas pequenas demais e as lojas novas ficaram maiores. Em 1997, uma loja média do sistema da Barnes & Noble tinha 2.000 metros quadrados, e a nova superloja média, 2.400 metros quadrados. Estimava-se que uma superloja desse tamanho custasse US$ 2 milhões e precisasse de vendas diárias de US$ 11.000, ou o equivalente a cerca de 400 livros de capa dura, para chegar ao ponto de equilíbrio.[10]

O número de títulos com que trabalhava uma superloja variava entre 60.000 e 175.000, dos quais aproximadamente 50.000 eram comuns a todas as lojas. Os compradores da empresa efetuavam a seleção de títulos antes da abertura de uma loja; depois, esta tarefa era responsabilidade do gerente da loja. Em 1997, a Barnes & Noble havia começado a utilizar o BookMaster, um sistema de loja significativamente aperfeiçoado que dava suporte a transações mais rápidas, a comunicações em tempo real entre as lojas, o centro de distribuição e os atacadistas e um banco de dados com 2,5 milhões de títulos especialmente projetado para se folhear livros. A instalação em todas as lojas deveria estar concluída em dois anos. Entretanto, os únicos terminais de computadores nas lojas continuavam atrás dos balcões e das escrivaninhas.

Além das superlojas, a Barnes & Noble operava várias outras cadeias sob as marcas B. Dalton Bookseller, Doubleday Book Shops e Scribner's Bookstore. Essas lojas, com freqüência localizadas em *shopping centers,* eram menores que as superlojas e tinham seleções menores, preços mais altos e davam poucos descontos. As livrarias B. Dalton tinham de 250 a 540 metros quadrados e estocavam de 15.000 a 25.000 títulos. As 24 lojas Doubleday e as nove Scribner's davam mais ênfase a livros de capa dura e para presente. A cadeia B. Dalton em particular havia sido canibalizada pelo crescimento das superlojas: a partir de 1991, a Barnes & Noble havia fechado mais de 50 lojas B. Dalton por ano.

Embora as reduções do número de lojas em *shopping centers* neutralizasse grande parte do crescimento das superlojas, o crescimento líquido em espaço de vendas era muito maior. Assim, os 837.000 metros quadrados de espaço de vendas, atingidos em fevereiro de 1997, representavam um aumento de um terço sobre o ano anterior. As superlojas deveriam continuar dominando o crescimento da Barnes & Noble no próximo milênio, tanto mediante a penetração em novos mercados como pela abertura de novas lojas nos mercados existentes: a própria empresa reconhecia que operava uma ou mais superlojas em somente 132 dos 208 mercados geográficos potenciais nos Estados Unidos e duas ou mais superlojas em apenas 61 deles. A empresa declarou publicamente que planejava operar cerca de 1.000 superlojas em cinco a seis anos — apesar da crescente concorrência direta com a Borders por novos pontos. Entretanto, os baixos lucros em 1996 e as preocupações a respeito de canibalização levaram a empresa a reduzir seus planos de expansão para 1997 a 70 superlojas, em vez das mais de 90 em cada um dos dois anos anteriores.

Marketing

O *marketing,* bem como as operações das lojas, variava substancialmente entre as lojas em *shopping centers* e as superlojas. A cadeia B. Dalton, que se baseava na conveniência para gerar tráfego, praticava descontos de forma seletiva de acordo com os mercados, mas, de modo geral, vendia os *bestsellers* de capa dura por 15 a 25% abaixo do preço de lista sugerido. Um cartão Book$aver oferecia um desconto adicional de 10% para quase todas as mercadorias a quem se dispusesse a pagar uma taxa anual.

As superlojas tinham uma estrutura de preços mais baixos, visando atrair compradores: 10% de todos os livros de capa dura e até 30% de uma seleção de *bestsellers,* novas edições e itens promocionais especiais localizados na frente da loja. Os *bestsellers* desempenhavam um papel fundamental na geração de tráfego, mas estimava-se que respondessem por apenas 3% das vendas das superlojas. Os grandes descontos em seus preços eram parcialmente financiados pelas editoras, que davam à Barnes & Noble descontos maiores do que a outros varejistas. O apoio das editoras influía na determinação dos itens que seriam colocados na frente de uma superloja.

As cadeias Barnes & Noble e a Borders praticavam preços iguais, procurando diferenciar-se em outras dimensões, em particular na seleção e no atendimento, bem como na localização. Como a superposição geográfica entre elas havia crescido, o mesmo se dera com a discussão sobre qual delas era mais "literária", fazia um trabalho melhor de adaptação das lojas às condições locais, contava com vendedores mais bem informados e oferecia mais serviços em suas lojas[11] — com atrito adicional gerado pelo fato de muitas livrarias independentes acharem que essas características eram *suas* vantagens. Também havia muitas diferenças menos visíveis entre a Barnes & Noble e a Borders: por exemplo, em termos de decoração (a Barnes & Noble favorecia as cores verde e dourada), do café servido (a Barnes & Noble havia assinado um contrato com a Starbucks em 1994) e a capacidade para levar autores às lojas para noites de autógrafos, palestras e outros eventos (a Barnes & Noble achava que sua escala maior lhe dava mais influência junto aos autores). O consenso geral era de que cada uma das duas cadeias havia desenvolvido uma grande base de clientes que, sendo as outras coisas razoavelmente iguais, visitaria uma e não a outra.

A marca Barnes & Noble, que originalmente havia sido construída mediante pioneirismo e anúncios bem-humorados na TV, era reservada para as superlojas. Tomava-se muito cuidado para garantir que a marca evocasse de forma consistente os atributos valorizados pelos clientes da empresa: uma grande seleção, preços baixos todos os dias, uma atmosfera despretensiosa e não intimidante e assim por diante. As campanhas de abertura para novas superlojas — envolvendo muita propaganda impressa e pelo rádio, *marketing* direto e eventos comunitários — também giravam em torno da marca Barnes & Noble.

O MODELO DE NEGÓCIO *ONLINE* DA AMAZON.COM

Enquanto a Barnes & Noble e outras cadeias passavam todo o seu tempo expandindo suas redes de superlojas, começou a surgir o interesse por outra abordagem, radicalmente diversa, do varejo de livros: *online,* pela Internet. Em meados de 1997 chegavam a algumas centenas as "ciberlojas" de livros em operação na WWW, variando desde simples *websites* até aquelas que ajudavam no processamento das transações. A Book Stacks Unlimited (www.books.com ou www.bookstacks.com) fora uma das pioneiras: começou a vender livros *online* por um serviço de quadro de avisos (BBS) em 1992 e, em outubro de 1994, lançou um *website* que oferecia uma seleção de mais de 500.000 títulos. Nesse ínterim, ela foi adquirida pela CUC International, uma grande empresa de *marketing* direto.

A Book Stacks ainda era uma participante significativa no varejo de livros *online,* mas já havia sido claramente superada pela Amazon.com, que esperava vender entre US$ 100 e US$ 150 milhões em 1997, comparados com US$ 16 milhões em 1996, e tinha uma participação dominante das vendas *online* em sua categoria de produtos — as estimativas chegavam a 90%. Os prejuízos da Amazon também estavam crescendo, de US$ 6 milhões em 1996 para US$ 28 milhões em 1997. De acordo com um folheto da empresa, ela esperava "continuar incorrendo em prejuízos substanciais no futuro previsível". Mesmo assim, ela conseguiu levantar, em maio de 1997, US$ 49 milhões com a abertura do seu capital. Depois da primeira venda de ações, Jeff Bezos, 33 anos, o fundador da Amazon era dono de aproximadamente 41% da empresa e outros 10% pertenciam a membros da sua família e fundos por eles controlados.

Bezos, que se formara com louvor em engenharia elétrica e ciência da computação em Princeton, estava trabalhando em um fundo em Wall Street na primavera de 1994 quando, enquanto surfava na WWW, descobriu um *site* projetando o crescimento anual da Web em mais de 2.000%. Essa explosão de demanda inspirou-o a pensar a respeito de oportunidades para varejo *online*. Depois de analisar mais de 20 produtos com base numa série de critérios — inclusive o tamanho do mercado, o número de SKUs e as margens tradicionais, os padrões de distribuição e concorrentes, como poderia ser adicionado valor em relação aos modelos de negócios tradicionais pela Internet — Bezos decidiu se concentrar em livros. Como ele teria dito em 1996, "não há gorilas de 44 quilos na venda de livros".[12] Além disso, ele pensava que o domínio e o controle da interface de varejo de livros poderia ser uma boa base para uma posterior diversificação com a venda *online* de outros produtos, como CDs, que também se encaixassem bem na Internet.

A nova empresa de Bezos, chamada Amazon.com por causa do rio ("O maior rio da Terra — a maior livraria da Terra") despachou seu primeiro livro em julho de 1995. As vendas chegaram a US$ 0,5 milhão no restante de 1995, antes de pularem para US$ 16 milhões em 1996 e o correspondente a US$ 82 milhões anuais na primeira metade de 1997. O déficit acumulado nos primeiros meses de 1997 foi, em grande parte, financiado por US$ 8 milhões de capital de risco da Kleiner Perkins Caufield & Byer. A bem-sucedida abertura do capital em maio de 1997 reduziu as restrições imediatas de caixa. O restante desta seção descreve o modelo de negócio "vende tudo, estoca pouco" que os investidores, bem como alguns compradores de livros, acharam tão interessante.

Compras e Logística

Embora a Amazon.com houvesse oferecido mais de 1 milhão de títulos desde o início, ela ainda tinha somente 2.000 deles em seu depósito em Seattle. Ela processava pedidos para todos os títulos da sua lista, mas obtinha-os da editora ou de um atacadista. Os pacotes de livros eram expedidos da editora ou do depósito do atacadista para o da Amazon, onde normalmente precisavam ser desfeitos e reempacotados antes de enviados aos clientes.

A dependência da Amazon de outros para estocar a maior parte dos livros que vendia induziu-a a dar mais ênfase a trabalhar com atacadistas e não com as editoras, que podiam demorar semanas para entregar os livros. Os atacadistas, em contraste, podiam enviar um livro dentro de cinco dias caso o tivessem em estoque, permitindo que a maior parte dos livros fosse entregue dentro de quatro a sete dias úteis a um custo de US$ 3 por remessa mais 95 centavos por livro; a entrega por via aérea em dois dias custava US$ 6 por remessa e US$ 1,95 por livro e a entrega por via aérea no dia seguinte custava US$ 8 por remessa e US$ 2,95 por livro. Em meados de 1997, a Amazon obtinha 59% de seus livros de apenas um atacadista, a Ingram, que tinha um depósito no Oregon; a Baker & Taylor era sua segunda maior fornecedora.

O benefício mais óbvio desse sistema de compras "*just-in-time*" era que ele multiplicava os giros do estoque e reduzia a necessidade de capital de giro. A Amazon girou seu estoque mais de 70 vezes em 1996, embora este número tenha caído para 56 vezes no segundo trimestre de 1997. Períodos médios de permanência em estoque de cinco a seis dias, mais as condições de pagamento de até 180 dias reduziam os níveis de capital de giro, os quais eram positivos somente devido ao excesso de caixa que a Amazon mantinha à mão. A abertura do capital deixou a empresa com cerca de quatro vezes o nível absoluto de caixa (US$ 12 milhões) declarado pela Barnes & Noble no final de 1996.

Outra vantagem potencial do modelo de compras e logística da Amazon provinha do fato dela gerar devoluções de apenas 1 a 2%. Para aproveitar esta diferença, ela provavelmente precisaria trabalhar mais próxima às editoras, que tinham o maior interesse em reduzir as devoluções. A Deutsche Morgan Grenfell (DMG), um dos maiores compradores de ações da Amazon na oferta inicial, previu que ao longo de cinco anos (i. e., em 2001), esta vantagem iria compensar a menor escala da Amazon e permitir que ela comprasse livros mais ou menos nos mesmos termos da Barnes & Noble.

Operações de Loja

O modelo de negócio da Amazon.com girava em torno de uma fachada de loja virtual, mas suas operações tinham elementos físicos e também informativos, ambos centralizados em Seattle, Washington. Bezos escolheu esse local por várias razões específicas. Em primeiro lugar, era próximo do maior depósito de distribuição de livros do mundo, da Ingram, no Oregon. Em segundo lugar, a região contava com muitos talentos em alta tecnologia. Em terceiro lugar, o fato de a população do estado de Washington ser relativamente limitada amenizava os ônus fiscais: pela legislação vigente, a Amazon não teria que fazer com que os clientes de outros estados pagassem o imposto sobre vendas em suas compras *online*. Finalmente, um local na Costa Oeste permitia que mais livros (em estoque) fossem expedidos no mesmo dia à Costa Leste.

As operações físicas da Amazon em Seattle eram decididamente espartanas: o escritório central estava localizado numa área central de aluguéis baixos, o espaço era pouco e as mesas, inclusive a de Bezos, eram portas não-acabadas com pernas de madeira. Bezos gostava de dizer que a Amazon economizava em tudo, exceto em pessoal e em computadores. No final de março de 1997, a Amazon tinha cerca de 250 funcionários, a metade dos quais envolvidos com embalagem, expedição e atendimento a clientes; a outra metade com programação de computadores, a função editorial, *marketing*, contabilidade e gerenciamento. A formação dos gerentes estava mais ligada a computadores do que a livros. A única exceção significativa era o vice-presidente de Expansão de Negócios, Scott Lipsky, que havia entrado para a Amazon em julho de 1996, depois de mais de dois anos como diretor de informação da Barnes & Noble. Um programa de opções de ações ajudava a ligar os funcionários-chave à empresa.

O investimento da Amazon em tecnologia de computador concentrava-se em *software*, em vez de *hardware*. A página da Amazon na Web, que limitava o conteúdo gráfico para que ela pudesse ser descarregada rapidamente, era a manifestação mais visível dos esforços da empresa para desenvolver sistemas exclusivos e tinha sido escolhida um dos 10 "Melhores *Websites* de 1996" pela revista *Time*. Entretanto, cerca de 80% dos recursos gastos com desenvolvimento de *software* desde a fundação da empresa haviam sido dedicados às operações de apoio, que Bezos descrevia como "o *iceberg* por baixo da linha d'água da venda *online*".[13] Este esforço de desenvolvimento interno, ao custo de milhões de dólares, fazia-se necessário em decorrência das limitações do *software* existente. Assim, a Amazon precisava de um centro de atendimento aos clientes para lidar com e-mails em vez de telefonemas e de um *software* de gerenciamento de estoques que pudesse localizar milhões de SKUs, em vez de milhares, tudo integrado em um *website* que enviava automaticamente mensagens de e-mail quando os pedidos estavam sendo colocados e expedidos.

Os desafios de desenvolvimento de sistemas não cessaram com o sucesso do projeto inicial. A infra-estrutura da Amazon exigia muito trabalho adicional para lidar com o crescimento explosivo que ela estava obtendo. Além disso, de acordo com um folheto publicado por ocasião da oferta inicial de ações, "o atual sistema de gerenciamento de informações da empresa, que produz freqüentes relatórios operacionais, é ineficiente com respeito ao relato tradicional, de orientação contábil, e requer muito esforço manual para preparar informações para relatórios financeiros e contábeis".[14] A Amazon não tinha sistemas redundantes ou um plano formal para recuperação de desastres e havia passado por interrupções periódicas de sistemas, que ela esperava que se repetissem de tempos em tempos. Contudo, essas interrupções representavam um problema menor para um vendedor de livros do que para um provedor de serviços *online* (p. ex., a America Online, a qual havia passado por problemas altamente divulgados) ou uma corretora de valores *online,* da qual os clientes podiam depender para negócios críticos.

Marketing

O número médio de visitas diárias ao *website* da Amazon havia aumentado de cerca de 2.000 em 1995 para quase 100.000. Os clientes que já haviam comprado antes representavam mais de 50% dos pedidos e a base total de clientes tinha chegado a 610.000.[15] A empresa esperava tornar-se a primeira varejista eletrônica a atingir a marca de 1 milhão de clientes ainda em 1997. Aproximadamente 30% das suas vendas eram internacionais, embora o número houvesse caído de 40% um ano antes, e esperava-se que caísse ainda mais. O valor médio da transação era de cerca de US$ 50, com vendas dominadas por livros técnicos e de negócios.

Um conhecido cliente da Amazon, Bill Gates da Microsoft, resumiu assim o apelo da empresa: "O tempo é curto, eles têm um grande estoque e são muito confiáveis".[16] De acordo com Bezos, "essas são três das nossas quatro proposições de valor . . . A única que Gates deixou fora foi o preço: damos os maiores descontos do mundo em qualquer categoria de produtos. Mas talvez o preço não seja importante para Bill Gates".[17]

Os clientes podiam comprar na Amazon a qualquer hora do dia, qualquer dia da semana. Eles podiam pesquisar seu catálogo, que originalmente consistia de 1,1 milhão de títulos, por autor, título ou assunto. Aqueles que visitavam o *site* pela primeira vez precisavam preencher um formulário simples de pedido com seus nomes, endereços e números de cartão de crédito.[18] A proteção por contra-senha significava que essas informações não poderiam ser redigitadas no futuro, a menos que um pedido tivesse de ser remetido para um endereço diferente. Os clientes eram informados instantaneamente dos preços e da posição do estoque dos itens que haviam pedido. Até meados de 1997, a Amazon dava 10% de desconto para cerca de um terço dos seus títulos e 30% para os *bestsellers*. Os pedidos eram confirmados *online* e os clientes recebiam um e-mail quando seu pedido era expedido do depósito da Amazon.

Entretanto, a Amazon fazia mais do que apenas vender livros. Ela também prestava uma ampla gama de serviços, inclusive informações a respeito de livros: entrevistas com autores (com freqüência feitas por robôs), resenhas de livros e recomendações de outros clientes e outros veículos, ligações para outros *sites*, dados sobre novos lançamentos e vários outros aspectos diários. Dois serviços personalizados, *Eyes* e *Editors*, ajudavam a gerar tráfego enviando e-mails aos clientes quando livros de determinados autores, sobre determinados assuntos ou recomendações em categorias selecionadas tornavam-se disponíveis.

O tráfego era gerado também de várias outras maneiras. Durante a primeira metade de 1996, a Amazon havia se baseado principalmente na propaganda boca-a-boca entre comunidades *online* para melhorar sua visibilidade. Na segunda metade daquele ano, ela começou a anunciar na mídia impressa e *online* — uma providência que, juntamente com a novidade do seu modelo de negócio, ajudou a gerar histórias a respeito da empresa em publicações como o *Wall Street Journal*, a *Business Week* e a *New Yorker*. Em julho de 1996, ela inaugurou um Programa de Associadas pelo qual outros *websites* podiam apresentar o Amazon.com *hot-link* e oferecer livros específicos do interesse de seus visitantes. Em vez de pagar diretamente por essa veiculação, a Amazon oferecia às Associadas honorários de apresentação de 8% sobre as vendas de títulos. Esses honorários aplicavam-se somente às vendas iniciais: as compras subseqüentes do mesmo cliente não davam direito a honorários. Em meados de 1997, a Amazon já tinha vários milhares de Associadas.

Olhando para o futuro, Bezos salientou que o modelo de negócio *online* da Amazon poderia revolucionar a geração de informações a respeito de clientes, bem como a provisão de livros e informações associadas aos mesmos. De acordo com ele, "em última análise, somos corretores de informações. À esquerda, temos muitos produtos; à direita, temos muitos clientes. Estamos no meio, fazendo as conexões. A conseqüência é que temos dois conjuntos de clientes: clientes em busca de livros e editoras em busca de clientes. Os leitores encontram os livros ou os livros encontram leitores".[19] Bezos prosseguiu prevendo que, com a ajuda das informações a respeito do comportamento de folhear livros e comprar dos clientes, "estaremos redecorando a loja para cada cliente".[20]

A OFENSIVA *ONLINE* DA BARNES & NOBLE

A Barnes & Noble havia começado a monitorar os acontecimentos no varejo *online* de livros pouco depois de a Book Stacks lançar seu *website* em 1994. De acordo com Stephen Riggio, a empresa acompanhou todos os esforços *online* iniciais, mas não se comparou com nenhum deles em particular por ver para si uma missão única: alavancar *online* a marca Barnes & Noble.[21] Em 1995, a College Bookstores, uma empresa também de propriedade dos Riggio, lançou um *website* que oferecia a estudantes universitários uma lugar para conversar *online* e encomendar roupas, pôsteres e revistas, bem como livros, e ajudava a obter experiência com o comércio *online* para a Barnes & Noble. Em 1996, a empresa decidiu lançar seu *website* orientado para transações e, em agosto daquele ano, formou uma divisão de Novas Mídias com sete pessoas.

Em 28 de janeiro de 1997, a Barnes & Noble anunciou publicamente seus planos para tornar-se a única vendedora de livros no Marketplace da America Online (AOL) e lançar seu próprio *website* na primavera. Em 10 de março, a Barnes & Noble anunciou que seu *website* (mas não sua fachada na AOL) apresentaria um serviço personalizado de recomendação de livros no qual a empresa vinha trabalhando desde 1996 com a Firefly, uma empresa de *software* de Cambridge, Massachusetts. Em 18 de março, a Barnes & Noble entrou *online* na AOL com grandes descontos: 30% para livros de capa dura e 20% para brochuras. A Barnes & Noble lançou seu próprio *website*, com uma estrutura de preços igualmente de grandes descontos, em 13 de maio de 1997. No mesmo dia, ela entrou com uma ação contra a Amazon, questionando sua alegação de ser a "Maior livraria da Terra". De acordo com a ação, "A Amazon não é uma livraria. É uma corretora de livros, fazendo uso da Internet exclusivamente para gerar vendas ao público". A abertura do capital da Amazon estava programada para a semana seguinte.

De acordo com o relatório anual da Barnes & Noble para o ano terminando em 1 de fevereiro de 1997, "nossa meta é ser a comerciante dominante de livros através deste canal (*online*)".[22] Os planos iniciais da empresa falavam em chegar à liderança *online* até o final de 1998, mas Stephen Riggio negou o interesse em conquistar participação de mercado por si só. De acordo com ele,

> Acreditamos que nosso negócio *online* teve uma oportunidade para acrescentar vendas incrementais à nossa empresa . . . Ainda há muitos lugares onde as pessoas não têm como ir a uma livraria com uma grande seleção . . . Em segundo lugar, há hoje muitas pessoas que não têm tempo ou afinidade com comprar no varejo . . . Em terceiro lugar, nosso negócio internacional, ou vendas de livros em inglês para o exterior, é inexplorado . . . Finalmente, acreditamos que o conceito de ter uma livraria *online* em seu computador irá causar uma explosão de interesse por livros".[23]

A organização que havia sido formada para realizar esses objetivos, a BarnesandNoble.com, tinha mais de 50 funcionários na primavera de 1997. A "Dotcom", como ela era chamada internamente, era organizada como uma empresa inteiramente separada da Barnes & Noble, Inc., e tinha seu próprio diretor de operações, que respondia diretamente aos Riggio. Esta separação era em parte motivada pelo desejo de evitar impostos sobre as vendas *online,* como descrevemos abaixo. Ela também refletia o atendimento de que esse empreendimento precisava atrair tipos diferentes de pessoas e criar um tipo de identidade diferente do negócio tradicional de venda de livros para ter sucesso.

O restante desta seção descreve o modelo de negócio *online* da Barnes & Noble e, a seguir, analisa a resposta da Amazon e as projeções a respeito das implicações financeiras.

Compras e Logística

A atividade de compras era a mais rigidamente acoplada entre os negócios *online* e tradicional da Barnes & Noble: em sua maioria, os livros para ambos os negócios tinham sua aquisição centralizada pelos compradores da empresa. As editoras entregavam os livros para a operação *online* no centro de distribuição da empresa em Jamesburg, New Jersey, onde eram separados dos fluxos muito maiores de livros para as livrarias tradicionais a fim de evitar qualquer dúvida a respeito do imposto sobre venda que precisava ser pago em estados além daqueles em que a BarnesandNoble.com operava oficialmente (Nova York e New Jersey). A Barnes & Noble estava expandindo a instalação de Jamesburg, levando Stephen Riggio a dizer: "Até o outono de 1997, nosso centro de distribuição de mais de 31.000 metros quadrados terá 90% dos livros que acreditamos que as pessoas irão comprar *online*".[24]

Na verdade, a BarnesandNoble.com expedia os livros aos clientes de um depósito dedicado ao negócio *online* em Dayton, New Jersey, que obtinha livros "em estoque" do centro próximo de Jamesburg e outros de atacadistas. Os títulos em estoque estavam prontos para expedição no mesmo dia, permitindo que a BarnesandNoble.com afirmasse que normalmente era capaz de bater a Amazon.com em prazos de entrega. Entretanto, as taxas de expedição cobradas foram fixadas no mesmo nível da Amazon.

Operações da Loja

A fachada virtual da BarnesandNoble.com era graficamente mais rica que a da Amazon.com e levava um pouco mais de tempo para ser descarregada. A interface com o cliente era mantida inteiramente separada da extensa rede das lojas da Barnes & Noble para minimizar a exposição das vendas *online* ao imposto sobre vendas. Assim, a opção de colocar quiosques nas livrarias tradicionais para que os clientes pedissem livros *online* fora rejeitada, como também a idéia de enviar livros pedidos *online* às lojas mais próximas dos clientes para que estes fossem buscá-los.

As operações nos "fundos" ofereciam mais espaço para sinergias. Na colocação de Stephen Riggio, "é uma competência essencial a infra-estrutura que temos para saber como fazer negócios com todas essas editoras e todo o mecanismo para pagar editoras, sistemas, etc. Está tudo aí. A empresa da Internet se liga nisso. Em conseqüência, nossa empresa *online* conseguiu começar correndo, sem a necessidade de investir as somas extraordinárias de que as novas empresas precisam numa operação destas".[25] Entre os sistemas desenvolvidos recentemente para as livrarias tradicionais e que se haviam mostrado particularmente úteis *online*, destacava-se a criação de um extenso banco de dados de livros que podia ser pesquisado eletronicamente, além do início de verificações de estoques em tempo real com os fornecedores de livros.[26] Entretanto, também era necessário muito desenvolvimento e aperfeiçoamento de sistemas exclusivamente para a operação *online*.

Marketing

A BarnesandNoble.com esperava atingir cerca de US$ 15 milhões em vendas em 1997 e mais de US$ 100 milhões em 1998. Ela oferecia aos clientes 2,5 milhões de títulos e grandes descontos em relação aos preços de catálogo: 20% em todas as brochuras em estoque, 30% na maior parte dos livros de capa dura e 40% em alguns dos livros de capa dura mais vendidos. Nas palavras de Stephen Riggio, "os clientes *online* concluem suas transações e portanto não só esperam receber, mas têm o direito de receber, preços de depósito".[27]

Além de vender livros em seu *website*, a BarnesandNoble.com oferecia uma gama de serviços, inclusive informações a respeito dos livros, aos visitantes. Embora muitos desses serviços se assemelhassem àqueles já oferecidos pelo *website* da Amazon.com, a BarnesandNoble.com foi pioneira no uso de um conjunto de ferramentas de *software* licenciadas da Firefly Network que permitiam aos *websites* personalizar a experiência de cada visitante, e, ao mesmo tempo, proteger sua privacidade. O Passport Office da Firefly armazenava detalhes a respeito dos perfis pessoais dos usuários nos computadores deles, mas permitia aos *websites* solicitar acesso a esses perfis e seu produto Catalog Navigator se somava aos perfis pessoais com base em opções feitas por cada cliente à medida que ele navegava pelos catálogos *online*. A BarnesandNoble.com usava a tecnologia Firefly para oferecer "filtragem colaborativa", uma tecnologia com origens na marcação de encontros por computador. Um cliente que concluía uma pesquisa *online* classificando livros diferentes dentro de uma área recebia novas recomendações de livros baseada em classificações feitas por outros clientes com perfis semelhantes.

A BarnesandNoble.com também agia no sentido de gerar tráfego *online* ligando-se a outros *websites* importantes. A exclusividade na venda de livros no Marketplace da AOL, iniciada em março de 1997, foi um dos primeiros exemplos. A AOL era o mais popular serviço *online* via Internet do mundo com oito milhões de associados, aos quais oferecia serviços como *software* e suporte de computação, aulas *online*, revistas e jornais interativos, e-mail e conferências, assim como acesso fácil à Net. Dada a orientação para o consumidor da AOL, as vendas na BarnesandNoble@aol eram lideradas pelas categorias de interesse geral e ficção, em contraste com o *website* da Amazon (e posteriormente da própria BarnesandNoble.com), onde livros sobre computadores, técnicos e de negócios lideravam. A Barnes & Noble anunciou um segundo importante acordo em 21 de maio de 1997: a partir do outono, os visitantes da seção Book Review do *New York Times* na Web poderiam comprar quase qualquer um dos cerca de 50.000 títulos por ela comentados seguindo uma ligação com a BarnesandNoble.com (cujos visitantes podiam ir em sentido contrário e ler as críticas no *Times*), com a BarnesandNoble.com pagando à New York Times Electronic Media Company uma comissão sobre cada livro vendido por meio desse mecanismo. Outros empreendimentos conjuntos do gênero estavam sendo negociados, sabendo-se que a BarnesandNoble.com trabalhava o lançamento de um equivalente do Programa de Associadas da Amazon.com.

Do último, mas não menos importante — talvez o mais importante — dos geradores de tráfego nos quais a BarnesandNoble.com punha suas esperanças era a marca Barnes & Noble. Embora esta marca ainda precisasse ser anunciada (*offline*) em um contexto *online*, porta-vozes da empresa achavam que ela se tornaria um importante ativo para impulsionar as vendas *online*, especialmente à medida que o uso da Internet se expandisse de um segmento selecionado para um mercado de massa.

A Resposta da Amazon

Jeff Bezos disse certa vez, em aparente referência à Barnes & Noble: "Francamente, tenho mais medo é quando chego à garagem e vejo dois caras que não deveriam estar ali".[28] Contudo, a Amazon.com pareceu prestar atenção à entrada da Barnes & Noble *online*. Em 17 de março de 1997, um dia antes do lançamento da BarnesandNoble@aol, a Amazon.com acrescentou 1,5 milhão de títulos aos mais de 1 milhão que ela já tinha em catálogo, expandiu os descontos sobre *bestsellers* e anunciou que iria oferecer um serviço próprio e personalizado de recomendações de livros (usando *software* desenvolvido pela maior concorrente da Firefly). Em 13 de maio de 1997, o dia em que a BarnesandNoble.com foi lançada com grandes descontos, a Amazon anunciou que iria ampliar seus descontos até 40% sobre a Amazon.com 500, uma lista de *bestsellers* e seleções da empresa para futuros *bestsellers*.

Na esteira do sucesso da primeira oferta de ações da Amazon em 20 de maio, ela tomou uma iniciativa ainda mais agressiva. No início de junho, respondeu aos preços mais baixos da BarnesandNoble.com oferecendo de 20 a 30% de desconto sobre 400.000 títulos (virtualmente todas as suas vendas), mas reduziu a gama de títulos sobre os quais oferecia desconto de 40% a cerca de 150. O Quadro 9.5 (ver p. 343) compara os preços que resultaram numa amostra de livros pequena, mas representativa. A Amazon aumentou de 8% para 15% as comissões que pagava às Associadas nas primeiras vendas. E também começou a negociar acordos com "proprietários da Web" e dizia-se que ela estava em entendimentos com dois grandes motores de busca, a Yahoo! e a Excite, e com a AOL para o aol.com e o NetFind (motor de busca da AOL), o qual estava fora do escopo do acordo da Barnes & Noble com o AOL Marketplace. A Amazon continuou a anunciar *offline*, ao contrário da BarnesandNoble.com, que pretendia fazê-lo, mas continuava não permitindo propaganda em seu próprio *website*, a despeito da atração de margens brutas de 85%. No fim, ela decidiu construir seu próprio grande depósito em Delaware como forma de acelerar as entregas, embora isso mudasse um princípio central do seu plano de negócio original: manter estoques e ativos fixos no mínimo.

O Quadro 9.6 (ver p. 344) resume o impacto dessas ações sobre os valores de mercado da Amazon (e da Barnes & Noble) e o Quadro 9.7 (ver p. 345) mostra algumas das implicações financeiras para a Amazon, com base em estimativas de Deutsche Morgan Grenfell. Ele chegou a estes números começando com previsões de receitas — feitas a partir de hipóteses específicas a respeito de segmentos do mercado de livros — e superpondo hipóteses a respeito de tendências nas margens da Amazon. As estimativas de DMG refletiam os efeitos dos cortes de preços da Amazon no início de junho — muitas vezes descritos como uma mudança de um modelo de negócio com descontos de 10% para um modelo oferecendo descontos de 25% —, mas não levaram totalmente em conta os custos extras associados a mudanças no Programa de Associadas, à concorrência por territórios na Web e investimentos no novo depósito. A previsão era de que o ponto de equilíbrio seria atingido em 1999.

O FUTURO DO VAREJO DE LIVROS *ONLINE*

Virtualmente todas as pessoas concordavam que o crescimento da Internet continuaria a ser explosivo. Assim, de acordo com a International Data Corporation, a base corrente de 25 milhões de usuários da WWW iria crescer até mais de 80 milhões no ano 2000. E com base em projeções relativas à população dos Estados Unidos, vendas de computadores, posse de modem e taxas de assinatura para serviços *online*, esperava-se que o número de domicílios norte-americanos com

QUADRO 9.5
Preços de Livros

	Lojas		Internet	
	Borders	**Barnes & Noble**	**Amazon**	**BarnesandNoble.com**
***Bestseller* Capa Dura**				
Into Thin Air — Jon Krakauer				
Preço de catálogo	24,95	24,95	24,95	24,95
Desconto	30%	30%	40%	30%
Preço	17,47	17,47	14,97	17,46
Imposto N.Y. 8,25%	1,44	1,44	—	—
Envio e manuseio	—	—	3,95	3,95
Custo total	18,91	18,91	18,92	21,41
Capa Dura				
Debt of Honor — Tom Clancy				
Preço de catálogo	25,95	25,95	25,95	25,95
Desconto	10%	10%	30%	30%
Preço	23,35	23,35	18,17	18,16
Imposto N.Y. 8,25%	1,93	1,93	—	—
Envio e manuseio	—	—	3,95	3,95
Custo total	25,28	25,28	22,12	22,11
Brochura				
Horse Whisperer — Nicholas Evans				
Preço de catálogo	7,50	7,50	7,50	7,50
Desconto	0%	0%	20%	20%
Preço	7,50	7,50	6,00	6,00
Imposto N.Y. 8,25%	0,62	0,62	—	—
Envio e manuseio	—	—	3,95	3,95
Custo total	8,12	8,12	9,95	9,95

Fonte: D. Barry, *et al. Book Retailing — Industry Report.* Merrill Lynch Capital Markets, 23 de junho de 1997.

acesso à Internet crescesse de 17 milhões em 1996 para 48 milhões no ano 2000, de um total de cerca de 100 milhões de domicílios (ver Quadro 9.8, p. 346). Embora esse número representasse uma redução nas taxas de crescimento, que haviam chegado a 100% em passado recente, ele significava que números sem precedentes de usuários estariam se conectando à Net pela primeira vez nos próximos anos.

O perfil dos usuários também estava mudando. Enquanto somente 12% deles eram mulheres em 1994,[29] este percentual havia crescido para estimados 40 a 45% em 1997.[80] A média de idade dos usuários era de 36 anos, muitos estavam entre 30 e 50 anos, e muitos tinham a expectativa que a média de idade diminuísse. De acordo com as pesquisas, 54% dos usuários tinham curso superior completo, abaixo dos 71% de 1994. Em 1997, a média dos usuários tinha boa renda salarial, com 42% ganhando acima dos US$ 50.000 ao ano.[34]

As transações empresa-cliente baseadas na Net eram superadas em muito pelas transações eletrônicas empresa-empresa, mas começavam a crescer — a despeito da relutância inicial dos varejistas em canibalizar suas vendas em lojas e das preocupações dos clientes a respeito de sistemas de pagamento. Assim, uma "estimativa" de fevereiro de 1997 por Robertson Stephens, do Banc-America, que fixava as receitas agregadas do varejo eletrônico em US$ 421 milhões em 1996 (*ver-*

QUADRO 9.6
Valor de Mercado

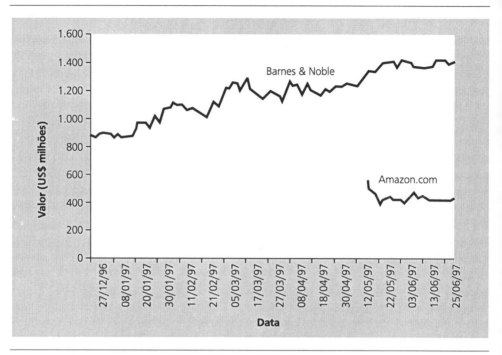

Fonte: Datastream.

sus US$ 85 milhões em 1995) precisou ser quase triplicada (para $ 1,13 bilhão) quando entraram os números reais. Dadas essa base maior de 1996 e as expectativas de que o crescimento iria continuar a taxas próximas de 100% até o milênio, Robertson Stephens aumentou suas previsões para as receitas do varejo *online* no ano 2000 de US$ 8 bilhões para US$ 16 bilhões. As previsões mais altas davam como certo que as vendas *online* continuariam a ser isentas de impostos estaduais e municipais — uma renúncia que contava com considerável apoio político no nível nacional, mas sofria oposição dos governos estaduais e municipais.

Os livros figuravam em terceiro lugar, atrás de produtos para computadores e serviços de viagens, como categoria de produtos no varejo *online*. Os livros prestavam-se ao varejo *online* devido ao grande número de SKUs, à padronização de produtos e, para alguns, à limitada importância das interações físicas. As estimativas sobre a parcela de livros que seriam vendidos *online* no ano 2000 variavam entre 2 e 10%.

Também havia um desacordo considerável a respeito da dureza da concorrência em preços que iria surgir, em livros bem como em outras categorias de varejo *online*. Alguns afirmavam que novas tecnologias estavam conduzindo a uma mudança de proporções históricas em poder de barganha, de produtores e varejistas aos consumidores. Eles apontavam para agentes de corretagem como o protótipo da Arthur Andersen, a BargainFinder, que buscava os menores preços para determinados produtos entre os comerciantes em benefício dos clientes, como a onda do futuro. Outros observavam que os agentes existentes de corretagem mercantil focalizavam excessivamente os pre-

QUADRO 9.7

Finanças da Amazon.com (em milhares de dólares)

	F1995A*	F1996A	F1997E†	F1998E	F1999E	F2000E	F2001E
Itens da Declaração de Rendimentos							
Receita	$ 511	15.746	100.751	201.858	339.122	508.683	668.918
Custo de vendas	409	12.288	83.431	162.569	261.124	391.686	506.706
Vendas e *marketing*	200	6.090	27.678	39.337	47.795	58.310	68.806
Desenvolvimento de produtos	171	2.314	12.733	15.951	17.546	19.301	21.231
Despesas gerais e administrativas	35	1.034	6,281	7,025	7.306	7.671	8.055
Lucro Operacional	(304)	(5.980)	(29.371)	(23.024)	5.351	31.715	64.121
Receitas financeiras	1	203	1.330	1.208	1.419	2.884	5.471
Renda antes do imposto	(303)	(5.777)	(28.041)	(21.817)	6.770	34.599	69.592
Imposto de renda	—	—	—	—	—	—	21.024
Renda Líquida	($ 303)	(5.777)	(28.041)	(21.817)	6.770	34.599	48.568
Proporções (como % de Vendas)							
Custo de vendas	80,04%	78,04	82,81	80,54	77,00	77,00	75,75
Vendas e *marketing*	39,14%	38,68	27,47	19,49	14,09	11,46	10,29
Desenvolvimento de produtos	33,46%	14,70	12,64	7,90	5,17	3,79	3,17
Despesas gerais e administrativas	6,85%	6,57	6,23	3,48	2,15	1,51	1,20
Lucro operacional	−59,94%	−37.98	−29,15	−11,41	1,58	6,23	9,59
Renda líquida	−59,30%	−36,69	−27,83	−10,81	2,00	6,80	7,26
Itens do Balanço							
Caixa e equivalentes	$ 996	6.248	36.808	22.084	35.106	81.589	139.289
Estoques	$ 16	571	2.746	5.636	9.689	14.534	19.112
Capital de giro	$ 920	2.270	22.299	456	7.596	41.851	89.736
Ativos totais	$ 1.084	8.272	46.012	35.984	54,200	106.665	170.291
Endividamento a longo prazo, menos porções correntes	$ 0	0	0	0	0	0	0
Patrimônio líquido	$ 977	3.401	27.697	6.806	14.376	49.218	97.786

*A = Real.
†E = Estimado.
Fonte: Adaptado de J. William Gurley e Eric Grosse. *Amazon.com: The Quintessential Wave Rider.* Deutsche Morgan Grenfell Technology Group, 9 de junho de 1997.

ços, em detrimento de outros critérios, que sua velocidade e eficácia eram limitadas mesmo quando se tratava de buscar os menores preços e que eles poderiam ser bloqueados por varejistas. Também enfatizavam que agentes inteligentes tinham tanta probabilidade de ser usados para os fins de corretagem de produtos (o que comprar) como para corretagem mercantil (de quem comprar).[35] De fato, muitos peritos achavam que as novas tecnologia aumentavam, em vez de reduzir, o escopo para diferenciação de produtos, permitindo a personalização — embora os esforços dos varejistas eletrônicos nessa dimensão fossem anuviados por preocupações e estivessem potencialmente sujeitos a restrições governamentais. Além disso, prosseguia um acalorado debate a respeito de até que ponto os clientes *online,* em particular os novos, persistiriam em ser leais a marcas que se haviam estabelecido *offline.*

QUADRO 9.8
Penetração da Internet

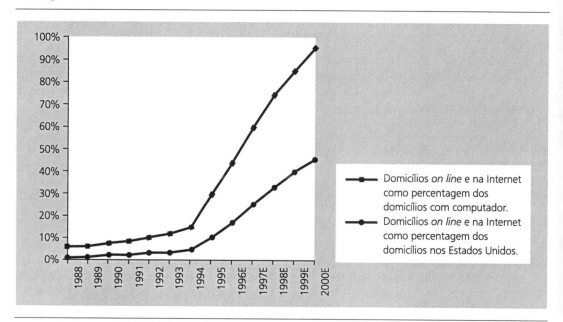

E = Estimativa.

Fonte: S. Kernkraut *et al. Retail Industry/Retail 2000 — Industry Report.* Bear, Stearns & Company, Inc., 1 de março de 1997.

Outras incertezas diziam respeito ao impacto das estratégias adotadas por participantes tradicionais do setor de vendas de livros: editoras, atacadistas e varejistas. Algumas grandes editoras haviam instalado suas próprias operações de varejo eletrônico. A Simon & Schuster, por exemplo, havia lançado um serviço de pedidos de livros na primavera de 1997, baseado no modelo do clube do livro, que era limitado aos seus próprios títulos, e a Bertelsmann, o conglomerado de mídia alemão, estava construindo o equivalente a um *shopping center online* internacional que iria vender livros em inglês, francês, espanhol, alemão e holandês e enviá-los por meio de sua extensa rede de distribuição na Europa e nos Estados Unidos. Uma ameaça a prazo mais longo vinha de organizações que poderiam publicar diretamente na Web, pulando todas as etapas tradicional de publicações impressas: várias pequenas editoras, organizações sem fins lucrativos e editoras universitárias já haviam começado a fazê-lo.

No estágio das vendas por atacado, a Ingram estava testando um serviço para criar novos varejistas de livros *online* que focalizariam a sedução dos possíveis compradores; a Ingram cuidaria de tudo o mais, da manutenção do *website* até receber os pedidos e enviar os livros. A Ingram também estava preparando um serviço para varejistas *online* pelo qual estes, como alternativa ao recebimento de livros por atacado, autorizariam o atacadista a remeter os pedidos diretamente aos consumidores. Em meados de 1997, a Ingram havia feito um contrato com a Crown Books, uma cadeia de 125 lojas, e com a cbs.sportsline.com para a venda de livros *online*. Mas esperava-se que a Baker & Taylor, a atacadista número dois, fosse superá-la com um serviço semelhante naquele mesmo ano.

Finalmente, muitos livreiros tradicionais, bem como novos, haviam entrado *online*. De acordo com a American Booksellers Association, 28% dos livreiros independentes tinham acesso à Internet,

14% mantinham um *website* e 36% planejavam lançar um no futuro próximo. A iminente entrada *online* da segunda maior cadeia, a Borders, apesar de atrasada, chamava ainda maior atenção. De acordo com Carl Rosendorf, vice-presidente da BarnesandNoble.com para o Desenvolvimento de Novos Negócios,

> Até alguns meses atrás, nosso cliente não podia vir até nós porque não estávamos no ar e eles tinham que ir à Amazon. Agora estamos aqui e a Borders logo estará. Assim, nossos clientes e os clientes deles terão muitas opções. O setor estará muito, muito diferente daqui a dois anos.[36]

NOTAS

1. As estimativas mais altas eram geralmente creditadas às editoras *desktop* muito pequenas.

2. "20 Largest North American Book Publishers". Open Book Publishing, Inc., Darien, Conn., online.

3. O Quadro 9.2 não inclui o "mercado cinzento", relativamente pequeno, de livros com grandes descontos, como aqueles vendidos nas ruas na cidade de Nova York.

4. John Mutter e Jim Milliot. "Wholesale Change". *Publishers Weekly*, 1 de janeiro de 1996:8.

5. *Forbes*, 18 de janeiro de 1982:47.

6. Esses números se baseiam numa definição do mercado norte-americano para livros um pouco mais estreita do que aquela citada no contexto dos Quadros 9.1 e 9.2.

7. D.G. Magee *et al. Book Retail Industry — Industry Report*. The Robinson-Humphrey Company, Inc., 24 de setembro de 1997.

8. A cifra de 1995 para a renda líquida refletia uma mudança nos procedimentos contábeis da Barnes & Noble, a qual resultou em prejuízo naquele ano.

9. As cifras comparáveis para a Borders seriam US$ 2,37 bilhões e US$ 570 milhões. Ver J. William Gurley e Eric Grosse. "Amazon.com: The Quintessential Wave Rider". Deutsche Morgan Grenfell Technology Group, 9 de junho de 1997:37-38.

10. Doreen Carvajal. "Reading the Bottom Line". *New York Times Magazine*, 6 de abril de 1997:76.

11. Patrick Reilly. "Where Borders Group and Barnes & Noble Compete, It's a War". *Wall Street Journal*, 3 de setembro de 1996.

12. G. Bruce Knecht. "How Wall Street Whiz Found a Niche Selling Books on the Internet". *Wall Street Journal*, 16 de maio de 1996.

13. Anthony Bianco. "Virtual Bookstores Start to Get Real". *Business Week*, 27 de outubro de 1997:146.

14. Folheto, Amazon.com, 15 de maio de 1997, p. 7-8.

15. Um cliente era definido como qualquer um que passasse um número de cartão de crédito, fizesse uma compra ou entrasse com seus endereços eletrônico e residencial.

16. *PC Week*, ed. *online*, 30 de maio de 1996.

17. William C. Taylor. "Who's Writing the Book on Web Business?" *Fast Company*, outubro/novembro de 1996.

18. Os clientes também tinham a opção de fornecer informações sobre cartão de crédito pelo telefone. Porém, a Amazon ainda tinha de aceitar "e-cash" e dólares digitais.

19. Idem.

20. Jonathan Littman. "The Book on Amazon.com". *Los Angeles Times Magazine*, 20 de julho de 1997.

21. Michael Schrage. "Steve Riggio". *Interactive Quarterly*, 18 de agosto de 1997:20.

22. Relatório anual, Barnes & Noble, Inc., ano fiscal de 1996, p. 15.

23. Schrage, op. cit., p. 20.

24. "Barnes & Noble Web Unit". *Dow Jones Wires*, 15 de janeiro de 1997.

25. Idem.

26. "BarnesandNoble.com (A)". HBS Nº 898-082, p. 6-7.

27. Informativo à imprensa da Barnes & Noble, 28 de janeiro de 1997, ibidem, p. 9

28. *Fortune*, 9 de dezembro de 1996.

29. S. Kernkraut *et al.* Retail Industry/Retail 2000 — Industry Report. Bear, Stearnes & Company, Inc., 1 de março de 1997.

30. 1998 I/Pro Cyber Atlas at www.cyberatlas.com/market/demographics/index.html.

31. S. Kernkraut, op. cit.

32. Colleen Kehoe e James Pitkow. "GVU's 7th WWW User Survey". Graphics, Visualization and Usability Center, Georgia Tech Research Corporation, www.cc.gatech.edu/gvu/user_surveys/.

33. S. Kernkraut, op. cit.

34. Amy Cortese. "A Census in Cyberspace". *Business Week*, 5 de maio de 1997:85.

35. Ver R. Guttman, A. Moukas e P. Maes. "Agent-Mediated Electronic Commerce: A Survey". *Knowledge Engineering Review*, junho de 1998. Disponível online em http://ecommerce.media.mit.edu.

36. "BarnesandNoble.com (A)", op. cit., p. 16.

CASO 10

A Nucor na Encruzilhada

Em 7 de dezembro de 1986, F. Kenneth Iverson, presidente do conselho e diretor presidente da Nucor Corporation, aguardava uma delegação da SMS Schloemann-Siemag, uma grande fornecedora alemã de equipamento siderúrgico, na sede central da sua empresa em Charlotte, Carolina do Norte. Iverson tinha que decidir se comprometeria a Nucor com uma nova usina que iria comercializar uma tecnologia de fundição de placas finas desenvolvida pela SMS. As estimativas preliminares indicavam que a usina iria custar US$ 280 milhões e que as despesas iniciais e o capital de giro, a US$ 30 milhões cada, levariam o custo total para US$ 340 milhões — o que era quase o patrimônio líquido da Nucor.

A comercialização bem-sucedida de placas fundidas delgadas permitiria à Nucor entrar no segmento de chapas finas que respondia por metade do mercado dos Estados Unidos para aço. Entretanto, o processo de produção de faixa compacta (CSP) da SMS era apenas uma de várias tecnologias não-testadas, todas as quais poderiam estar superadas na virada do século. Enquanto lutava com esses problemas, Iverson revia o estado da concorrência na indústria siderúrgica norte-americana em geral e a posição da Nucor nela em particular.

O MERCADO NORTE-AMERICANO PARA AÇO

Em 1986, os produtores americanos embarcaram 70 milhões de toneladas de produtos siderúrgicos. Subtraindo as exportações de 1 milhão de toneladas e somando as importações de 21 milhões, tinha-se o consumo doméstico de 90 milhões de toneladas de aço naquele ano. Em relação ao ano de pico mais recente, 1979, os embarques domésticos haviam diminuído em 30% e a demanda doméstica em 22% (ver Quadro 10.1, p. 350). O declínio na demanda provinha da estagnação de muitas indústrias intensivas de aço, em particular a automotiva, de esforços para usar o aço de

O professor Pankaj Ghemawat e Henricus J. Stander III prepararam este caso como base para discussão em classe e não para ilustrar o manejo eficaz ou não de uma situação administrativa. Ele se baseia em parte em um estudo de campo realizado por Sarah Hall, Takashi Nawa e Seiji Yasubuchi, todos MBAs de 1990.

QUADRO 10.1
Embarques Líquidos, Exportações e Importações Norte-Americanas, 1970-1986*

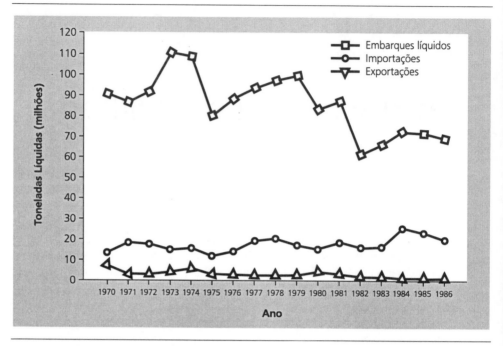

Embargues líquidos – exportações ÷ importações = consumo aparente de aço.
Fonte: American Iron and Steel Institute, *Annual Statistical Report*, vários anos.

forma mais eficiente e da emergência de materiais substitutos como alumínio, plásticos e compostos avançados. Entretanto, em 1986, havia um consenso geral de que o mercado não iria declinar mais a curto prazo.

Embora o mercado para aço abrangesse vários milhares de produtos diversificados, de modo geral era possível agrupá-los em poucos segmentos amplos. Os produtos semi-acabados tinham, no mínimo, de 8 a 10 polegadas de espessura e exigiam processamento adicional. Sua laminação produzia chapas (com mais de 0,25 polegada de espessura) ou lâminas, produtos mais finos que podiam ser embarcados em bobinas.[1] Outros tipos de produtos que podiam ser formados a partir do aço semi-acabado incluíam barras, normalmente com menos de uma polegada de espessura; hastes de arame, que eram ainda mais finas; uma ampla variedade de formas estruturais usadas principalmente em construção e canos e tubos ocos. O segmento de chapas planas eram, de longe, o mais importante: respondia por cerca de metade dos embarques domésticos em 1986 (ver Quadro 10.2, p. 351).

Os embarques também podiam ser classificados por grupos de clientes. Os quatro mais importantes, por ordem de volume, eram centros de serviços e distribuidores, o setor automotivo, a construção civil e as indústrias de utensílios domésticos e equipamentos. Os centros de serviços e os distribuidores eram intermediários que tinham aumentado sua participação nos embarques domésticos totais para um quarto em 1986, em grande parte com base em capacidades secundárias de processamento que lhes permitiam preparar produtos siderúrgicos de acordo com as especificações dos usuários finais, assumindo assim um nicho de processamento deixado vago pelas siderúrgicas integradas. Uma percentagem significativa do aço vendido aos centros de serviços ia para usuários

QUADRO 10.2
Segmentos de Produtos Siderúrgicos, 1986

	Toneladas	Percentual
Lingotes, barras, placas	1.388.649	1,9
Chapas	3.531.806	5,1
Folhas — Laminadas a Quente	11.993.239	17,2
Folhas — Laminadas a Frio	13.106.656	18,8
Folhas — Revestidas	11.148.806	16,0
Total Chapas Planas	36.248.701	52,0
Barras	12.101.713	17,4
Formas Estruturais	4.520.713	6,5
Hastes de Arame e Produtos de Arame	4.573.954	6,6
Canos e Tubos	2.836.458	4,1
Outros	4.442.140	6,4
Total Embarques	69.644.134	100,0

Fonte: American Iron and Steel Institute, *1986 Annual Statistical Report.*

finais no setor automotivo e nas indústrias de utensílios domésticos e equipamentos. Em conjunto, esses três grupos de clientes respondiam pela metade dos embarques domésticos totais e por 75% dos embarques de chapas planas. Os centros de serviços davam ênfase à forma mais básica de chapas planas, as chapas laminadas a quente, ao passo que as compras diretas dos outros eram mais de chapas laminadas a frio e revestidas que haviam passado a processamento primário adicional. A construção civil representava um décimo dos embarques de todos os produtos siderúrgicos e de chapas planas.

Preço, qualidade e confiabilidade eram os três critérios mais importantes de compra dos clientes. Preços não competitivos eram, provavelmente, a razão maior pela qual as siderúrgicas norte-americanas haviam perdido terreno para o aço importado. As siderúrgicas integradas eram criticadas por cobrar muito a mais em períodos de escassez, pressionando os compradores a adquirir aços de qualidade melhor que a necessária, exigindo pedidos mínimos que eram grandes demais para muitos compradores e favorecendo arbitrariamente alguns compradores em detrimento de outros. A qualidade tinha várias dimensões: qualidade interna, determinada pela estrutura metalúrgica e pela resistência física, prioritária quando a durabilidade era importante; a qualidade superficial, importante em usos como chapas para o exterior de automóveis e caixas de utensílios domésticos; consistência de um embarque para outro. A confiabilidade das entregas era um requisito adicional dos negócios com determinados compradores, em particular gigantes como a General Motors e a General Electric. Embora esses compradores estivessem às vezes dispostos a pagar mais pela qualidade e confiabilidade, seus padrões severos também levaram a índices mais altos de rejeição de embarques.

SIDERÚRGICAS NORTE-AMERICANAS

Em 1986, havia três grupos de siderúrgicas nos Estados Unidos: siderúrgicas integradas, empresas com capacidade para produzir 107 milhões de toneladas de aço reduzindo o minério de ferro, miniusinas com 21 milhões de toneladas de capacidade para produzir aço fundindo sucata e siderúrgicas especiais com 5 milhões de toneladas de capacidade para produzir aços inoxidáveis e outros tipos especiais de aço. O Quadro 10.3 (ver p. 353) compara os processos produtivos das siderúrgicas integradas e das miniusinas. O restante desta seção descreve o domínio da indústria siderúrgica norte-americana pelas usinas integradas e o desafio representado pelas miniusinas desde o início da década de 1960.

Siderúrgicas Integradas

As siderúrgicas integradas havia muito operavam como um oligopólio estável, liderado pela U.S. Steel, um gigante formado por uma fusão em 1901, numa transação que capitalizou seu valor em US\$ 1,4 bilhão, ou cerca de 7% do PNB dos Estados Unidos.[2] A entidade resultante seguia uma política de liderança em preços que trouxe estabilidade a uma indústria cíclica e grandes lucros aos seus acionistas. Entretanto, essa política também encorajou a entrada e a expansão de outras siderúrgicas integradas. Por ocasião da II Guerra Mundial, a participação da U.S. Steel no mercado siderúrgico norte-americano havia declinado de dois terços, quando da sua fundação, para um terço.

Logo depois da II Guerra, as usinas integradas norte-americanas como um todo respondiam por cerca da metade da produção mundial de aço bruto. Em sua maioria, elas estavam agrupadas na região dos Grandes Lagos para otimizar a distância entre seu principal mercado no Meio Oeste e suas fontes de carvão e minério de ferro nos estados de Ohio, Pennsylvania, West Virginia e Minnesota. Elas também possuíam tecnologia de vanguarda, fábricas de escala eficiente e os menores custos operacionais do mundo. Essas vantagens produziram grandes lucros durante a segunda metade da década de 50. Desde então, entretanto, o retorno sobre o patrimônio líquido (ROE) das usinas integradas só uma vez havia ultrapassado a média da fabricação americana, em 1974.

Esse declínio em desempenho foi atribuído em grande parte à incapacidade dessas siderúrgicas de se adequarem rapidamente com novas tecnologias (ver Quadro 10.4, p. 354). Elas continuaram a investir em fornalhas Siemens-Martin durante o início da década de 60, a despeito do advento do forno de oxigênio básico, o qual reduzia o ciclo de conversão do ferro em aço de 10 horas para 30 minutos, e terminaram com 40 milhões de toneladas do tipo errado de capacidade.[3] Elas também levaram tempo demais para adotar a fundição contínua, um processo que permitia que o aço fundido fosse moldado em placas de 10 polegadas de espessura, eliminando as etapas intermediárias de moldá-lo em lingotes muito mais espessos que precisavam ser reaquecidos para serem moldados em produtos acabados. Com isso, a fundição contínua reduzia em cerca de 15% os custos de fabricação de produtos básicos de aço. Clientes conservadores tiveram parte da responsabilidade pelo atraso das siderúrgicas em adotar esta inovação: por exemplo, eles tinham resistido à instalação, pela U.S. Steel, dos seus primeiros fundidores contínuos encomendando explicitamente aço em lingotes, devido à sua preocupação a respeito das diferenças relativamente mínimas entre o aço fundido pelos dois processos.

Nos anos 60, aços importados de menor custo e qualidade cada vez melhor começaram a corroer a participação das usinas integradas no mercado doméstico. A penetração dos aços importados foi acelerada por más relações gerência/mão-de-obra, as quais, depois de se deteriorarem durante os anos 50, culminaram com uma greve de 115 dias em toda a indústria em 1959, comandada pelo sindicato United Steel Workers. Naquele ano, os Estados Unidos tornaram-se importadores líquidos de aço pela primeira vez no século XX. A participação das importações no mercado doméstico americano cresceram de 5% em 1960 para 17% em 1968 e flutuaram amplamente até 1980, por razões em grande parte ligadas a oscilações cambiais e à imposição, retirada e nova

QUADRO 10.3
Processos de Produção de Aço

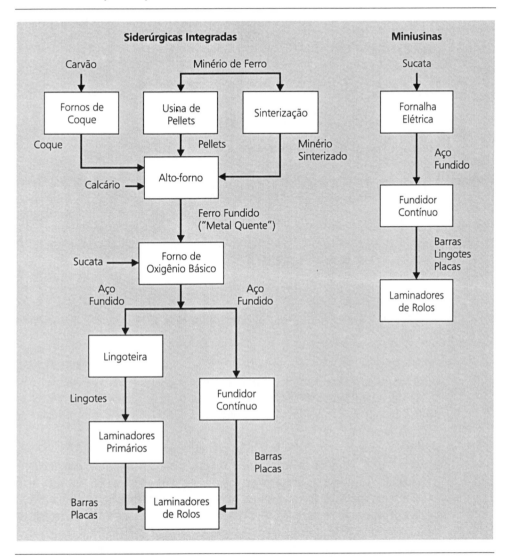

Fonte: Donald F. Barnett e Robert W. Crandall, *Up from the Ashes: The Rise of the Steel Minimill in the United States* (Washington, D.C.: The Brookings Institution, 1986): 4. © 1986 The Brookings Institution.

imposição de restrições comerciais. Desde 1980, a participação das importações subiu outros cinco pontos percentuais. Sua participação no segmento de chapas planas caiu ligeiramente, chegando a 18% em 1986.

Inicialmente as siderúrgicas americanas reagiram a esse aumento nas importações elevando suas taxas de investimento e gastando, nos anos 60 e 70, mais que suas rivais japonesas e européias por tonelada de capacidade instalada ou reposta. Entretanto, grande parte dos seus gastos de capital foi absorvida por investimentos para "tirar o atraso", como fornos de oxigênio básico e fundidores contínuos; elas continuaram a gastar uma parcela menor de suas vendas em P&D. Elas também

QUADRO 10.4
Novas Tecnologias Incorporando Capacidade (percentual)

	Estados Unidos	Japão	Comunidade Européia	Canadá
Forno de Oxigênio Básico				
1960	3,4	11,9	1,6	28,1
1965	17,4	55,0	19,4	32,3
1970	48,1	79,1	42,9	31,1
1975	61,6	82,5	63,3	56,1
1980	60,6	75,2	75,1	58,6
Forno de Oxigênio Básico Mais Forno Elétrico				
1960	11,8	32,0	11,5	40,4
1965	27,9	75,3	31,5	45,1
1970	63,5	95,9	57,7	45,9
1975	81,0	98,9	82,6	76,4
1980	88,8	100,0	98,6	86,5
Fundição Contínua				
1971	4,8	11,2	4,8	11,5
1976	10,5	35,0	20,1	12,0
1981	21,1	70,7	45,1	32,2

Fonte: Donald F. Barnett e Louis Schorsch, *Steel: Upheaval in a Basic Industry* (Cambridge, Mass.: Ballinger, 1983): 55.

espalharam seus gastos de capital entre as usinas existentes em vez de construir novas, ficando presas a altas tarifas de eletricidade e criando "uma confusão — uma instalação de cem anos dentro de uma de dois anos".[4] A eficiência dos seus investimentos também foi restringida por contratos sindicais. A remuneração extra anual de um operário siderúrgico norte-americano subiu quase dez vezes mais que a de um trabalhador médio em fabricação, chegando a US$ 13.000 em 1979.[5] Para piorar as coisas, regras de trabalho inflexíveis obstruíam a reconcepção das tarefas e a inovação tecnológica. A burocracia também teve alguma culpa: uma siderúrgica integrada podia passar anos estudando um projeto de investimento e, caso decidisse ir em frente, passava meses apenas processando a papelada. Finalmente, proporções crescentes endividamento/capital reduziram e até mesmo sufocaram os programas de modernização no meio do caminho. Em conseqüência disso, no final dos anos 70, as siderúrgicas integradas haviam eliminado apenas uma parte da sua desvantagem em custos em relação aos aços importados, os quais estavam então sendo restritos por um sistema de preços-limite, e pelas miniusinas, que estavam expandindo rapidamente sua participação no mercado doméstico.

No final dos anos 70, as siderúrgicas integradas começaram uma drástica reestruturação de suas operações. Elas cortaram a capacidade de produção de aço de 145 milhões para 107 milhões de toneladas em 1986, com as maiores delas ficando com uma parcela desproporcionalmente alta dos cortes. Seu padrão de reduções de capacidade deixou-as concentradas em produtos laminados planos (80% dos embarques em 1980), em particular chapas planas (75% dos embarques). No mesmo período, o nível total de empregos no setor caiu de 450.000 para 175.000, enquanto a remuneração extra para os trabalhadores em siderurgia em relação às médias em fabricação, depois de subirem de 72% em 1979 para 92% em 1982, caíram para 62% em 1986. Em conseqüência disso, a produtividade da mão-de-obra quase duplicou. Mas os esforços de reestruturação das usinas integradas continuaram a ser prejudicados por alguns dos mesmos fatores que anteriormente haviam restringido a eficiência dos seus investimentos, assim como por ligações entre suas fábricas, por obstáculos políticos e pelo desejo delas de evitar fechamentos de fábricas que iriam acabar com o valor do seu patrimônio. As sete maiores usinas perderam US$ 13 bilhões no período de 1982 a 1986. Em 1986, seus custos de mão-de-obra permaneceram consideravelmente mais altos que aqueles das miniusinas domésticas e dos concorrentes de países recém-industrializados: entre US$ 100 e US$ 150 por tonelada de aço *versus* US$ 35 a US$ 70 por tonelada para as rivais.

A U.S. Steel, a LTV Steel e a Bethlehem Steel eram as três maiores siderúrgicas integradas dos Estados Unidos em 1986, com 59% da capacidade total de produção integrada de aço e 49% da capacidade de laminação plana.[6] A U.S. Steel foi rebatizada de USX para refletir suas aquisições da Marathon Oil e da Texas Gas. A USX modernizou sua usina em Gary, Indiana, e começou a fazer o mesmo em Fairfield, Alabama. Ela também entrou em um empreendimento conjunto com a Pohang Iron and Steel da Coréia do Sul para comprar chapas laminadas a quente para uma das suas outras usinas. Entretanto, suas operações siderúrgicas sofriam com uma greve continuada iniciada em 1 de agosto de 1986.

A LTV Steel foi criada em 1984 mediante a fusão da Jones & Laughlin Steel, uma subsidiária do conglomerado texano LTV (que havia absorvido a Youngstown Sheet & Tube em 1978) com a Republic Steel. A nova empresa buscou proteção contra seus credores nas leis de falências em julho de 1986.

A Bethlehem Steel refocalizou suas operações nos anos 80, concentrando-se mais no aço. Sua usina integrada em Burns Harbor, Indiana (a última usina integrada construída nos Estados Unidos nos anos 50) era considerada relativamente eficiente e a empresa estava em processo de modernização de sua outra grande usina integrada em Sparrows Point, Maryland, embora esse esforço houvesse elevado para 65% sua relação endividamento/capital.

O Quadro 10.5 (ver p. 356) resume algumas das principais estatísticas operacionais e financeiras para essas três concorrentes em 1986.

Miniusinas

Embora pequenas siderúrgicas não-integradas existissem nos Estados Unidos desde o século XIX, as usinas construídas no início e meados dos anos 60, que usavam fornos de arco voltaico para fundir sucata e fazer aço, foram as primeiras a serem chamadas de "miniusinas". Além de adotarem aperfeiçoamentos em tecnologias de fornos e fundição, elas aproveitaram o declínio na demanda por sucata pelas siderúrgicas integradas à medida que elas mudaram para fornos a oxigênio básico e, mais tarde, sua produção caiu. Pela eliminação dos fornos de coque e dos altos-fornos, a tecnologia de miniusinas reduziu a escala mínima eficiente de produção por um fator de 10 (de milhões de toneladas para centenas de milhares de toneladas, ou menos), e o custo de capital por tonelada de capacidade por outro fator de 10 (de US$ 1.000 para US$ 100). As miniusinas normalmente eram construídas para durar somente 10 anos, enquanto as usinas integradas tinham vida útil prevista de 25 a 30 anos.

Inicialmente, as impurezas na maior parte da sucata limitaram as miniusinas aos produtos estruturais menos nobres, como barras para reforço de concreto, arame e pequenas formas estruturais. Em conseqüência disso, muitas tiveram seu começo no Sudoeste dos Estados Unidos, onde a construção havia começado a crescer. Elas começaram seguindo estratégias regionais, localizando-se de 300 a 500 Km de seus mercados, normalmente em locais com eletricidade barata. Sua tecnologia moderna, suas localizações vantajosas, mão-de-obra mais barata e cooperativa, gerenciamento

QUADRO 10.5
Dados para as Três Maiores Siderúrgicas Integradas dos Estados Unidos, 1986

	USX	LTV	Bethlehem
Capacidade de laminação plana (milhões de toneladas/ano)	12,4	12,3	6,5
Número de usinas laminadoras	4	3	2
Capacidade total de produção de aço (milhões de toneladas/ano)	26,0	18,0	16,0
Número total de usinas	10	7	5
Utilização da capacidade (%)	36,6	60,5	65,1
Fundição contínua (%)	26,5	31,0	58,3
Vendas ligadas a aço (US$ bilhões)	3,7	4,5	4,1
Renda ligada ao aço (US$ bilhões)	(1,37)	0,10	(0,11)
Vendas totais (US$ bilhões)	14,9	7,3	4,3
Lucro líquido (US$ bilhões)	(1,83)	(3,25)	(0,15)
Relação endividamento a longo prazo/capital (%)	50,0	74,0*	65,0
Vendas de aço por grupo de clientes (%)			
Automotivos	10,5	28,0	23,7
Construção	12,4	9,0	20,0
Centros de Serviços	31,8	34,0	38,1

*Estes números são para 1985. Em 1986, a LTV pediu concordata. Suas dívidas não-securitizadas de US$ 2,316 bilhões foram classificadas como passivos pré-petição de acordo com a lei. O endividamento securitizado a longo prazo chegava a US$ 108 milhões. O valor contábil do capital da LTV em 1986 era de –US$ 2,843 bilhões.
Fontes: Relatórios anuais e relatórios 10K.

empreendedor e suas linhas de produtos menos amplas (que reduziam o tempo necessário à reconfiguração dos laminadores) faziam com que elas não concorressem com as usinas integradas nos segmentos que atendiam. Com o tempo, elas também reduziram a penetração das importações nesses segmentos de acima para abaixo da média.

Na segunda metade da década de 70, o mercado para os produtos estruturais menos nobres estava começando a atingir a saturação. As miniusinas reagiram buscando novos mercados. As mais agressivas se expandiram além do raio tradicional de 300 a 500 Km, normalmente adquirindo usinas existentes ou acrescentando novas usinas com capacidade de produção de vários milhares de toneladas de aço. Elas também começaram a entrar em novos segmentos de produtos, como barras de melhor qualidade, formas estruturais maiores e tubos e canos. Sua expansão geográfica teve um impacto mais imediato que seus esforços para expandir suas gamas de produtos: seus lucros começaram a diminuir com o fim do isolamento geográfico entre elas e com o crescimento do volume nos anos 80. Vinte e cinco miniusinas foram fechadas ou vendidas entre 1975 e 1986.

Em 1986, as miniusinas continuavam a deixar de fazer certos produtos especiais, limitando-se a parcelas modestas dos segmentos que haviam visado recentemente, mas tinham conseguido expulsar as usinas integradas das linhas menos nobres, como barras e pequenas formas estruturais. Elas respondiam por 16% da capacidade doméstica de produção de aço, comparados com 7% em 1975, e por uma percentagem ligeiramente maior dos embarques domésticos. Embora 36 empresas operassem um total de 51 miniusinas, 43% de toda a capacidade delas eram controlados pelas cinco maiores concorrentes: North Star (2,4 milhões de toneladas), Nucor (2,1 milhões), Northwestern Steel and Wire (1,8 milhão), Florida Steel (1,6 milhão) e Chaparral (1,1 milhão de toneladas).

A North Star era de propriedade da Cargill, uma empresa de capital fechado voltada principalmente para a agricultura. Ela operava cinco usinas, quatro das quais no Meio Oeste, e estava reformando a única usina construída por ela mesma, a qual produzia barras de aço de qualidade especial, mas não havia conseguido o desempenho esperado. Estava também construindo uma usina para produção de tubos sem costura, ao custo de cerca de US$ 100 milhões. A Northwestern Steel and Wire operava uma usina na área de Chicago que produzia principalmente formas estruturais, produtos de arame e barras. Em 1986, ela foi reorganizada depois de quatro anos de prejuízos de US$ 14 milhões a $ 40 milhões por ano. A Florida Steel operava cinco usinas na região Sudeste, das quais havia construído quatro. Concentrava-se em produtos tradicionais de miniusinas, nos quais detinha uma alta participação no mercado regional. A Chaparral foi fundada pela Co-Steel, uma siderúrgica canadense, e pela Texas Industries, uma construtora e fabricante de cimento que comprou a sócia em 1985. Ela operava uma única usina no Texas, onde fazia uma ampla gama de produtos, inclusive vigas de flanges largas, as quais ela era a primeira miniusina a fabricar. A Chaparral vendia seus produtos por todo o país e tinha uma reputação progressista talvez somente superada pela da Nucor.

A NUCOR CORPORATION

A antecessora legal da Nucor, a Reo, fora fundada no início do século XX para produzir automóveis. A Nucor fundia carros velhos e outras fontes de sucata e os transformava em aço. Esta seção descreve a transformação da Reo na Nucor e a maneira como a empresa era dirigida em 1986.

História

As origens da Nucor datam de 1904, quando Ransom Eli Olds deixou a Olds Motor Works, empresa que ele havia fundado cinco anos antes, para perseguir seu sonho de fabricar carros de luxo em vez de Oldsmobiles baratos. Olds vendeu sua parcela de 10% da Olds Motor Works e, com capital de risco adicional, fundou a Reo Motor Car Company. Esta pediu concordata em 1938, depois de anos perdendo dinheiro com carros de luxo e ganhando um pouco com caminhões de entregas. Ela emergiu da reorganização como Reo Motors, uma fabricante de caminhões e, posteriormente, cortadores de grama de luxo. A Reo Motors não perdia nem ganhava dinheiro. Em 1954, ela vendeu seus ativos com prejuízo de 15% e começou a distribuir o dinheiro — cerca de US$ 16 milhões — aos seus acionistas.

A venda impediu a autoliquidação da Reo. A TelAutograph Corporation assumiu o controle da empresa e, no final de 1955, fundiu uma das suas afiliadas com a Reo para formar a Nuclear Corporation of America. Entretanto, a visão da empresa, de tornar-se a General Motors de vários negócios nucleares, não se materializou: as vendas estagnaram e ela teve prejuízos todos os anos até 1960. Nesse ano, duas grandes acionistas institucionais, a Martin Marietta e a Bear, Stearns, colocaram um novo presidente, David Thomas, que transformou a Nuclear em um pequeno conglomerado. Outras aquisições levaram a empresa para semicondutores, vigas de aço e dutos para ar condicionado e ela procurou diversificar-se entrando na indústria aeroespacial, na fabricação de latas e copiadoras mediante desenvolvimento interno. Em 1965, a falência estava próxima e o conselho de administração iniciou uma busca para substituir David Thomas. F. Kenneth Iverson foi o escolhido.

Ken Iverson, um metalúrgico, fora contratado por Thomas em 1962 para dirigir o recém-adquirido negócio de vigas de aço e mais tarde passou a dirigir também o negócio de dutos para ar condicionado. Depois de assumir a presidência, Iverson vendeu a maior parte dos negócios da Nuclear (inclusive o de dutos de ar condicionado, campeão em prejuízos) e focalizou a empresa em sua operação mais lucrativa, as fábricas de vigas Vulcraft na Carolina do Sul e em Nebrasca. Em menos de um ano, Iverson mudou o escritório central da Nuclear, que consistia dele e do contador Sam Siegel, para Charlotte, Carolina do Norte, a fim de ficar mais perto da maior fábrica Vulcraft em Florence, Carolina do Sul. E em 1968, acreditando que a empresa poderia produzir as barras de aço que a Vulcraft transformava em vigas a custo menor do que comprando-as, Iverson tomou um empréstimo de US$ 6 milhões para construir uma pequena, mas moderna, miniusina para produzir aço a partir de sucata em Darlington, Carolina do Sul.

A Nuclear Corporation of America manteve seu fôlego corporativo até a usina tornar-se lucrativa. A empresa foi rebatizada como Nucor Corporation em 1972 e expandiu-se com regularidade até 1986. O Quadro 10.6 (ver p. 359) resume as estatísticas operacionais e financeiras da Nucor de 1972 a 1986 e o Quadro 10.7 (ver p. 360) compara o desempenho de suas ações com as de suas principais concorrentes, integradas ou não. O restante desta seção descreve os princípios administrativos e as operações e processos de investimento que sustentam esses números.

Administração

Em 1986, Ken Iverson, então com 61 anos, ainda era o diretor presidente da Nucor e havia acabado de ser eleito o "Melhor CEO na Indústria Siderúrgica" pelo *Wall Street Transcript*. Iverson presidia o conselho de administração da Nucor, que incluía dois outros antigos executivos: David Aycock, diretor de operações, que iniciara sua carreira como soldador na fábrica de vigas da Carolina do Sul em 1955, e Sam Siegel, diretor financeiro. O único diretor "externo", Richard Vandekief, havia sido anteriormente diretor da Nucor.

Os administradores da Nucor concordavam que ela sabia fazer bem duas coisas: construir siderúrgicas de forma econômica e operá-las com eficiência. Embora admitissem que o aço não era o melhor negócio do mundo, eles não viam futuro para a Nucor fora dele. Ao contrário dos executivos das usinas integradas e de muitas outras miniusinas, eles apoiavam o livre comércio. Iverson, por exemplo, publicou um artigo no *Wall Street Journal* em 21 de agosto de 1986, com o subtítulo "A Proteção Garante a Estagnação".

A alta administração da Nucor também acreditava que as melhores empresas tinham menos camadas gerenciais. Nas palavras de Iverson, "quanto menos você tem, mais eficaz é a comunicação com os funcionários e melhor é a tomada de decisões rápidas e eficazes". A Nucor tinha cinco camadas gerenciais, comparadas com as cerca de 12 de uma siderúrgica integrada típica: um diretor presidente, um diretor de operações, gerentes gerais de fábricas (um por fábrica), chefes de departamentos (em média seis por fábrica) e supervisores (de 15 a 36 por fábrica). Essas camadas supervisionavam a média de 275 funcionários por fábrica. Iverson nomeou Aycock presidente do conselho e diretor de operações, em 1984, para dividir a carga da administração da empresa, mas resistia à idéia de colocar outra camada gerencial de vice-presidentes de grupos. "Esse é o mesmo velho modo de pensar da Harvard Business School", brincou ele com os funcionários que o pressionavam a esse respeito.[7]

Para fazer funcionar essa hierarquia plana, a Nucor descentralizava o máximo de decisões que a camada imediatamente inferior pudesse tomar. Na prática, essa abordagem significava que todas as decisões, exceto sobre gastos de capital, grandes mudanças na organização de fábricas, contratar ou demitir no nível de chefe de departamento (ou acima dele) e preços eram tomadas no nível das fábricas. De acordo com Iverson, "não fazemos muita coisa aqui em Charlotte. Não estou brincando. Exceto o caixa. Nós cuidamos do caixa".[8] O escritório central cuidava do caixa exigindo que cada gerente-geral de fábrica atingisse uma contribuição anual, antes dos custos indiretos corporativos, de, no mínimo, 25% dos ativos líquidos empregados em sua fábrica, ou fosse capaz de explicar por

QUADRO 10.6
Dados Resumidos sobre a Nucor Corporation, 1972-1986

	1972	1973	1974	1975	1976	1977	1978	1979	1980	1981	1982	1983	1984	1985	1986
Operacionais															
Número total de fábricas	6	7	7	8	8	8	8	9	9	13	13	14	15	15	16
Capacidade de aço (000 toneladas)	200	400	400	600	600	700	950	1.200	1.250	1.700	2.100	2.100	2.100	2.100	2.100
Produção de aço (000 toneladas)	138	160	295	353	565	604	739	897	1.044	1.321	1.117	1.402	1.541	1.694	1.706
Funcionários	1.820	1.950	2.100	2.300	2.300	2.500	2.800	3.100	3.300	3.700	3.600	3.700	3.800	3.900	4.400
Homens-hora por tonelada	4,9	4,9	4,7	4,6	4,4	4,1	3,9	3,7	3,3	3,0	2,9	2,7	2,6	2,5	2,4
Financeiros (milhares de dólares)															
Vendas* ($)	83.576	113.194	160.416	121.467	175.768	212.953	306.940	428.682	482.420	544.821	486.018	542.531	660.260	758.495	755.229
Custo dos bens vendidos	4.970	62.611	122.641	95.811	142.236	168.248	227.953	315.688	369.416	456.210	408.607	461.728	539.731	600.798	610.378
Despesas de vendas, gerais e administrativas	11.452	15.703	17.068	12.483	14.745	19.730	28.660	36.724	38.165	33.525	31.720	33.988	45.939	59.080	65.901
Custo financeiro	625	1.545	1.938	1.491	2.291	2.723	1.878	1.505	(1.220)	10.257	7.899	(749)	(3.959)	(7.561)	(5.289)
Impostos	4.220	4.600	9.090	4.100	7.800	9.800	22.600	32.500	31.000	10.100	15.600	19.700	34.000	47.700	37.800
Lucros líquidos	4.668	6.009	9.680	7.582	8.697	12.453	25.849	42.265	45.060	34.729	22.192	27.864	44.548	58.478	46.439
Gastos de capital	5.646	13.896	11.102	15.923	13.413	15.948	31.588	45.989	62.440	101.519	14.789	19.617	26.075	28.701	86.201
Depreciação	1.317	1.939	2.776	3.911	5.099	5.927	7.455	9.713	13.296	21.600	26.287	27.110	28.899	31.106	34.932
Ativos correntes	30.166	38.510	44.850	44.545	61.816	61.155	101.110	117.362	115.366	131.382	132.543	193.889	253.453	334.769	295.738
Total Ativos	47.537	67.550	82.039	92.639	119.096	128.011	193.455	243.112	291.222	384.782	371.633	425.567	482.188	560.311	571.608
Passivos correntes	11.664	19.264	24.025	17.877	30.902	30.302	55.833	63.536	66.493	73.032	66.103	88.487	100.534	121.256	118.441
Endividamento a longo prazo	13.225	19.850	19.462	28.252	31.667	28.133	41.473	41.398	39.605	83.754	48.230	45.731	43.232	40.234	42.148
Patrimônio líquido	20.930	26.620	37.104	44.550	54.085	66.295	92.129	133.258	177.604	212.376	232.281	258.130	299.603	357.502	383.699
Ações em poder do público	17.588	17.576	18.428	18.753	19.448	19.702	20.065	20.262	20.550	20.891	20.988	21.135	21.242	21.473	21.131
Preço médio da ação ($)	2,20	1,86	1,69	1,68	2,58	3,32	5,59	10,12	17,38	21,88	16,27	24,30	23,42	28,92	37,65
Índice de preço do produtor para metais e produtos metálicos	39,6	42,6	55,2	59,6	63,0	67,2	73,0	83,3	92,1	96,5	96,9	98,6	101,6	101,2	100,0

*A cifra inclui as vendas de produtos acabados de aço listadas no Quadro 10.9; portanto, não devem ser atribuídas inteiramente à produção de aço.

Fontes: Relatórios anuais da Nucor de vários anos.

QUADRO 10.7
Desempenho do Mercado de Ações

Empresa	Variação no Preço da Ação Ordinária ($)		Mudança % Média 1976-1985	Relação Média Mercado-Contábil 1985
	1976	1985		
Nucor	3,70-7,91	31,00-55,75	647,20	2,05
Outras Miniusinas				
Northwestern Steel and Wire	27,50-36,10	38,00-14,50	–64,64	0,44
Florida Steel	4,88-7,44	12,63-19,88	163,80	1,08
Texas Industries*	11,00-15,38	25,75-34,38	127,94	1,33
Siderúrgicas Integradas				
U.S. Steel	45,68-57,50	24,38-33,00	–44,39	0,63
LTV Steel	10,00-17,70	55,25-13,25	–33,45	0,72
Bethlehem Steel	33,00-48,00	12,50-21,13	–58,52	0,84

*Matriz da Chaparral Steel Company.
Fonte: Barnett & Crandall, p. 15.

que não o fizera. Embora gerentes já tivessem sido demitidos por não terem conseguido cumprir essa meta — pelo menos um havia sido demitido por cumpri-la cortando os investimentos e assim comprimindo a base de ativos de sua fábrica — exceções a esta meta eram feitas para novas fábricas e para mercados deprimidos. Para comparar o desempenho de suas fábricas, o escritório central recebia, por ordem de importância, relatórios operacionais mensais, relatórios semanais de tonelagem e relatórios mensais de gerenciamento de caixa de cada um deles. Os relatórios operacionais mensais de cada fábrica eram divulgados a todos os gerentes gerais.

Como os executivos da Nucor acreditavam que "a melhor motivação é o dinheiro", complementavam esses controles com fortes incentivos ao desempenho. A remuneração básica começava muito abaixo das normas da indústria para os executivos (corporativos e gerentes de fábricas) e para os trabalhadores da produção e cresciam linearmente com o desempenho em grupo além de limiares ligeiramente "forçados" e, exceto para os trabalhadores da produção, tinha um teto, embora em um nível tão alto que raramente se mostrava uma restrição (ver Quadro 10.8, p. 361 e, para mais detalhes sobre incentivos à produção, na próxima subseção). Outros programas de incentivo dividiam 10% dos lucros anuais antes do imposto entre os funcionários não-executivos, concediam-lhes bônus nos anos em que o desempenho corporativo era especialmente forte, concediam opções de ações aos executivos e outros funcionários-chave e ofereciam a todos os funcionários, com exceção dos executivos, bolsas de estudos para a faculdade dos filhos. Finalmente, um programa de venda de ações aos funcionários ajudava a garantir que cada um deles tivesse uma participação na Nucor. Em 1986, as ações de Iverson correspondiam a 1,3% do total, as dos outros executivos a 4,8% e as de todos os outros funcionários a 3,9%. Nenhum outro acionista era dono de mais de 5% das ações da Nucor.

Além desses incentivos monetários, a Nucor se esforçava para minimizar as diferenças decorrentes da hierarquia entre seus funcionários. Todos recebiam a mesma cobertura de seguro e as mesmas folgas. Nas fábricas, todos vestiam jaquetas à prova de fagulhas e capacetes verdes (ao contrário das usinas integradas, onde cores diferentes assinalavam níveis diferentes de autoridade).

QUADRO 10.8
Remuneração de Incentivo na Nucor

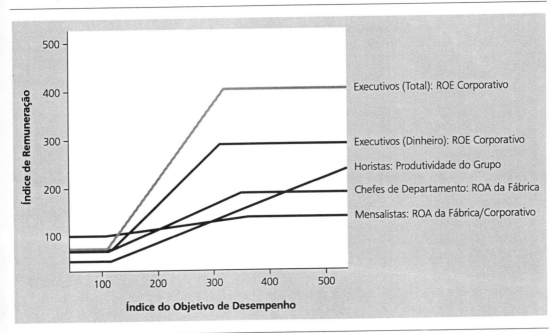

ROE = Retorno sobre patrimônio líquido.
ROA = Retorno sobre ativos.
Fonte: Estimativas do autor do caso, com base em esquemas de remuneração da Nucor.

Não havia vagas garantidas no estacionamento, nem carros, barcos ou aviões da empresa. Todas as viagens aéreas eram em classe econômica e a milhagem recebida nas viagens de negócios era usada em outras viagens de negócios. O escritório central ainda era um conjunto de salas no edifício para o qual a Nucor tinha se mudado em 1966 e uma lanchonete no *shopping* do outro lado da rua era o restaurante executivo. Iverson atendia pessoalmente os telefonemas e, juntamente com os outros executivos, prometia dar uma resposta à pergunta de qualquer funcionário no prazo máximo 24 horas. O relatório anual de cada ano relacionava todos os funcionários na capa por ordem alfabética.

Além disso, a Nucor procurava incentivar abertura e aceitação de riscos por enfatizar, ao invés de negar, a possibilidade de enganos gerenciais. Iverson era particularmente eloqüente a este respeito: "Procuramos fazer com que nossos funcionários não pensem que somos o rei Salomão. Usamos uma expressão de que realmente gosto, que é a seguinte: 'Bons gerentes tomam más decisões'. Acreditamos que, se você puser uma pessoa média numa posição gerencial, ela tomará 50% de boas decisões e 50% de más decisões. Um bom gerente toma 60% de boas decisões. Isso significa que 40% poderiam ter sido melhores. Dizemos continuamente a nossos funcionários que é responsabilidade deles para com a empresa fazer com que os gerentes saibam quando tomam aqueles 40% de decisões que poderiam ter sido melhores ... A única outra coisa que quero dizer a respeito de tomar decisões é: não continue tomando as mesmas decisões más".[9]

Operações

No final de 1986, as operações da Nucor ligadas ao aço, abrangendo 16 usinas e fábricas em 10 locais nos Estados Unidos, respondiam por 99% das vendas da empresa (ver Quadro 10.9, p. 363). A maior operação era de longe a Nucor Steel, que naquele ano produziu 1,7 milhão de toneladas de barras de aço, cantoneiras, formas estruturais leves e ligas em usinas na Carolina do Sul, Nebrasca, Texas e Utah. A Nucor foi, em 1985, a segunda siderúrgica mais produtiva do mundo, com base em sua tonelagem anual por funcionário (981 toneladas), atrás da Tokyo Steel, mas à frente da maior miniusina dos Estados Unidos, a North Star (936 toneladas) e da maior siderúrgica integrada, a U.S. Steel (479 toneladas).[10] A Nucor comparava suas fábricas com as das suas maiores concorrentes, em particular a Chaparral, e com outras fábricas suas na mesma divisão. Ela tinha a política de permitir que concorrentes visitassem suas operações, desde que houvesse a reciprocidade.

A Nucor Steel vendia dois terços da sua produção a clientes externos e um terço internamente. A Vulcraft, cujas fábricas de vigas originalmente levaram a Nucor a se integrar para trás para produzir aço, respondia por 75% das vendas internas. Em 1986, a Vulcraft operava seis fábricas, quatro das quais localizadas muito perto das quatro siderúrgicas da Nucor, e vendeu 450.000 toneladas de vigas de aço — cerca de 30% do mercado norte-americano — e 175.000 toneladas de pisos de aço. A Vulcraft comprava 95% das barras de aço que soldava para fazer vigas da Nucor Steel, com desconto de US$ 10 por tonelada em relação aos preços de mercado, justificado com base em altos volumes e na ausência de problemas de crédito e cobrança. A Vulcraft comprava as chapas planas, que ela vincava e corrugava para fazer pisos, de fornecedores externos. O restante das vendas internas de aço da Nucor era canalizado para operações menores que produziam barras acabadas a frio, bolas abrasivas, parafusos, mancais e peças de aço usinadas.

A dependência da Nucor de vendas externas de aço havia aumentado drasticamente desde o início dos anos 70, quando elas representavam apenas 10% a 20% da produção total. Embora as suas quatro usinas estivessem geograficamente dispersas e cada uma procurasse manter um estoque de 25.000 toneladas, elas ocasionalmente dividiam pedidos entre si quando não podiam atendê-los isoladamente. Os centros de serviços e distribuidores constituíam seus principais clientes. Os preços eram fixados centralmente em base F.O.B. (frete não-incluído), ao contrário dos preços das usinas integradas e algumas miniusinas. A Nucor não dava descontos para clientes preferenciais ou, desde 1984, para grandes pedidos externos. A eliminação dos descontos para volume refletia a computadorização dos sistemas de aceitação de pedidos e faturamento, os quais reduziam os custos fixos de processamento de pedidos, e a intenção da Nucor de se diferenciar, em especial em relação às importações, por permitir que seus clientes mantivessem estoques mais baixos e pedissem com mais freqüência. Entretanto, a Nucor permanecia disposta a dar descontos temporários de até US$ 20 por tonelada quando começava a operar uma nova usina.

A Nucor procurava evitar regatear a respeito de preços na entrada e na saída, coordenando a compra de sucata de aço através de um agente de compras independente, a David Joseph, Inc. Cada usina estava designada para um representante da David Joseph que, ao receber um pedido de sucata, verificava em primeiro lugar outros clientes para ver se seria possível economizar reunindo pedidos e, a seguir, buscava fornecedores dentro da região. A Nucor pagava à David Joseph uma comissão fixa por tonelada de sucata.

Havia muito tempo que a Nucor focalizava suas operações em produção em vez de compras ou *marketing*. Este foco havia feito com que ela pensasse muito a respeito de como recrutava, treinava e motivava os trabalhadores da produção. Os resultados eram amplamente aclamados. Nas palavras do investidor Warren Buffett, "este é um exemplo clássico de um programa de incentivos que funciona. Se eu fosse um operário, gostaria de trabalhar para a Nucor".[11] A Nucor atraía um

QUADRO 10.9
Localizações das Fábricas da Nucor, 1986

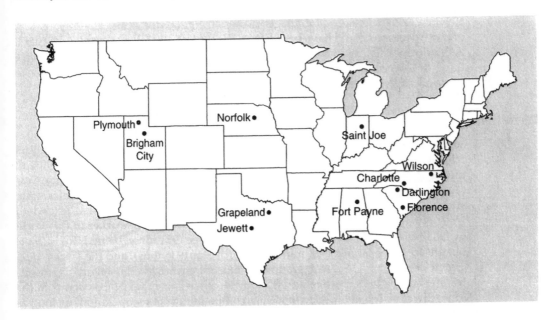

Usinas Siderúrgicas da Nucor
Darlington, Carolina do Sul
Norfolk, Nebrasca
Jewett, Texas
Plymouth, Utah
Escritório Central da Nucor
Charlotte, Carolina do Norte

Vulcraft
Florence, Carolina do Sul
Norfolk, Nebrasca
Fort Payne, Alabama
Grapeland, Texas
Saint Joe, Indiana
Brigham City, Utah

Nucor Grinding Ball
Brigham City, Utah
Nucor Fastener
Saint Joe, Indiana

Nucor Cold Finish
Darlington, Carolina do Sul
Norfolk, Nebrasca
Brigham City, Utah
Nucor Machine Products
Wilson, Carolina do Norte

Fonte: Nucor Corporation, *The Nucor Story.*

grande número de candidatos para cada vaga que anunciava. A história favorita de Iverson envolvia oito novas vagas abertas na usina de Darlington em 1985. Às 8h30min, os 1.300 candidatos tinham criado um engarrafamento tal que precisaram pedir o auxílio da polícia estadual. Infelizmente, esta estava com falta de pessoal: três dos seus policiais já estavam na fila da Nucor em busca de emprego.

A Nucor selecionava e treinava todos os funcionários abaixo do nível de chefe de departamento (representando cerca de 95% do seu orçamento total de remuneração) de forma descentralizada. Cada gerente-geral de fábrica aplicava um teste psicológico aos funcionários em perspectiva para identificar pessoas orientadas para metas e autoconfiantes. Para a maior parte das funções, a experiência prévia em siderurgia não era um critério importante de seleção. Uma vez selecionados, os trabalhadores da produção eram treinados por supervisores para realizar múltiplas funções. Depois de um período de treinamento de dois meses, cada funcionário era designado para um grupo de produção de 20 a 40 pessoas que executava uma tarefa distinta, como fundir a sucata para transformá-la em aço, laminar aço ou dar acabamento no aço. Treinamento continuado era dado pelos membros mais experientes do grupo de produção. A maior parte das promoções na fábrica era feita internamente, com base no desempenho e em avaliações dos pares. Os turnos de produção eram de oito horas, com uma semana média de trabalho de 42 horas em regime rotativo. As fábricas operavam continuamente seis dias por semana, com o sétimo dia reservado para manutenção.

Os sistemas de remuneração da Nucor eram concebidos para recompensar grupos de produção, em vez de trabalhadores isolados, pela superação de padrões prefixados de produtividade e qualidade. Os padrões normalmente eram baseados na experiência e não em estudos de tempo formais e não eram revistos, a menos que houvesse uma mudança importante de maquinário. Menos de 5% a 10% dos padrões eram mudados em um ano. Nenhum bônus era pago quando o equipamento estava parado. Como os bônus de incentivo podiam variar entre 80% e 150% dos salários básicos, a remuneração em dinheiro era ligeiramente maior, em média, para os trabalhadores não-sindicalizados da Nucor do que para os trabalhadores sindicalizados das siderúrgicas integradas, apesar de o salário base da Nucor por hora ser significativamente mais baixo. A Nucor reforçava essas recompensas com penalidades duras: qualquer um que se atrasasse para um turno perdia um dia de bônus, quem perdesse um turno perdia o bônus da semana e, se um grupo ficasse abaixo da sua meta de produtividade, todos os seus membros perdiam seus bônus da semana. A Nucor reforçava ainda mais a relação entre pagamento e desempenho pagando os bônus toda semana e lembrando continuamente os trabalhadores dos seus progressos. Na entrada de cada fábrica, havia um quadro enorme que mostrava o ganho semanal de produtividade de cada grupo, seus bônus, o desempenho da fábrica em relação à meta de 25% de retorno sobre ativos, o retorno da empresa sobre o patrimônio para o mês e o último preço das ações.

A rotatividade de pessoal na Nucor era de 1 a 5% a.a., comparado com uma média entre 5 e 10% para a indústria siderúrgica norte-americana como um todo. A rotatividade era maior entre os novos trabalhadores da produção da Nucor, mas declinava drasticamente, com os concomitantes aumentos de produtividade, após algumas desistências. A Nucor afirmava que nunca demitia trabalhadores que executavam suas funções de acordo com expectativas razoáveis. E também não os dispensava quando caía a demanda; em vez disso, encurtava a semana de trabalho conforme o necessário. Durante uma semana encurtada, os bônus de produção eram mantidos, mas poderiam ser baseados em um ou dois dias a menos de trabalho, reduzindo o pagamento total médio em 15 a 20%. Pelo programa "Dividir a Dor" da empresa, o pagamento dos chefes de departamento podia cair em 30 a 40% nessas ocasiões, e o dos executivos em 60 a 70%. Por exemplo, entre 1981 e 1982, a remuneração anual de Iverson caiu de US$ 276.000 para US$ 107.000. Para efeitos de comparação, a remuneração média dos CEOs das sete maiores siderúrgicas integradas caiu de US$ 708.000 para US$ 489.000 no mesmo período.

Embora as operações da Nucor fossem descentralizadas até o nível das fábricas, havia considerável comunicação entre elas. Parte dela ocorria através de canais formais, como as três reuniões com os executivos corporativos às quais todos os gerentes gerais de fábricas compareciam anualmente e as reuniões trimestrais orientadas para funções. Entretanto, a maior parte da comunicação ocorria via os canais informais, como as visitas de um ou dois dias que os gerentes e trabalhadores faziam com freqüência a outras fábricas. As comunicações informais eram incentivadas pela ampla disseminação de dados sobre o desempenho individual de unidades operacionais e pelo sistema de incentivos, o qual motivava as unidades operacionais a superar suas metas de desempenho e também a se interessarem pelo desempenho corporativo. Alguns dos mecanismos usados para garantir que as informações fossem transferidas das fábricas velhas para as novas são descritos na próxima subseção.

Investimento

Se as operações determinavam o ritmo de melhoria da produtividade da Nucor, os investimentos definiam o potencial para a mesma. A Nucor havia investido pesada e regularmente no aumento da sua capacidade, tanto nas fábricas antigas como nas novas: por exemplo, sua fábrica em Darlington havia sido inteiramente modernizada três vezes desde sua construção em 1969. Desde o início da década de 70, a Nucor tinha construído ou reconstruído pelo menos uma usina ou fábrica a cada ano. Nesse período, seus níveis de investimento foram em média 2,9 vezes maiores que as depreciações, embora a proporção tivesse declinado um pouco desde o início dos anos 80. As três maiores siderúrgicas integradas — USX, LTV e Bethlehem — tiveram média de 1,6 no mesmo período.

Os pesados investimentos da Nucor em instalações refletiam seu impulso para incorporar avanços tecnológicos. A empresa fazia um sério esforço para monitorar o desenvolvimento tecnológico em todo o mundo, particularmente na Europa e, em menor extensão, no Japão. Um metalúrgico que se reportava diretamente a Iverson era o encarregado de pesquisar as comunidades científica e de engenharia em busca de novas tecnologias siderúrgicas. As pesquisas da própria Nucor eram aplicadas e efetuadas em suas fábricas. Enquanto a divisão Vulcraft historicamente gastava cerca de US$ 1 milhão por ano em P&D, a Nucor Steel não tinha um orçamento para esse fim. Em vez disso, ela via os fornecedores de equipamentos de capital como seus laboratórios de P&D e tratava os custos incorridos no início da produção de uma nova fábrica ou do funcionamento de um novo equipamento como seus investimentos em P&D.

A orçamentação de capital na Nucor constituía um processo informal e recorrente. As idéias para novos investimentos passavam por uma avaliação inicial no nível da organização em que surgiam. Os três executivos superiores — Iverson, Aycock e Siegel — precisavam aprovar todos os gastos de capital acima de US$ 40.000 nas usinas siderúrgicas da empresa e de US$ 10.000 nas fábricas. Entretanto, seu nível de participação no processo de aprovação dependia do tamanho e da natureza radical do compromisso em questão. Projetos incrementais relativamente pequenos em geral eram aprovados se mostrassem condições de satisfazer os critérios abaixo descritos. Mas para avaliar um projeto como o de fundidor de placas finas que estava em consideração em 1986, os três executivos superiores formavam uma força-tarefa que incluiria, se necessário, outros funcionários da empresa.

De acordo com Siegel, o diretor financeiro, "temos somente poucos critérios de decisão que usamos para rejeitar projetos de capital. Será que isto terá um desempenho técnico tão bom quanto anunciam? Conseguiremos o retorno sobre os ativos (ROA) anunciados pelo fornecedor? E investimentos de capital anteriores restringem nossa capacidade de estar 100% comprometidos com o projeto em avaliação?" Quase todas as rejeições se baseavam nos dois primeiros critérios. Os critérios financeiros precisos tendiam a variar de um projeto para outro. As novas fábricas deveriam atingir 25% de retorno sobre os ativos até cinco anos depois de começarem a operar e as projeções a respeito delas eram comparadas, sempre que possível, com dados históricos de outras fábricas. Os investimentos em equipamento nas fábricas existentes passavam por avaliação baseada nos períodos de retorno: os investimentos que elevavam a capacidade tinham prazos de retorno mais longos que aqueles que reduziam custos. A atenção dedicada a compromissos anteriores de capital ao fazer novos compromissos refletia a determinação da Nucor de restringir sua relação endividamento/capital a menos de 30% e a não emitir novas ações.

A Nucor projetava suas novas fábricas à medida que elas eram construídas, com a intenção de expandi-las e à luz da sua regra informal de manter um teto de 500 funcionários por fábrica. As novas fábricas localizavam-se em áreas rurais com acesso a pelo menos duas ferrovias, baixas tarifas de eletricidade e fartura de água. Em vez de utilizar empreiteiras que entregavam a fábrica pronta, prática comum no setor siderúrgico, a Nucor atuava como sua própria gerente de construção. A contratação de fornecedores tendia a ser rápida e informal e normalmente envolvia contratos com preço fixo. Ocasionalmente abriam-se exceções para equipamentos novos e não-testados: nesses casos, a Nucor procurava embutir incentivos ao desempenho para seus fornecedores.

Cada projeto de construção era gerenciado por um grupo coeso de engenheiros e operadores experimentados, tirados de outras operações da empresa. Um quadro na entrada de cada local de construção proclamava o número de dias restantes até o início das operações. Os agricultores, estudantes e operários contratados localmente para construir as fábricas eram depois mantidos para operá-las. Esses "veteranos" podiam representar até 80% da força de trabalho de cada fábrica. Durante a fase inicial de operação, o grupo gerencial trabalhava lado a lado com eles para criar relações íntimas de trabalho e obter uma compreensão íntima do caráter físico de cada fábrica. No passado, a Nucor fora capaz de começar a operar suas usinas 18 meses depois do início das obras, muito abaixo das normas para outras miniusinas de capacidade comparável.

A Nucor não havia construído nenhuma nova usina desde 1981, mas tinha concordado, no início de 1986, em formar um empreendimento conjunto — na base de 51%/49% de participação — com a Yamato Kogyo, uma siderúrgica japonesa, para produzir vigas de flange larga, um produto estrutural pesado, numa nova fábrica em Blytheville, Arkansas. A usina de Blytheville teria capacidade de 650.000 toneladas, equivalente a cerca de um quinto do mercado americano para vigas de flange larga, e seu custo projetado era de US$ 175 milhões. A Nucor iria contribuir com seus conhecimentos de construção e gerenciamento de fábricas e a Yamato Kogyo com sua tecnologia, a qual permitia que o aço fosse fundido mais próximo da sua forma final. A Nucor pretendia que esse empreendimento, que não considerava muito arriscado, pudesse ajudá-la a estabelecer uma posição forte no extremo superior do mercado de construção.

Contudo, a Nucor-Yamato visava somente outro nicho não-plano, que iria dividir com outra miniusina, a Chaparral, e talvez com várias outras. Iverson achava que uma grande expansão da capacidade siderúrgica da Nucor iria exigir que ela entrasse no segmento de chapas planas. Várias barreiras haviam impedido que as miniusinas entrassem nesse segmento no passado. As economias de escala levavam a capacidade ideal para uma instalação de três milhões de toneladas por ano e os custos do investimento para a marca de US$ 2 bilhões. O aço de alta qualidade do Japão e do Canadá e as importações baratas de países recém-industrializados eram ameaças competitivas respectivamente nos extremos superior e inferior deste segmento, assim como a taxa de utilização da capacidade doméstica, de 60%. Diante dessas restrições, Iverson não estava disposto a entrar no segmento de chapas planas com a tecnologia siderúrgica convencional. Entretanto, a fundição de placas finas parecia poder permitir uma entrada eficiente em uma escala muito menor.

FUNDIÇÃO DE PLACAS FINAS

A idéia de moldar aço fundido diretamente numa tira fina e contínua pode ser atribuída a Sir Henry Bessemer, que construiu e patenteou uma máquina para esse fim em 1857. Mas quando Bessemer tentou operar sua máquina, enfrentou muitos problemas: pedaços de aço parcialmente solidificado e metal fundido a quase 1.650°C jorravam pela máquina causando incêndios e, depois de resfriadas, tornavam-na uma massa sólida de aço. Os problemas eram maiores na moldagem do aço em formas delgadas, porque estas tinham uma proporção superfície/volume mais alta, aumentando o atrito entre o molde e o aço nele derramado. Em conseqüência disso, por quase um século, o aço fundido continuou a ser moldado em lingotes, em geral com 60 centímetros de espessura, que eram resfriados e armazenados antes de serem reaquecidos e laminados.

A moldagem contínua, que começou a ser comercializada no final dos anos 50, marcou um passo importante no sentido da meta de Bessemer porque permitia que o aço fundido fosse moldado em placas de somente 20 a 25 centímetros de espessura. No entanto, a eficiência desse processo continuava sendo limitada pela necessidade de reaquecer as placas, pelas múltiplas unidades de laminação exigidas para transformá-las em chapas planas com espessura de 2,5 centímetros e pelo fato de as placas somente poderem ser processadas uma a uma. Portanto, as siderúrgicas continuavam à caça de melhores tecnologias de moldagem. Cerca de 30 programas sobre a moldagem direta de aço em chapas estavam em andamento no mundo em 1986, mas não se previa que algum deles produzisse um processo comercialmente viável antes da virada do século. Essa projeção alimentava o interesse pela idéia de se moldar placas finas, de cinco centímetros ou menos de espessura, para encolher a cadeia da produção do aço líquido à chapa plana reduzindo os custos de reaquecimento e laminação em comparação com aqueles associados à moldagem contínua convencional.

O fundidor Hazelett era considerado a abordagem mais promissora no início dos anos 80, e estava sendo testado em cinco fábricas-piloto em 1986. Seu projeto datava dos anos 50 e envolvia derramar o aço fundido entre esteiras transportadoras resfriadas a água e espaçadas a pouco mais de dois centímetros. Esperava-se que a superfície do aço fundido se solidificasse no contato com as esteiras, as quais a seguir se afastariam, produzindo uma placa de 2,5 centímetros de espessura. Este projeto supunha que as altas velocidades de moldagem, exigidas para tonelagens comparáveis à moldagem convencional, não poderiam ser alcançadas com os moldes fixos convencionais. Mas, ao tentar resolver o problema da velocidade de moldagem, ele criava novos problemas: as esteiras transportadoras eram muito caras e precisavam ser trocadas com freqüência, resultando em muitas horas de máquina parada; o aço derramado entre as esteiras estava sujeito a turbulência, a qual prejudicava a qualidade do produto ou, ainda pior, provocava quebras; e o grande número de partes móveis complicava a limpeza e elevava os custos de manutenção.

Enquanto os experimentos com os fundidores Hazelett davam resultados variados, a SMS da Alemanha Ocidental, uma grande empresa de projetos de equipamento para moldagem e laminação, começou a promover outra tecnologia de moldagem de placas finas que ela denominava Produção em Tira Compacta (CSP). O processo CSP era menos ambicioso que o Hazelett: a moldagem de placas com cinco centímetros se baseava em apenas uma diferença em relação à moldagem convencional — o uso de um molde em forma de lente ao invés de retangular. A SMS montou um dispositivo estacionário em 1984 para testar o novo molde e, animada pelos resultados, gastou US$ 7 milhões em 1985 para construir uma fábrica-piloto. Armada com dados sobre o desempenho dessa operação-piloto, que parecia enguiçar somente uma vez a cada 10 moldagens, a SMS começou a promover o CSP para o máximo possível de siderúrgicas. Mais de 100 empresas enviaram engenheiros ou executivos para observar o fundidor-piloto de placas finas em operação. Contudo, nenhuma ainda havia fechado um contrato para comercializar o CSP.

O projeto preliminar da SMS para uma instalação CSP comercial previa uma fábrica com capacidade de laminação de 800.000 a 1 milhão de toneladas a um custo de cerca de US$ 300 a US$ 400 por tonelada. Algumas das economias previstas em relação à moldagem convencional diziam respeito à operação de moldagem e algumas se baseavam na hipótese de que as placas finas iriam exigir somente quatro unidades de laminação para serem transformadas em chapas planas, ao invés das 7 a 10 que eram a norma para placas mais espessas nas usinas integradas (ver Quadro 10.10, p. 368). Também se supunha que o CSP levasse a economias de mão-de-obra e energia e a

QUADRO 10.10

Leiautes de Processos: Fábricas CSP e Convencional

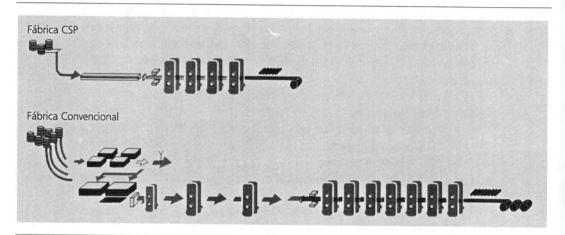

Fonte: Nucor Corporation.

QUADRO 10.11

Custos Operacionais: Fábricas CSP e Convencional

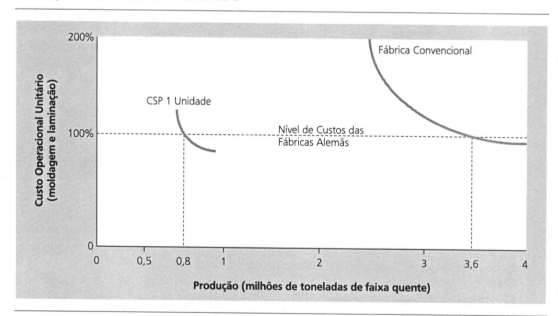

Fonte: SMS Schoemann-Siemag.

rendimentos mais altos, o que iria reduzir os custos operacionais para abaixo daqueles das usinas integradas, ao mesmo nível das mais modernas usinas alemãs (ver Quadro 10.11, p. 368).

É claro que se tratava de simples projeções. Devido a restrições de espaço, a unidade-piloto da SMS funcionava apenas sete minutos por vez e produzia somente 12 toneladas por carga. Em conseqüência disso, ela não oferecia uma base para se prever o desgaste que resultaria da operação contínua ou como isso poderia afetar a qualidade do produto. A operação contínua era importante porque os estágios de moldagem e laminação precisavam estar sincronizados para trabalhar com placas finas de mais de 30 metros de comprimento. Como uma parada em qualquer ponto poderia interromper todo o processo de produção, seus componentes precisavam operar com confiabilidade superior a 96% para serem economicamente viáveis. Além disso, os custos operacionais do projeto CSP eram sensíveis aos preços da sucata.

A DECISÃO

A Nucor começou a procurar uma tecnologia para a moldagem de placas finas em 1983, um ano depois de passar por um declínio de vendas na gestão de Iverson. A busca inicial levantou vários projetos relevantes, nenhum dos quais, porém, pareceu pronto para a comercialização. A SMS, que havia fornecido equipamento de moldagem à Nucor desde que esta construiu sua primeira usina em Darlington, abordou-a no verão de 1984 com o conceito CSP. Iverson concluiu que o processo, embora parecesse bom no papel, ainda estava em estágio embrionário. A Nucor encomendou um fundidor Hazelett e começou a experimentá-lo em Darlington.

A Nucor gastou US$ 6 milhões com seu fundidor Hazelett até 1986 e desenvolveu um bocal especial para derramar o aço, o qual reduzia a turbulência. Mas, no decorrer do ano, ela passou a se interessar cada vez mais pelo processo CSP. A SMS havia voltado no início do ano com novos dados sobre o desempenho da sua fábrica-piloto. Iverson lembrava-se de que os dados haviam impressionado a ele e outras pessoas, porque melhoravam o esforço de desenvolvimento da empresa. Aycock, o diretor de operações, e elementos de engenharia e operações das fábricas foram à Alemanha na primavera de 1986 para ver de perto o processo e voltaram entusiasmados. Embora incertezas persistissem e alguns achassem que a SMS deveria ser incentivada a resolvê-las realizando outra rodada de experimentos com uma fábrica-piloto em escala industrial, a maior parte dos membros da equipe concordava que o CSP tinha mais potencial do que as outras técnicas. "O aspecto mais importante", concluiu Iverson na ocasião, "é que nada vimos no conceito que nos diga que ele não é viável".

No verão de 1986, Iverson pediu que equipes de projetos da Nucor e da SMS estudassem a viabilidade de uma fábrica em escala comercial com o processo CSP. As equipes focalizaram a definição dos prováveis clientes para uma fábrica com quase um milhão de toneladas de capacidade situada em algum lugar do Meio Oeste, perto dos maiores mercados de aço e sucata dos Estados Unidos. Embora a maior parte do equipamento para a fábrica precisasse ser construída, a SMS localizou uma usina usada de laminação a frio na Alemanha Ocidental que estava disponível por US$ 1 milhão e poderia ser renovada por US$ 10 milhões. A avaliação dos possíveis clientes para uma fábrica com a configuração acima baseava-se no fato de que a Nucor já havia utilizado cotações de empresas de engenharia para equipamentos e projeções de custos baseadas em fábricas recentes para montar um orçamento de construção e demonstrativos de lucros e perdas para uma fábrica empregando o processo Hazelett. Para avaliar as perspectivas para uma fábrica baseada em outra técnica, parecia sensato começar revendo as estimativas de custos para exatamente aquele componente do projeto.

A Nucor achava que, como a primeira a adotar o processo CSP, poderia conseguir um desconto de US$ 10 a US$ 20 milhões dos US$ 90 milhões que a SMS pedia como fornecedora do maquinário central e do suporte técnico. Ela também tentaria tornar alguns dos seus pagamentos à SMS dependentes de cláusulas de desempenho. Com base em análises anteriores, nessas hipóteses e na engenharia básica da SMS, parecia que a nova fábrica iria custar à Nucor um total de US$ 280 milhões, levaria dois anos e meio para ser concluída e mais dois anos para alcançar a capacidade de produção prevista. A Nucor também projetava que os custos iniciais da fábrica e as necessidades de capital de giro seriam de US$ 30 milhões adicionais cada. Seus custos de produção em regime estável iriam depender do preço da sucata e do nível de produtividade da mão-de-obra. A Nucor sentia-se relativamente à vontade com suas estimativas iniciais de custos operacionais, menos com suas estimativas do custo de construção e menos ainda com os custos do início de funcionamento. Os Quadros 10.12A e B (ver p. 371) resumem os cálculos de uma firma de consultoria para a construção e os custos operacionais em que a Nucor poderia esperar incorrer e os compara com as estimativas para uma usina integrada modernizada e uma não-modernizada, com as quais ela iria concorrer no mercado de chapas planas.

Iverson estava ciente dessas informações econômicas. Ele também sabia que a equipe de projetos da Nucor que as havia preparado estava ansiosa para andar logo com a fábrica. A SMS havia dedicado seis meses à engenharia básica do projeto e pretendia pressioná-lo para um compromisso na reunião que estava prestes a começar. Iverson sentia ter chegado a hora de tomar uma decisão. Embora em termos gerais ele se sentisse favorável a respeito do processo CSP, ele continuava a lutar com várias dúvidas.

Em primeiro lugar, o pioneirismo na comercialização de uma nova tecnologia provavelmente implicaria em fatores desconhecidos e, portanto, em custos do pioneirismo. Será que os benefícios de ser o primeiro a adotá-la iriam compensá-los? Estava claro que a Nucor não poderia ter exclusividade do processo pelo fato de ser a primeira: a SMS era proprietária da tecnologia, estava interessada em difundi-la mais amplamente e iria insistir nos direitos de observar os aperfeiçoamentos no processo realizados na fábrica da Nucor e de mostrá-los a outros clientes em perspectiva. Sabia-se que outras miniusinas estavam interessadas no CSP. A Nucor poderia ganhar uma dianteira de somente dois a três anos por ser a primeira a adotá-lo caso as outras decidissem imitá-la logo. Além disso, a adoção generalizada do CSP por outras miniusinas que pretendessem entrar no segmento de chapas planas poderia elevar de forma significativa o preço da sucata de boa qualidade. Entretanto, se este subisse acima de US$ 140 por tonelada, a Nucor provavelmente poderia usar minério reduzido como principal matéria-prima, embora isso fosse exigir mudanças substanciais nas instalações e operações.

No lado operacional, os produtos planos laminados pressupunham conhecimentos técnicos algo diferentes daqueles exigidos por produtos não-planos. Além disso, a política da Nucor de localizar suas fábricas em áreas rurais poderia criar, com uma fábrica maior e mais complexa que qualquer outra por ela anteriormente construída, um enorme desafio operacional. Também era possível que as usinas integradas que adotassem o CSP chegassem a superar a Nucor com base em sua experiência acumulada com produtos planos laminados.

Quanto ao *marketing*, a Nucor estava confiante de que seria capaz de penetrar na extremidade inferior do mercado de chapas planas, que consistia principalmente de aplicações para construção, onde o preço baixo era a chave para a conquista de negócios. A divisão Vulcraft da Nucor poderia usar cerca de 100.000 toneladas de chapas planas por ano. Embora os produtos estrangeiros baratos fossem uma força a ser levada em conta em vendas externas, uma medida de proteção era dada

QUADRO 10.12A
Custos de Construção para Fábricas de Produtos Planos Laminados, 1986[*]

	Miniusina de Placas Finas	Usina Integrada Modernizada[+]
Custos de Construção (milhões de dólares)		
Estágio de fusão	120,00	1.097,00
Estágio de moldagem	28,00	168,00
Estágio de laminação	132,00	608,00
Custo total de construção	280,00	1.873,00
Capacidade (milhões de toneladas)	1,00	4,20
Embarques (milhões de toneladas)		
Chapas laminadas a quente (HR)	0,50	2,10
Chapas laminadas a frio (CR)	0,35	1,35
Custos de Construção por Tonelada Embarcada (US$)		
Chapas laminadas a quente (HR)	236,00	451,00
Chapas laminadas a frio (CR)	450,00	675,00

[*]Os custos não incluem capital de giro nem de início de operação.
[+]Uma usina integrada não-modernizada não requer, por hipótese, nenhum gasto adicional de construção.
Fonte: Donald F. Barnett, Economic Associates, Inc., 1992.

QUADRO 10.12B
Dados Operacionais Comparativos para Fábricas de Produtos Planos Laminados, 1986

	Miniusina de Placas Finas		Usina Integrada Modernizada		Usina Integrada Não-Modernizada	
	HR*	CR*	HR	CR	HR	CR
Hipóteses Operacionais						
Mão-de-obra por hora ($)	20,00	20,00	23,50	23,50	23,50	23,50
Sucata por tonelada ($)	90,00	90,00	80,00	80,00	80,00	80,00
Homens-horas por tonelada (h)	1,75	2,65	2,85	4,50	3,90	5,85
Utilização da capacidade (%)	90,00	90,00	90,00	90,00	75,00	75,00
Custos Operacionais por Tonelada						
Mão-de-obra	$ 35,00	$ 53,00	$ 67,00	$ 105,50	$ 91,50	$ 141,00
Minério	0,00	0,00	51,00	54,00	52,00	56,00
Carvão	0,00	0,00	35,00	37,50	38,00	40,50
Energia	24,00	38,00	9,00	23,00	9,50	25,00
Sucata	100,50	102,00	13,50	9,50	19,50	15,50
Materiais e suprimentos	56,00	72,50	71,00	93,00	72,50	95,50
Manutenção e reparos	10,00	17,50	15,00	26,50	17,00	29,50
Custos Totais	225,00	283,00	261,50	349,00	300,00	403,00
Receita por Tonelada	$ 306,50	$ 390,50	$ 326,00	$ 454,50	$ 325,00	$ 453,00

*A chapa laminada a frio (CR) é uma chapa laminada a quente (HR) que foi submetida a outro processamento primário.
Fonte: Donald F. Barnett, Economic Associates, Inc., 1992.

pelo fato de a tecnologia CSP reduzir os custos de mão-de-obra, compensando os fretes marítimos dos produtos importados. O extremo superior do mercado era diferente. Produtos como painéis externos para eletrodomésticos e carrocerias de automóveis seriam mais difíceis de penetrar porque exigiam qualidade superior, entrega confiável em grandes quantidades e um *marketing* baseado em relacionamento (inclusive a participação no desenvolvimento de produtos). Embora a capacidade da nova fábrica provavelmente pudesse ser preenchida com vendas ao extremo inferior, a Nucor também teria que visar o extremo superior caso comprasse uma segunda ou terceira fábrica.

As restrições de recursos também eram motivo de preocupação. O empreendimento conjunto com a Yamato Kogyo também já estava acertado. Se a Nucor assumisse agora o projeto de placas finas, então os dois projetos iriam virtualmente coincidir, pressionando os recursos gerenciais e financeiros da empresa. A Nucor teria de incorrer em gastos de capital de cerca de US$ 100 milhões em 1987, US$ 250 milhões em 1988 e um saldo de US$ 60 milhões ou mais em 1989 caso tocasse os dois projetos ao mesmo tempo. Com os rendimentos das Letras do Tesouro e dos bônus de corporações classe A respectivamente em 7,26 e 9,41%, o custo do financiamento de ambos os projetos seria substancial. Porém, a Nucor dispunha de US$ 185 milhões em caixa e em papéis de curto prazo.

O salto tecnológico era outra grande preocupação. Embora o fundidor Hazelett não parecesse ser tão eficiente quanto o CSP, estavam em andamento outras tentativas para moldar placas ainda mais finas. Por exemplo, uma das maiores concorrentes da SMS, a Mannesman-Demag, estava promovendo um processo que iria moldar placas com apenas 2,5 centímetros de espessura — finas o suficiente para serem bobinadas e, conseqüentemente, para desacoplar o estágio de moldagem do de laminação. A longo prazo, estava claro que a moldagem de placas finas representava um passo no sentido da meta suprema da moldagem direta de chapas. Faria sentido investir sabendo que o processo poderia estar obsoleto em 10 a 12 anos? Embora Iverson pensasse nesses anos como uma janela de oportunidades, seria ela larga o suficiente para justificar um compromisso de plena escala com o CSP?

NOTAS

1. Chapas e fitas eram de larguras diferentes, mas com freqüência foram agrupadas.
2. Thomas K. McCraw e Forest Reinhardt, "Losing to Win: U.S. Steel's Pricing, Investment Decisions and Market Share, 1901-1938", *Journal of Economic History* (setembro de 1989):594.
3. *Business Week* (6 de novembro de 1963): 144-146.
4. *Wall Street Journal* (4 de abril de 1983): 11.
5. William E. Fruhan, Jr., "Management, Labor, and the Golden Goose", *Harvard Business Review* (setembro-outubro de 1985): 137.
6. Os fabricantes de aços especiais também operavam um pequeno volume de laminação, equivalente a 2% do volume total para usinas integradas.
7. Richard Preston, *American Steel* (Nova York: Prentice-Hall, 1991): 35.
8. Richard Preston, "Hot Metal, Part 1", *The New Yorker* (25 de fevereiro de 1991): 43.
9. F. Kenneth Iverson, "Effective Leadership: The Key Is Simplicity", em Y.K. Shetty e V.M. Buheler, eds., *The Quest for Competitiveness* (Nova York: Quorum Books, 1991): 287.
10. *Iron Age* (2 de maio de 1986): 58B1.
11. *Fortune* (19 de dezembro de 1988): 58.

Índice Onomástico

Índice por Empresas

Índice por Assuntos

EDELBRA
Impressão e acabamento:
e-mail: edelbra@st.com.br
Fone/Fax: 0xx 54 321-1744